D1310104

L'ÂME DÉSARMÉE

ALLAN BLOOM

L'ÂME DÉSARMÉE

Avant-propos de Saul Bellow

traduction française de Paul Alexandre

Guérin littérature

Titre original :

The Closing of the American Mind

© 1987 Simon & Schuster, Inc.

© Julliard 1987 pour la traduction française
ISBN-2-260-00428-8

© Guérin littérature
ISBN-2-7601-1939-4

AVANT-PROPOS
par Saul BELLOW

Le professeur Bloom est tout le contraire d'un conformiste. Ainsi, dans ce livre consacré à l'enseignement supérieur aux Etats-Unis, n'observe-t-il pas les formes et les conventions cérémonieuses qui sont généralement d'usage dans ce qu'on appelle (du nom qu'elle se donne elle-même) la communauté universitaire. Pourtant, ses titres sont incontestables. Il est l'auteur d'un excellent livre sur la politique de Shakespeare. Il a également traduit *la République* de Platon et l'*Emile* de Rousseau. Il sera donc bien difficile aux collègues qu'il égratigne — et ils sont nombreux — de feindre d'ignorer cet observateur lucide, passionné, en même temps que suprêmement informé, de ce que Mencken appelait, dans ses jours de méchanceté, « la haute érudition ».

Mais le professeur Bloom n'est ni un écrivain satirique ni un déboulonneur de statues : l'idée qu'il se fait de ce qui est vraiment important l'entraîne bien au-delà des frontières du monde universitaire. Ce n'est pas aux professeurs qu'il s'adresse en premier lieu. Ils sont certes invités à l'écouter — et ils l'écouteront parce qu'ils sont sa première cible — mais il se situe lui-même dans une communauté plus large : il cite Socrate, Platon, Machiavel, Rousseau et Kant bien plus souvent que nos contemporains. « La vraie communauté humaine, écrit-il, au milieu de tous les simulacres contradictoires de communauté que nous connaissons, c'est la communauté de ceux qui cherchent la vérité, la communauté des initiés virtuels... c'est-à-dire de tous les hommes dans la mesure où ils ont le désir de savoir. En fait, cette communauté ne comprend qu'un petit nombre d'hommes, les amis authentiques, comme Platon était l'ami d'Aristote au moment même où ils étaient en désaccord sur la nature du Bien... Quand ils examinaient ce problème, ils ne formaient ensemble qu'une seule âme. Cela, selon Platon, c'est la seule amitié vraie, le seul véritable bien commun. Et c'est là que l'on peut trouver ce contact que les gens recherchent désespérément... Telle est la signification de l'énigme des improbables rois-philosophes. Ils forment, eux, une communauté véritable qui est exemplaire pour toutes les autres communautés. »

Certains lecteurs seront sans doute gênés par la sévérité classique de ce vocabulaire — « la Vérité », « ceux qui savent », « le Bien », « l'Homme ». Mais il n'est pas douteux que les réserves que suscite en nous un tel langage dissimulent mal la conscience que nous avons de l'inconsistance, pour ne pas dire de la platitude, du discours moderne sur les « valeurs ».

Les formules que je viens de citer sont empruntées à la conclusion du livre d'Allan Bloom, au moment où, sur le point de prendre congé de ses lecteurs, il s'exprime avec toute la gravité dont il est capable. Son style est tout différent lorsqu'il traite de l'emprise des professeurs d'économie sur l'Université, du fait que la science moderne a rompu les ponts avec la philosophie naturelle qui la précédait, de ce qu'on appelle le relativisme culturel, ou encore de ce que représentent réellement les « diplômes de gestion ». Il lui arrive alors d'utiliser des formules mordantes, délibérément polémiques. Evoquant par exemple la place des lettres dans le cursus universitaire, il les définit comme « une Atlantide submergée vers laquelle on se tourne à nouveau pour se trouver soi-même maintenant que tous les autres y ont renoncé ». « Les lettres, écrit-il encore, me font penser au Marché aux puces de Paris, où, au milieu de vieux déchets et de marchandises de pacotille, on peut découvrir un trésor qui enrichira le chercheur astucieux... Les lettres évoquent aussi pour moi un camp de réfugiés où tous les génies qui ont été arrachés à leur emploi et à leur pays au moment où un régime hostile a pris le pouvoir sont employés à des tâches serviles ou ne sont pas utilisés du tout... Les deux autres grandes divisions de l'Université, celle des sciences physiques et naturelles et celle des sciences sociales, n'ont rien à faire du passé. » Quand il ne se consacre pas à la définition de la nature du Bien, Allan Bloom n'hésite pas à cogner dur sur ceux de ses collègues qu'il estime le moins. En tant qu'universitaire, il cherche à nous éclairer, mais, parce qu'il est un écrivain, il a appris d'Aristophane et de quelques autres que, pour éclairer, il faut plaire. A mes yeux, ce livre n'est pas un livre de professeur, mais celui d'un penseur qui accepte de prendre les risques que prennent généralement les écrivains. C'est prendre un risque que, dans un livre d'idées, de parler en son nom propre — mais cela nous rappelle opportunément que la source des vérités les plus vraies est toujours profondément personnelle. « Tout au long de cet ouvrage, nous dit Allan Bloom, je me suis référé à *la République* de Platon, qui est pour moi *le* livre sur l'éducation, car il m'explique vraiment ce que j'éprouve en tant qu'homme et en tant que maître. » Il est bien rare que des universitaires, même ceux qui se définissent comme « existentialistes », se livrent aussi franchement au public en tant qu'individus, en tant que personnes. C'est dire que le professeur Bloom est un combattant de première ligne dans les débats intellectuels de notre temps, et singulièrement proche de moi à ce titre (puisqu'il s'engage personnellement, je ne vois pas de raison de m'enfermer moi-même dans un rôle de commentateur anonyme).

Dans sa conclusion, Allan Bloom nous parle d'un étudiant qui, après avoir lu *le Banquet,* lui disait combien il avait de mal à imaginer « l'atmosphère magique de l'Athènes antique... dans laquelle des hommes sympathiques, cultivés, pleins d'entrain, conversant sur un pied d'égalité, civilisés mais naturels, se réunissaient et se racontaient des histoires merveilleuses à propos de ce qui constituait la signification fondamentale de leurs aspirations ». « En réalité, précise-t-il, de telles expériences sont toujours possibles. Car, en fait, ce jeu délectable a eu lieu alors que se livrait une guerre terrible qu'Athènes devait perdre ; et parmi les convives du *Banquet,* deux au moins, Aristophane et Socrate, pouvaient prévoir que cette défaite annoncerait le déclin de la civilisation grecque. Ni l'un ni l'autre pourtant ne versaient dans le pessimisme culturel, et le fait que, dans ces circonstances politiques épouvantables, ils aient pu se laisser aller à la joie démontre la viabilité de ce qu'il y a de meilleur dans l'homme, indépendamment des accidents et des circonstances. Nous éprouvons ainsi notre dépendance à l'égard de l'histoire et de la culture... Ce qui est essentiel dans *le Banquet* comme dans n'importe quel dialogue platonicien, on peut le reproduire à peu près en tout temps et en tout lieu... Cette idée pourrait bien être le fond du message platonicien. C'est sur ce point que nous commençons à errer. Mais cette pensée reste à notre portée, improbable mais toujours présente. »

Cette affirmation que je prends très au sérieux me touche beaucoup, parce qu'elle éclaire l'histoire de ma vie. Homme du Middle West, fils d'immigrants, j'ai compris très tôt qu'il me faudrait définir moi-même dans quelle mesure j'accepterais que mes origines juives, mon environnement (les circonstances accidentelles de ma vie à Chicago) et mes études déterminent le cours de mon existence. Je ne voulais pas être entièrement dépendant de l'histoire et de la culture : totale, cette dépendance aurait signifié que j'étais fait pour elle. La leçon la plus constante que donne le monde moderne peut se formuler ainsi : dis-moi d'où tu viens et je te dirai qui tu es. Il n'y avait pas la moindre chance que Chicago pût me faire à son image, même avec l'accord de ma famille proche ou lointaine qui s'américanisait avec ardeur. Avant même d'être formulée clairement, ma résistance à la pression de cette ville prit la forme d'un refus obstiné. Je n'aurais su dire pourquoi je refusais de n'être que le produit de mon environnement, mais l'appât du gain, l'intérêt, la prudence, les affaires, n'avaient pas de prise sur moi. Ma mère voulait faire de moi un violoniste, ou, à défaut, un rabbin : je n'avais le choix qu'entre jouer pour les dîneurs du Palmer House ou officier à la synagogue. Dans les familles juives orthodoxes, les jeunes garçons apprenaient à traduire la *Genèse* et l'*Exode,* en sorte que j'aurais très facilement pu m'engager dans le rabbinat si le monde extérieur, le monde de la rue, n'avait pas été aussi attirant. D'ailleurs, une vie de piété ne correspondait pas à mon caractère. Avec cela, j'avais commencé à lire beaucoup, dès mon plus jeune âge, et j'avais rapidement perdu la foi de mes ancêtres. Non sans résistance, mon père m'autorisa à entrer à l'Université à l'âge de dix-sept ans : j'y devins un étudiant passionné, fanatique même, mais irrégulier et contestataire. Je m'étais inscrit à des certificats d'économie, mais je passais mon temps à lire Ibsen et Shaw. Inscrit ensuite à un cours de poésie, j'en eus rapidement assez des mètres et des strophes, et m'intéressai aux *Mémoires d'un révolutionnaire* de Kropotkine et au *Que faire?* de Lénine. Mes goûts et mon comportement étaient ceux d'un écrivain. Je préférais lire les poètes pour mon propre compte, en me passant des conférences sur la césure. Pour reposer mes yeux fatigués par la lecture, j'allais au club jouer au billard et au ping-pong.

Je me rendis rapidement compte que, aux yeux des penseurs européens les plus en vue, un jeune homme de Chicago, ville qui symbolisait le matérialisme le plus sordide, n'avait pas beaucoup d'avenir sur le plan culturel. Les abattoirs, les aciéries, les gares de triage, les bicoques des quartiers pauvres, la tristesse du quartier des affaires, les terrains de base-ball et les matches de boxe, les appareils des partis politiques, les guerres de gangs contemporaines de la prohibition, tout cela formait une épaisse couche de nuages « social-darwinistes », impénétrable aux rayons de la culture. Ma situation était donc sans espoir aux yeux des Anglais, des Français, des Allemands et des Italiens raffinés, hérauts des formes les plus modernes de l'art. Pour certains de ces observateurs étrangers, l'Amérique dominait l'Europe sur beaucoup de points : elle avait une plus grande capacité de production, elle était plus dynamique, plus libre et, dans une large mesure, à l'abri des délires politiques et des guerres ruineuses. Sur le plan artistique, en revanche — je reprends ici la formule de Wyndham Lewis —, il valait mieux, si l'on voulait devenir peintre, être né chez les Esquimaux que dans une famille presbytérienne du Minnesota. Les Européens cultivés, souvent dépourvus de toute prétention sociale dans leur propre pays, pouvaient facilement trouver dans une Amérique vulgaire, sans classes sociales, sans hiérarchie, une terre d'élection où leurs préjugés se donneraient libre cours. Ce que personne ne pouvait prévoir, c'est que tous les pays civilisés étaient destinés à se rejoindre dans un cosmopolitisme au rabais et que l'affaiblissement des anciens rameaux de la civilisation, désolant en lui-même, allait offrir de nouvelles chances en nous libérant enfin de l'emprise de l'histoire et de la culture, — avantage trop peu connu du déclin. Cela donnerait inévitablement lieu à des manifestations d'inculture, mais rendrait également possibles de nouvelles formes de liberté.

De ce point de vue, je me trouve moi-même dans une situation contradictoire. Les critiques européens me classent souvent comme un curieux hybride, ni tout à fait américain, ni suffisamment européen, bardé de références aux historiens et aux poètes que j'ai lus pêle-mêle dans ma bauge du Middle West. Le romancier du XIXe siècle, ce nouveau venu remuant, faisait des expériences nouvelles et se lançait dans des hypothèses audacieuses. L'intelligence indépendante réalisait ainsi sa propre synthèse. « Le monde m'appartient parce que je le comprends », disait Balzac. Le livre du professeur Bloom me fait craindre que le livre du monde, dans lequel les autodidactes ont puisé tant de richesses, ne soit refermé par les universitaires qui élèvent des murs d'idées pour exclure le monde réel.

A l'inverse, les lecteurs américains déplorent quelquefois que mes livres aient quelque chose d'un peu étranger. Je cite des écrivains européens, j'ai des allures de grand intellectuel, je plastronne. Il est vrai que je suis probablement, par endroits, difficile à lire : je le serai même de plus en plus au fur et à mesure que mon public deviendra plus illettré. C'est qu'il n'est jamais facile de prendre la mesure exacte de ceux qui vous lisent. Lire des livres, quels qu'ils soient, suppose un minimum de connaissances, de sorte que, par respect pour ses lecteurs, ou pour sauver les apparences, l'auteur a tendance à supposer chez eux une plus grande familiarité avec l'histoire du XXe siècle que celle qui est effectivement la leur. En outre, les écrivains tiennent toujours pour acquise une certaine unité psychologique entre les hommes : « A part quelques différences mineures, les autres sont par essence semblables à moi et je suis foncièrement semblable à eux. » Toute œuvre est une offrande. On l'apporte sur l'autel avec l'espoir qu'elle sera acceptée et en priant Dieu qu'au moins le rejet éventuel de cette offrande ne fasse pas de vous un fou criminel comme il est arrivé à Caïn. Naïvement peut-être, on présente ses plus chers trésors et on les entasse sans ordre. Ceux qui n'y trouvent pas leur bien le feront éventuellement plus tard. On n'a pas toujours l'impression d'écrire pour tel ou tel de ses contemporains. Il peut très bien se faire que nos vrais lecteurs ne soient pas encore nés et que ce soient précisément nos livres qui les fassent naître.

Il m'arrive de prendre plaisir à me moquer des Américains cultivés. *Herzog,* par exemple, était dans mon esprit un roman comique : un intellectuel, diplômé d'une grande université américaine, est victime d'une crise de désespoir quand sa femme le quitte pour partir avec un autre. Il est alors pris de prurit épistolaire et bombarde de lettres désolées, agressives, ironiques et accusatrices, non seulement ses amis proches ou lointains, mais aussi les grands hommes, les géants de la pensée qui ont formé son esprit. Dans la crise qu'il traverse, que peut-il faire d'autre, en effet, que de prendre sur les rayons de sa bibliothèque les livres d'Aristote ou de Spinoza et de s'y plonger à la recherche de consolations et de conseils ? Mais le malheureux, alors même qu'il s'efforce de retrouver son équilibre, d'interpréter son expérience, de donner un sens à sa vie, prend de plus en plus clairement conscience de l'inutilité d'un tel effort. « Ce dont ce pays a besoin », écrit-il enfin, en se résignant à l'absurdité de sa situation, « c'est d'une bonne synthèse à cinq centimes », — faisant ainsi écho à Marshall, le vice-président de Woodrow Wilson, qui avait dit pendant la Première Guerre mondiale : « Ce dont ce pays a besoin, c'est d'un bon cigare à cinq centimes. » Certains lecteurs de *Herzog* se sont plaints de la difficulté du livre. Tout en sympathisant avec mon infortuné et comique professeur d'histoire, ils avaient parfois trouvé bien longues ses lettres farcies d'érudition. Quelques-uns avaient même l'impression qu'on leur demandait de passer un difficile examen portant sur l'histoire des idées et croyaient déceler en moi, en même temps que de la sympathie pour les autres et un réel sens de l'humour, de l'obscurité et du pédantisme.

Alors que c'est précisément du pédantisme que je me moquais !

On me répondra : « Si tel était votre but, vous ne l'avez pas atteint. Certains de vos lecteurs ont pensé que vous aviez ouvert un concours, créé une sorte de course d'obstacles, ou encore composé des mots croisés pour les têtes d'œuf d'un club de surdoués. » Cela a peut-être flatté quelques-uns d'entre eux, mais la plupart n'ont pas aimé qu'on leur fasse passer des tests. Les gens réservent le meilleur de leurs facultés intellectuelles, d'abord, aux problèmes de leur métier et, immédiatement après, aux sujets sérieux qui doivent intéresser des citoyens responsables — comme l'économie, la politique, le traitement des déchets nucléaires, etc. Quand ils ont fini leur journée, ils veulent se distraire et ils ne voient pas pourquoi leurs distractions devraient ne pas être distrayantes, tout simplement. Dans une certaine mesure, je suis d'accord avec eux. Moi-même, quand je lis Montaigne, comme cela m'arrive, je suis tenté de sauter ses longues citations tirées des auteurs classiques qui mettent à rude épreuve le latin que j'ai appris au cours de mes études secondaires : il n'est amusant pour personne de retourner au lycée.

Pour en terminer avec *Herzog,* mon intention dans ce roman était de montrer la faiblesse des secours qu'un homme déprimé peut attendre de « l'enseignement supérieur ». Au bout du compte, il prend conscience qu'il n'a reçu *aucune* formation pour la conduite de sa vie (qui donc lui a enseigné à l'Université à traiter les problèmes posés par l'amour, par les femmes, par la famille ?), et il est en quelque sorte « ramené à la case départ » — ou encore, comme je me le suis dit à moi-même en écrivant ce livre, à un point d'équilibre élémentaire. L'état de confusion mentale dans lequel Herzog se débat a quelque chose de primitif : certes, comment pourrait-il en être autrement ? Pourtant, il y a tout de même une chose à laquelle il peut, aidé de son sens du comique, se raccrocher. Même dans le plus grand désarroi, il existe toujours un chemin qui mène à l'âme. Ce chemin peut être difficile à trouver parce que, quand nous arrivons au milieu de notre vie, il s'est effacé, et que les épaisses broussailles qui le recouvrent proviennent en partie de ce que nous appelons notre éducation. Mais le chemin est toujours là et il nous appartient de le maintenir ouvert pour pouvoir accéder à la partie la plus profonde de nous-même — à cette part de nous qui est consciente d'une plus haute conscience, celle qui nous permet en définitive de comprendre et de juger. Assurer l'indépendance de cette conscience, lui donner la force de ne pas être affectée par le vacarme de l'Histoire et par les distractions de notre environnement immédiat, tel est le sens réel de ce combat qu'est la vie. L'âme doit découvrir son domaine et le défendre contre les forces hostiles, parfois déguisées en idées, qui vont fréquemment jusqu'à nier son existence, et souvent même tentent de la détruire purement et simplement.

Les poètes romantiques et les penseurs édifiants du XIXe siècle se sont trompés : jamais les poètes et les romanciers ne seront les législateurs et les professeurs de l'humanité. Pour les poètes — comme pour les artistes —, c'est un projet suffisamment ambitieux, s'ils doivent en avoir un, que de donner aux hommes de nouveaux yeux, de les inciter à voir le monde autrement en les détournant des expériences stéréotypées. Ce qui rend ce projet singulièrement difficile à réaliser, c'est la décourageante expansion de l'ignorance instruite et des idées fausses. Car, pour le dire en deux mots, nous vivons dans un monde où l'on pense trop, alors même que notre capacité de penser est altérée. Aussi tout artiste, qu'il se considère ou non comme un intellectuel, est-il engagé dans des combats d'idées. Mais les idées seules ne le guériront pas du mal dont il souffre, et il doit se féliciter de cette grâce naïve qui lui permet d'échapper à la nécessité de raisonner de façon trop compliquée. Pour moi, l'Université a été et reste le lieu du désinvestissement, celui où je suis en mesure de trouver du secours dans la dure tâche qui consiste à me défaire de mes mauvaises pensées. C'est à l'Université que j'ai commencé à étudier les idéologies modernes, capitalistes aussi bien que marxistes, ainsi que la psychologie, les théories sociales et historiques et les diverses philosophies (positivisme logique, naturalisme, existentialisme, etc.). Tout en négligeant l'inessentiel de façon à rendre à mon esprit sa capacité de respirer et tout en protégeant les simples racines de mo᠎ ᠎ ᠎᠎, je n'ai jamais considéré l'Université comme un sanctuaire ou comme un abri contre « le monde extérieur ». Vivre dans une cité universitaire, loin du tumulte d'une grande ville, aurait été un supplice pour moi. Je n'ai donc jamais été un « écrivain de campus », contrairement à ce qu'a récemment dit de moi un écrivain de gauche, originaire de l'Europe centrale. La vérité est que je me suis exercé à broder inlassablement sur les thèmes de l'extrême gauche et de l'extrême droite et que cela m'a rendu capable (capacité peu enviable au demeurant) de détecter les fétides relents d'égout d'un siècle de rhétorique révolutionnaire ou, du côté de la droite, de voir dans le succès récent de la « géopolitique » prétendument originale de Gore Vidal un retour du thème du « péril jaune » cher au supplément dominical de la presse Hearst — thème dont l'odeur n'est pas plus agréable aujourd'hui qu'elle ne l'était dans les années trente. Il n'y a absolument rien de nouveau dans les gesticulations avantageuses de ces écrivains qui donnent dans l'agitation et l'activisme. D'ailleurs, s'ils étaient capables de la moindre originalité, les universités ne conserveraient pas comme aujourd'hui le contrôle de la vie intellectuelle.

La thèse centrale du professeur Bloom est que, dans une société gouvernée par l'opinion publique, l'Université aurait dû être un îlot de liberté intellectuelle où tous les points de vue seraient examinés sans restriction aucune. Dans sa générosité, la démocratie libérale a rendu cette liberté possible, mais en acceptant de jouer dans la société un rôle actif ou « positif », un rôle de participation, l'Université a été peu à peu inondée et saturée par le reflux des « problèmes de société ». Des professeurs ont construit leur réputation et leur carrière en écrivant sur la santé, la sexualité, le racisme ou la guerre, et l'Université est devenue du même coup le lieu où la société emmagasine et stocke ses concepts, dont beaucoup sont nocifs. Toute proposition de réforme qui, pour renforcer la culture générale des étudiants, ferait entrer l'Université en conflit avec la société américaine dans son ensemble est dépourvue de sens. De plus en plus, les aspirations et les motivations de ceux qui vivent « à l'intérieur » de l'Université sont identiques à celles de ceux qui vivent « à l'extérieur ». Voilà ce que nous dit Allan Bloom. Si son propos était purement polémique, il serait facile de ne pas en tenir compte. Ce qui rend son argumentation extraordinairement solide, c'est la précision des références historiques qui l'accompagnent. Allan Bloom expose avec une connaissance admirablement maîtrisée de la philosophie politique les origines de la situation actuelle, en montrant comment la démocratie moderne est née, ce que Machiavel, Hobbes, Locke, Rousseau et plus généralement les philosophes des Lumières ont voulu faire, ainsi que les succès et les échecs qu'ils ont rencontrés.

Le débat entre la gauche et la droite est devenu si violent au cours de ces dix dernières années que les traditions de la discussion courtoise se sont perdues. Tout se passe comme si les tenants des thèses opposées ne s'écoutaient plus les uns les autres. Il serait pourtant dommage que les adversaires intelligents du professeur Bloom ne lisent pas son livre avec l'impartiale attention qu'il mérite. Ce qu'il nous donne, que l'on soit ou non d'accord avec ses conclusions, c'est un guide auquel il faudra absolument recourir dans toute discussion sur le même sujet. Ce livre ne se borne pas à citer les grands auteurs : rigoureusement construit, historiquement fondé, il constitue un condensé, une synthèse, qui résume fidèlement l'évolution de la vie intellectuelle à son plus haut niveau dans la démocratie américaine.

Saul BELLOW

(*Traduit de l'anglais par Nadia Antonini*)

PRÉFACE

Méditation sur l'état de nos âmes et, en particulier, sur celles des jeunes gens, le présent essai prend en compte les problèmes de l'éducation et il a été conçu du point de vue d'un enseignant. Malgré ses limites inévitables et les tentations qu'il implique, ce point de vue est privilégié. Le professeur, et surtout celui qui a pour mission de doter ses étudiants d'une culture générale, doit essayer sans cesse de viser un idéal de perfection humaine, sans jamais perdre de vue la nature de ses élèves tels qu'ils sont, ici et maintenant : il lui faut constamment chercher à garder présent à l'esprit cet idéal tout en évaluant les possibilités qu'ils ont de l'atteindre. Prêter attention aux jeunes gens, apprécier leur appétit et savoir ce qu'ils sont en mesure d'assimiler, telle est l'essence de l'art du maître. Il doit épier et détecter la faim et la soif des jeunes gens qu'il a devant lui ; car il n'existe aucune éducation authentique qui ne réponde à un besoin profondément ressenti : tout autre enseignement n'est qu'un étalage futile qui ne s'incorpore pas à la substance spirituelle de l'élève. C'est dans la relation qu'elle entretient avec les préoccupations permanentes de l'humanité qu'on peut le mieux découvrir la nature de chaque génération. Et cette relation, on en appréhende au mieux la nature dans les goûts immédiats des élèves, dans leurs amusements, et surtout dans leurs colères. Cela est tout particulièrement vrai à une époque où l'on se targue de lucidité et où l'on prétend être « cool ». Dans cette recherche, les divers imposteurs dont la tâche consiste à séduire les jeunes gens en leur faisant plaisir nous apportent une aide toute particulière. Car, pour corrompre les jeunes, ces colporteurs culturels doivent avoir prise sur eux et ils ont donc le plus puissant des motifs pour découvrir où « ça accroche » et quelle est « l'histoire » en jeu. Aussi sont-ils des guides utiles dans les labyrinthes de l'esprit des temps présents.

La position de l'enseignant n'est pas arbitraire. Elle ne dépend pas simplement de ce que les élèves croient désirer ou de ce qu'ils s'imaginent être ici et maintenant ; elle ne correspond pas non plus à une norme imposée par les exigences d'une société particulière ou par les caprices du marché. Bien qu'on ait déployé beaucoup d'efforts pour essayer de démontrer que l'enseignant est toujours l'agent des forces économiques et sociales, son œil est néanmoins, bon gré mal gré, orienté par la prise de conscience — ou la divination — du fait qu'il existe une plénitude de l'homme, une sorte de perfection humaine irréductible, que l'homme est quelque chose et qu'il est du devoir du professeur d'aider ce quelque chose à parvenir à éclosion. L'enseignant ne parvient pas à cette conviction par les voies de l'abstraction ou par des raisonnements compliqués : il la tire du regard de ses élèves. Ils ne sont que des virtualités, mais ce qui est virtuel renvoie au-delà de lui-même. Et cet au-delà est source d'espoir : l'espoir presque toujours déçu mais sans cesse renaissant que l'homme n'est pas seulement un produit du hasard, enchaîné au lieu particulier dans lequel il est né et qui l'a formé. Le mot « obstétrique » — qui désigne l'accouchement de vrais bébés, déterminé par la nature et non par le maître — décrit beaucoup plus adéquatement la profession de l'enseignant que le terme de « socialisation ». La naissance d'un enfant robuste, indépendant de la sage-femme qui l'a aidé à venir au monde, représente la joie véritable du professeur, plaisir qui constitue une motivation bien plus efficace que ne pourrait l'être un devoir moral désintéressé : c'est l'expérience primitive d'une contemplation plus satisfaisante que n'importe quelle action. Aucun vrai maître ne peut douter, au moment où il se livre à son activité d'enseignant, que l'homme existe en tant que tel, partout et toujours, et qu'il est lui-même en train d'aider son élève à devenir un homme, envers et contre toutes les forces déformantes de la convention et du préjugé. La vision de ce qu'est cet être humain peut être nébuleuse, le maître peut être plus ou moins limité, mais son activité est sollicitée par quelque chose qui est situé au-delà de lui et qui, en même temps, lui fournit une norme pour juger des aptitudes et des réussites de ses élèves. En outre, il n'est aucun enseignant authentique qui, en pratique, ne croie à l'existence de l'âme, à une magie qui agit par le truchement du discours. L'âme — c'est du moins ce que doit penser le maître — peut exiger au début de l'éducation des récompenses et des punitions extrinsèques pour motiver son activité ; mais pour finir, cette activité constitue sa propre récompense et elle se suffit à elle-même.

Ce sont là les raisons qui expliquent la vocation bizarre des adultes qui préfèrent la compagnie des jeunes gens à celle des personnes de leur âge. Ils préfèrent la promesse de ce qui pourrait être à l'imperfection de ce qui est déjà. Un adulte de ce type est sujet à beaucoup de tentations — en particulier la vanité et le désir de faire de la propagande plutôt que d'enseigner — mais le plus grave danger qu'implique l'activité même de l'enseignant, c'est celui de préférer l'enseignement à la connaissance, de s'adapter à ce que les élèves peuvent ou veulent apprendre, de ne se connaître soi-même qu'à travers ses élèves. La philosophie est une quête solitaire, et celui qui s'y livre ne doit jamais regarder un auditoire. Mais c'est trop demander des enseignants que de les vouloir philosophes, et quelques-uns des périls que nous avons énumérés sont presque inévitables. D'ailleurs, si l'on y résiste bien, le vice lui-même peut se muer en une certaine vertu. L'intérêt fasciné qu'un maître éprouve pour ses élèves le conduit à une prise de conscience des diverses catégories d'âmes et de leurs multiples aptitudes à la vérité et à l'erreur aussi bien qu'à l'apprentissage. Une telle expérience des âmes est nécessaire pour rechercher la réponse à *la* question essentielle : « Qu'est-ce que l'homme ? » au niveau des phénomènes, en relation avec les aspirations les plus élevées de l'homme, par opposition à ses besoins inférieurs et communs. Ainsi, l'enseignement, même s'il constitue une menace pour la pratique de la philosophie, est aussi un encouragement à philosopher.

Et il ne subsiste dans mon esprit aucun doute à cet égard : la culture générale est précisément ce qui aide les élèves à se poser eux-mêmes cette question ; c'est elle qui leur permet de prendre conscience du fait que la réponse n'est ni évidente ni impossible à trouver ; c'est elle encore qui les convainc qu'il n'est pas d'existence sérieuse dont cette interrogation ne constitue une préoccupation essentielle. La question qui se pose à tout jeune être humain : « Qui suis-je ? » et le besoin puissant de se conformer à l'ordre de l'oracle de Delphes : « Connais-toi toi-même » qui est congénital en chacun de nous, signifient en premier lieu — en dépit de tous les efforts qu'on a déployés pour en subvertir le sens et dont quelques-uns seront exposés dans cet ouvrage — « Qu'est-ce que l'homme ? ». Or, compte tenu des défaillances chroniques de nos certitudes, cela revient à tenter de connaître les diverses réponses possibles à cette question et à y réfléchir. La culture générale donne accès à ces réponses, dont plusieurs vont à l'encontre de notre nature et de notre époque. L'homme qui a reçu une culture générale est capable de ne pas s'en tenir aux réponses faciles qu'il préférerait peut-être adopter, et cela non par esprit de contradiction, mais parce qu'il a connaissance d'autres réponses qui sont dignes de considération. Il est certes ridicule de croire que ce qu'on apprend dans les livres représente l'alpha et l'oméga de l'éducation, mais la lecture est toujours nécessaire, en particulier à une époque où les exemples vivants de valeur élevée sont rares. Et l'enseignement des livres constitue une bonne partie de ce qu'un professeur peut apporter à ses élèves : une instruction fondée sur la lecture et dispensée de façon adéquate dans une atmosphère où les relations entre le livre et la vie sont naturelles. Les élèves de cet enseignant vont faire l'expérience de la vie : le mieux qu'il puisse espérer, c'est que ce qu'il leur apprendra pourra orienter leur vie. La plupart des élèves se contenteront de ce que notre époque considère comme important ; d'autres seront animés d'un enthousiasme qui retombera au fur et à mesure que la famille et l'ambition leur présenteront des objets d'intérêt différents ; mais un petit nombre d'entre eux passeront toute leur vie à tenter d'être autonomes. C'est pour ces derniers qu'existe tout particulièrement l'éducation dite « libérale »*. En donnant l'exemple de la meilleure façon d'utiliser les plus nobles facultés de l'être humain, ces élèves-là deviendront des modèles, et donc, pour nous tous, des bienfaiteurs, par ce qu'ils seront bien plus que par ce qu'ils feront. Si de tels êtres font défaut dans une communauté et, faudrait-il ajouter, s'ils n'y sont pas respectés et estimés à leur juste valeur, aucune société, quelque riche et confortable qu'elle soit, quelque avancée qu'elle soit sur le plan technique, quelle que soit la délicatesse des sentiments qu'elle peut nourrir, ne méritera d'être appelée civilisée.

C'est en tant qu'enseignant, et dans cette perspective, que j'ai, depuis plus de trente ans, observé et écouté mes élèves avec l'intérêt le plus intense. Le bagage de passions, de curiosités, d'aspirations et surtout d'expériences préalables qu'ils apportent au moment où ils abordent leurs études supérieures a changé et, de ce fait, la tâche de leur éducateur s'est modifiée également. Dans le présent ouvrage j'ai essayé d'apporter une contribution à la compréhension de cette nouvelle génération d'étudiants. Mais qu'on ne s'y méprenne pas : je ne désire prodiguer aucune morale, je ne veux jouer ni les Jérémie ni les Pollyanna**. Mon livre doit être lu avant tout comme un communiqué du front pendant la guerre. Le lecteur pourra juger par lui-même de la gravité de la situation. Toute époque a ses problèmes, et je ne prétends nullement que les choses aient été merveilleuses autrefois. Je ne fais que décrire la situation actuelle et je n'ai pas l'intention de recourir à des comparaisons avec le passé pour y puiser des motifs de nous féliciter ou de nous faire des reproches :

* Aux Etats-Unis, on désigne par le terme de *liberal education* l'enseignement destiné à doter les élèves d'une culture générale et qui est dispensé durant le premier cycle des études universitaires (*College*). Pour ne pas désorienter le lecteur français, on a choisi, dans le cours de l'ouvrage, de remplacer le plus souvent « éducation libérale » par « culture générale ». Voir à ce propos la note relative à la structure de l'université américaine qui figure au début du troisième chapitre de la troisième partie. (N.d.T.)

** Personnage créé en 1913 par la romancière américaine Eleonore Porter (1868-1920) et figurant l'optimisme systématique.

si j'y fais référence, c'est pour mieux mettre en évidence ce qui compte pour nous et ce qu'il y a de particulier dans notre situation.

Un mot encore sur l' « échantillonnage » qui m'a servi pour la présente étude. Il consiste en quelques milliers d'étudiants dont l'intelligence est relativement élevée et qui ont été à peu près libres, matériellement et spirituellement, de faire ce dont ils avaient envie pendant les quelques années d'études universitaires dont ils ont bénéficié : en bref, le type de jeunes gens qui fréquentent les vingt ou trente meilleures universités des Etats-Unis. Il existe, bien entendu, d'autres espèces d'étudiants que des circonstances d'un ordre ou d'un autre empêchent de jouir de la liberté nécessaire pour profiter d'un enseignement de culture générale. Ils sont soumis à des nécessités spécifiques, et il se peut fort bien que leur personnalité soit très différente de celles que j'ai décrites ici. Mais quelles que soient ses limites, mon échantillonnage a l'avantage de projeter un certain éclairage sur les jeunes gens qui sont susceptibles de tirer le maximum d'avantages d'une bonne culture générale et d'avoir plus tard une influence morale et intellectuelle importante sur la vie de leur pays. On dit quelquefois que ces jeunes privilégiés ont moins besoin de notre attention et des ressources que l'on consacre à leur éducation, car ils sont déjà bien pourvus. Mais non : ce sont eux, au contraire, qui ont le plus grand besoin d'un enseignement poussé, dans la mesure où c'est la situation la plus élevée qui est le plus difficile à atteindre et où les organismes les plus complexes sont le plus susceptibles de se corrompre.

Il n'est pas besoin de démontrer l'importance des études ; mais pour les nations modernes qui se sont fondées, plus que ne l'a fait aucun peuple par le passé, sur les divers usages de la raison, il importe de bien observer qu'une crise de l'université, foyer de la raison, est peut-être le traumatisme le plus grave et le plus profond qu'elles puissent subir.

LA GRANDE VERTU DE NOTRE ÉPOQUE

S'il y a une chose dont tout professeur qui enseigne dans une université américaine peut être sûr, c'est que chacun de ses élèves, au moment où il entreprend des études supérieures, croit ou dit qu'il croit que la vérité est relative. Si l'on manifeste quelque scepticisme à l'égard de cette opinion, la réaction de l'étudiant ne se fait pas attendre : une incompréhension totale. Qu'on puisse considérer que cette proposition ne va pas de soi, voilà qui le stupéfie, un peu comme si l'on remettait en question le fait que deux et deux font quatre : il y a des choses évidentes auxquelles on n'a pas besoin de réfléchir. Les milieux dont proviennent les élèves en question sont aussi variés que le sont ceux des Etats-Unis. Certains de ces étudiants sont religieux, d'autres athées ; certains sont de gauche, d'autres de droite ; certains ont l'intention de devenir hommes de science, certains désirent cultiver les lettres, d'autres veulent embrasser une profession libérale, d'autres encore deviendront hommes d'affaires ; quelques-uns sont pauvres, d'autres riches. Ils ne présentent d'unité que sur deux points : celui que je viens d'évoquer et le fait qu'ils acceptent le principe de l'égalité entre les hommes ; et les deux choses sont associées en une intention morale. A leurs yeux, la relativité de la vérité n'est pas une intuition théorique, mais un postulat moral, condition d'une société libre. On les a pourvus de ce cadre de pensée très tôt dans l'existence et c'est cette idée de relativité qui sert de substitut moderne aux droits naturels inaliénables qui constituaient naguère, aux Etats-Unis, le fondement traditionnel de la société libre. Qu'il s'agisse pour eux d'une question morale, leur réaction quand on conteste leur affirmation en apporte la preuve : c'est une combinaison d'incrédulité et de colère. « Croyez-vous donc à une vérité absolue ? » demandent-ils, car c'est la seule autre position dont ils aient entendu parler, et ils disent cela sur le même ton qu'ils diraient : « Etes-vous monarchiste ? » ou « Croyez-vous aux sorcières ? » Et cette dernière question se colore d'indignation, car quelqu'un qui croit aux sorcières pourrait bien se livrer à la *chasse aux sorcières* et être un juge de Salem. Ce qu'on leur a appris à redouter du dogmatisme, ce n'est pas l'erreur, mais l'intolérance. Le relativisme est nécessaire à l'ouverture d'esprit ; et l'ouverture d'esprit est l'unique vertu que l'instruction primaire, depuis plus de cinquante ans, s'est fixée pour but de donner aux élèves. L'ouverture — et le relativisme qui en fait la seule position défendable face aux diverses prétentions à la vérité et aux diverses façons de vivre et de se comporter des êtres humains — est la grande idée de notre époque. L'étude de l'histoire et toute la culture l'enseignent. Autrefois le monde entier était aliéné ; les hommes croyaient toujours avoir raison et cela a conduit aux guerres, aux persécutions, à l'esclavage, à la xénophobie, au chauvinisme et au racisme. L'objectif n'est pas de corriger ces erreurs et d'avoir vraiment raison, mais de ne pas s'imaginer qu'on a raison. Celui qui croit à la vérité représente un danger.

Bien entendu, les étudiants ne peuvent justifier leur opinion : c'est quelque chose qu'on leur a inculqué comme une doctrine. Au mieux, ils font remarquer la très grande variété des opinions et des cultures qui existent et ont existé dans le monde. De quel droit puis-je dire, de quel droit quelqu'un peut-il dire que l'une est meilleure que les autres ? Si je leur pose les questions de routine destinées à réfuter leur thèse et à les faire réfléchir — par exemple : « Si vous aviez été administrateur britannique en Inde, auriez-vous laissé les indigènes placés sous votre responsabilité brûler une veuve au moment des funérailles de son mari ? » — ou bien ils gardent le silence ou bien ils répondent que, d'abord, les Anglais n'auraient jamais dû se trouver en Inde. A vrai dire, ils ne savent pas grand-chose des autres nations, ni de la leur, mais la question n'est pas là. L'objectif de l'éducation qu'ils ont reçue n'était pas de faire d'eux des jeunes gens cultivés, mais des jeunes gens ouverts ; il était de les doter d'une vertu morale.

Tout système d'éducation comporte une fin morale, qu'il essaie d'atteindre et qui inspire son programme. Il tend à produire un certain type d'être humain. Cette intention est plus ou moins explicite, plus ou moins réfléchie ; mais même les disciplines neutres, comme la lecture, l'écriture et l'arithmétique, occupent une certaine place dans la vision qu'on se fait d'une personne instruite. Dans certaines nations, l'objectif était de former des hommes pieux, dans d'autres de former des guerriers, dans d'autres des gens industrieux ; et il y a un facteur important, toujours présent : le régime politique, qui a besoin de citoyens en accord avec ses principes fondamentaux. Les aristocraties ont besoin de gentilshommes, les oligarchies d'hommes qui respectent l'argent et le recherchent, et les démocraties d'amants de l'égalité. L'éducation démocratique, qu'elle l'admette ou non, veut et doit produire des hommes et des femmes qui aient les goûts, les connaissances et la personnalité nécessaires au maintien d'un régime démocratique. Au cours de l'histoire de notre république, l'opinion a évidemment varié à propos du type d'homme qui est le meilleur pour notre régime. Nous avons commencé par préférer le modèle de l'homme rationnel et industrieux, honnête, respectueux des lois, qui se consacre à sa famille (cette famille qu'au moment de son déclin on a surnommée « la famille nucléaire »). Cet honnête homme devait avant toute chose connaître la doctrine des droits de l'Homme, la constitution qui la résume et l'histoire des Etats-Unis, qui présente et honore les fondateurs d'une nation « conçue dans la liberté et profondément attachée à l'idée que tous les hommes ont été créés égaux ». La fin à laquelle tendait l'éducation de l'homme démocratique était donc un attachement fervent à la lettre et à l'esprit de la Déclaration d'indépendance, attachement qui était communiqué sans violence par l'appel à la raison de chaque individu. Il s'agissait là de quelque chose d'extrêmement différent des formes d'attachement qu'on exige de façon générale dans les communautés traditionnelles où le mythe et la passion, ainsi qu'une discipline sévère, l'autorité et l'importance des liens familiaux, produisaient un patriotisme instinctif, sans réserve et même fanatique, qui ne ressemble en rien à la loyauté réfléchie, rationnelle, calme et même en un certain sens égoïste à l'égard de notre forme de gouvernement — non pas tant, donc, à l'égard du pays qu'envers une forme de gouvernement et ses principes rationnels — qui est exigée aux Etats-Unis. C'était là une expérience entièrement nouvelle en politique, et il en a découlé une éducation nouvelle. Cette éducation a évolué, au cours du dernier demi-siècle, et on est passé de l'éducation de l'homme démocratique à celle de la personnalité démocratique.

On apercevra aisément la différence entre ces deux éducations en observant la façon dont s'est modifiée la représentation de ce que signifie le fait d'être américain. Selon l'ancienne conception, c'est en reconnaissant et en acceptant les droits naturels de l'homme que les hommes trouvaient un fondement à leur unité. Dans cette condition fondamentale, en effet, ils sont tous les mêmes. Classe, race, religion, origine naturelle et culture disparaissent ou s'estompent quand on les place dans cet éclairage. Leur identité naturelle fait de tous les hommes des frères et leur confère des intérêts communs. L'immigrant devait oublier les prétentions de l'ancien monde au profit d'une éducation nouvelle et facile à acquérir. Cela ne signifiait pas nécessairement qu'il lui fallait abandonner ses anciennes habitudes quotidiennes ou sa religion, mais cela voulait dire qu'il devait les subordonner aux nouveaux principes et renoncer à ce qui n'était pas conforme à ces principes. De ce fait, on pouvait noter une tendance à homogénéiser la nature elle-même, même si cette tendance n'équivalait pas à une exigence.

Mais la doctrine éducative récente dite « de l'ouverture » * a rejeté tout cela. Elle ne prête aucune attention aux droits naturels ni aux origines historiques, qu'on considère désormais comme des notions essentiellement fausses et réactionnaires. La nouvelle éducation est progressiste et regarde vers l'avenir. Elle n'exige pas qu'il y ait accord fondamental et elle n'oblige pas à renoncer à d'anciennes ou à de nouvelles croyances au profit des croyances naturelles. Elle est ouverte à toutes les espèces d'hommes, à tous les styles d'existence, à toutes les idéologies. Il n'y a plus d'ennemi, excepté l'homme qui n'est pas ouvert à tout. La conséquence insuffisamment remarquée jusqu'ici de cette doctrine, c'est qu'il n'existe plus de terrain commun. Le contrat social est impossible là où il n'y a plus de buts communs ni de vision commune du bien public.

Dès les tout premiers débuts de la pensée libérale, on a vu apparaître une tendance qui allait dans le sens d'une liberté sans discrimination. Hobbes et Locke, et après eux les fondateurs des Etats-Unis, ont toujours voulu tempérer les convictions extrêmes, en particulier les croyances religieuses, qui conduisent à la guerre civile. Les membres des sectes étaient contraints d'obéir aux lois et d'être loyaux envers la Constitution : s'ils l'étaient, les autres devaient les laisser en paix, quelle que fût leur hostilité à leur endroit. Pour parvenir à ce résultat, on avait jugé salutaire que les croyances des hommes ne soient pas trop extrêmes et on avait procédé à une tentative consciente, même si elle n'était pas explicite, d'affaiblir les convictions de ce type, notamment en rangeant la religion dans le domaine de l'opinion, par opposition à celui de la connaissance. Mais le fait que la liberté de religion constitue un droit appartenait, lui, au domaine de la connaissance. Car les droits de ce genre ne sont pas affaire d'opinion. Sur ce point, on ne souhaitait pas que les convictions soient moins fortes : tout au contraire, c'était le champ de la passion morale en démocratie.

L'insatiable appétit de liberté — la liberté de vivre comme on l'entend — a développé encore cet aspect de la pensée démocratique moderne. On a étendu considérablement l'espace exempt de toute réglementation sociale et politique, en réduisant du même coup les exigences des connaissances morales et politiques ; et, en

---

* La notion d' « ouverture » (*openness*) est apparue depuis quelques années aux Etats-Unis. Elle vise à démystifier l'opinion selon laquelle une mission spéciale aurait été dévolue aux Etats-Unis et elle tend à renforcer la conviction que toutes les races et toutes les cultures sont équivalentes. Le terme français d' « ouverture » ne rend pas toutes les connotations de cette doctrine, mais il n'en existe pas d'autre pour traduire *openness*. (N.d.T.)

fin de compte, on en arrive progressivement à la conclusion qu'on ne peut parvenir à la liberté complète qu'en se dispensant tout à fait de telles connaissances. La manière la plus efficace de désarmer les oppresseurs, c'est de les convaincre qu'ils ignorent le bien. La sensibilité exacerbée qu'induit une théorie démocratique radicalisée fait éprouver, en dernière analyse, toute limite comme arbitraire et tyrannique. Il n'existe pas d'absolus : seule la liberté est absolue. Il en résulte bien sûr que, d'une part, l'argument qui justifie la liberté s'évanouit, et que, d'autre part, toutes les convictions commencent à avoir le caractère atténué qui était censé, au départ, se limiter aux croyances religieuses.

L'évolution au terme de laquelle l'idéal démocratique est passé de la notion de droit à celle d'ouverture est digne d'attention. C'est ainsi qu'Olivier Wendell Holmes a renoncé à rechercher un principe fondamental pour déterminer quel discours ou quel comportement est inadmissible dans une société démocratique et s'est contenté d'invoquer une norme imprécise et pratiquement sans signification — « un danger clair et présent » — qui fait, virtuellement, de la préservation de l'ordre public le seul bien commun. Cette thèse impliquait une vision optimiste du progrès : selon Holmes, la décadence complète du principe démocratique et le retour à la barbarie sont impossibles et la vérité triomphera toujours, par elle-même, sur le terrain des idées. Mais les fondateurs des États-Unis ne partageaient nullement cet optimisme : ils avaient insisté pour qu'on revienne sans cesse aux principes du gouvernement démocratique et qu'on les consulte, même si les conséquences devaient en être rudes pour certaines opinions, dont les unes seraient tout juste tolérées, mais non respectées, et d'autres purement et simplement interdites. Qu'on ne fasse montre d'aucune tolérance pour l'intolérant, voilà qui est conforme à cette façon de penser. Que, tout au contraire, la libre expression ne soit en rien limitée sauf si l'on peut démontrer qu'elle engendre un danger clair et présent, c'est le point de vue qui s'accorde avec la position des partisans de l' « ouverture ». Cette position aurait interdit à Lincoln de soutenir qu'il ne peut y avoir de compromis sur le *principe* de l'égalité, que ce n'est pas là une chose qui dépend du choix populaire ou d'une élection, mais la condition sine qua non pour que des élections soient possibles : il était donc inadmissible de recourir à la souveraineté populaire sur la question de l'esclavage des Noirs, même si une telle consultation pouvait permettre d'éviter le « danger clair et présent » d'une sanglante guerre civile.

Il reste que la théorie de l'ouverture l'a emporté sur celle des droits naturels, en partie à cause d'une critique théorique des droits naturels, en partie en raison d'une rébellion politique contre les dernières contraintes imposées à la nature. L'éducation civique s'est détournée des Fondateurs pour se concentrer sur l' « ouverture », avec le concours de l'histoire et d'une nouvelle science de l'homme. Il y a même eu une tendance générale à démystifier les Fondateurs, à tenter de prouver que les commencements étaient entachés d'erreurs, afin d'accorder à la nouveauté une liberté plus grande. On a accusé les Fondateurs d'avoir été racistes, d'avoir massacré les Indiens, d'avoir été les représentants des intérêts économiques d'une classe. Je me rappelle avoir demandé à mon premier professeur d'histoire à l'université, éminent érudit, si l'image qu'il nous donnait de George Washington n'aboutissait pas à nous faire mépriser notre régime. « Pas du tout, me répondit-il, le régime ne dépend pas des individus, il tient au fait qu'on dispose de bonnes valeurs démocratiques ». A quoi je répliquai : « Mais vous venez de nous montrer que Washington ne se servait de ces valeurs que pour favoriser les intérêts des gros propriétaires fonciers de Virginie. » Mon professeur se fâcha et ce fut la fin de l'entretien. Il vivait dans la confortable assurance que les valeurs de la démocratie font partie du mouvement de l'histoire et, par conséquent, ne nécessitent ni qu'on les élucide ni qu'on les défende. Il pouvait ainsi poursuivre ses recherches historiques avec la certitude morale que lesdites valeurs conduiraient à une plus grande ouverture, donc à plus de démocratie. Les leçons du fascisme et la vulnérabilité de la démocratie, dont on venait pourtant de faire l'expérience, n'avaient produit aucun effet sur lui.

Le libéralisme qui fait abstraction des droits naturels, celui que professent John Stuart Mill et John Dewey, nous a enseigné que le seul danger que nous courions, c'est d'être fermés à ce qui naît, à la nouveauté, aux manifestations du progrès. Il ne faut prêter aucune attention aux principes fondamentaux ni aux vertus morales qui ont incité les hommes à vivre selon ces principes. Pour recourir à une formule devenue courante aujourd'hui, ce libéralisme-là ne se souciait nullement de « culture civique ». Et c'est surtout cette évolution du libéralisme qui nous a disposés à céder au relativisme culturel et à distinguer entre les faits et les valeurs, distinction qui à son tour semble avoir porté plus loin encore le relativisme en lui donnant un fondement philosophique.

Depuis plus de cinquante ans, d'après ce que j'ai pu constater en observant non seulement mes élèves mais aussi les professeurs et les administrateurs d'établissements scolaires, la seule conception générale de la vie que l'école ait enseignée, c'est l' « ouverture » ou, pour employer une expression équivalente qui nous en dira davantage sur le sens du terme « ouverture », c'est à ne pas être « ethnocentriques ». Cet adjectif, emprunté à l'anthropologie, signifie qu'il ne nous faut pas imaginer que notre façon d'agir soit meilleure que les autres. On a recours, de diverses manières, à l'histoire et aux sciences humaines pour surmonter les préjugés que peuvent nourrir les élèves : non pas tant pour les renseigner sur d'autres époques et d'autres lieux que pour leur faire prendre conscience du fait que leurs préférences ne sont rien d'autre que des accidents de leur époque et de l'endroit où ils vivent. Leurs convictions ne les autorisent en rien, que ce soit comme individus ou collectivement comme nation, à penser qu'ils sont supérieurs à qui que ce soit. John Rawls est un représentant presque caricatural de cette tendance : cet auteur a écrit des centaines de pages pour persuader les hommes de ne mépriser personne et il a même proposé un modèle de gouvernement qui les y contraindrait. Le physicien et le poète ne devraient pas regarder de haut l'homme qui passe sa vie à compter des brins d'herbe ou à se livrer à n'importe quelle autre activité frivole ou corrompue. Non seulement ils ne devraient pas le regarder de haut, mais ils devraient l'estimer, car l'estime des autres, qui s'oppose à l'estime de soi-même, est un besoin fondamental des hommes. Ainsi le refus de distinguer devient-il un impératif moral, parce qu'il s'oppose à la discrimination. Cette idée délirante signifie qu'il n'est pas permis à l'homme de rechercher ce qui est naturellement bon pour lui et de l'admirer quand il l'aura trouvé, car une telle recherche aboutit à la découverte de ce qui est mauvais et débouche sur le mépris. L'éducation doit supprimer l'instinct et l'intellect. Il faut remplacer l'âme naturelle par une âme artificielle.

Ce qui a particulièrement motivé ce changement théorique dans la morale des Etats-Unis, c'est la présence dans ce pays d'hommes et de femmes provenant de nations très diverses, pratiquant des religions variées et appartenant à des races différentes, ainsi que le fait très réel que beaucoup d'entre eux étaient maltraités parce qu'ils appartenaient à ces groupes. Franklin Roosevelt a déclaré que nous voulions « une société qui ne laisse personne de côté ». Bien que les droits naturels inhérents à notre régime soient parfaitement compatibles avec la solution de ce problème, à la condition que les étrangers s'y rallient (c'est-à-dire qu'ils deviennent des nationaux en y adhérant), cela n'a pas satisfait les penseurs qui ont influencé nos éducateurs. C'est que le droit de vote et les autres droits politiques n'ont pas produit automatiquement l'acceptation de la société. La protection qu'assurent les lois à tout homme en sa qualité d'homme ne protège pas tel ou tel individu du mépris et de la haine en tant que juif, Italien ou Noir. Les réactions suscitées par ce problème ont été de deux ordres : d'une part, résistance au principe qui veut que tout étranger se mue en un être universel, abstrait, qui participe aux droits naturels et renonce à son individualité « culturelle », faute de quoi il sera condamné à vivre en marginal ; d'autre part, hostilité contre la majorité qui a imposé à la nation une existence « culturelle » à laquelle la Constitution est indifférente. Ainsi la théorie de l' « ouverture » a été conçue pour donner une existence respectable aux « groupes » ou aux « minorités » dont il a été question — pour contraindre au respect ceux qui n'étaient pas disposés à le leur accorder — et pour affaiblir le sentiment de supériorité de la majorité dominante. Cette majorité dominante — surnommée à présent « WASP » *, terme dont le succès montre assez bien comment la sociologie a réussi à réinterpréter la conscience nationale — a doté le pays d'une culture dominante, avec ses traditions, sa littérature, ses goûts, l'autorité qu'elle revendique sur la correction et la qualité de la langue, enfin sa religion, le protestantisme. C'est contre cette majorité qu'a été élaboré, pour une large part, le mécanisme intellectuel de la pensée politique et des sciences humaines américaines au xxᵉ siècle. Ce type de pensée a considéré les principes fondateurs des Etats-Unis comme des obstacles, et a essayé de venir à bout de l'autre poutre maîtresse de notre héritage, le système majoritaire. Ce qu'elles souhaitaient, c'était une nation faite de minorités et de groupes dont chacun se conformerait à ses propres convictions et à ses propres inclinations. En particulier, la minorité intellectuelle escomptait ainsi rehausser son statut en se présentant comme défenseur et porte-parole de toutes les autres.

Ce renversement de l'intention des Fondateurs à l'égard des minorités est extrêmement frappant. Pour les Fondateurs, les minorités étaient en général des éléments fâcheux, pour la plupart identiques aux factions, des groupes égoïstes dépourvus de toute préoccupation du bien commun. Contrairement à d'autres penseurs politiques, les « Pères fondateurs » ne nourrissaient nullement l'espoir de supprimer les factions et de créer par l'éducation un corps électoral uni et homogène. Bien au contraire, ils ont édifié un mécanisme très élaboré pour contenir les factions, de telle manière qu'elles se contrebalancent les unes les autres et permettent ainsi la poursuite du bien commun. En effet, c'est toujours le bien qui reste dans leur pensée la considération directrice, bien qu'ils y soient parvenus moins directement que dans la pensée politique classique et en passant par une certaine tolérance à l'égard des factions. Ce qu'ils souhaitaient, c'était de réunir une majorité nationale à propos des droits fondamentaux, puis d'empêcher cette majorité d'user de son pouvoir pour mettre à mal ces droits fondamentaux. Mais dans les sciences sociales du xxᵉ siècle, l'idée de bien commun disparaît et, avec elle, la confiance vis-à-vis des minorités. On se débarrasse de l'idée même de majorité — laquelle est désormais considérée comme égoïste et intéressée — pour protéger les

* WASP, initiales de *White Anglo-Saxon Protestant* (protestant blanc d'origine anglo-saxonne), pour désigner les bonnes familles américaines originaires de la côte Est. A noter que le mot wasp signifiant « guêpe », il y avait peut-être à l'origine, dans cette désignation, une intention satirique. (N.d.T.)

minorités. Le délicat équilibre entre majorité et minorité qu'avait conçu la pensée constitutionnelle est rompu. Dans cette nouvelle perspective, où il n'existe plus de bien commun, la minorité est débarrassée de toute connotation négative et la protection des minorités apparaît comme la fonction centrale du gouvernement. A quoi cela conduit, nous en avons l'indication par les tentatives qui ont été faites pour accorder un droit spécial à des passions intenses éprouvées par des individus ou des groupes, notamment par Robert Dahl dans sa théorie de la démocratie. Si ces sentiments sont réels, il faut prêter une attention particulière à ceux qui les éprouvent, par opposition à ceux qui n'ont que des sentiments tièdes. On reconnaît facilement là notre vieil ami, l' « engagement », la nouvelle valeur politique qui remplace la raison. Nos Pères fondateurs voulaient atténuer et désamorcer le fanatisme, alors que des modernes comme Dahl l'encouragent.

La séduction exercée par cette formule a été considérable sur toutes sortes de gens, réactionnaires ou progressistes, en un mot tous ceux qui au cours des années vingt et trente refusaient encore d'accepter la solution politique imposée par la Constitution. Les réactionnaires n'appréciaient pas la suppression des privilèges de classe ni celle de l'institution religieuse. Bref, pour quantité de raisons, ils n'admettaient pas l'égalité. Les progressistes, eux, n'appréciaient pas que la propriété privée soit protégée ni que des restrictions soient apportées aux volontés de la majorité et au désir de vivre à sa guise. Pour eux, l'égalité n'était pas allée assez loin. Les réactionnaires avaient à leur tête les gens du Sud, qui savaient parfaitement bien qu'au cœur de la Constitution se trouvait un engagement à l'égalité, donc une condamnation de la ségrégation des Noirs. La Constitution n'était pas seulement une série de règles de gouvernement : elle impliquait un ordre moral qu'il fallait imposer dans l'Union tout entière. L'influence des écrivains et des historiens du Sud sur l'opinion qu'ont les Américains de leur histoire a été et est encore puissante, on ne le relève pas assez. Ils ont remarquablement bien réussi à définir leur « institution particulière » comme un élément d'une diversité séduisante et d'une individualité culturelle à laquelle la Constitution était pis qu'indifférente. L'ouverture, l'absence d'ethnocentrisme, c'était exactement ce qu'il leur fallait pour défendre, à l'époque contemporaine encore, leur façon de vivre contre les intrusions d'étrangers qui revendiquent des droits égaux une fois entrés chez eux. En décrivant de façon quelque peu romanesque les prétendus défauts de la Constitution, les Sudistes cherchaient à se concilier les mécontents de toute couleur politique. Leur hostilité à la « société de masse », avec sa technologie, son mode de vie centré sur l'argent, ses égoïsmes individuels et la destruction du sens communautaire qui en est le corollaire organique — bref, l'idéologie qu'ils ont développée pour protéger le Sud de la menace que font peser sur ses pratiques le droit de la Constitution et le pouvoir qu'a le gouvernement fédéral de la faire appliquer, tout cela est donné comme d'une portée universelle. Au cours des années soixante, la nouvelle gauche a exprimé exactement les mêmes opinions. C'est la vieille alliance de la droite et de la gauche contre la démocratie libérale, caricaturée en « société bourgeoise ».

Au cours des années trente, les staliniens avaient, eux aussi, trouvé que la définition de la démocratie donnée par l'école de l' « ouverture » était utile. La Constitution américaine était en désaccord trop marqué avec la théorie et la pratique de l'Union soviétique. Mais si la démocratie représente une notion ouverte et sans contours précis, pensaient en substance les staliniens, les Soviétiques et nous pourrions un jour nous rejoindre. Et le respect pour d'autres cultures fait obstacle à une condamnation doctrinaire, fondée sur la doctrine des droits naturels, de la réalité soviétique. Je me souviens de mon manuel d'histoire à l'école primaire : récemment publié, imprimé sur beau papier glacé, il présentait des photos surprenantes de fermes collectives et montrait de quelle façon les paysans y travaillaient et y vivaient ensemble sans être motivés par le profit. C'était une pratique très différente de la nôtre, mais il ne nous fallait pas y rester fermés : il ne fallait pas réagir de façon négative en nous fondant simplement sur nos préjugés culturels. Les enfants ne peuvent comprendre les problèmes, mais il est facile de les catéchiser.

Il y avait aussi ceux qui estimaient que les Etats-Unis étaient trop étroits d'esprit. Des chercheurs aventureux, curieux des mœurs sexuelles, telle Margaret Mead, nous expliquaient que non seulement il nous fallait connaître d'autres cultures et apprendre à les respecter, mais que nous pouvions nous-mêmes profiter de leur expérience. S'ils font certaines choses, nous pouvons agir de même : leur exemple nous libère et nous débarrasse de l'idée que nos tabous puissent découler d'autre chose que des contraintes sociales. Selon ces auteurs, nous pourrions ainsi nous rendre au bazar des cultures et y découvrir ce que nous pouvons faire pour consolider des tendances qui sont refoulées par des sentiments de culpabilité puritains. Bref : tous ceux qui nous ont ainsi enseigné l' « ouverture » se désintéressaient complètement de la Déclaration d'indépendance et de la Constitution, à moins qu'ils n'y fussent carrément hostiles. L'alliance entre les conservateurs du Sud et les marxistes pour désavouer les fondements des Etats-Unis et ses Fondateurs est à cet égard fort impressionnante.

On peut trouver un bon exemple de cette évolution intellectuelle dans le mouvement des « droits civils ». A l'origine, presque tous les promoteurs importants de ce mouvement, en dépit de différences de tactique et de tempérament, se fondaient sur la Déclaration d'indépendance et sur la Constitution dans leurs efforts pour lutter contre les injustices commises à l'égard des Noirs. On pouvait accuser les Blancs des plus monstrueuses injustices et leur reprocher d'être en contradiction avec leurs principes les plus sacrés. Les Noirs étaient les vrais Américains en exigeant une égalité qui leur revient en tant qu'êtres humains, en raison du droit naturel et politique. Cette position impliquait une ferme conviction de la vérité des principes du droit naturel et de leur efficacité fondamentale dans la tradition constitutionnelle qui, bien qu'ayant perdu de son éclat, tend à la longue à mettre en pratique ces principes. Aussi ces premiers défenseurs des droits civils agissaient-ils par le truchement du Congrès, de la Présidence et, surtout, de la Justice.

Le « pouvoir noir », lui — si on laisse de côté ses excès et l'accent qu'il a mis, de façon tout à fait compréhensible, sur le respect de soi-même et sur le refus de mendier l'acceptation des Blancs, — repose essentiellement sur l'idée que la tradition constitutionnelle a toujours été corrompue et qu'elle a été élaborée en vue de défendre l'esclavage. Ce qu'exige le pouvoir noir, c'est l'identité noire et non des droits universels. Il insiste sur le respect pour les Noirs en tant que Noirs et non simplement en tant qu'êtres humains. Ainsi, il a accepté le corollaire de cette proposition : ce ne sont pas les droits qui comptent, mais le pouvoir.

Or la Constitution ne promet le respect ni aux Noirs, ni aux Blancs, ni aux Jaunes, ni aux catholiques, ni aux protestants, ni aux juifs. Elle garantit la protection des droits des êtres humains individuels. Mais cela n'a pas paru suffisant aux yeux de ce qui pourrait bien représenter aujourd'hui une majorité d'Américains.

Pour les jeunes Américains, le résultat de cette évolution, c'est qu'on leur apprend beaucoup moins de choses sur l'histoire des États-Unis et sur ceux qu'on considérait naguère comme ses héros. Ces connaissances étaient l'une des rares choses qui constituaient leur bagage quand ils arrivaient autrefois à l'université, une des rares aussi à avoir quelque relation avec leurs propres existences. Rien n'a remplacé cela, si ce n'est une vague teinture de connaissances relatives à d'autres nations et à d'autres cultures et quelques formules empruntées aux sciences humaines. Ces notions ne représentent pas grand-chose pour eux, en partie parce qu'on a prêté peu d'attention à ce qui est nécessaire pour communiquer à des jeunes gens (ou à qui que ce soit) l'esprit d'autres lieux et d'autres époques, en partie parce que les jeunes gens ne voient aucun rapport entre ces connaissances et la vie qu'ils vont mener ou les passions qui les animent. Il est extrêmement rare de trouver un jeune homme ou une jeune fille à qui cet enseignement ait inspiré un désir de tout savoir sur la Chine, sur les Romains ou sur les Juifs. Tout au contraire : on ne rencontre qu'indifférence à l'égard de ces matières, car le vrai mobile, à savoir la recherche d'une existence meilleure, a été étouffé par le relativisme. Ainsi les jeunes Américains ont-ils de moins en moins de connaissances et éprouvent-ils de moins en moins d'intérêt pour les pays étrangers. Autrefois, il y avait un nombre considérable d'étudiants qui savaient effectivement quelque chose de l'Angleterre, de la France, de l'Allemagne ou de l'Italie et qui aimaient ces pays, car ils concevaient qu'on pût y vivre et estimaient que leurs vies deviendraient plus intéressantes s'ils assimilaient quelque chose de ces cultures-là. Ils savaient les langues de ces pays et ils en aimaient les littératures. Les étudiants de ce type ont presque complètement disparu. Ils ont été remplacés, pour la plupart, par des élèves qui s'intéressent aux problèmes politiques des pays du Tiers Monde et qui voudraient les aider à se moderniser, en tenant compte, bien sûr, de leurs anciennes cultures. Or cette attitude n'est pas celle de quelqu'un qui veut apprendre quelque chose des autres ; c'est une forme déguisée de condescendance et une sorte de nouvel impérialisme. C'est la mentalité du *Peace Corps**, mentalité qui, bien loin de constituer une incitation à apprendre, n'est qu'une version « sécularisée » de la bienfaisance de jadis. En fait, la doctrine de l' « ouverture » débouche sur une forme américaine du conformisme : ailleurs, il n'y a qu'une diversité monotone qui nous enseigne toujours la même leçon, tandis qu'ici, nous pouvons créer tous les styles d'existence que nous voulons. En somme, notre « ouverture » signifie... que nous n'avons pas besoin des autres ! De sorte que ce qui est annoncé comme une grande ouverture est en réalité une grande fermeture. Aucun élève ne nourrit désormais l'espoir de trouver en d'autres lieux et en d'autres temps de grands sages qui puissent lui révéler la vérité sur la vie, à l'exception peut-être de quelques jeunes gens qui cherchent un gourou capable de leur administrer un dopage rapide. Il a bien disparu, le vrai sentiment historique d'un Machiavel, qui dérobait quelques heures à chacune de ses journées chargées « pour revêtir la toge rouge et fréquenter les princes de l'Antiquité ».

Mais rien de tout cela ne préoccupe ceux qui mettent en œuvre les nouveaux programmes : ce qui compte à leurs yeux, c'est de convertir les élèves à une attitude d'acceptation à l'égard de manières d'être différentes des leurs et, pour cela, l'indifférence au contenu réel de ces comportements est un procédé aussi adéquat que n'importe quel autre. Certes, l'époque où, aux Etats-Unis, les catholiques et les protestants se soupçonnaient les uns les autres du pire et se haïssaient n'était pas nécessairement la meilleure, mais du moins prenaient-ils alors réciproquement leurs croyances au

---

* *Peace Corps* (« armée de la paix ») : organisation d'aide aux pays en voie de développement, créée par le président Kennedy, qui correspond à peu près à la « Coopération » française. (N.d.T.)

sérieux, et les accommodements plus ou moins satisfaisants qu'ils imaginaient pour cohabiter ne résultaient pas simplement d'une relative indifférence à l'état de leurs âmes. Pratiquement, tout ce dont disposent aujourd'hui les jeunes Américains, c'est d'une prise de conscience, sans véritable substance, du fait qu'il existe de nombreuses cultures, accompagnée d'un ersatz de morale fondée sur l'idée « qu'il nous faut tous nous entendre et progresser ensemble ». Pourquoi se battre ? La mère d'un des otages retenus prisonniers en Iran a fort bien exprimé les principes d'éducation actuellement en vigueur. A l'encontre du désir expressément formulé par le gouvernement de son pays, elle s'était rendue en Iran pour y implorer la libération de son fils, la semaine même où on a tenté de délivrer les otages. Elle a justifié sa conduite en expliquant qu'une mère a le droit d'essayer de sauver son fils et d'apprendre à connaître une « nouvelle culture ». Ce sont là deux droits fondamentaux, et son voyage lui permettait de faire d'une pierre deux coups.

En fait, on aurait pu envisager bien plus facilement le problème des différences culturelles aux Etats-Unis il y a quarante ans que maintenant. A l'époque où j'étais moi-même étudiant, un jeune homme du Mississippi a habité pendant quelques jours dans la même chambre que moi, au cours d'une visite que nous rendait le groupe de discussion de l'université de Virginie dont il était membre. C'était la première fois que je rencontrais un garçon du Sud intelligent et cultivé. Il m'a expliqué l'infériorité des Noirs, les raisons de la ségrégation et de quelle manière tout cela s'articulait pour composer un mode de vie unique. C'était un jeune homme séduisant, vif, aimable et sain. Et pourtant, il m'horrifiait, car j'étais encore ethnocentrique. Je considérais que mes convictions nordistes étaient universelles. La philosophie du « droit à la différence »* n'était pas encore généralisée. Fort heureusement, l'homogénéisation de la culture américaine qui s'est produite depuis lors nous permet d'éviter désormais des confrontations déplaisantes de ce genre. Il n'y a plus maintenant, pour défendre les opinions racistes de mon jeune visiteur d'il y a quarante ans, que des psychopathes d'une catégorie sociale inférieure. Et il ne reste rien de la culture du Sud.

Une des techniques qu'on a imaginées pour inciter les jeunes gens à l' « ouverture », c'est l'obligation pour eux de suivre un cours universitaire consacré à une culture non occidentale. Bien que bon nombre des enseignants qui donnent ces cours soient de vrais érudits et des connaisseurs passionnés des régions qu'ils

---

* *Different strokes for different folks* (« des coups différents pour des gens différents ») : slogan qui s'est répandu aux Etats-Unis au cours de la dernière décennie et correspond plus ou moins au « Touche pas à mon pote » de la lutte antiraciste en France. (N.d.T.)

étudient, dans tous les cas que j'ai pu observer, cette exigence (alors qu'il y a tant de matières qu'on peut et qu'on devrait enseigner, alors que la philosophie et la religion ne sont plus des branches obligatoires) comportait une intention démagogique. On oblige les élèves à reconnaître qu'il existe d'autres façons de penser et que celles de l'Occident ne sont pas les meilleures. A nouveau, ce n'est pas ici le contenu de l'enseignement qui compte mais la leçon qu'il faut en tirer. L'obligation faite aux étudiants de suivre ces cours constitue un élément de l'action actuellement conduite pour établir une communauté mondiale et en former les membres, qui doivent être des individus sans préjugés. Pourtant, si les étudiants apprenaient vraiment quelque chose de la mentalité de l'une ou l'autre de ces cultures non occidentales — ce qu'ils ne font pas — ils découvriraient qu'elles sont toutes, sans exception, ethnocentriques. Dans toutes ces cultures, on pense que sa propre manière d'être est la meilleure et que toutes les autres sont inférieures. Hérodote nous raconte que les Perses pensaient être les meilleurs, qu'ils estimaient que les nations qui les entouraient étaient les secondes par ordre d'excellence, les pays frontaliers de ces nations-là les troisièmes, et ainsi de suite : la qualité des peuples déclinait en fonction des cercles concentriques ayant l'Empire perse comme centre. C'est là la définition même de l'ethnocentrisme.

Une tendance de ce genre est aussi omniprésente que l'interdiction de l'inceste entre mère et fils. C'est seulement dans les nations occidentales, c'est-à-dire celles qui ont été influencées par la philosophie grecque, que l'on rencontre quelque doute quant à l'identification entre le bien absolu et celui qui nous est propre. On devrait donc conclure de cette étude des cultures non occidentales qu'il est naturel non seulement de préférer sa façon d'être, mais d'estimer qu'elle est supérieure à toutes les autres, ce qui est exactement le contraire de ce que ladite étude a l'intention de prouver. Ce que nous faisons en réalité, de cette manière, c'est de mettre en pratique un préjugé occidental — ouvertement considéré comme le signe d'une supériorité de notre culture — et de déformer les témoignages de ces autres cultures pour confirmer la valeur de notre préjugé. L'étude scientifique d'autres cultures est presque exclusivement un phénomène occidental. A l'origine, il était manifestement associé à la recherche de nouvelles et de meilleures manières de vivre ou, du moins, à la confirmation de l'espoir qu'il n'existe pas de meilleures façons de vivre que les nôtres, confirmation dont les autres cultures n'éprouvent nullement le besoin. S'il est vrai que nous avons quelque chose à apprendre de ces autres cultures, on sera sans doute amené à se demander si une étude scientifique de ce type n'émane pas d'une fort mauvaise idée ! Il se pourrait bien que la science et la fameuse « ouverture » constituent la grande faiblesse de l'Occident : c'est ce qu'il semble en tout cas.

Presque aucun des chercheurs qui étudient une autre culture et professent de l'admiration pour elle n'est disposé à admettre qu'il considère son érudition comme une marque de supériorité par rapport à la culture qu'il étudie ; c'est pourtant ce qui se passe en fait. Il croit fermement que la science et l'ouverture sont de bonnes choses, et c'est pourquoi il les enseigne aux Américains. Mais il n'est pas assez cohérent pour faire ce que faisaient les hommes de science du passé quand ils avaient une expérience analogue : quand ils découvraient que la vérité de la Révélation était contraire à celle de la science, ils renonçaient à la science.

La raison pour laquelle les non-Occidentaux sont fermés sur eux-mêmes et sont ethnocentristes est claire. Pour préserver leur existence et leur identité, les hommes doivent aimer leurs familles et leurs peuples, et leur être loyaux. Et c'est seulement s'ils pensent que ce qu'ils ont est bon qu'ils peuvent s'en satisfaire. Un père doit préférer son enfant aux autres enfants, un citoyen son pays aux autres. C'est pour cela qu'existent les mythes : pour justifier ces attachements. Et un homme a besoin d'un lieu et d'opinions pour s'orienter. Tous ceux qui nous parlent de l'importance des racines l'admettent. La nécessité de s'entendre avec les étrangers ne vient qu'en seconde position, après celle d'avoir un intérieur, un peuple, une culture, un mode de vie, et quelquefois il est en conflit avec lui. Une grande étroitesse n'est pas incompatible avec la santé d'un individu ou d'un peuple, alors qu'avec une grande ouverture d'esprit, il est difficile d'éviter la décomposition. Il semble bien que les conditions sine qua non d'une culture consistent à associer fermement l'idée de bien à celle de son bien propre, à refuser de voir la distinction entre les deux choses et à avoir du cosmos une vision qui prévoit une place spéciale pour le peuple dont on fait partie. Voilà l'enseignement qu'il nous faudrait retirer de l'étude qu'on nous propose : elle devrait avoir pour résultat de nous faire revenir à un attachement passionné à ce qui nous est propre. Mais nous sommes corrompus par la science ; notre foi est brisée et on nous a insufflé le goût de nouvelles séductions.

Les philosophes grecs ont été les premiers, à notre connaissance, à aborder le problème de l'ethnocentrisme. Les caractéristiques de ce mouvement de pensée sont la distinction entre le bien absolu et celui de l'individu, la distinction entre la nature et la convention, la distinction entre ce qui est juste et ce qui est légal. Les philosophes grecs associaient le bien absolu à l'accomplissement de la totalité du potentiel naturel humain et ils se rendaient compte que peu de nations humaines, à supposer même qu'il y en eût, disposaient des moyens de réaliser un tel accomplissement. Il leur fallait rechercher le bien, qui n'était donc pas le leur, et s'en servir ensuite pour juger de leur bien propre. Ainsi, ils étaient ouverts au bien absolu, et c'était là une attitude dangereuse, car elle tendait à affaiblir l'attachement qu'ils portaient à ce qui leur était propre, donc à affaiblir leur peuple dans son ensemble, ainsi qu'à les exposer à la colère de leur famille, de leurs amis et de leurs compatriotes. De ce fait une tension irréductible s'est établie alors dans l'existence des Grecs, tension qu'on pourrait résumer par la formule « loyauté contre quête du bien ». Mais la prise de conscience de l'existence du bien en tant que tel et le désir de le posséder sont néanmoins des acquisitions dont la valeur civilisatrice est inestimable.

Telle est la saine motivation que recèle la doctrine de l' « ouverture », telle que nous la comprenons, à côté de beaucoup d'autres mobiles moins sains. Nous ne pouvons nous contenter de ce qui nous est donné par notre culture si nous désirons être des êtres humains complets. C'est ce que voulait exprimer Platon par son allégorie de la caverne dans laquelle nous sommes prisonniers. Une culture, c'est une caverne. Mais Platon ne suggérait pas, comme solution, de se diriger vers d'autres cultures : il suggérait de découvrir la nature, dont toutes les cultures ne sont que de pâles imitations. La nature devrait être la norme selon laquelle nous jugeons nos vies et celles des peuples. C'est pourquoi c'est la philosophie, et non pas l'histoire ou l'anthropologie, qui est la plus importante des sciences humaines. Si nos éducateurs sont tellement sûrs que la seule façon d'échapper aux limitations de notre époque et de notre pays consiste à étudier les autres cultures, c'est uniquement en raison d'une certitude dogmatique que la pensée est liée à la culture et qu'il n'existe pas de nature. Les Grecs, eux, considéraient que l'histoire et l'anthropologie ne servent qu'à découvrir la contribution que le passé et les autres peuples peuvent apporter à la découverte de la nature. Il leur fallait soumettre à examen les autres peuples et leurs conventions, comme Socrate l'avait fait pour les individus, puis aller plus loin qu'eux. Ces hommes de science étaient supérieurs à leurs sujets, car ils voyaient un problème là où d'autres refusaient de le voir et ils entreprenaient une quête en vue de le résoudre. Ils voulaient être en mesure de se juger et de s'évaluer, ainsi que de juger et d'évaluer les autres. Ce point de vue, et en particulier le besoin de connaître la nature pour disposer d'une norme, est en fait sous-jacent dans toutes nos sciences humaines, que cela plaise ou non aux érudits qui les pratiquent ; cela induit un certain malaise et explique en partie les ambiguïtés et les contradictions que j'ai déjà relevées. Ces sciences veulent faire de nous des êtres culturels et, pour cela, elles recourent aux instruments mêmes qui ont été inventés pour nous libérer de la culture ! L'ouverture était naguère la vertu qui permettait de rechercher le bien en se servant de la raison : voici qu'elle équivaut maintenant à l'acceptation de tout et à la négation du pouvoir de la raison ! En poursuivant sans restrictions ni réflexion cet idéal-là, en refusant de reconnaître que le problème politique, social et culturel inhérent à cette conception nous renvoie à la nature, on a privé l' « ouverture » de toute signification. Le relativisme culturel détruit à la fois l'identité du sujet et le bien en général. Il est exact de dire que ce qui est le plus caractéristique de l'Occident, c'est la science, en particulier si on entend par science la quête de la connaissance de la nature et la critique des conventions c'est-à-dire de la culture, ou de l'Occident conçu comme une culture, au profit de ce qui est accessible à tous les hommes en leur qualité d'hommes par le recours à la faculté qui leur est commune et qui les distingue des autres êtres vivants, à savoir la raison. Mais les tentatives les plus récentes de la science en vue de comprendre la condition humaine — relativisme culturel, historicisme, distinction entre les faits et les valeurs — équivalent au suicide de la science. La culture, donc la fermeture, règne en maîtresse. Ce que nous enseignons à nos élèves, c'est l'ouverture... à ce qui est fermé.

Le relativisme culturel parvient à détruire les prétentions universelles ou intellectuellement impérialistes de l'Occident : il ne laisse subsister ici qu'une culture comme les autres. Dans la république des cultures, l'égalité règne. Malheureusement l'Occident se définit par son besoin de justifier ses conduites et ses valeurs, par son besoin de découvrir la nature, par son besoin de philosophie et de science. Privé de cela, il s'effondrera. C'est notre impératif culturel. Les Etats-Unis représentent une des manifestations les plus achevées de la quête rationnelle d'une existence bonne et conforme à la nature. Pour atteindre ce résultat, on a recouru à un artifice : le recours aux principes rationnels du droit naturel pour servir de fondement à un peuple, ce qui revient à associer le bien absolu à ce que possède l'individu ! En d'autres termes, on a mis en place un régime qui a promis à ses sujets la liberté de raisonner sans entraves : non pas une liberté pure et simple de faire n'importe quoi, mais la liberté de raisonner, la liberté essentielle qui justifie les autres libertés et sur la base de laquelle et pour le bien de laquelle on peut aussi tolérer pas mal de déviations. Une « ouverture » qui conteste la revendication particulière de la raison fait sauter la cheville ouvrière qui maintient en mouvement le mécanisme de ce régime. Et ce régime, quoi qu'en disent tous ceux qui prétendent le contraire, a été fondé pour dépasser l'ethnocentrisme, qui n'est en rien une découverte des sciences humaines.

Il importe maintenant de souligner le fait que la leçon que les élèves tirent de leurs études est purement et simplement erronée. L'histoire et l'étude des cultures n'enseignent ni ne prouvent que les valeurs ou les cultures sont relatives. Tout au contraire, il s'agit là d'un postulat philosophique que nous posons maintenant préalablement à notre étude de ces disciplines. Ce postulat est sans preuve et on l'affirme dogmatiquement pour des raisons qui sont essentiellement politiques. Sur cette base, on interprète l'histoire et la culture à la lumière de ce postulat, après quoi on déclare qu'elles en constituent la preuve ! Cette pétition de principes n'est rien d'autre qu'une ruse misérable. Le fait qu'il y ait eu à différentes époques et en différents lieux des opinions diverses sur le bien et le mal ne prouve nullement qu'aucune de ces opinions n'est vraie ni supérieure aux autres. Dire une chose pareille, c'est aussi absurde que de prétendre que la diversité des points de vue exprimés lors d'une discussion universitaire à bâtons rompus démontre qu'il n'existe pas de vérité. Face à cette diversité, on devrait plutôt se poser la question de savoir quel point de vue est vrai ou juste et non pas les bannir tous. La réaction naturelle, quand on constate des différences d'opinion, c'est d'essayer de résoudre le différend, d'examiner les arguments et les raisons de chacun. Seule l'idée, contraire à l'histoire et à l'humanité, que l'on soutient telle ou telle opinion sans aucune raison pourrait détourner qui que ce soit de se lancer dans une analyse aussi intéressante. Les hommes et les nations croient toujours qu'ils ont de bonnes raisons de vivre, et on pourrait penser que c'est la responsabilité la plus importante des historiens et des spécialistes des sciences humaines que d'expliciter ces raisons et de les soumettre à examen. On sait depuis toujours qu'il existe des opinions nombreuses et contradictoires sur le bien et sur les nations qui l'incarnent. Hérodote était au moins aussi au courant de la richesse et de la diversité des cultures que nous le sommes aujourd'hui. Mais il considérait ce fait comme une invitation à enquêter sur toutes ces cultures pour voir ce qu'il y avait de bon et de mauvais en chacune d'elles et pour découvrir ce qu'il pouvait apprendre d'elles sur le bien et le mal. Or, nous, nous prétendons que la même observation — celle de la diversité des cultures — prouve l'impossibilité d'une telle enquête et démontre qu'il nous faut être respectueux de toutes les cultures sans exception. Une telle attitude ne découle nullement des faits, mais nous supprimons ainsi l'incitation originelle qui s'attache à la découverte de la diversité, l'impulsion d'Ulysse qui, selon Dante, a voyagé à travers le monde pour observer les vertus et les vices des hommes. L'histoire et l'anthropologie ne peuvent nous fournir de réponses, mais elles peuvent nous offrir le matériel sur lequel notre faculté de jugement peut fonctionner. Je sais que les hommes sont susceptibles de conférer au jugement qu'ils portent sur les peuples étrangers une coloration qui n'exprime rien d'autre que leurs préjugés ; et l'éviter est précisément une des tâches principales de l'éducation. Mais essayer d'empêcher l'apparition de ces préjugés en récusant l'autorité de la raison, c'est ôter toute efficacité à l'instrument même qui peut corriger ces préjugés. La véritable « ouverture » est celle qui accompagne le désir de savoir, donc la prise de conscience de l'ignorance. Nier la possibilité de savoir ce qui est bien et ce qui est mal revient à annihiler cette véritable ouverture. Une attitude historique pertinente conduirait à douter de la véracité de notre historicisme et de le traiter comme une simple particularité de notre histoire. Et en effet, l'historicisme et le relativisme culturel ne sont que des moyens d'éviter de soumettre à examen nos propres préjugés et de nous demander, par exemple, si les hommes sont vraiment égaux ou si cette opinion n'est pas uniquement un préjugé démocratique.

On peut aussi se demander si notre sagesse historique et anthropologique n'est pas simplement une version déguisée et un peu confuse du dilemme romantique qu'on a présenté comme inéluctable et tragique au début du XIXe siècle, qui a provoqué une intense nostalgie pour le passé lointain ou les pays exotiques et qui a engendré un art destiné à satisfaire cette nostalgie. Héritiers de la science — c'est du moins ce qu'on fait valoir — nous en savons beaucoup plus que les peuples du temps jadis et des autres pays, avec leurs préjugés et leurs illusions non scientifiques, et pourtant ils étaient ou sont plus heureux que nous. Ce dilemme s'exprime bien dans la distinction qu'on fait entre l'art naïf et l'art sentimental. Certains ethnologues témoignent involontairement en faveur de mon hypothèse : la meilleure culture serait celle qu'on rencontre au moment où les hommes ont abandonné l'état de nature et vivent ensemble en simples communautés, sans jouir d'une vraie propriété privée ni souffrir de l'agressivité suscitée par l'amour-propre. Mais pour parvenir à s'en convaincre, il faut d'abord que la science se développe, ce qui nécessite une société développée et corrompue : en effet, la science n'est qu'un des avatars de l'amour-propre, c'est-à-dire de l'amour de l'inégalité ; et la thèse en question suscite donc quelques réserves mélancoliques à l'égard de la science. Toutefois, en fait, le dilemme ne paraît inéluctable que parce que nous avons la certitude d'être très savants. Si nous renonçons à cette conviction, nous accepterons volontiers de soumettre à examen les croyances de ces peuples plus heureux que nous, pour voir s'ils savent quelque chose que nous ignorons. Peut-être le génie d'Homère n'était-il pas aussi naïf que Schiller l'imaginait ? Si nous renonçons à l'orgueil relatif à notre savoir, orgueil qui se présente comme de l'humilité, la discussion prend une nouvelle dimension. Ainsi nous pouvons nous diriger dans l'une ou l'autre de ces deux directions : renoncement à la science, ou rétablissement d'une vie contemplative. L'une et l'autre sont possibles et, par elles-mêmes, engendreront un bonheur réel et autosuffisant. L'attitude romantique n'est qu'une autre manière de ne pas affronter les extrêmes, en dissimulant cette dérobade sous les allures d'une résistance héroïque. La façon que nous avons de faire la navette entre la science et la culture n'est qu'un dérivé banal de l'attitude romantique.

Il existe donc deux espèces d' « ouverture » : l'ouverture de l'indifférence, dont le double dessein est de rabaisser notre orgueil intellectuel et de nous laisser être ce qu'il nous plaît d'être, dans la mesure où nous ne voulons pas être de ceux qui savent ; et l'ouverture qui invite à la recherche de la connaissance et de la certitude, pour laquelle l'histoire et les diverses cultures constituent une brillante panoplie d'exemples qu'il faut examiner. Cette dernière forme d'ouverture encourage le désir qui anime tout étudiant sérieux et le rend intéressant (« Je veux savoir ce qui est bon pour moi, ce qui me rendra heureux ») ; l'autre type d'ouverture étouffe ce désir. L'ouverture qui incite à la quête implique des conditions préalables bien définies en matière d'études et de vertus. L'ouverture de l'indifférence n'est qu'un prétexte pour permettre à n'importe quelle sorte de vulgarité d'entrer en scène et d'y demeurer sans opposition. Tous les changements, intellectuels ou moraux, qui sont survenus au cours des vingt dernières années ont toujours été justifiés par l'argument qu'ils étaient cause ou effet d'une plus grande ouverture, ce qui équivaut à ne pas les justifier du tout.

Il semble que l'ouverture soit un moyen de contraindre les hommes à céder devant la force, une façon de faire paraître fondé sur des principes le culte de la réussite vulgaire. C'est une ruse de l'historicisme pour éliminer toute résistance à l'Histoire, équivalant de nos jours à l'opinion publique, à une époque où, déjà, l'opinion publique règne en maîtresse. Combien de fois n'ai-je pas entendu quantité de gens se féliciter qu'on ait renoncé à l'obligation d'apprendre les langues, la philosophie ou les sciences, abandon considéré comme un progrès dû à l'ouverture ! Et c'est là qu'on discerne bien ce qui sépare radicalement ces deux sortes d'ouverture. Si l'on se veut « ouvert » au savoir, on voit tout de suite qu'il y a certaines catégories de choses qu'il est nécessaire de connaître, mais que la plupart des gens n'ont pas envie de se donner la peine d'apprendre parce qu'elles apparaissent comme ennuyeuses et sans objet. La vie de la raison leur apparaît même souvent comme peu séduisante, et le savoir inutile, qu'elle apporte, dans la mesure où il ne contribue pas à la réussite d'une carrière professionnelle, comme sans objet. L'université, qui défend de façon intransigeante l'enseignement des lettres, leur fait nécessairement l'effet d'être fermée et rigide. Si l' « ouverture » signifie qu'il faut « aller dans le sens du courant » elle implique obligatoirement l'adaptation au présent. Or l'époque actuelle est tellement imperméable aux doutes qui pourraient faire obstacle aux progrès de ses principes, que la pratique sans restrictions de « l'ouverture » risque fort d'occulter l'existence de toute autre conception des choses ; et c'est précisément la connaissance d'autres conceptions possibles qui pourrait nous faire prendre conscience de ce que la prétendue « ouverture » actuelle comporte de douteux. Autrement dit, l'*ou-*

verture authentique consisterait à *fermer* les oreilles à toutes les séductions qui rendent confortable l'existence présente.

Alors que j'étais jeune professeur à Cornell, j'ai eu un jour une discussion sur l'éducation avec un professeur de psychologie. Sa fonction, me disait-il, consistait à venir à bout des préjugés de ses élèves ; il les abattait comme des quilles ! J'ai commencé alors à me demander par quoi il remplaçait ces préjugés ; mais il ne paraissait pas avoir la moindre idée de ce que pouvait être le contraire d'un préjugé. Il me faisait penser au petit garçon qui, quand j'avais quatre ans, m'avait gravement informé que le Père Noël n'existait pas : il souhaitait m'inonder de la brillante lumière de la vérité. Est-ce que le professeur avec qui je discutais à Cornell savait ce que ces préjugés représentaient pour ses élèves et quel effet produirait sur eux le fait d'en être privés ? S'imaginait-il qu'il existe des vérités qui puissent les guider dans leur existence comme le faisaient leurs préjugés ? Avait-il envisagé de leur inspirer l'amour de la vérité nécessaire pour rechercher des croyances sans préjugé, ou avait-il l'intention de les rendre passifs, indifférents et soumis à des autorités telles que leur professeur ou ce qu'il y a de meilleur dans la pensée contemporaine ? Le gamin qui m'avait informé de l'inexistence du Père Noël se contentait, lui, de faire de l'esbroufe pour montrer sa supériorité à mon égard ; et, après tout, je ne pense pas qu'il était si malin que ça. Il fallait bien que quelqu'un eût inventé le Père Noël pour qu'il puisse, lui, en nier l'existence ! Pensons plutôt à tout ce que nous apprenons sur le monde en nous fondant sur la croyance des hommes au Père Noël ; songeons à tout ce que nous apprenons sur l'âme par ceux qui y croient. Si l'on ampute l'âme de l'imagination qui projette sur les murs de la caverne les dieux et les héros, on n'en favorise pas la connaissance ; on se contente de lobotomiser l'âme et d'estropier ses pouvoirs.

J'ai donc répondu au professeur de psychologie qui était mon interlocuteur que, quant à moi, j'essayais au contraire d'*enseigner* à mes élèves des préjugés, car à l'heure actuelle, compte tenu du succès général de sa méthode, ils avaient appris à douter de toutes les croyances avant de croire eux-mêmes à quoi que ce fût. Sans moi, l'excellent professeur se serait trouvé au chômage ! Avant même d'entreprendre de douter systématiquement et radicalement de tout, Descartes disposait de tout un monde merveilleux de vieilles croyances, d'expériences préscientifiques et d'interprétations du monde, convictions auxquelles il était fermement et même fanatiquement attaché. Il faut avoir fait l'expérience de la vraie croyance pour pouvoir jouir du frémissement de la libération. J'ai donc proposé à mon collègue une division du travail selon laquelle j'aiderais à faire pousser les fleurs dans les prairies, après quoi il pourrait les faucher. Les préjugés, les préjugés les plus puissants, ont des visions de l'ordre des choses. Ce sont des divinations du tout : ainsi la voie de la connaissance du tout passe-t-elle par celle des opinions erronées sur le tout. Certes, l'erreur est notre ennemie, mais il n'y a qu'elle qui désigne la vérité et, de ce fait, elle mérite qu'on la traite avec respect. L'esprit qui, à l'origine, est sans préjugés est un esprit vide. Il ne peut avoir été formé que par une méthode qui n'a pas conscience de la difficulté qu'il y a à reconnaître qu'un préjugé est un préjugé. Seul Socrate a su, après une vie entière de travail incessant, qu'il était ignorant. Aujourd'hui, tout élève de lycée le sait. Comment cela a-t-il pu devenir aussi facile ? Qu'est-ce qui explique ce progrès surprenant ? Se pourrait-il que notre expérience se soit tellement appauvrie au gré de nos diverses méthodes d'enseignement, dont l' « ouverture » n'est que la plus récente, qu'il ne reste rien d'assez substantiel pour résister à la critique et que, par conséquent, il n'existe plus de monde dont nous puissions être vraiment ignorants ? Avons-nous tellement simplifié l'âme qu'elle n'est plus difficile à expliquer ? Au regard d'un scepticisme dogmatique, la nature elle-même, avec sa luxuriante profusion d'expressions, peut apparaître comme un préjugé. A sa place, nous avons mis un réseau incolore de concepts critiques, qui, inventés pour interpréter les phénomènes naturels, les ont offusqués, détruisant, de ce fait, leur propre raison d'être. Peut-être notre première tâche consiste-t-elle à ressusciter ces phénomènes, afin de disposer à nouveau d'un monde que nous puissions interroger et de nous mettre par là même en mesure de philosopher. Tel est, me semble-t-il, le défi qu'il revient aux éducateurs que nous sommes d'apercevoir et de relever.

PREMIÈRE PARTIE

LES ÉTUDIANTS

UN SOL VIERGE

Européens et Américains

J'ai longtemps pensé que les jeunes Américains ne commençaient leur éducation proprement dite qu'à l'âge de dix-huit ans. Auparavant, leur existence était spirituellement vide et ils arrivaient à l'université semblables à des pages blanches, sans avoir pris conscience de leur moi profond ni du monde situé au-delà de leur expérience superficielle. Les romans et les films européens dont on a l'occasion de prendre connaissance à l'université mettent bien en relief le contraste entre les étudiants des deux côtés de l'Atlantique : les Européens acquièrent de très bonne heure, que ce soit à la maison ou dans les écoles, les lycées, les gymnases, une bonne part de la culture qui sera plus tard la leur ; leurs âmes s'y intègrent dans une tradition littéraire spécifique et celle-ci, réciproquement, exprime leur tradition en tant que peuples, elle en est même le fondement. Et ce n'est nullement d'une façon simpliste ou primaire que les élèves européens disposent d'une connaissance du cœur humain beaucoup plus élaborée que celle qu'on rencontre d'habitude, aux Etats-Unis, chez les jeunes gens ou même chez les adultes : leur connaissance d'eux-mêmes a été médiatisée par les livres et leurs ambitions se constituent tout autant à l'exemple de modèles rencontrés lors de leurs lectures que dans l'existence quotidienne.

C'est que les livres jouent un rôle important dans cette existence et représentent un élément, et non des moindres, de ce que la société européenne dans son ensemble considère avec respect. Ainsi, dans les bonnes familles européennes il est courant que les enfants imaginent sérieusement qu'ils feront plus tard leur chemin dans la littérature ou la philosophie, à peu près comme de jeunes Américains espèrent devenir des hommes d'affaires ou, éventuellement, participer à l'industrie des loisirs.

Inaugurée de très bonne heure, cette orientation culturelle fait partie, quand les jeunes Européens approchent de leur vingtième année, de «l'équipement» de leurs âmes : c'est comme un prisme à travers lequel ils voient toutes choses et dont l'éclairage affectera tout ce qu'ils apprendront plus tard, tout ce dont ils feront l'expérience. S'ils vont à l'université, ce n'est pas pour apprendre, c'est pour se spécialiser.

Par comparaison, les jeunes Américains me paraissaient, au moment de leur entrée en faculté, de véritables sauvages. C'est à peine s'ils avaient entendu les noms des écrivains qui étaient le pain quotidien de leurs homologues d'outre-Atlantique et, bien entendu, il ne leur venait même pas à l'esprit qu'ils pourraient entretenir avec ces auteurs la moindre familiarité. « Qu'est-ce pour moi qu'Hécube ? » Citoyens du monde entier, ne recourant à leur raison que pour voir ce que tous les hommes ont en commun et pour résoudre les problèmes de subsistance, ils ne cessent de piétiner, en toute innocence, des autels sacrés pour d'autres peuples et d'autres nations du monde, qui sont, eux, fermement convaincus qu'ils sont constitués par leurs dieux et par leurs héros et non par leur réalité physique. On peut certes considérer que ce caractère quelque peu obtus de l'intellect américain est effarant et barbare, qu'il correspond à un étiolement de la nature humaine, qu'il équivaut à une incapacité de ressentir la beauté et à une carence totale de l'intégration dans le discours continu de la civilisation.

Mais pour moi, et pour nombre d'observateurs attentifs, c'est là que résidait précisément une bonne partie du charme des étudiants américains. De plus, très souvent, lors des premières manifestations de la maturité, la curiosité naturelle et l'amour du savoir semblaient prendre naissance chez eux. En l'absence de toute contrainte ou de tout encouragement de type traditionnel, sans pouvoir compter sur quelque récompense ou quelque sanction que ce fût de la part de la société, sans snobisme ni exclusivisme, certains Américains se découvraient alors un désir inextinguible de prendre conscience d'eux-mêmes et s'apercevaient que leurs âmes comportaient des espaces inexplorés qui exigeaient d'être meublés. Certes, les étudiants européens qui avaient été mes élèves savaient toujours ce qu'il faut savoir de Rousseau et de Kant mais c'est qu'on leur avait claironné dès leur plus jeune âge les idées de ces auteurs. Dans le monde nouveau de l'après-guerre, cette connaissance n'était plus qu'une ennuyeuse routine, qui faisait partie des contraintes de l'enfance au même titre que les culottes courtes, ce n'était plus une source d'inspiration, et mes élèves européens étaient avides d'un enseignement nouveau, fondé sur l'expérience moderne. Tout au contraire, pour les Américains, les grands écrivains pouvaient représenter la splendeur des hautes montagnes illuminées par le soleil, d'où l'on découvre soudain le monde extérieur. Ils pouvaient apporter la libération authentique pour laquelle plaide le présent essai. Pour les Américains, l'ancien était nouveau, et même les éléments les plus importants de leur passé l'étaient presque autant. Il leur manquait peut-être un lien immédiat, enraciné dans l'être, avec les réalisations philosophiques et artistiques qui semblent faire partie intégrante des cultures spécifiques ; mais, en revanche, la façon dont ils abordaient ces œuvres exigeait un libre choix et la possibilité virtuelle, pour un homme en tant qu'homme, indépendamment du moment, du lieu, de la situation sociale et de la fortune de chacun, de participer à ce qu'il y a de plus élevé dans le monde. Si la fraternité de l'homme était fondée sur ce qu'il y a de plus bas en lui, tandis que la plus haute acculturation exigeait des « cultures » séparées les unes des autres et sans passerelles entre elles, ce serait une triste condition que la condition humaine ! Mais durant la période à laquelle je fais allusion, la disposition naturelle des Américains attestait le contraire. Elle portait témoignage d'une croyance optimiste, positive en la possibilité simultanée de deux universalités, celle du corps et celle de l'âme, et manifestait la conviction que l'accès de ce qu'il y a de meilleur ne dépend pas du hasard. Les jeunes Américains — ou plus exactement quelques jeunes Américains — apportaient la promesse d'une perpétuation de la vitalité de la tradition, par le fait même qu'ils ne la considéraient pas comme une tradition.

Retour sur la génération des années 1960

Quand, au cours des années qui ont suivi le lancement du premier Spoutnik, j'ai commencé à enseigner aux Etats-Unis, l'avenir des étudiants américains m'apparaissait comme particulièrement riche de promesses. C'est ainsi qu'en 1963, je pouvais écrire : « La génération actuelle est unique en son genre ; elle présente un aspect complètement différent de celui qu'offraient ses maîtres. Je parle, bien sûr, des bons élèves des meilleures universités : c'est à eux qu'est destiné avant tout l'enseignement de la culture générale, et leur formation nécessite le recours aux meilleurs matériaux intellectuels possibles. Ces jeunes gens n'ont jamais souffert d'appréhensions relatives au maintien de leur bien-être physique, comme celles dont leurs parents en ont fait la pénible expérience pendant la grande crise économique. Elevés dans le confort, ils en escomptent un plus grand encore à l'avenir. De ce fait, ils y sont très indifférents ; ils ne sont pas fiers de l'avoir acquis et n'ont pas été en proie aux préoccupations mesquines, susceptibles de déformer la personnalité, qui ont présidé à son acquisition. N'y tenant pas particulièrement, ils sont d'autant plus disposés à y renoncer au nom de grands idéaux. En fait, ils sont même désireux de faire ce sacrifice, pour prouver qu'ils ne sont pas attachés au confort et qu'ils sont prêts à répondre à l'appel des vocations les plus élevées. On pourrait dire, en somme, que ces étudiants représentent une version démocratique de l'aristocratie. La prospérité constante des vingt dernières années leur donne confiance : ils savent qu'ils pourront toujours gagner leur vie. Aussi sont-ils prêts à entreprendre n'importe quelle carrière ou à se lancer dans n'importe quelle aventure, pour peu que l'on trouve moyen de la leur faire apparaître comme sérieuse. Leurs liens avec la tradition, la famille et les problèmes financiers sont lâches. Et à tout cela s'associe un caractère ouvert, généreux. Ces jeunes gens tendent à être d'excellents élèves et à se montrer extrêmement reconnaissants pour tout ce qu'on leur apprend. Bref, quand on envisage ce groupe particulier, on est enclin à formuler un pronostic encourageant quant à la santé morale et intellectuelle du pays. »

Il y avait, à ce moment-là, une aspiration spirituelle, une tension puissante de l'âme qui électrisaient l'atmosphère de l'université. Le défi que les Soviétiques nous avaient lancé dans l'espace avait donné un choc à la nation et, pendant quelque temps, le nivellement de l'éducation fut relégué aux calendes : on n'avait pas de temps à perdre, semblait-il, pour une telle absurdité. La survie même de la nation dépendait d'une meilleure instruction prodiguée aux plus doués. Du fait d'une nécessité extérieure, le monde tranquille de l'éducation se trouvait soudain animé d'un caractère d'urgence qui aurait dû y être toujours présent. En un clin d'œil, on vit apparaître des moyens financiers et des normes exigeantes. Il fallait produire des techniciens scientifiques qui nous préservent d'être à la merci des tyrans. L'enseignement des établissements secondaires s'est alors concentré sur les mathématiques et la physique, et les élèves qui y excellaient ont été comblés d'honneurs et promus à un grand avenir. Le « test d'aptitude scolaire » s'est mis à faire autorité et l'effort intellectuel est devenu un sport national. De même que le simple fait de donner de l'exercice à des muscles flasques et inemployés est salutaire, cet effort national eut pour résultat tout à la fois de former et d'éveiller l'esprit. C'est uniquement aux sciences exactes que s'intéressaient les administrations publiques ; mais les sciences humaines et les lettres en bénéficiaient au second degré, dans la mesure où les universités ne pouvaient manquer de faire valoir que ces disciplines-là comptaient également. Et du fait de cette ambiance nouvelle, les élèves s'amélioraient et se sentaient plus hautement motivés. Une fois parvenus à l'université, il leur était possible, puisqu'ils vivaient dans un pays libre, de modifier leur centre d'intérêt s'il leur arrivait de découvrir à ce moment qu'il existe quelque chose de plus que la science. C'est alors qu'on a pu commencer à observer des phénomènes curieux. Par exemple, pour la première fois, des étudiants américains se sont mis à apprendre pour de bon les langues étrangères. Puis se sont manifestés certains signes d'un début d'aspiration à quelque chose d'autre. On avait exagéré la valeur de la science : la vocation scientifique véritable est fort rare et, de plus, au collège, on présentait la science de façon purement technique et sans la moindre inspiration. Apparemment, les élèves apprenaient ce qu'on leur demandait d'apprendre ; mais leur ennui n'était pas complètement contrebalancé par de grandes espérances. Leurs nouvelles activités mentales, leur besoin de réalisation personnelle n'avaient pas tout à fait trouvé le moyen de s'exprimer. C'est alors que j'ai pu me rendre compte que le goût des meilleurs élèves pour la science était très limité. Ils se heurtaient au plus grand problème théorique des sciences modernes : à savoir qu'elles ne peuvent expliquer *pourquoi* elles sont dans le vrai ; et ce problème théorique avait, sur les étudiants, un effet pratique. Cette question du « pourquoi » émergeait de plus en plus dans leurs consciences ; et cela les incitait à s'éloigner des sciences et à se rapprocher des lettres. Ils se sont alors rendu compte qu'on leur avait dissimulé l'existence d'autres études possibles : découverte génératrice de tensions et d'aspirations insatisfaites.

Quant à moi, j'étais déjà convaincu, à ce moment, que ces élèves avaient besoin d'une culture générale pour pouvoir procéder à un examen approfondi de leurs existences et prendre conscience de leurs possibilités. Or cette culture générale, c'était justement ce que les universités ne pouvaient leur offrir, parce qu'elles étaient mal équipées pour cela et n'en avaient du reste aucune envie. Faute de quoi, les énergies vagabondes des étudiants se sont dirigées vers la politique, dans l'espoir d'y trouver un sens à donner à leurs vies. Dans tous les domaines autres que la culture générale, ils auraient pu trouver de quoi se satisfaire ; mais cela n'apaisait nullement leurs aspirations et c'est ainsi qu'a été gâchée une magnifique occasion de perfectionnement moral et intellectuel. Car les soi-disant mouvements de libération ont eu comme unique résultat de gaspiller la magnifique énergie, la belle tension qui s'étaient manifestées au départ ; les âmes des étudiants, lasses et désormais sans volonté, se sont retrouvées tout juste capables de raisonnement, mais non plus d'intuitions passionnées.

Certes, mon jugement sur la période précédente avait peut-être été inexact ; on n'avait peut-être assisté qu'à l'assaut final des ultimes inhibitions. Peut-être ce qui semblait une aspiration intellectuelle n'avait-il été, en fait, qu'une version du plus fatal des désirs de l'ère moderne : surmonter inconditionnellement la contrainte, la tension et les conflits, délivrer l'âme de son perpétuel travail d'enfantement et la mettre définitivement au repos. Pourtant, je continue à penser qu'il y avait, dans la fermentation de ces années-là, une bonne part des aspirations que j'ai décrites plus haut et que si tout cela n'a débouché que sur le résultat attristant que l'on constate aujourd'hui, c'est en raison des occasions que nous avons manquées.

Mais en considérant les étudiants qui ont succédé à cette génération de la fin des années cinquante et du début des années soixante, au moment où les sangsues de la culture, aussi bien professionnels qu'amateurs, ont commencé à procéder à leur grande prise de sang spirituel, je me suis demandé si ma conviction — ma foi dans les Grands Livres* anciens — était justifiée. Cette conviction suppose que la nature est la seule chose qui compte dans l'éducation, que le désir de savoir est permanent chez l'homme et que tout ce dont ce désir a besoin c'est d'être nourri convenablement, l'éducateur se bornant à disposer le festin sur la table. Il est désormais clair pour moi que la nature a besoin d'être assistée par la convention, de même que l'habileté de l'homme est nécessaire pour fonder l'ordre politique qui est la condition de sa plénitude naturelle. Au pis, on peut craindre d'assister en ce moment à une sorte d'entropie spirituelle, ou à une évaporation du sang de l'âme en ébullition : c'est là une crainte que Nietzsche estimait justifiée et dont il a fait le centre de toute sa pensée. Il faisait valoir que l'arc de l'esprit était en train de se détendre et qu'il risquait de perdre définitivement sa corde. L'activité de l'esprit, selon Nietzsche, découle de la culture et la décadence de la culture ne signifie pas seulement celle de l'homme dans cette culture, mais la décadence de l'homme, purement et simplement. Telle était la crise qu'il essayait résolument d'affronter : l'existence même de l'homme en tant qu'homme, en tant qu'être noble, dépendait de lui et d'hommes comme lui. Ainsi pensait Nietzsche. Il se peut que Nietzsche n'ait pas eu raison, mais son argumentation paraît aujourd'hui de plus en plus forte. En tout cas, l'impression de sauvagerie naturelle que me donnaient naguère les jeunes Américains était fallacieuse : ce n'est que par comparaison avec les Européens qu'ils m'apparaissaient tels. Et les étudiants de la dernière génération, même si l'on ne considère que les meilleurs d'entre eux, en savent tellement moins, sont tellement plus coupés de la tradition, tellement plus relâchés intellectuellement, qu'ils confèrent à leurs prédécesseurs, par comparaison, l'apparence de

---

* *The Great Books :* Allusion à une entreprise conduite aux Etats-Unis durant les années vingt sur l'initiative de quelques grandes universités (essentiellement Columbia University et l'Université de Chicago). Pour mieux faire connaître les grands classiques mondiaux, le professeur Mortimer Adler a fait rééditer en trente volumes, sous le patronage de l'Encyclopædia Britannica, une centaine d'ouvrages considérés comme essentiels. (N.d.T.)

prodiges de culture. La couche de terreau est de plus en plus mince, et on doute qu'elle puisse donner naissance à la moindre végétation.

L'éducation des Français et des Américains

Pour rendre cet exposé plus clair, prenons comme exemple un type d'éducation qui existe encore, sous une forme très atténuée, en France. En exagérant un peu, mais un peu seulement, on peut dire qu'il y a deux écrivains qui, à eux deux, tracent les contours des esprits de tous les Français qui ont reçu quelque instruction. Tout Français naît, ou du moins devient de très bonne heure, cartésien ou pascalien. On pourrait dire quelque chose d'analogue de Shakespeare, en tant qu'éducateur, pour les Anglais, de Goethe pour les Allemands, de Dante et Machiavel pour les Italiens. Ce sont vraiment des auteurs nationaux ; Descartes et Pascal indiquent aux Français quels sont leurs choix, ils leur fournissent une perspective particulière et clairement définie quand se posent les problèmes éternels de la vie. Ils tissent le tissu des âmes. Lors de mon dernier séjour en France, j'ai entendu un garçon de café traiter un de ses confrères de « cartésien ». Ce n'était pas par prétention qu'il s'exprimait ainsi ; il se référait simplement à ce qui, pour lui, était un type. Ce n'est pas tant que les Français tirent de ces sources des principes ; ce sont plutôt des moules pour leurs esprits. Descartes et Pascal représentent un choix entre la raison et la révélation, entre la science et la piété, et de ce choix découle tout le reste. L'une ou l'autre de ces visions totales se présente presque toujours à l'esprit d'un Français quand il réfléchit sur lui-même.

Ces grandes antithèses qu'aucune synthèse ne peut accorder — l'opposition entre le bon sens et la foi envers et contre tout — déterminent un dualisme que nous reconnaissons quand nous parlons de la clarté française d'une part et de la passion française de l'autre. Aucun autre pays n'a connu une querelle aussi persistante et aussi inconciliable entre le profane et le religieux que la France, où les deux partis ne trouvent aucun terrain d'entente, où les aspirations de citoyens qui se partagent le même pays s'orientent de façon entièrement opposée au sujet du sens de la vie. Pour les Anglais, Shakespeare a opéré une médiation entre ces deux pôles, mais personne n'a réussi à le faire pour les Français, bien que Rousseau — un Suisse — ait noblement tenté d'y parvenir. Pendant plus de trois siècles, la philosophie des Lumières et la pensée catholique ont trouvé en France leur foyer d'élection. Descartes et Pascal ont rendu compte, pour les Français, de la foi commune de l'Occident, le christianisme, et en même temps, ils ont défini leur position par rapport à leur autre source d'inspiration, plus éloignée, la Grèce. Les générations d'écrivains qui ont pris naissance à partir de la tension entre Descartes et Pascal ont développé et varié leurs thèmes, et on peut voir ces expériences spirituelles essentielles se répéter chez Voltaire, Montesquieu, Constant, Balzac et Zola d'un côté, chez Malebranche, Chateaubriand, Maistre, Baudelaire, Proust et Céline de l'autre, chacun d'eux étant toujours conscient de l'existence de l'autre et poursuivant un dialogue ou un affrontement avec lui.

Il était donc très français, de la part de Tocqueville, quand il observait les Américains, de dire que leur méthode de pensée était cartésienne sans qu'ils aient jamais lu Descartes, et de se demander s'ils pourraient comprendre Pascal ou en produire un. Pour lui, les Américains n'étaient pas un peuple livresque. Un Français, c'était un être de sentiments formé par une tradition littéraire, tandis qu'un Américain était un homme aux principes rationnels. Certes, ces principes avaient à l'origine été élaborés par des écrivains ; mais ils étaient tels, comme l'a dit Kant à propos de sa propre philosophie morale, qu'ils exprimaient ce que sait tout enfant bien élevé. La reconnaissance réciproque des droits ne nécessite aucune formation, elle n'a pas besoin de philosophie et elle fait abstraction de toute différence de caractère national. Et en effet, on a dit aux Américains qu'ils peuvent être tout ce qu'ils souhaitent être ou se trouvent être, aussi longtemps qu'ils reconnaîtront que le même principe s'applique à tous les autres hommes et qu'ils seront disposés à soutenir et à défendre le gouvernement qui garantit ce décret. Il est possible de devenir américain en une seule journée.

Qu'on ne prenne pas cela pour un jugement porté à la légère sur la signification du fait d'être américain ! La collaboration de la passion naturelle avec la raison naturelle est un défi aux maximes anciennes qui exigent qu'une cité soit une unité organique enfantée par la mère patrie, une unité où la relation du citoyen à la cité est semblable à celle d'une feuille à un arbre. Mais il est impossible, ou du moins il l'était jusqu'ici, de devenir français, car un Français est, dès sa naissance, une harmonie complexe ou une dissonance d'échos historiques. La langue française, que les Français avaient naguère l'habitude d'apprendre extrêmement bien, n'avait pas pour objet de transmettre des informations, ni de communiquer les besoins courants des hommes ; elle ne se distinguait pas d'une certaine forme d'esprit, de certaines résonances intellectuelles. La francité se définit par la participation à cette littérature dans tout l'éventail de ses effets et, en un certain sens, les considérations juridiques au sujet des droits n'affectent pas le privilège qu'octroie le fait d'y participer. En Amérique, il n'existe pas vraiment d'étrangers, alors qu'en France ceux qui, tout en étant citoyens français, sont marginaux par rapport à cette tradition, par exemple les Juifs, ont toujours été tenus de réfléchir profondément à la nature de ce à quoi ils appartiennent : même l'extérieur est, en partie du moins, défini par l'intérieur. En Amérique, un Juif est aussi américain que n'importe quel autre Américain, et si on fait preuve de discrimination à son égard ou qu'on le traite différemment des autres personnes, la seule réaction adéquate est l'indignation sans réserve. En France, la condition du juif par rapport à ce qui est constitutivement français représente un thème littéraire important et complexe. La réponse à cette question n'est pas unanime et la diversité des réactions face à un tel problème fait apparaître un intéressant éventail de types humains.

En Amérique, il n'existe aucun équivalent de Descartes, de Pascal, ni bien sûr de Montaigne, de Rabelais, de Racine, de Montesquieu et de Rousseau. Ce n'est pas là une question de qualité : le problème est de savoir s'il existe ici un seul écrivain qui soit nécessaire à la construction de notre édifice spirituel, qu'il faille avoir lu et médité pour mériter d'être qualifié d'instruit et qui soit l'interprète de notre existence nationale, voire son créateur. Bien entendu, on peut penser à des écrivains et à des ouvrages qu'il faudrait lire et qu'on lit fréquemment dans ce pays. Dans la mesure où les Américains ont été des lecteurs, c'est le monde entier qui leur a servi de bibliothèque : aucune nécessité profonde ne leur a commandé d'assimiler d'abord leurs propres écrits. Il est surprenant de constater à quel point un Français connaît peu ce qui n'est pas français, à quel point il « sent » peu au moyen de ce qui n'est pas français. Et un phénomène comme la *Gesamtkunstwerk*, l'œuvre complète, de Richard Wagner, cette grande œuvre d'art destinée à être entièrement allemande, à être cette œuvre d'Allemands, pour des Allemands et par des Allemands, une œuvre qui est l'expression d'une conscience collective, est inconcevable pour des Américains. Homère, Virgile, Dante, Shakespeare, Goethe appartiennent à tout le monde ou à la « civilisation », telle est l'opinion des Américains. Et peut-être, au bout du compte, ont-ils raison. Mais ce n'était pas l'avis des Grecs, des Romains, des Italiens, des Anglais et des Allemands, ni celui des Juifs, avec leur livre qui leur appartenait à *eux*, qui racontait *leur* histoire et qui était, pour ainsi dire, leur instinct. Les Américains, eux, croient à l'accès libre et égal de tous à la culture. Le génie commercial de Mortimer Adler* s'en est avisé, ce qui lui a permis de tirer un succès de vente prodigieux des « Grands Livres ». Et il était tellement de cet avis lui-même qu'il ne s'est pas du tout préoccupé des traductions dont il se servait, sans même parler de la connaissance des langues dans lesquelles ces chefs-d'œuvre étaient rédigés.

* Professeur de philosophie à l'Université de Chicago au cours des années vingt, directeur de la collection des *Great Books* publiée par l'Encyclopœdia Britannica. Voir un peu plus haut la note consacrée aux « Grands Livres ». (N.d.T.)

La plupart des écrivains, dans les pays plus anciens que les Etats-Unis, ont renoncé à être compris par ceux qui n'avaient pas *vécu* leur langue à eux. Heidegger, qui a désespérément essayé de soutenir cette opinion et de lui rendre vie, pensait que c'était le comble de la superficialité que de supposer qu'une traduction fût jamais possible. « La langue est la maison de l'Etre. » Mais mon expérience précoce de la simplicité américaine m'avait persuadé naguère que nous avions raison et qu'on peut commencer à partir de rien, que la nature inculte est suffisante.

Toutefois, l'expérience des dernières années m'a fait hésiter à m'en tenir à cette opinion bien arrêtée, qui m'avait pourtant encouragé dans ma tâche de professeur s'adressant à de jeunes Américains. Il est de plus en plus difficile d'entrer en contact avec les élèves, de faire jaillir l'étincelle qui éveille une curiosité passionnée. Je n'avais pas, je le crains, prêté une attention suffisante à ce que mes élèves apportaient généralement avec eux, à la culture diffuse qui flottait autrefois dans l'air qu'ils respiraient dès leur enfance et constituait comme un tremplin d'où, plus tard, ces jeunes gens prendraient leur élan.

Pour dire les choses brièvement, on pouvait naguère noter chez la plupart des étudiants la présence de deux éléments culturels importants : 1) la Bible, source omniprésente des plus anciennes traditions, mais qui, en Amérique, ne parvient pas au cœur et à l'esprit à travers le filtre de grands interprètes littéraires : les hommes l'abordent directement, comme le faisait le protestantisme primitif, chaque individu étant son propre interprète et la Bible elle-même constituant dès lors le miroir de cette indifférence à l'égard des cultures nationales qui est inhérente à l'esprit américain ; 2) une tradition politique remarquablement unifiée et explicite, qui s'exprime dans un texte connu de tous et probablement objet de la foi de la plupart, la Déclaration d'indépendance. L'amincissement de la couche de « terreau » culturel auquel j'ai fait allusion plus haut est en relation directe avec la disparition progressive de la connaissance de ces deux sources et, par suite, de l'efficacité de leur action.

La tradition politique

Examinons d'abord la seconde. Contrairement à ce que pensent beaucoup de nos contemporains, les Etats-Unis bénéficient d'une tradition politique ininterrompue plus longue que celle de n'importe quelle autre nation au monde. Qui plus est, c'est une tradition dont la signification est sans équivoque : cette signification s'articule en un discours rationnel d'une nature très simple, immédiatement compréhensible pour tout être humain normalement constitué, qui satisfait son sens de la justice et contribue au sentiment qu'il a de sa dignité. L'Amérique raconte une seule histoire, celle du progrès ininterrompu et inéluctable de la liberté et de l'égalité. Depuis l'époque des premiers colons et des premiers fondements politiques des Etats-Unis, il n'y a jamais eu la moindre contestation à ce propos. Ces deux éléments forment le composé qui constitue pour nous la justice. Personne de sérieux ou de notable ne s'est situé hors de ce consensus. Il faut être un maboul ou un bouffon (je pense respectivement à Henry Adams et à Henry Louis Mencken) pour attirer l'attention du public en disant qu'on ne croit pas à la démocratie. Toutes les contestations politiques importantes qui ont eu lieu se sont livrées sur la signification de ces termes, non sur leur bien-fondé. Nulle part ailleurs on ne trouvera une tradition ou une culture dont le message soit aussi clair et aussi peu équivoque. De toute évidence, ni la France, ni l'Italie, ni l'Allemagne, ni même l'Angleterre ne racontent une histoire analogue. Là les plus grands événements et les plus grands hommes plaident autant pour la monarchie et l'aristocratie que pour la démocratie, autant pour la religion établie que pour la tolérance, autant pour le patriotisme qui a priorité sur la liberté, que pour les privilèges qui ont priorité sur l'égalité des droits. Appartenir à l'un de ces peuples, ce peut être un sentiment, un attachement proche de celui qu'on a pour son père et sa mère, mais la francité, l'anglicité, la germanité restent néanmoins des mystères. En revanche, tout le monde peut énoncer en un discours rationnel ce qu'est l'américanité, et dire que l'américanité a produit une race de héros — Franklin, Washington, Hamilton, Jefferson, Lincoln et ainsi de suite — qui tous ont contribué à l'égalité. Notre imagination ne s'oriente pas vers une Jeanne d'Arc, vers un Louis XIV ou un Napoléon qui fassent contrepoids à notre équivalent de 1789. Nos héros ont engendré une mythologie nationale, et le langage de la Déclaration contribue à produire chez nous un respect général pour notre Constitution, qui est également un phénomène unique. Tout cela constitue un riche matériau pour une prise de conscience de soi et confère une signification morale supérieure à des existences monotones, en même temps qu'un sujet d'étude.

Pourtant, l'unité, la grandeur et le folklore concomitant de l'héritage fondateur ont été l'objet au cours du dernier demi-siècle d'assauts venant de tant de directions diverses qu'ils ont peu à peu succombé, disparaissant de la vie quotidienne comme des manuels. Tout cela a commencé à ressembler à l'histoire de Washington et du cerisier *, bref à des choses qu'il n'est pas nécessaire d'enseigner

---

* Allusion à une anecdote, relative à l'honnêteté de George Washington enfant qui avait scié un jeune cerisier et n'avait pas hésité à l'avouer à son père. (N.d.T.)

aux enfants. Et ce qui prend de l'influence dans les cercles intellectuels élevés finit toujours dans les écoles. On a commencé à considérer les idées directrices de la Déclaration comme des mythes ou comme des idéologies du XVIIIᵉ siècle. L'historicisme, dans la version qu'en a donnée Carl Becker, a mis en doute la véracité de l'enseignement des droits naturels tout en promettant avec optimisme de fournir une solution de remplacement. De même, le pragmatisme de Dewey, présentant la méthode scientifique comme la méthode de la démocratie et postulant une croissance sans limite, surtout sans limites naturelles, a considéré le passé comme radicalement imparfait et son histoire comme non pertinente ou même comme faisant obstacle à une analyse rationnelle du présent. Puis il y a eu la démystification marxiste du genre Beard, qui a essayé de démontrer que les Pères fondateurs, ne se souciaient pas du bien public, mais seulement de la propriété privée. Ensuite, l'école dite *Openness School** s'est vouée, délibérément, à l'affaiblissement de nos convictions relatives à la véracité ou à la supériorité des principes et des héros des Etats-Unis, de peur que nous ne devenions « ethnocentriques ». Après quoi nous avons eu de nouveau droit aux historiens et aux écrivains du Sud, qui, pour prendre leur revanche sur la victoire de l'union anti-esclavagiste, se sont faits les chroniqueurs influents de cette histoire en prêtant au Nord des motivations viles et en idéalisant le mode de vie du Sud. En prime, ils ont incorporé à leurs théories des critiques, d'origine européenne, du commerce et de la technologie, représentés selon eux par le Nord. Enfin, en étrange harmonie avec les auteurs du Sud, les radicaux du Mouvement des droits civils ont réussi à promouvoir une opinion très populaire, selon laquelle les Pères fondateurs étaient racistes, d'où il résulte que les principes américains le sont également. Edmund Morgan est allé jusqu'à dire que le principe d'égalité lui-même est une idéologie raciste. La mauvaise conscience que ce dernier auteur a fait naître a détruit l'unique élément de culture populaire qui ait, de façon continue, célébré l'histoire nationale : le Western.

Dès lors que les déités locales ont été chassées, il ne reste plus que le pays, sans parole et sans signification. Il n'y a plus d'expérience immédiate, sensuelle, du sens de la nation ni de son projet, expérience qui poserait le fondement d'une réflexion adulte sur les régimes et la fonction politique. Les étudiants arrivent à l'université avec une combinaison d'ignorance et de cynisme à propos de notre héritage politique : ils sont dépourvus

---

* Au sujet de cette école « de l'ouverture », le lecteur est prié de se reporter à l'introduction du présent ouvrage, où l'auteur traite en détail de ce qu'il considère comme les méfaits de cette doctrine. (N.d.T.)

des moyens qui leur permettraient de s'en inspirer ou d'en faire une critique sérieuse.

La religion et la famille

L'autre élément d'appréhension instinctive qui a disparu, c'est la religion. Tandis que le respect pour « le Sacré » — cette nouvelle « culture sans sol » spirituelle — est monté en flèche, la religion véritable et la connaissance de la Bible ont diminué au point de quasiment disparaître. Certes, les Dieux n'ont jamais occupé une place très importante dans notre vie politique ni dans nos écoles. Quand j'étais enfant, les prières qu'à l'école primaire nous adressions au Seigneur nous touchaient beaucoup moins que le Serment d'allégeance que nous récitions également. C'était en fait à la maison — et dans les lieux de culte qui s'y trouvaient associés — que la religion vivait. Les jours de fêtes religieuses, le langage courant et l'ensemble de références au divin qui imprégnaient la plupart des foyers constituaient une bonne partie des liens familiaux et leur conféraient un contenu substantiel. Moïse et les tables de la loi, Jésus et sa prédication d'amour fraternel vivaient dans l'imagination. Certains passages des psaumes et des évangiles faisaient résonner, dans les têtes enfantines, de profonds échos. Se rendre à l'église ou à la synagogue, dire le bénédicité à table, cela constituait un mode de vie, inséparable de l'éducation morale qui était censée, dans notre démocratie, représenter la responsabilité spéciale de la famille. En fait, l'enseignement moral, c'était l'enseignement religieux. Il n'y avait aucune doctrine abstraite. Les choses qu'on était censé devoir faire, le sentiment que le monde approuvait qu'on les fasse et les sanctions qu'encouraient ceux qui désobéissaient à la loi, tout cela se trouvait incarné dans les récits bibliques. On ne peut reprocher essentiellement à nos écoles et à notre vie politique d'être responsables de la perte de cette exaltante vie intérieure qui était octroyée à ceux que nourrissait ainsi la Bible. Cette perte a été suscitée par l'abdication de la famille qui n'a actuellement presque plus aucun contenu, et dont le paysage spirituel est d'une aridité qui dépasse l'imagination. Ce paysage est aussi monochrome et sans lien avec ceux qui le traversent que le sont les steppes nues fréquentées par des nomades qui se contentent d'y prélever de quoi survivre avant de s'en aller plus loin. Le tissu délicat de la civilisation, fait de la trame et de la chaîne des générations successives, s'est complètement effiloché, et les enfants sont encore élevés, mais ne sont plus éduqués.

Je ne parle pas ici des foyers malheureux et brisés qui constituent une part si importante de la société américaine, mais des familles relativement heureuses, où mari et femme s'aiment et aiment leurs enfants. Ces parents-là, bien souvent, consacrent sans égoïsme la meilleure part de leur vie à leur progéniture. Mais ils n'ont rien à lui donner en fait de vision du monde, de grands modèles d'action ou de sentiment profond de la relation aux autres. Il semblerait que la famille soit, de toutes les choses humaines, celle qui exige le mélange le plus délicat de nature et de convention, d'humain et de divin, pour subsister et s'acquitter de sa fonction. Comme fondement, elle a simplement la reproduction physique, mais comme fin, elle doit assurer la formation d'êtres humains civilisés. En enseignant une langue et en assignant des noms à toutes choses, elle transmet une interprétation du tout. Elle se nourrit de livres, de livres auxquels la petite communauté ajoute foi, de livres qui disent ce qui est vrai et faux, ce qui est bon et mauvais et qui expliquent pourquoi il en est ainsi. Elle implique une certaine autorité et la présupposition, aussi bien chez la mère que chez le père, d'une sagesse relative aux voies du ciel et des hommes. Les parents doivent disposer de la connaissance de ce qui s'est produit dans le passé et de prescriptions pour ce qui devrait avoir lieu à l'avenir, pour pouvoir résister au philistinisme ou à la perversité du présent. On a souvent dit que le rituel et la cérémonie sont nécessaires à la famille et que ces deux éléments font aujourd'hui défaut, et je suis d'accord sur ce point. J'ajouterai que, sans autel familial, pour ainsi dire, il ne peut y avoir ni rituel ni cérémonie. Si la famille doit faire comprendre le prodige de la loi morale, qu'elle seule est capable de transmettre et qui lui confère un rôle particulier dans un monde consacré à l'utile, un monde « humain trop humain », elle doit impérativement avoir foi dans la permanence de ce qu'elle enseigne. Quand cette fonction disparaît, comme il semble que ce soit le cas, la famille dispose au mieux d'une unité transitoire. Ses membres dînent ensemble, jouent ensemble, voyagent ensemble, mais ils ne pensent pas ensemble. Le foyer est devenu une autoroute sur laquelle passent des camions chargés de détritus, et c'est d'eux qu'il tire sa nourriture intellectuelle. Mais à vrai dire, il n'existe plus guère de foyer qui ait la moindre vie intellectuelle, sans même parler de celle qui informe les intérêts vitaux de l'existence. Les émissions « éducatives » de la télévision représentent, pour la vie intellectuelle de la famille, la marée haute.

La cause de ce déclin du rôle traditionnel de la famille, de ce rôle qui consistait à transmettre la tradition est la même que celle qui a entraîné la décadence des humanités : personne ne croit plus que les livres anciens fondent la vérité ou puissent la contenir. Dès que cette croyance disparaît, les livres deviennent, au mieux, de la « culture », c'est-à-dire qu'ils deviennent ennuyeux. Comme l'a dit Tocqueville, dans une démocratie, la tradition n'est rien de plus que de l'information. Avec « l'explosion de l'information » moderne, la tradition est devenue superflue. Dès l'instant où la tradition en est arrivée à être reconnue comme tradition, elle est morte, elle est devenue tout juste bonne pour les enfants. Aux Etats-Unis, la Bible représentait pratiquement la seule culture commune, celle qui rassemblait les gens simples et les raffinés, les riches et les pauvres, les jeunes et les vieux ; elle ouvrait l'accès à la dignité des livres, elle était le modèle d'une vision d'ensemble, ainsi que la clé de l'art occidental, dont les grandes œuvres, d'une manière ou d'une autre, découlent de l'enseignement biblique. Avec la disparition progressive et inévitable de la Bible, l'idée même du Livre total et la possibilité et la nécessité d'une explication du monde sont en train de disparaître également. Et, ce qui en est le corollaire, les pères et les mères ont perdu de vue le fait que la plus haute aspiration qu'ils puissent nourrir pour leurs enfants, c'est de les voir devenir des sages, comme les prêtres, les prophètes et les philosophes sont des sages. Or tout ce qu'ils peuvent imaginer, pour eux, c'est une compétence spécialisée et le succès dans ce domaine. Contrairement à ce qu'on pense couramment, en l'absence du livre, l'idée même de la totalité se perd.

La famille était le gardien du livre. En Amérique, cette fonction a toujours été particulièrement difficile à remplir. La tradition n'a jamais bénéficié d'un prestige spécial. Il était difficile d'établir et de maintenir des souvenirs familiaux à long terme, compte tenu de la nouveauté de toutes choses et des changements constants de lieu de résidence. Il y a toujours eu une foi plus ou moins ouverte dans le progrès, qui fait apparaître le passé comme quelque chose de pauvre et de méprisable. Les parents n'ont jamais eu l'autorité légale et morale qu'ils avaient dans l'Ancien Monde. La confiance en eux-mêmes, en tant qu'éducateurs de leurs enfants, leur fait défaut, car ils croient généreusement que ceux-ci seront meilleurs que leurs parents, non seulement en ce qui concerne le confort matériel, mais également par leurs vertus morales, physiques et intellectuelles. Les parents ne peuvent fournir de prescriptions pour un avenir qui reste entièrement ouvert, et celui-ci éclipse un passé qu'on croit être inférieur.

S'ajoutant à ces caractéristiques permanentes de l'existence familiale américaine, il y en a deux autres, d'origine plus récente, qui affaiblissent encore sa fonction pédagogique. D'une part l'avènement de la radio, puis celui de la télévision, ont mis à mal et presque réduit à néant l'intimité du foyer, la vraie intimité américaine, l'intimité qui permettait le développement d'une vie plus élevée et plus indépendante au sein de la société démocratique. Ayant ainsi perdu la maîtrise de l'ambiance de leur foyer, les parents ont aussi perdu la volonté de le diriger. Désormais, c'est l'autorité électronique qui détermine quels seront les divertissements de la famille et sert de critère à ce qui est intellectuellement respectable. Avec autant de subtilité que de force, la télévision n'envahit pas seulement l'espace familial, mais aussi les goûts des jeunes et des vieux, en faisant appel à ce qui est immédiatement agréable et en refoulant ce qui ne l'est pas. Nietzsche disait que le journal avait remplacé la prière dans la vie du bourgeois moderne : il voulait exprimer par là que l'agitation, le bon marché, l'éphémère avaient usurpé tout ce qui restait encore d'éternel dans la vie quotidienne. Maintenant, la télévision a remplacé le journal. Ce n'est pas tant la basse qualité de ce qu'offre quotidiennement la télévision qui est attristante. C'est bien plus grave que cela : il est très difficile d'imaginer désormais une hiérarchie des goûts, une manière de vivre avec des plaisirs et un apprentissage communs qui s'adaptent aux existences des membres de la famille et soient distincts de la culture populaire, face aux images de ce qui est « admirable » et « intéressant » dont on est bombardé à l'intérieur même du foyer familial.

Le second facteur nouveau, c'est l'amélioration du niveau d'instruction des classes moyennes au cours du dernier demi-siècle. Tout le monde, maintenant, a un diplôme de premier cycle universitaire et presque tout le monde a un diplôme supérieur d'une espèce ou d'une autre. Certes on peut se réjouir de cette expansion des classes moyennes, et presque chacun d'entre nous peut jeter un regard en arrière et constater à quel point était humble la situation de ses parents ou de ses grands-parents, qui n'avaient jamais vu de l'intérieur une institution d'enseignement supérieur et n'avaient guère de raison de se féliciter de leur réussite scolaire.

Mais, et c'est là une réserve inévitable, l'impression que notre population est en général mieux « éduquée » est fondée sur une ambiguïté du sens du mot « éducation » ou sur l'escamotage de la distinction entre éducation littéraire et éducation technique. Un informaticien doté d'une haute formation n'a pas besoin d'avoir appris davantage de choses sur la morale, la politique ou la religion que le plus ignorant de tous les hommes. Tout au contraire, l'enseignement étroit qu'il a reçu, les préjugés et l'orgueil qui y sont associés, ainsi que le fait que les textes qu'il a lus au cours de sa formation sont de ce genre d'écrits qui entrent dans le crâne et en sortent dans la même journée et qui acceptent sans aucune critique les prémisses de la sagesse courante, peuvent avoir pour effet de le couper complètement de la culture générale que des gens plus simples étaient accoutumés à absorber par le truchement d'une quantité de sources traditionnelles diverses. Pour moi, il n'est pas évident qu'un jeune cadre dynamique d'aujourd'hui, avec en poche *Time, Playboy* et *Scientific American,* dispose, au sujet du monde en général, d'une sagesse plus profonde que celle de l'écolier rural d'autrefois, avec son almanach encyclopédique « McGuffey ». Quand un jeune homme comme Lincoln cherchait à s'instruire, ce qui lui était immédiatement accessible et ce qui lui apparaissait à l'évidence comme devant être assimilé, c'étaient la Bible, Shakespeare et Euclide. Etait-il vraiment plus mal loti que ceux qui essaient de se frayer un chemin dans le salmigondis technique du système scolaire actuel, qui est complètement incapable de distinguer ce qui est important de ce qui ne l'est pas autrement qu'en fonction des demandes du marché ?

Selon nos normes actuelles, mes grands-parents étaient des gens ignorants et mon grand-père n'a jamais occupé que des emplois subalternes. Mais leur foyer était riche spirituellement parce que tout ce qu'on y faisait était illustré par des textes bibliques. Ce n'était pas seulement ce qui était spécifiquement rituel, mais pratiquement tout, qui trouvait son origine dans les commandements de la Bible, son explication dans les récits bibliques et leurs commentaires, et sa contrepartie imaginative dans les hauts faits de la myriade de héros qui servaient d'exemples. Mes grands-parents trouvaient dans ces écrits des raisons d'aimer leur famille, de bien accomplir leurs tâches, et ils interprétaient leurs épreuves particulières en fonction d'un passé prestigieux et ennoblissant. Leur foi et leurs pratiques simples les associaient à de grands savants et à de grands penseurs qui avaient recouru aux mêmes livres qu'eux, non à des textes venus d'ailleurs et situés dans une perspective étrangère, et qui croyaient aux mêmes choses qu'eux, mais les avaient approfondies davantage et, de ce fait, pouvaient leur servir de guides. Il y avait chez mes grands-parents un respect de l'enseignement authentique, car celui-ci était en connexion charnelle avec leur existence. C'est cela que représente une communauté, une histoire : une expérience commune qui associe les puissants et les humbles en un corpus unique de croyances. Mais actuellement, je doute que ceux de ma génération, mes cousins qui ont été éduqués à l'américaine et qui sont tous docteurs en médecine ou en philosophie, disposent d'aucun enseignement comparable. Quand ils discutent du ciel et de la terre, des relations entre hommes et femmes, entre parents et enfants, de la condition humaine, je n'entends énoncer que des clichés, des propos superficiels, tout juste bons pour la satire. Je ne veux nullement prétendre ici, pensée ultra-banale au demeurant, que l'existence est plus pleine quand les gens disposent de mythes dont ils peuvent s'inspirer pour vivre. Je veux simplement dire qu'une vie fondée sur le Livre est plus proche de la vérité, que celui-ci fournit des matériaux pour une recherche plus approfondie et qu'il donne accès à la vraie nature des choses. Que nous soyons nus, c'est là une notion à laquelle il nous est difficile d'échapper, et tout s'en trouve amoindri. Si les grandes révélations, les épopées et les philosophies ne font pas partie de notre vision naturelle, il n'y a rien à voir ici-bas et il ne reste pas non plus grand-chose à voir à l'intérieur de nous. Je ne prétends pas que la Bible procure l'unique moyen de meubler un esprit ; mais faute d'un livre d'un poids analogue, lu avec la gravité d'un croyant potentiel, l'esprit demeurera vide.

L'éducation morale que la famille est censée délivrer aujourd'hui est dépourvue d'existence si elle ne peut présenter à l'imagination des jeunes la vision d'un cosmos moral, celle des récompenses et des châtiments qui découlent du bien et du mal, les superbes discours qui accompagnent et interprètent les exploits, des protagonistes et de leurs adversaires dans le drame du choix moral, le sentiment des enjeux impliqués par un tel choix et le désespoir qui s'empare de nous quand le monde devient « une histoire racontée par un idiot, pleine de bruit et de fureur et qui n'a aucun sens ». Faute de cela, l'éducation n'est qu'une vaine tentative d'inculquer aux enfants des « valeurs ». Outre le fait que les parents ne savent pas eux-mêmes ce à quoi ils croient et qu'ils n'ont certainement pas une assurance suffisante pour offrir à leurs enfants autre chose que leurs vœux de bonheur et le souhait de les voir réaliser les virtualités qu'ils ont peut-être en eux, quelle pauvre notion que celle de « valeur » ! Qu'est-ce que les valeurs et comment les communique-t-on aux autres ? Dans les écoles se multiplient maintenant des cours de « clarification des valeurs » qui sont censés fournir aussi des modèles aux parents : il en résulte que les enfants discutent à présent d'avortement, de sexisme, de course aux armements, tous problèmes dont il est impossible qu'ils comprennent la signification. Une telle éducation n'est guère plus que de la propagande... et une propagande inefficace. Les opinions et les « valeurs » auxquelles on aboutit ainsi sont comme des feux follets, sans substance, sans fondement dans l'expérience ou la passion qui sont les deux bases du raisonnement moral, et ces valeurs-là changeront inévitablement au fur et à mesure qu'évoluera l'opinion publique. Si l'on n'envisage pas les conséquences et les sanctions des choix, les valeurs sont dépourvues de signification. L'éducation de jadis transmettait une vision de l'univers et y engageait le cœur et l'esprit. Les décisions morales particulières étaient d'importance secondaire ; elles naissaient tout naturellement de la culture première de l'enfant. La nouvelle « éducation morale » n'a rien du génie qui fait de l'instinct moral ou de la seconde nature le préalable non seulement du caractère, mais aussi de la pensée. En fait, la formation morale que dispense la famille se résume actuellement au strict minimum requis par l'existence sociale : ne pas mentir, ne pas voler ; et cette formation-là produit des étudiants qui, à l'université, sont incapables d'en dire davantage sur le fondement de leur action morale que « si je lui fais du tort, il pourrait m'en faire à moi aussi » — explication qui ne satisfait même pas celui qui l'énonce !

L'extinction progressive des anciens échos politiques et religieux dans les âmes des jeunes gens rend donc compte de la différence que j'observe entre les étudiants que j'ai connus au début de ma carrière d'enseignant et ceux en face desquels je me trouve aujourd'hui. La perte des livres les a rendus plus étroits et plus plats. Plus étroits parce que, comme je ne cesse de le répéter, il leur manque ce qui est le plus nécessaire, une raison réelle de ne pas se satisfaire du présent et de prendre conscience qu'il existe des solutions de rechange. Ils sont tout à la fois plus prêts à se contenter de ce qui est et privés de tout espoir de jamais y échapper. L'aspiration à un au-delà s'est atténuée ; ils ne disposent plus des modèles d'admiration et de mépris. Ils sont aussi plus plats que leurs aînés parce que, faute de capacité d'interprétation des choses, faute de poésie et d'imagination, leurs âmes sont comme des miroirs qui réfléchissent non pas la nature elle-même, mais ce qu'il y a autour. Le raffinement de l'esprit qui permet de discerner jusqu'aux plus petites différences entre les hommes, entre leurs actes et entre leurs mobiles et qui est ce qui constitue le véritable *goût,* ce raffinement-là ne peut être acquis sans l'aide d'une littérature de haute portée.

Il y a donc chez ces jeunes gens une couche de terreau trop mince pour que l'enseignement universitaire puisse y prendre racine ; ils sont moins animés que leurs aînés par l'enthousiasme et la curiosité du jeune Glaucon auquel, dans *La République* de Platon, son *éros* fait imaginer que l'avenir lui réserve de merveilleuses satisfactions, à propos desquelles il ne veut pas être trompé et pour la connaissance desquelles il cherche un maître. Et de ce fait, il devient beaucoup plus difficile, pour un professeur, d'associer les ouvrages classiques à l'expérience vécue de ses élèves ou aux besoins qu'ils ont pu ressentir.

CHAPITRE II

LA LECTURE

De ce qui vient d'être dit découle un corollaire qui n'a rien de surprenant : la perte de la pratique et du goût de la lecture. J'en suis venu à me demander si, pour qu'un homme s'intéresse au cours de sa vie à une œuvre littéraire quelconque même mineure, la condition préalable n'est pas qu'il ait, dès sa première enfance, acquis l'expérience de la grande littérature. Il se pourrait bien que les aspirations de l'âme, l'irritation que suscite en elle ce qui est hypothétique et limité, aient besoin d'être alimentées dès l'origine. En tout état de cause et quelle qu'en soit la raison, on peut constater que nos étudiants ne comptent au nombre de leurs plaisirs aucun genre de lecture. Ils n'ont pas appris à lire et n'attendent de cette activité ni plaisir, ni amélioration de leur existence. Par opposition avec les générations d'universitaires qui les ont précédés, ils sont « authentiques », en ce qu'ils ont effectivement détecté l'hypocrisie de certaines révérences rituelles devant la « grande culture ».

Quand j'ai commencé à prendre conscience du déclin de la lecture, c'est-à-dire vers la fin des années soixante, j'ai pris l'habitude de demander aux élèves de mes grands cours d'initiation, ainsi qu'à tous les groupes d'étudiants plus jeunes auxquels il m'arrivait de m'adresser, quels étaient les livres qui comptaient vraiment pour eux. La plupart d'entre eux demeurent muets, embarrassés par ma question. La notion de livres considérés comme des compagnons de route leur est étrangère. L'exemple du juge Black *, qui avait toujours en poche un exemplaire déchiré de la Constitution pour pouvoir s'y référer immédiatement, ne signifierait pas grand-chose pour eux. Il n'existe pas de texte imprimé auquel ils demandent conseil, inspiration ou joie. Parfois il s'en trouve un qui cite la Bible. (Il tire cette connaissance de sa famille,

* Célèbre juge de la Cour suprême américaine, décédé récemment. (N.d.T.)

et l'enseignement biblique qu'il y a reçu ne constitue généralement pas le thème de ses études universitaires ultérieures.) J'ai toujours affaire à quelque jeune fille qui parle de *La Source* d'Ayn Rand, un livre qu'on peut à peine classer parmi les œuvres littéraires, mais qui, avec ses thèses sous-nietzschéennes, encourage les jeunes un peu excentriques à s'engager dans un nouveau mode de vie. Quelques étudiants mentionnent des ouvrages récemment parus qui les ont frappés et ont étayé l'interprétation qu'ils se donnaient de leur propre personnalité, par exemple *L'Attrape-cœur* de J. D. Salinger. (D'habitude, ce type de réaction est le plus spontané et il indique aussi que l'élève interrogé a besoin qu'on l'aide à se comprendre lui-même, mais c'est une réaction d'individu inculte, et il faudrait tirer parti du besoin qu'elle exprime pour montrer à ces étudiants-là que de meilleurs auteurs peuvent les aider davantage.) Après des discussions de ce genre, un ou deux élèves reviennent me voir afin de préciser qu'ils ont vraiment subi l'influence non seulement de quelques livres, mais même de plusieurs : pourquoi n'y en aurait-il qu'un ou deux ? Puis ils me récitent une liste de classiques qu'ils ont sans doute glanée au lycée, ce qui confirme la règle plutôt que d'en constituer une exception.

Si l'on imagine un garçon ou une fille de ce genre en train de parcourir les salles du Louvre ou des Offices, on peut se représenter son état d'esprit réel. Comme il ignore les légendes de l'Antiquité, aussi bien biblique que gréco-romaine, Raphaël, Léonard de Vinci, Michel-Ange, Rembrandt et les autres ne peuvent rien lui dire. Tout ce qu'il voit, ce sont des couleurs et des formes... l'art moderne. Bref, comme presque tout ce qui constitue la vie spirituelle de ce garçon ou de cette fille, tableaux et statues sont abstraits. Or, en dépit de ce que nous affirme la sagesse contemporaine, les artistes en question comptaient sur une reconnaissance immédiate de leurs thèmes et, ce qui est plus important, ils pouvaient supposer que ceux-ci avaient pour leurs spectateurs une signification très riche. Les œuvres étaient l'accomplissement, la démonstration de ces significations, elles les approfondissaient, elles leur conféraient une réalité sensuelle, donc elles les complétaient. Privées de ces significations, et si elles ne représentent pas quelque chose d'essentiel pour le spectateur en tant qu'être moral, politique et religieux, elles perdent leur essence. Ce n'est pas seulement la tradition qui se perd quand la voix d'une civilisation élaborée au cours de millénaires se trouve ainsi réduite au silence : c'est l'être lui-même qui disparaît au-delà de l'horizon qui se dissout. Une des choses les plus flatteuses qui me soient jamais arrivées dans ma carrière d'enseignant, c'est de recevoir une carte postale d'un très bon élève qui effectuait son premier voyage en Italie ; il écrivait : « Vous n'êtes pas professeur de philosophie politique mais agent de voyages. » Rien n'aurait pu mieux exprimer mon intention d'éducateur : cet étudiant pensait que je l'avais préparé à voir. Le fait de reconnaître une Florence dans laquelle Machiavel est vraisemblable, la sensation réelle de tout cela, cela vaut dix fois plus que toutes les formules de métaphysique. Désormais, cet élève pouvait commencer à penser par lui-même et il avait de quoi réfléchir. De nos jours, l'éducateur doit essayer de découvrir ce qui, dans ses élèves, aspire à être complété, et il lui faut reconstruire un enseignement qui leur permette de rechercher, de façon autonome, un tel accomplissement.

Pour aborder un domaine moins grandiose, les étudiants ne disposent à l'heure actuelle de rien de comparable aux romans de Dickens, auxquels tant d'entre nous doivent de connaître des êtres inoubliables, tels que Peaksniff, Micawber ou Pip, qui nous ont permis d'aiguiser notre vision et d'acquérir quelque subtilité dans notre aptitude à discerner la diversité des êtres humains. C'est cet ensemble complexe d'expériences qui permet à quelqu'un de dire, tout simplement, en parlant d'un autre : « C'est un Scrooge *. » Sans la littérature, aucune observation de ce genre n'est possible : toute comparaison d'une telle finesse est perdue. Nos élèves souffrent d'un manque d'intelligence psychologique effarant, car ils ne disposent, pour apprendre à quoi les gens ressemblent et exprimer toute la gamme de leurs motivations, que de la psychologie du pop. Et dans un monde où la prise de conscience que nous devions presque exclusivement aux grands génies littéraires a disparu, les gens eux-mêmes commencent à se ressembler tristement, faute de savoir qu'ils pourraient être différents. Quel pauvre succédané de la vraie diversité que Greenwich Village, où l'on peut contempler un terrifiant arc-en-ciel de cheveux teints et d'autres différences extérieures qui ne disent strictement rien à l'observateur de ce qui se passe à l'intérieur des êtres !

Du fait de leur méconnaissance des bons livres, les jeunes deviennent les dupes de tout ce que d'insidieux charlatans leur offrent en guise d'interprétation de leurs sentiments et leurs désirs. Le besoin d'une telle interprétation — le besoin de se connaître soi-même — semble être la caractéristique permanente de la nature humaine et l'une des racines de la production artistique chez l'homme. Par manque d'instruction, les étudiants recherchent des éclaircissements sur eux-mêmes là où ils peuvent aisément les trouver, sans être capables de distinguer entre le sublime et la camelote, entre l'intuition et la propagande. Pour la plupart, c'est au cinéma que les étudiants s'adressent : proies toutes trouvées pour des morales intéressées, telles les représentations que le cinéma a données de Gandhi ou de Thomas More — représenta-

---

* Personnage célèbre des *Contes de Noël* de Dickens, vieil avare qui est l'équivalent anglo-saxon de l'Harpagon de Molière. (N.d.T.)

tions pour une grande part conçues de façon à aider au succès de mouvements politiques passagers et qui font appel à des besoins de grandeur simplistes — ou pour des récits qui flattent de façon insidieuse les aspirations et les vices des jeunes gens en leur conférant une impression d'importance. Un film comme *Kramer contre Kramer* est, certes, très à la page en ce qui concerne le divorce et les comportements sexuels ; mais quelqu'un qui ne possède pas dans son patrimoine critique *Anna Karénine* ou *Le Rouge et le Noir* ne peut se rendre compte de ce qui manque à cette histoire, ni de la différence entre une présentation honnête et un exercice d'exaltation de la conscience, entre une sentimentalité de pacotille et un sentiment élevé. Au fur et à mesure que les films se sont émancipés de la tyrannie littéraire dont ils ont souffert et qui leur donnait mauvaise conscience, ceux qui ont la prétention d'être sérieux sont devenus intolérables à force d'ignorance et de démagogie. La distance nécessaire à l'égard de l'époque contemporaine et à ce qu'elle comporte de profonde gravité, cette distance dont les étudiants ont le plus grand besoin pour ne pas s'abandonner à leurs désirs mesquins et découvrir ce qu'il y a de plus sérieux en eux, ne peut être donnée par le cinéma, qui ne connaît que le présent immédiat. Ainsi, faute de lire de bons livres, ils affaiblissent leur vision et, en même temps, renforcent la plus fatale de nos tendances : la conviction que l' « ici et maintenant » est la seule chose qui existe.

Le seul moyen de contrecarrer cette tendance, c'est d'intervenir très vigoureusement au niveau universitaire, et cette intervention doit surtout viser les quelques étudiants qui fréquentent l'université parce qu'ils ont besoin de quelque chose, et qu'ils sentent que ce quelque chose leur manque et que leurs esprits détiennent le moyen de le découvrir. Nous avons dépassé depuis longtemps l'époque où l'on pouvait enfermer toute une tradition dans tous les sujets qu'il nous incombe, à nous professeurs, d'enseigner aux élèves, tradition à laquelle quelques-uns pouvaient plus tard recourir avec profit. Seuls ceux qui sont disposés à courir des risques et prêts à croire à l'improbable sont aptes désormais à tenter l'aventure du livre. Cela doit venir de l'intérieur. Les gens font ce qu'ils veulent, et la conscience de ce qui est nécessaire est si faible qu'il est utopique d'essayer de mettre en œuvre une réforme universelle. Ceux qui enseignent dans les universités d'Etat l'art d'écrire — et je considère que ces professeurs, trop souvent méprisés, sont parmi les plus nobles des collaborateurs de nos académies — m'ont assuré qu'il est impossible d'apprendre à écrire à des jeunes gens qui ne lisent pas, et pratiquement impossible également de faire lire (ne parlons même pas de faire *aimer* lire) les étudiants. C'est là le point le plus faible des établissements d'enseignement secondaire, car ils sont peuplés d'enseignants qui sont le produit des années soixante et reflètent la médiocrité de la culture universitaire. Les vieux professeurs qui aiment Shakespeare, ou Austen, ou Donne, ceux qui attendaient comme unique récompense de leur enseignement de faire partager leur enthousiasme, ont presque tous disparu à présent.

L'ennemi le plus récent de la vitalité des textes classiques, c'est le féminisme. Les combats menés contre l'élitisme et contre le racisme ont eu peu de répercussions directes sur les relations des étudiants avec les livres. La démocratisation de l'université a eu tous les effets généraux que j'ai décrits, en en démantelant la structure et en lui faisant perdre son centre de gravité ; mais pour ce qui est des textes classiques, les activistes ne les condamnent pas, et il leur arrive même d'être contaminés par l'exemple de leurs maîtres de l'école de Francfort *, qui aimaient faire parade de leur familiarité avec la grande culture. C'est à un stade antérieur de l'égalitarisme qu'on a réglé son compte au caractère monarchique, aristocratique et antidémocratique de la plupart des écrivains classiques. Il a suffi pour cela de les dépolitiser, de ne plus prêter attention à leur contenu politique manifeste ; la critique littéraire s'est concentrée sur le privé, sur l'intime, sur les sentiments, les pensées et les relations des individus, en minimisant le fait que les héros étaient souvent des soldats et des hommes d'Etat chargés de gouverner et confrontés à des problèmes politiques : on s'est efforcé de réduire cet aspect des textes à une simple convention littéraire du passé. Lu de la façon qui a été adoptée pendant la plus grande partie de notre siècle, Shakespeare ne constitue pas une menace pour un égalitariste sensé. Quant au racisme, il ne jouait aucun rôle dans la littérature classique, du moins sous les formes qui nous préoccupent aujourd'hui, et en général on ne considère comme raciste aucune grande œuvre de la littérature. En revanche, *toute* la littérature jusqu'à l'heure actuelle, y compris une partie de la littérature d'aujourd'hui, est « sexiste ». Les muses n'ont jamais chanté aux poètes des hymnes consacrés aux femmes libérées. De la Bible et d'Homère jusqu'à Joyce et à Proust, c'est toujours la même vieille chanson. Et c'est là un fait particulièrement grave pour la littérature, car, après que les bons esprits les ont purgés de toute connotation politique, l'amour représente le plus grand pôle d'intérêt de ce qui reste des ouvrages classiques ; aussi bien est-ce le goût de l'amour qui incitait naguère les étudiants à aborder les œuvres anciennes. Celles-ci faisaient appel à l'*éros* tout en l'éduquant. Et c'est là que l'activisme s'est attaqué directement au contenu des livres. Pour ce faire, il y a quantité de manières d'agir. La traduction la plus récente de la Bible — autorisée par le Conseil national des Eglises — supprime toute référence à Dieu sous forme

---

* C'est-à-dire Adorno, Fromm, Marcuse, etc. (N.d.T.)

masculine, de façon que les générations futures n'aient pas à affronter le fait que Dieu a jadis été sexiste. Toutefois, cette technique ne peut s'appliquer qu'à des cas limités. Un autre procédé consiste à éliminer les cas les plus outrageants, par exemple Rousseau, du programme d'études des jeunes, et à les remplacer dans les leçons des lycées par des répliques féministes de ces textes, qui mettent en évidence les distorsions suscitées par les préjugés et recourent aux livres comme preuve de l'incompréhension de la nature féminine et comme éléments de l'histoire de l'injustice dont les femmes ont été victimes. Et, bien sûr, on peut aussi recourir aux grands personnages féminins de la littérature comme exemples des manières diverses dont les femmes ont tenu tête à l'adversité. Mais en tout cas, jamais, au grand jamais, un élève ne doit être séduit par ces conduites anciennes et les prendre comme modèle (que cet élève soit d'un sexe ou de l'autre). Toutefois, c'est en vain que se déploie cet effort de « désexisation » : car les étudiants n'imaginent pas un instant que la littérature ancienne puisse leur apprendre quoi que ce soit sur les relations qu'ils souhaitent avoir ou qu'il leur sera permis d'avoir. Aussi réagissent-ils par l'indifférence.

Après avoir entendu pendant plusieurs années le même genre de réponse à mes questions relatives à leurs livres préférés, j'ai commencé à demander aux élèves quels étaient leurs héros. En général, mon interrogation est suivie d'un silence que, très fréquemment, rien d'autre ne suit. Pourquoi aurait-on des héros ? Il faut être soi-même et ne pas se couler dans un moule étranger. Aussi bien, confrontés à cette question, les étudiants n'éprouvent-ils aucun besoin de se sentir mal à l'aise en reconnaissant une carence. Ici, leur idéologie positive les soutient, car le fait de ne pas avoir de héros est un signe de maturité et de maîtrise de soi dont ils peuvent être fiers. Ils énoncent donc leurs propres valeurs. Ils ont emprunté une voie frayée d'abord par Socrate dans *La République* — quand il se targue de s'être libéré d'Achille — puis sérieusement déblayée par Rousseau dans *Emile*. Sur les traces de Rousseau, Tolstoï nous décrit dans *Guerre et Paix* le prince Andréï qui a puisé son éducation dans Plutarque et se trouve aliéné par son admiration pour Napoléon. Mais nous avons tendance à oublier qu'Andréï est vraiment un être très noble et que ses aspirations héroïques lui confèrent une splendeur de l'âme qui transcende les soucis mesquins, vains et égoïstes de la bourgeoisie qui l'environne. Seule une combinaison de sentiment naturel et de communion avec l'esprit de la Russie et avec son histoire peut, selon Tolstoï, produire des êtres humains supérieurs à Andréï, et encore ne lui sont-ils supérieurs que de façon ambiguë. Mais aux Etats-Unis, nous n'avons que la bourgeoisie, et l'amour de ce qui est héroïque est l'un des rares contrepoids dont nous disposions par rapport à elle. Chez nous, le mépris de l'héroïque n'est qu'une extension de la perversion du principe démocratique qui refuse la grandeur et veut que chacun se sente bien dans sa peau sans devoir supporter des comparaisons désagréables. Les étudiants n'ont pas la moindre notion de l'accomplissement que représente le fait de se libérer des idées reçues et de trouver en soi-même les ressources nécessaires à sa propre conduite. Et de quelle source, en eux-mêmes, tireraient-ils les idéaux qu'ils croient se fixer ? Tout ce qu'ils ont gagné à se libérer de l'héroïsme, c'est de ne plus disposer de la moindre ressource pour s'opposer au conformisme des modèles courants. Ils pensent constamment à eux-mêmes en fonction de normes fixes, auxquelles ils s'efforcent de se conformer sans y parvenir. Au lieu d'être confondus par l'exemple de Cyrus, de Thésée, de Moïse ou de Romulus, ils jouent inconsciemment le rôle des médecins, des avocats, des hommes d'affaires ou des personnalités de la télévision qu'ils voient autour d'eux. On ne peut que s'apitoyer sur des jeunes gens à ce point dépourvus de sujets d'admiration qu'ils puissent révérer ou simplement reconnaître, et dont l'enthousiasme pour les grandes vertus a été artificiellement réfréné. Pour aggraver encore cette infirmité, le relativisme démocratique se trouve ici rejoint par un des courants du conservatisme, que le danger de certaines conséquences politiques éventuelles de l'idéalisme inquiète. Les conservateurs qui se rattachent à cette tendance veulent que les jeunes gens sachent bien que notre vieux monde vulgaire ne peut répondre à leurs exigences de perfection. Certes, invité à choisir entre réalisme et idéalisme, notions un peu arbitrairement opposées, quelqu'un de sensé adoptera l'un et l'autre ou les refusera tous les deux. Mais si l'on accepte momentanément une distinction que je récuse, il faut accorder dans l'éducation la primauté à l'idéalisme tel qu'il est communément conçu, car l'homme est un être qui doit fixer son orientation en prenant comme idéal sa propre fin, en visant la possibilité de sa perfection. Essayer d'éliminer cette tendance, la plus naturelle de toutes, par crainte d'abus éventuels, c'est, presque littéralement, « jeter l'enfant avec l'eau du bain ». Comme Platon nous l'a enseigné d'entrée de jeu, l'utopie est le feu avec lequel il nous faut jouer, car c'est le seul moyen dont nous disposions pour sortir de ce que nous sommes. Il est indispensable de critiquer les fausses interprétations de l'utopie, mais l'issue facile que nous offre le réalisme est mortelle. Dans l'état actuel des choses, les étudiants disposent d'images puissantes de ce qu'est un corps parfait et ils ne cessent de viser à sa réalisation concrète. Mais, dépourvus de toute orientation littéraire, ils n'ont plus la moindre image d'une âme parfaite et, de ce fait, la leur ne l'est pas. Ils n'imaginent même pas que l'on puisse imaginer une chose pareille.

Sur la lancée de ce que j'avais appris en posant ma seconde

question, je me suis mis à en poser une troisième : qui, à votre avis, personnifie le mal ? Là, j'obtiens une réponse immédiate : Hitler (on ne cite jamais Staline). Mais après lui qui d'autre ? A cette question, il y a encore peu d'années, quelques étudiants répondaient : Nixon ; mais on l'a oublié et, du reste, il est en train d'être réhabilité. Après quoi les réponses s'arrêtent. Ils n'ont aucune idée du mal ; ils doutent de son existence. Hitler n'est qu'une abstraction de plus, un nom destiné à remplir une catégorie vide. Bien que vivant dans un monde où sont perpétrées les actions les plus effroyables et où ils voient dans la rue se commettre des crimes brutaux, ils s'en détournent. Peut-être pensent-ils que les mauvaises actions existent, mais qu'elles sont accomplies par des personnes qui, si on leur appliquait une thérapeutique adéquate, ne s'y livreraient plus. Il y a de mauvaises actions, il n'y a pas de mauvaises gens. Dans cette comédie, pas d'*Inferno*. Ainsi, dans l'opinion la plus courante chez les étudiants, la conscience des profondeurs fait défaut aussi bien que celle des sommets : il y manque donc la gravité.

CHAPITRE III

LA MUSIQUE

Laissons maintenant de côté le négatif, ce dont les étudiants sont dépourvus, et tournons-nous vers le positif, ce dont ils défendent le plus énergiquement la possession : la musique. Quand on considère cette génération d'étudiants, rien n'est plus singulier chez eux que leur véritable intoxication par la musique ; toutes leurs autres particularités se rassemblent autour de celle-là. Nous sommes à l'ère de la musique et des états d'âme qui l'accompagnent. Pour trouver un équivalent de cette explosion d'enthousiasme musical, il faut remonter au moins un siècle en arrière et évoquer l'Allemagne et l'atmosphère qui entourait les opéras de Wagner. A cette époque et dans ce pays, il y avait aussi une sorte de sentiment religieux, selon lequel Wagner donnait une signification à l'existence : ceux qui écoutaient ses œuvres ne recevaient pas seulement un message, mais, en écoutant, faisaient l'expérience de cette signification. Les wagnériens vivaient pour Wagner. De nos jours aussi, on peut dire qu'une très grande partie de nos jeunes gens entre dix et vingt ans vit pour la musique, qu'elle est leur passion, que rien d'autre ne les enthousiasme comme elle et qu'ils ne peuvent rien prendre au sérieux qui soit étranger à la musique. Quand ils se trouvent à l'école et dans leurs familles, ils aspirent à se rebrancher sur leur musique. Rien dans la vie qui les entoure — école, famille, Eglise — n'a la moindre relation avec leur univers musical. Au mieux, cette vie-là est neutre pour eux, mais la plupart du temps, elle constitue un obstacle, vide de tout contenu vital, et même une tyrannie contre laquelle il faut se rebeller. Ce culte de la musique comporte les éléments d'un enthousiasme authentique et c'est pourquoi il m'a rappelé celui qui s'attachait à Wagner. Certes, le wagnérisme était limité à une classe peu nombreuse, on ne pouvait s'y adonner que rarement et seulement en quelques endroits choisis, et il lui fallait se plier au rythme lent de la production du génie qui y présidait. Tandis que la musique des nouveaux adorateurs est verticalement et horizontalement universelle : elle ne connaît ni classe ni nation. On peut en jouir vingt-quatre heures sur vingt-quatre et en n'importe quel lieu. Il y a la chaîne haute fidélité à la maison, la stéréo dans la voiture, les concerts. Il y a la musique en vidéo à la T.V., avec des chaînes spéciales qui y sont exclusivement consacrées et qui diffusent sans arrêt. Il y a les walkman qui permettent de n'interrompre en aucun lieu — transports publics, bibliothèques — la communion avec la Muse. (On m'a assuré qu'un nombre considérable d'étudiants travaillent en écoutant de la musique.) Et, surtout, le terrain musical a acquis une richesse proprement tropicale. Nul besoin d'attendre les révélations imprévisibles d'un génie isolé. Il existe à présent quantité de génies, qui produisent sans cesse, deux nouveaux héros se dressant à chaque fois pour prendre la place de celui qui est tombé. Aucune pénurie de nouveauté et de sensationnel n'est à redouter : les jeunes vivent au milieu de feux d'artifice cosmiques incessants et ensorcelants.

L'âge du rock

Après une longue période de désuétude, on a retrouvé le pouvoir de la musique sur l'âme, ce pouvoir que Lorenzo décrit si merveilleusement à Jessica dans *Le Marchand de Venise*. Comme on peut le voir à l'évidence, c'est la musique rock, et elle seule, qui a opéré cette restauration. Parmi les jeunes, la musique classique est morte. Cette assertion, je le sais, suscitera de chaudes contestations, élevées par ceux qui, peu enclins à admettre les changements des marées, peuvent arguer de l'abondance des cours de musique classique dans les universités, aussi bien théoriques que pratiques, ainsi que de la prolifération des groupes de jeunes interprètes qui donnent des concerts de toute espèce de musique classique sur les campus. Leur existence est indéniable, mais ils ne sont fréquentés que par cinq à dix pour cent des étudiants. Actuellement, la musique classique constitue un goût spécial, comme la langue grecque ou l'archéologie précolombienne, et non pas une culture commune, un fond instinctif de communication réciproque et une sténographie psychologique. Il y a trente ans, la plupart des familles des classes moyennes accordaient à la musique européenne ancienne une place dans leur foyer, en partie parce qu'elles l'appréciaient, en partie parce qu'on pensait que c'était « bon pour les enfants ». Les étudiants étaient dotés d'une forme de sensibilité précocement associée à Beethoven, à Chopin et à Brahms, qui constituait une part permanente de leur personnalité et pour laquelle ils étaient susceptibles de rester disponibles durant toute leur vie. C'était même probablement le seul caractère de classe bien distinct qu'on pût reconnaître, aux Etats-Unis, entre ceux qui avaient reçu une bonne éducation et ceux qui n'en avaient pas. Beaucoup des jeunes gens de cette génération-là, et même la plupart d'entre eux, dansaient aussi le « swing » de Benny Goodman, mais cette activité comportait un élément d'affectation. Il s'agissait d'être à la page, de prouver qu'on n'était pas snob, de démontrer sa solidarité avec l'idéal démocratique en participant à la culture pop d'où naîtrait une nouvelle grande culture. Il restait alors une distinction de classe entre le haut et le bas bien que l'évolution des goûts personnels commençât déjà à faire douter qu'on appréciât tant que cela le « haut ». Mais tout cela a changé. La musique rock est aussi incontestable, aussi indiscutable que l'air que les étudiants respirent, et fort peu d'entre eux ont la moindre connaissance de la musique classique. Cela me cause une surprise constante. Et l'un des aspects étranges de mes relations avec les bons élèves que je parviens à bien connaître, c'est qu'il m'arrive souvent de les initier à la musique de Mozart. Bien sûr, c'est pour moi un grand plaisir, dans la mesure où il est toujours agréable d'offrir à quelqu'un un cadeau qui lui fait plaisir. Et il est intéressant de voir si cette musique apporte un complément à leurs études et de quelle façon. Mais il s'agit là d'un phénomène complètement nouveau pour moi, en tant qu'enseignant : autrefois, mes élèves connaissaient d'habitude la musique classique bien mieux que moi.

La musique n'était pas, pour la génération d'étudiants qui a précédé l'actuelle, si importante que cela. La musique romantique, qui a dominé tout le domaine de la musique « sérieuse » depuis Beethoven, faisait appel à un raffinement des sentiments — peut-être excessif — qu'il était difficile de trouver dans le monde contemporain. Les existences que les gens menaient ou souhaitaient mener, ainsi que les passions qui les possédaient de façon prédominante, étaient d'une espèce différente de celles de la bourgeoisie allemande et française très cultivée qui lisait avidement Rousseau et Baudelaire, Goethe et Heine, pour sa satisfaction spirituelle. La musique destinée à produire des sensibilités exquises aussi bien qu'à leur plaire avait une relation fort ténue avec les vies que menaient les Américains de toute espèce. Cette culture musicale avait eu pendant longtemps le caractère d'un vernis, d'une affectation qui pouvait facilement paraître ridicule (comme l'a si bien démontré Groucho Marx), quelque chose de proche de la chaste coquetterie d'une Margaret Dumont*. J'en ai fait la remarque quand j'ai commencé à enseigner et que j'ai habité dans

---

* Comparse féminine des Marx Brothers dans plusieurs de leurs films, belle femme digne qui incarne la bonne société face à l'anarchisme et la loufoquerie du célèbre quatuor. (N.d.T.)

un foyer pour étudiants doués. Les « bons » étudiaient leur physique, puis écoutaient de la musique classique. Tout était dans un ordre parfait, ils étaient les rois. Puis il y avait ceux qui ne marchaient pas aussi bien : certains d'entre eux étaient simplement vulgaires et rétifs à la tyrannie de la culture, mais d'autres étaient sérieux et cherchaient à concilier les choses d'une manière qui réponde vraiment à leurs besoins. Presque toujours, ceux-là étaient sensibles à la musique nouvelle ; ils en étaient un peu honteux, car ce goût-là n'était pas respectable. Mais le fait était là. D'instinct, je me rangeais du côté de ce second groupe, qui exprimait des sentiments authentiques bien qu'un peu grossiers, à l'inverse de ceux du premier groupe qui étaient artificiels et sans vie. Ces sans-culottes musicaux ont gagné la révolution et ils règnent en maîtres aujourd'hui. Nul n'a produit de grande musique qui puisse parler à la génération actuelle.

Fait symptomatique de cette évolution : le sérieux avec lequel les étudiants actuels abordent le célèbre passage sur l'éducation musicale dans *La République* de Platon. Autrefois mes élèves, bons libéraux comme ils le sont toujours, s'indignaient de la censure de la poésie, car la censure est une menace pour la liberté de pensée. Ils se préoccupaient vraiment de la science et de la politique, mais ils ne prêtaient guère attention à la partie de la discussion consacrée à la musique elle-même et ils étaient même, dans la mesure où ils y réfléchissaient, surpris que Platon, dans un traité sérieux sur la philosophie politique, consacre tant de temps à disserter sur le rythme et la mélodie. Selon leur expérience, la musique était un divertissement sans rapport aucun avec la vie politique et morale. Tout au contraire, les étudiants d'aujourd'hui savent exactement pourquoi Platon prend la musique tellement au sérieux. Ils savent qu'elle affecte la vie en profondeur et ils s'indignent que Platon ait l'air de vouloir leur dérober leur plaisir le plus intime. Platon et eux discutent de la même expérience et leur controverse est centrée sur la manière d'évaluer cette expérience et sur la façon dont il faut réagir à son égard. En fait, cette rencontre avec Platon nous aide à élucider le phénomène de la musique contemporaine et, en même temps, c'est un magnifique exemple de la façon dont des élèves actuels peuvent aborder avec profit un texte classique. Leur colère même prouve que Platon a visé juste, que ce qui leur est le plus cher et le plus intime se trouve menacé par le dénigrement. Cette expérience menacée est probablement celle qui peut le moins se défendre, celle qui, contestable, doit paraître incontestable et, par conséquent, résiste le plus à une froide analyse. Si un étudiant est capable — et c'est la chose la plus difficile et la plus inhabituelle — de prendre du recul, de se placer à distance critique de ce à quoi il adhère, d'en venir à douter de la valeur ultime de ce qu'il aime, il aura fait le premier pas, le plus difficile, vers la conversion philosophique. L'indignation est la défense de l'âme contre la blessure du doute à l'égard de ce qui lui est propre ; elle est ce qui réorganise l'univers pour soutenir le bien-fondé de sa cause. Elle fournit la justification pour mettre à mort celui qui use du scalpel, Socrate. La reconnaissance de ce fait est connaissance de l'âme, donc plus philosophique que l'étude des mathématiques. Pour les étudiants modernes, l'aspect de leur vie spirituelle qui prospère le mieux à la faveur d'un horizon protecteur et brumeux, c'est la musique. Et Platon nous enseigne que la musique, par nature, renferme tout ce qui est le plus résistant à la philosophie. Il n'est pas impossible que, à travers les halliers de notre pire corruption, serpente le sentier qui conduit à la prise de conscience des vérités les plus anciennes.

L'esprit de la musique

Mais peut-être ce que je viens d'énoncer est-il trop énigmatique et paradoxal. Aussi une petite digression ne serait-elle pas inutile pour expliciter un peu mieux l'enseignement de Platon sur la musique. En simplifiant beaucoup, la musique, c'est-à-dire le rythme et la mélodie, accompagnés par la danse, est l'expression barbare de l'âme. Je dis « barbare », et non pas « animale ». La musique est le véhicule de l'âme *humaine* dans son état le plus extatique d'émerveillement et de terreur. Nietzsche, qui, dans une large mesure, est d'accord avec l'analyse platonicienne, déclare dans *L'Origine de la tragédie* (et il ne faut pas oublier ici le reste du titre : *née de l'esprit de la musique*) qu'un mélange de cruauté et de sensualité grossière caractérise cette possession qui, bien sûr, est religieuse, qui est au service des dieux. Cette musique est le langage primitif et primaire de l'âme, et elle est *alogon,* sans discours articulé ni raison. Non seulement elle n'est pas raisonnable, mais elle est déraisonnable ou hostile à la raison. Même si l'on y ajoute un discours articulé, ce discours lui est entièrement subordonné et il est déterminé par la musique et les passions qu'elle exprime. La civilisation ou, pour employer un autre terme, l'éducation est l'apprivoisement ou la domestication des passions brutes de l'âme ; elle ne les supprime ni ne les ampute, car cela priverait l'âme de son énergie, mais elle les forme et les informe. Cette formation, cette information, c'est l'art. Son but est presque impossible à atteindre : établir l'harmonie entre la partie enthousiaste de l'âme et ce qui se développe ensuite, la partie rationnelle. Mais sans cela l'homme ne peut jamais être complet. La musique — ou la poésie, qui est ce que devient la musique au fur et à mesure que la raison émerge — est toujours en état d'équilibre instable et, même sous ses formes les plus élevées et les plus développées — religieuses, guerrières et érotiques —, la balance penche toujours, si peu que ce soit, vers la passion. La musique, comme tout le monde peut en faire l'expérience, confère une justification incontestable et un plaisir gratifiant aux activités qu'elle accompagne : le soldat qui entend l'orchestre militaire scander sa marche est captivé et rassuré ; la prière du croyant se trouve exaltée par le son de l'orgue dans l'église ; et l'amant est transporté et sent sa conscience apaisée par la guitare romantique. Quand on est armé par la musique, on peut faire fi du doute rationnel. De la musique émergent les dieux qui lui correspondent, et ces dieux éduquent l'homme par leur exemple et par leurs commandements. Le Socrate de Platon discipline les extases bien davantage que cela ne plaît aux hommes et qu'ils ne peuvent le supporter ; et il ne leur prodigue guère de consolation ou d'espoir dans leur vulnérabilité. En ce sens, il est profondément antimusical. Selon la formule la plus simple que Socrate imagine pour la musique, c'est la poésie lyrique, c'est-à-dire le discours, donc la raison, qui doit déterminer la musique, soit l'harmonie et le rythme. Or la musique pure ne peut tolérer cela. Les étudiants ne sont pas en mesure de connaître les plaisirs de la raison ; ils ne peuvent la considérer que comme un parent répressif. Mais, d'après l'exposé de Platon, ils voient que ce parent s'est très bien représenté ce qu'ils ont en tête. Platon nous enseigne que, si l'on veut prendre la température spirituelle d'un individu ou d'une société, il faut « noter sa musique ». Selon Platon et Nietzsche, l'histoire de la musique est une série de tentatives pour conférer forme et beauté aux forces obscures, chaotiques et prémonitoires de l'âme, pour les faire servir à un objectif plus élevé, à un idéal, pour donner leur plénitude aux tâches des hommes. Les intentions religieuses de Bach et les visées révolutionnaires et humanitaires de Beethoven en sont des exemples assez manifestes. La culture de l'âme se sert des passions en les satisfaisant (on pourrait dire que les passions l'alimentent) ; en même temps elle les sublime et leur confère une unité artistique. Un homme dont les plus nobles activités sont accompagnées par une musique qui les exprime, qui apporte un plaisir allant de la jouissance la plus bassement physique jusqu'à la joie la plus hautement spirituelle, cet homme est complet, ne ressent en lui aucune tension entre l'agréable et le bon. Par contraste, un homme dont la vie active est prosaïque et non musicale et dont les loisirs sont occupés par des divertissements intenses mais grossiers, cet homme-là est divisé et chacune des deux phases de son existence est minée par l'autre. Par conséquent, la grande musique ressortit à une psychologie profonde, et pour ceux que la santé psychologique intéresse, la musique, au sens le plus large du terme, est au centre de l'éducation, tant pour donner leur pitance aux passions qui ont besoin de musique que pour préparer l'âme à se servir sans entraves de la raison. La position centrale de la musique dans une telle éducation a été reconnue par tous les éducateurs de l'Antiquité.

On ne relève pas assez que, dans la *Politique* d'Aristote, les passages les plus importants relatifs au meilleur régime concernent l'éducation musicale, et que la *Poétique* est un appendice à la *Politique*. La philosophie classique ne censurait pas les chanteurs : elle les persuadait. Et elle leur fournissait un but, qu'ils comprenaient très bien jusqu'à hier seulement. Mais ceux qui n'ont pas remarqué la place de la musique chez Aristote et qui méprisent celle qu'elle tient chez Platon, ceux-là sont allés à l'école avec Hobbes, Locke et Smith, chez qui de telles considérations sont devenues tout à fait inutiles. Le rationalisme triomphant de la philosophie des Lumières, dont nous reparlerons plus loin, imaginait qu'il avait découvert d'autres moyens de mater la partie irrationnelle de l'âme et que la raison avait moins besoin du soutien de cette partie-là. C'est seulement chez ces grands critiques de la philosophie des Lumières et du rationalisme que sont Rousseau et Nietzsche que la musique reprend sa place, et ils ont été, personnellement, les plus musicaux des philosophes. L'un et l'autre ont pensé que les passions — et, avec elles, les arts qui en dépendent — se sont étiolées sous le règne de la raison et que, de ce fait, l'homme lui-même et ce qu'il voit dans le monde se sont étiolés également. Ils ont voulu cultiver les états enthousiastes de l'âme et refaire l'expérience de la possession des corybantes, possession que Platon jugeait pathologique. Cela est particulièrement vrai de Nietzsche, qui cherchait à puiser à nouveau aux sources irrationnelles de la vitalité, à retrouver l'origine barbare de notre ruisseau asséché. Il encourageait le dionysiaque et la musique qui en dérive.

L'appel sexuel

Et voilà où notre chemin rejoint celui de la musique rock. Je ne suggère pas qu'elle soit de source intellectuelle élevée. Mais elle a atteint ses hauteurs actuelles, dans l'éducation des jeunes qui font des études, en s'érigeant sur les cendres de la musique classique, et dans une ambiance qui excluait toute résistance intellectuelle à l'égard des tentatives visant à exploiter les passions les plus brutes. Les rationalistes, par exemple les économistes, sont totalement indifférents à ce phénomène et à ce qu'il représente. Les irrationalistes, eux, y sont tout à fait favorables. Ce qui est à redouter, ce n'est pas que des âmes pasteurisées de ces adolescents émergent des passions barbares et qu'on voie ressurgir en eux les « bêtes blondes » du mythe nietzschéen. Non. Mais de la nouvelle musique émane un appel, un seul, et c'est un appel barbare. La musique rock excite le désir sexuel, non pas l'amour, non pas l'*éros*, mais le désir sexuel pur et simple, non évolué et à l'état brut. Elle capte les premières émanations de la sensualité enfantine naissante et elle s'en empare sérieusement, non pas comme de bourgeons qu'il faudrait soigner précautionneusement pour les faire s'épanouir en fleurs somptueuses, mais comme s'il s'agissait déjà du vrai désir et elle en fixe les premières prises de conscience qu'elle met en lumière et légitime. Cette chose dont les parents avaient coutume de dire à leurs enfants qu'ils devaient attendre d'avoir grandi pour la comprendre leur est offerte sur un plateau d'argent et contresignée par toute l'autorité publique de l'industrie des loisirs.

Les jeunes gens savent fort bien que le rythme du rock est celui du rapport sexuel. C'est pourquoi le *Boléro* de Ravel est le seul morceau de musique classique qu'ils connaissent et qu'ils aiment généralement. Une industrie considérable, alliée avec quelques éléments d'art authentique et beaucoup de pseudo-art, cultive adroitement chez les jeunes le goût de la sensation physique et de l'état affectif orgiaque qui s'associent à la pulsion sexuelle : cette industrie fournit à leurs appétits voraces un flot constant d'aliments nouveaux. Il n'y a jamais eu de forme d'art qui s'adresse si exclusivement aux enfants. Et elle doit, bien sûr, se conformer à ce qui leur plaît.

Le rythme puissant se combine ici avec des mots qui conviennent à cette musique excitante et cathartique et s'accordent avec elle. Ils célèbrent aussi bien les premières amours que d'autres attractions polymorphes ; ils les encouragent à mépriser le ridicule et la honte traditionnels. Les actes physiques propres à satisfaire le désir sexuel sont décrits implicitement et explicitement et ils sont présentés comme son unique aboutissement naturel. L'assouvissement du plaisir est présenté comme une activité de routine à des êtres qui n'ont pas encore la plus petite idée de l'amour, du mariage ou de la famille. Tout cela a un effet beaucoup plus puissant que la pornographie sur des jeunes qui n'ont pas besoin de regarder les autres faire grossièrement ce qu'ils peuvent faire si facilement eux-mêmes. Le voyeurisme est destiné aux pervers âgés, les relations sexuelles actives aux jeunes. Tout ce dont ceux-ci ont besoin, c'est d'encouragement.

Le corollaire inévitable de l'intérêt sexuel, c'est la rébellion contre l'autorité parentale qui le réprime. L'égoïsme se fait ici indignation, puis se mue en morale. Toutes les forces de domination, ennemies de la nature et du bonheur, doivent être abattues par la révolution sexuelle. De l'amour naît la haine, qui se déguise en réforme sociale. Sur le pivot sexuel, on essaie de faire tenir une conception du monde. Avec ce qui n'était jadis que ressentiments enfantins inconscients ou semi-conscients, on n'hésite pas aujourd'hui à récrire la Bible. Et on franchit alors une troisième étape : on aspire à une société sans classes, sans préjugés, sans conflits, universelle, qui devrait résulter nécessairement d'une prise de conscience libérée. C'est une version adolescente du *alle Menschen werden Brüder*, l'actualisation de ce qui a été inhibé par les équivalents politiques de papa et maman. Tels sont les trois grands thèmes lyriques de la nouvelle musique : le sexe, la haine et une version enjôleuse et hypocrite de l'amour fraternel. De sources aussi polluées naît un courant boueux dans lequel ne peuvent nager que des monstres. Un coup d'œil aux images vidéo qui sont projetées sur le mur de la caverne de Platon depuis que Walt Disney en a repris l'administration suffit à en fournir la preuve. L'effigie séduisante de Hitler, dans un contexte excitant, revient assez souvent pour qu'on s'y arrête. Rien de noble, de sublime, de profond, de délicat, de savoureux ou même de décent ne peut trouver place dans un tel tableau. Il ne peut accueillir que ce qui est intense, changeant, grossier et immédiat — Tocqueville nous avait déjà avertis que tel serait le caractère de l'art démocratique — combiné avec une puissance de pénétration, une importance et, surtout, un contenu qui dépasse ce que Tocqueville a pu imaginer de plus effarant.

Pour vous faire une idée de la situation véritable de notre jeunesse, imaginez un garçon de treize ans, assis dans la salle de séjour de sa famille, en train de faire ses devoirs de mathématiques, avec un walkman aux oreilles. Ce garçon bénéficie des libertés acquises au prix d'un dur combat au cours des siècles par l'alliance du génie philosophique et de l'héroïsme politique et consacrées par le sang de nombreux martyrs ; il profite d'un confort et de loisirs procurés par l'économie la plus productive que l'humanité ait jamais connue ; la science a pénétré les secrets de la nature pour lui fournir les merveilleux moyens électroniques qui permettent une reproduction des sons fidèle. Et à quel sommet aboutit ce faisceau de progrès ? A un enfant au seuil de la puberté dont le corps vibre de rythmes orgiastiques ; dont les sentiments s'articulent selon des hymnes aux joies de l'onanisme ou de l'assassinat des parents ; dont l'ambition est d'acquérir célébrité et richesse en imitant un musicien de sexe indistinct. Bref, l'existence est transformée en un fantasme de masturbation, ininterrompu et préemballé commercialement.

On pourrait penser que cette description est exagérée ; mais ce serait seulement parce que certains préféreraient qu'elle le soit. Cette exposition continuelle à la musique est une réalité et elle ne se limite pas à une classe particulière ou à un type d'enfants spéciaux. Il suffit de demander aux élèves de première année, à l'université, quelle musique ils écoutent, à quelle dose et ce qu'elle signifie pour eux, pour découvrir que le phénomène est quasi universel aux Etats-Unis, qu'il commence avec l'adolescence ou un peu auparavant et qu'il se poursuit pendant toutes les années d'études. C'est *la* culture de la jeunesse et il n'existe actuellement aucune nourriture spirituelle pour la contrebalancer. Dans une certaine mesure, la puissance de cette culture-là provient du fait qu'elle est extraordinairement bruyante. Elle rend toute conversation impossible, de sorte que beaucoup de relations amicales doivent se dérouler sans cet échange de paroles dont Aristote assure qu'il est l'essence de l'amitié et le seul véritable terrain de rencontre. Mais aujourd'hui, le fondement de toute association entre deux adolescents n'est que l'illusion de sentiments partagés, un contact physique et des grognements stéréotypés qui sont censés comporter une signification qui va au-delà du discours. Rien de tout cela n'empêche de vaquer à ses affaires, de suivre des cours et même de s'acquitter des devoirs que ces derniers exigent. Mais la vraie vie intérieure de ces jeunes gens appartient à la musique.

C'est là un phénomène si stupéfiant et si impossible à assimiler qu'on le remarque à peine : il est devenu routinier et habituel sans qu'on s'en rende compte. Mais que les plus belles énergies de la jeunesse d'un pays soient employées de cette façon-là, ce n'en est pas moins une circonstance de dimensions historiques, dont les hommes des civilisations futures s'émerveilleront et qu'ils jugeront incompréhensible, de la même façon que nous apparaissent, à nous, le système des castes, le supplice du feu pour les sorcières, les harems et le cannibalisme : comme des phénomènes qui défient toute explication. Il se peut bien que la plus grande folie d'une société, quelle qu'elle soit, lui paraisse normale. Mais si l'on prend quelque recul par rapport à celle dont nous parlons, on reste pantois. L'enfant que j'ai décrit a des parents, qui se sont sacrifiés pour lui procurer une existence de qualité et qui ont beaucoup misé sur son futur bonheur. Or il leur est impossible de croire que la fascination musicale de leur fils contribue beaucoup à ce bonheur ; mais ils n'y peuvent absolument rien. Le silence spirituel de la famille a laissé le champ libre à cette musique-là ; et les parents n'ont aucun moyen d'interdire à leurs enfants de l'écouter. Elle est omniprésente ; tous les enfants l'écoutent ; vouloir l'interdire équivaudrait à s'aliéner affection et obéissance de leur part. Quand ils se tournent vers la télévision, que voient-ils ? Le président Reagan serre chaleureusement la main gantée que lui tend délicatement Michael Jackson et le félicite avec enthousiasme. Mieux vaut alors, pour les parents, recourir à la faculté de nier le réel. On évite de comprendre ce que veulent dire les mots. On suppose que l'enfant surmontera cette crise d'adolescence. S'il a des relations sexuelles précoces, cela ne l'empêchera pas d'avoir plus tard des rapports stables. Pour ce qui est de la drogue, il n'ira certainement pas plus loin que la marijuana. L'école est là pour fournir des valeurs vraies aux enfants. Et l'historicisme populaire procure la consolation finale : pour des situations nouvelles, il faut de nouveaux styles de vie, et la génération précédente n'est pas là pour imposer ses valeurs, mais pour aider les jeunes à trouver les leurs. La télévision, qui, par comparaison avec la musique, joue un rôle relativement restreint dans la formation du caractère et du goût des enfants, est le monstre sur lequel tout le monde parvient à se mettre d'accord : la droite surveille le contenu sexuel des émissions, la gauche se dresse contre les excès de violence, bien d'autres groupes et d'autres sectes s'intéressent à tout le reste, et les parents ont la possibilité d'en contrôler l'usage. Mais la musique, personne ne s'en soucie.

Ce résultat, qui ne signifie rien de moins que l'abolition de la surveillance exercée par les parents sur l'éducation morale de leurs enfants, à une époque où la position officielle est précisément que l'éducation morale doit se dispenser exclusivement à la maison, a été obtenu par l'alliance entre les étranges jeunes mâles — version moderne du Thrasymaque de *La République* — auxquels est échu le don de deviner les désirs naissants de la foule, et les dirigeants des grandes maisons de disques, ces nouveaux barons du brigandage, qui, avec leurs chemises à col ouvert et leurs lunettes teintées, distribuent la drogue partout où elle est nécessaire, de la même façon qu'autrefois les Rockefeller distribuaient de l'argent aux législateurs des Etats pour obtenir le droit de chercher du pétrole·et de faire fortune. Ces cadres-là tirent de l'or du rock. Ils ont découvert, voici quelques années, que les enfants disposent d'argent de poche qu'ils peuvent dépenser comme ils l'entendent, ce qui fait d'eux le seul très grand groupe social du pays à jouir d'un revenu entièrement disponible. Les parents, eux, dépensent tout ce qu'ils ont pour les besoins de leurs enfants. En faisant appel aux désirs des enfants, en créant pour eux un monde de délices par-dessus la tête de leurs parents, on a ouvert l'un des marchés les plus riches du monde d'après-guerre. Il était parfaitement dans la logique capitaliste de répondre à la demande et de contribuer à la créer. Cette démarche avait toute la dignité morale du trafic de la drogue, mais elle était si totalement nouvelle et inattendue que personne n'a songé à l'interdire, et maintenant il est trop tard.

Peut-être peut-on faire quelques progrès dans la lutte contre la cigarette, attendu que l'absence actuelle de normes et le relativisme moral n'ont pas affecté notre vigilance à l'égard de tout ce qui touche à la santé physique ; mais dans tous les autres domaines, ce sont les lois du marché qui décident de la valeur. Il n'est pas inutile de noter ici que Yoko Ono fait partie du petit nombre des milliardaires en dollars U.S., groupe où ne figurent guère que les magnats du pétrole et des ordinateurs, car son mari a produit et vendu une marchandise dont la valeur est comparable à la leur. Un

phénomène comme celui-là compte pour beaucoup dans la respectabilité de l'industrie musicale. C'est un énorme secteur commercial,
plus grand que celui du cinéma, celui du sport professionnel, ou
celui de la télévision. Nous éprouvons toujours quelque difficulté à
adapter notre vue aux changements qui se produisent dans l'économie et à voir ce qui est vraiment important. McDonald emploie
désormais un personnel plus nombreux que l'industrie métallurgi-
que américaine *(U.S. Steel)* et, à l'avenant, les fournisseurs de
nourriture de pacotille pour les âmes ont supplanté commercialement ceux qui, à notre sens, pourvoient à des besoins plus
fondamentaux. Il y a déjà pas mal de temps que ce processus s'est
amorcé : à la fin des années cinquante, le général de Gaulle en
personne a décerné à Brigitte Bardot une des décorations françaises
les plus prestigieuses. J'avais alors quelque peine à le comprendre,
mais il s'est avéré ensuite qu'avec Renault, cette jeune personne
constituait à l'époque l'article d'exportation le plus lucratif pour la
France. Au fur et à mesure que les nations occidentales sont
devenues plus prospères, les loisirs — qu'on avait laissés de côté
depuis plusieurs siècles au profit de l'accumulation des biens — ont
commencé à devenir un objet d'intérêt primordial. Mais entre-
temps, le contenu classique des loisirs — art, lecture — ainsi que le
goût qu'en avait l'individu et sa capacité d'en profiter avaient
disparu. Les loisirs étaient devenus des divertissements. La fin pour
laquelle les hommes avaient travaillé si durement et pendant si
longtemps s'était avérée n'être qu'un amusement — conclusion
justifiée si les moyens justifient la fin. Le champ des divertissements bénéficie ainsi d'une double dignité : celle d'être une
industrie dans une société industrielle ; et celle d'être la fin pour
laquelle les gens cherchent à se procurer les moyens, celle d'être un
bien en soi. A vrai dire, les divertissements ne sont à proprement
parler ni l'un ni l'autre, mais on est tenu de les prendre en
considération comme s'ils étaient l'un et l'autre : ce qui indique
peut-être que nous avons fait fausse route dès le début. L'industrie
musicale ne représente un cas particulier que dans la mesure où elle
approvisionne presque exclusivement des enfants et qu'elle traite
donc des êtres humains imparfaits, sur le plan légal comme sur le
plan naturel, comme s'ils étaient prêts à jouir d'une satisfaction
complète et finale qui ne débouche sur rien d'autre. Et peut-être ce
cas particulier nous révèle-t-il la nature de tous nos divertissements,
ainsi que le fait que nous avons perdu toute compréhension de ce
que sont l'état adulte, la maturité ou la plénitude, bref, notre
incapacité à penser les fins. Du vide des *valeurs* découle l'acceptation des *faits* naturels comme fins. Dans le cas que nous étudions, la
sexualité infantile est la fin, et je soupçonne qu'en l'absence
d'autres fins certaines, beaucoup d'adultes en sont arrivés à
admettre que tel est le cas.

Le règne de Mick Jagger

Il est intéressant de noter que la gauche, qui s'enorgueillit de son regard critique sur le « capitalisme tardif » et qui se montre impitoyable et inlassable dans son analyse de nos autres phénomènes culturels, a en général laissé le champ libre à la musique rock. En fait, on constate que la plupart des jeunes intellectuels que passionne le néo-marxisme aiment cette musique et la défendent. Faisant abstraction de l'élément capitaliste qui contribue à la floraison du rock, ils interprètent la sympathie qui les fait vibrer en accord avec lui comme découlant de son origine populaire : selon eux, le rock provient de couches plus profondes que celles où sévit la répression culturelle bourgeoise. Son opposition à la Loi et son aspiration à un monde sans contrainte sembleraient même en faire le clairon de la révolution prolétarienne. Il est certain que les marxistes voient bien que la musique rock dissout les croyances et la morale nécessaires à une société libérale, et il suffirait de cette raison pour qu'ils l'approuvent. Mais l'harmonie entre la jeune gauche intellectuelle et le rock est probablement plus profonde que cela. Marcuse a passionné les étudiants des années soixante en leur offrant une combinaison de Marx et de Freud. Dans *Eros et civilisation* et dans *L'Homme unidimensionnel,* il promettait que, du triomphe sur le capitalisme et sa fausse conscience, résulterait une société où les plus grandes satisfactions seraient d'ordre sexuel (c'est cette sorte de satisfactions que le bourgeois moraliste qu'était Freud qualifiait de polymorphes et d'infantiles). Marcuse et la musique rock disent la même chose et touchent la même corde chez les jeunes. Une libre expression sexuelle, l'anarchisme, bref, l'exploration de l'inconscient irrationnel pour lui donner libre cours : telles sont les caractéristiques qu'ils ont en commun. La vie intellectuelle supérieure dont traite la seconde partie de cet essai et le monde inférieur du rock se trouvent être, en fin de compte, les partenaires de la même entreprise de divertissement. Il faut les interpréter tous deux comme des parties du tissu culturel du capitalisme tardif. Leur succès, dans un cas comme dans l'autre, découle du besoin qu'a le bourgeois de sentir qu'il n'est pas bourgeois et de se livrer à des expériences inoffensives avec l'illimité. Il est tout disposé, pour cela, à payer cher. La gauche « nietzschéennisée » est mieux interprétée par Nietzsche que par Marx : la théorie critique du capitalisme tardif faite par l'école de Francfort est tout à la fois l'expression la plus subtile et la plus vulgaire du capitalisme tardif lui-même. Le courroux antibourgeois est l'opium du Dernier Homme.

De ce stimulant violent que Nietzsche appelait « nihiline », un personnage a été pendant très longtemps — presque quinze ans — l'exemple parfait : Mick Jagger. Issu en fait des classes moyennes, extrêmement astucieux, ce garçon a joué jusqu'à l'âge de quarante ans le possédé sorti des couches les plus basses et le satyre adolescent, un œil fixé sur la foule des enfants des deux sexes qu'il excitait et amenait à une frénésie sensuelle extrême, l'autre clignant du côté des adultes, dépourvus d'érotisme mais commercialement motivés, qui manient l'argent. Dans son numéro, il était à la fois masculin et féminin, hétérosexuel et homosexuel. Ne s'encombrant d'aucune pudeur, il lui était possible de meubler les rêves de n'importe qui, en promettant de faire tout avec tout le monde ; et surtout, il légitimait l'usage de la drogue, qui faisait corps avec le reste : c'était l'émotion authentique dont parents et police conspiraient à les priver, lui et son public. Il se situait au-delà de la loi, morale et politique, et lui faisait un pied de nez. Et brochant sur le tout, il y avait quelques vilaines suggestions de sexisme et de racisme, pimentées d'incitations à la violence, pour faire appel aux trois tendances refoulées dont la satisfaction en public n'est plus autorisée aujourd'hui. Mais avec tout cela, il s'arrangeait pour ne pas apparaître en contradiction avec l'idéal rock d'une société universelle sans classes fondée sur l'amour, sans distinction entre le fraternel et le physique. Ainsi Mick Jagger a-t-il été le héros et le modèle d'innombrables jeunes gens dans les universités et ailleurs.

J'ai découvert que ces étudiants qui, précisément, se vantaient de ne point avoir de héros nourrissaient secrètement une passion : celle de ressembler à Mick Jagger, de vivre sa vie, d'avoir sa renommée. Ils avaient honte d'admettre cette passion dans l'enceinte d'une université, bien que je ne sois nullement certain que la raison de leur gêne résidât dans une norme plus élevée du goût ; il faut plutôt la chercher dans le fait qu'ils ne sont pas censés avoir de héros. La musique rock en soi et le fait d'en parler avec un sérieux infini sont considérés comme parfaitement respectables ; il s'est avéré que c'était même la dernière étape de la démocratisation du snobisme intellectuel. Mais il n'est pas respectable d'y penser en termes d'aliénation, de dire que le rock confère à des êtres faibles et ordinaires un comportement élégant et dont l'imitation suscitera l'estime des autres et accroîtra celle qu'on se porte à soi-même. Mais à leur insu et malgré eux, Mick Jagger a joué dans la vie de ces jeunes gens le rôle que Napoléon a joué dans celle des jeunes Français pendant tout le XIXᵉ siècle. Tous les autres étaient tellement ennuyeux et tellement incapables de susciter de jeunes passions ! Jagger, lui, y a réussi. Toutefois, au cours des deux dernières années, son étoile a commencé à pâlir. On ne sait trop si Michael Jackson, Prince ou Boy George pourra prendre sa place. Ils sont encore plus bizarres que lui et on se demande quelles zones nouvelles du goût ils ont découvertes. Mais s'ils diffèrent quelque peu les uns des autres, le caractère essentiel du divertissement musical qu'ils offrent demeure inchangé. Il n'y a qu'une recherche constante de variations sur un seul thème. Et ce phénomène fangeux est apparemment l'accomplissement de la promesse que nous ont faite tant de psychologues et de littérateurs : faible et épuisée, la civilisation occidentale trouvera à se rafraîchir à la vraie source, l'inconscient, qui apparaissait à l'imagination romantique tardive comme identique à l'Afrique, continent sombre et inexploré. Maintenant tout a été exploré et on a jeté sur tout une vive lumière ; l'inconscient a été amené au niveau du conscient et le refoulé s'est exprimé. Et qu'a-t-on découvert ? Non pas des démons créateurs, mais le clinquant du show-business. Mick Jagger s'attifant et se maquillant sur scène, voilà tout ce qu'on a rapporté de cette descente aux enfers.

Je ne me préoccupe pas ici des effets moraux de cette musique. Je ne me demande pas si elle conduit aux abus sexuels, à la violence ou à la drogue. Mon souci, ce sont ses effets sur l'éducation ; mon principal reproche à son égard, c'est qu'elle abîme l'imagination des jeunes gens et suscite en eux une difficulté insurmontable à établir une relation passionnée avec l'art et la pensée qui sont la substance même de la culture générale. Les premières expériences des sens sont décisives pour déterminer le goût qui durera toute la vie, et elles constituent le lien entre ce qu'il y a d'animal et ce qu'il y a de spirituel en nous. Jusqu'à présent, la période de formation de la sensualité a toujours servi à la sublimation. au sens de « rendre sublime » ; elle a toujours servi à associer les inclinations et les aspirations à une musique, à des images et à des histoires qui assurent la transition vers l'accomplissement des tâches humaines et vers la satisfaction des plaisirs humains. Parlant de la sculpture grecque, Lessing a dit : « De beaux hommes faisaient de belles statues, et la ville avait de belles statues en partie pour exprimer sa reconnaissance d'avoir de beaux citoyens. » Cette formule résume le principe fondamental de l'éducation esthétique de l'homme. Les jeunes gens et les jeunes femmes étaient séduits par la beauté de héros dont les corps mêmes exprimaient la noblesse. Une compréhension plus profonde de la signification de la noblesse vient plus tard, mais elle est préparée par l'expérience sensuelle et, en fait, elle est déjà contenue dans celle-ci. Ainsi, ce à quoi les sens aspirent et ce que la raison considère plus tard comme bon ne sont pas en conflit l'un avec l'autre. L'éducation ne consiste pas à faire aux enfants des sermons qui vont contre leurs instincts et leurs plaisirs ; elle consiste à assurer une continuité naturelle entre ce qu'ils ressentent et ce qu'ils peuvent et doivent être. C'est là un art qui s'est perdu. Maintenant, on en est arrivé au point où l'on fait exactement le contraire. La musique rock donne aux passions une tournure et fournit des modèles qui n'ont aucun rapport avec la vie que les jeunes gens destinés aux études universitaires pourront éventuellement mener, ni avec le genre d'admirations qu'encouragent les études littéraires. Et sans la coopération des sentiments, toute éducation autre que technique reste lettre morte.

La musique rock procure des extases prématurées et, à cet égard, elle est analogue aux drogues dont elle est l'alliée. Elle induit artificiellement l'exaltation qui s'attache naturellement à la réalisation des plus grandes entreprises : la victoire dans une guerre juste, l'amour complet, la création artistique, la piété religieuse et la découverte de la vérité. Sans effort, sans talent, sans vertu, sans exercice de ses facultés, n'importe qui et tout le monde se voit accorder un droit égal à jouir de leurs fruits. A ma connaissance, les étudiants qui ont sérieusement tâté de la drogue — et qui en sont revenus — éprouvent de la difficulté à s'enthousiasmer pour quelque chose ou à nourrir de grandes espérances. Tout se passe comme si l'on avait retiré de leurs vies la couleur et qu'ils voyaient désormais toutes choses en noir et blanc. Le plaisir qu'ils ont éprouvé au début était si intense qu'ils ne le recherchent plus à la fin ni comme fin. Ils peuvent « fonctionner » parfaitement bien, mais sèchement, de façon routinière. Leur énergie a été sapée et ils n'attendent de leur activité vitale rien d'autre que de leur procurer des moyens d'existence, alors que leurs études sont censées encourager en eux l'opinion que la meilleure façon de vivre, intellectuellement et moralement, est aussi la plus agréable. Je soupçonne que l'accoutumance au rock, surtout en l'absence d'un autre pôle puissant d'intérêt, a un effet similaire à celui des drogues. Bien sûr, les étudiants se désintoxiqueront de cette musique ou du moins de leur passion exclusive pour elle. Mais ils le feront de la même façon que, selon Freud, les hommes acceptent le principe de réalité : comme quelque chose de dur, de maussade et d'essentiellement sans séduction, comme une simple nécessité. Ces étudiants-là apprendront avec assiduité l'économie ou se formeront aux professions libérales et tous les oripeaux de Michael Jackson tomberont pour dévoiler le strict costume trois-pièces qui se trouve dessous. Ils auront le désir de faire leur chemin et de vivre confortablement. Mais cette vie sera aussi fausse et vide que celle qu'ils ont laissée derrière eux. Qu'ils n'ont pas à choisir entre des paradis artificiels et une existence bien réglée et ennuyeuse, c'est ce que sont censées leur enseigner des études de culture générale. Mais tant qu'ils ont leur walkman sur la tête, ils ne peuvent entendre ce que la grande tradition a à leur dire. Et quand ils enlèvent leur casque après l'avoir porté trop longtemps, c'est pour s'apercevoir qu'ils sont sourds. Telle est l'alternative.

CHAPITRE IV

LES AUTRES

L'égocentrisme

En ce moment, les étudiants sont, en général, *gentils*. C'est à dessein que j'emploie cet adjectif. Ils ne sont pas particulièrement moraux ou nobles. Dans les époques heureuses, la gentillesse est une facette du caractère démocratique. Ces jeunes gens n'ont eu à s'endurcir ni à cause de la guerre, ni à cause de la tyrannie, ni à cause du besoin, et la vie n'a pas trop exigé d'eux. La vulnérabilité et les rivalités que provoquaient les distinctions de classes ont disparu comme a disparu tout sentiment d'appartenir à une classe (tel qu'il a existé naguère dans les universités américaines et tel qu'il empoisonne encore la vie universitaire en Angleterre). Ils sont libérés de la plupart des contraintes, et leurs familles consentent pour eux à pas mal de sacrifices sans leur demander beaucoup d'obéissance et de respect en retour. La religion et l'origine nationale n'ont presque plus aucun effet notable sur leur vie sociale ou sur leurs perspectives professionnelles. Bien que peu d'entre eux aient vraiment foi dans « le système », ils n'éprouvent pas le sentiment brûlant qu'on commet des injustices envers eux. Ils disposent désormais, en quantités suffisantes pour un usage sensé, de ces deux choses autrefois considérées comme interdites : les drogues et l'accès au plaisir sexuel. Quelques féministes radicales brandissent l'étendard de leur ancienne foi, mais la plupart des femmes sont confortablement assurées qu'elles ne rencontreront pas beaucoup d'obstacles dans leur carrière. On trouve dans les universités une atmosphère de familiarité facile entre les élèves et leurs aînés, et même cette sorte de respect des jeunes gens libres pour les adultes dont Tocqueville assure que l'égalité l'encourage. Surtout, il n'existe plus aucune des aspirations, romantique ou d'un autre ordre, qui faisaient autrefois de la société bourgeoise ou de n'importe quelle forme de société en général un objet de dégoût pour les jeunes. Les rêves impossibles des années soixante se sont avérés tout à fait réalisables dans le tissu relâché de l'existence américaine actuelle. Les étudiants sont agréables, amicaux, et s'ils n'ont pas de grandeur d'âme, du moins ne sont-ils pas particulièrement mesquins. Leur préoccupation primordiale, c'est eux-mêmes, au sens le plus restreint du terme.

A cet égard, j'ai eu l'occasion de faire une expérience révélatrice en bavardant un soir avec un groupe d'élèves très brillants. Cela se passait dans l'une des universités de la *Ivy League** où je me trouvais, comme conférencier, pour une brève période et où j'avais réussi à trouver en salle de cours un terrain d'entente avec ces étudiants. La lecture sérieuse de Platon a souvent pour effet de faire parler les étudiants, au moins pendant un moment, d'une façon qui échappe à leurs conventions. Nous avions donc organisé un pique-nique d'adieu et l'atmosphère était détendue et favorable à la franchise. De façon un peu sournoise, j'introduisis dans la conversation quelques thèmes sur lesquels j'étais curieux de connaître l'opinion courante.

J'y avais été amené par un dialogue qui avait eu lieu la veille au soir, lors d'un dîner avec des membres de la faculté et de l'administration de l'université. La femme d'un des hauts fonctionnaires du campus m'avait parlé des activités de son fils. Il avait une licence de droit mais, disait-elle, tout comme d'autres de ses amis, il nourrissait peu d'ambitions et passait d'un domaine à un autre sans s'y attarder. Cette dame ne paraissait pas très affligée de ce comportement : peut-être même en éprouvait-elle une certaine fierté, à la façon de ces parents « modernes » qui sont tout prêts à croire à la supériorité de la jeune génération sur la leur, surtout quand elle se montre très irrespectueuse à l'égard des normes de ses aînés. Lorsque je lui avais demandé pourquoi elle pensait que son fils et ses amis se conduisaient ainsi, elle avait répondu fermement, calmement et sans hésitation : « Par peur de la guerre nucléaire. »

C'est ce qui m'amena à demander au groupe d'étudiants que je rencontrai le soir suivant, lors du pique-nique, s'ils étaient effrayés par la guerre atomique. En réponse, j'eus droit à un éclat de rire général, un peu embarrassé. Ils savaient très bien sur quoi portaient leurs pensées quotidiennes, et que ces pensées-là n'avaient guère à voir avec les problèmes politiques. Et ils savaient aussi que beaucoup d'adultes sensés attendent d'eux qu'ils recourent à la menace atomique comme prétexte pour exiger une transformation de l'ordre politique mondial et que ces mêmes adultes tiennent également à pouvoir présenter les « âmes

* *Ivy League Colleges :* Groupe d'universités de la côte Est des Etats-Unis, considérées comme d'un niveau très élevé (d'où le lierre, *ivy,* sur les murs des collèges). (N.d.T.)

meurtries » de leurs enfants comme argument contre « la course aux armements que poursuivent follement nos hommes politiques ».

Les étudiants d'aujourd'hui — et j'ai depuis lors posé la question à plusieurs reprises, sans relâche — n'ont aucune prétention morale et, quand on en vient aux grands problèmes moraux, ils se considèrent eux-mêmes avec une certaine ironie. Quelques-uns d'entre eux jettent même un regard nostalgique sur les étudiants des années soixante qui, eux, croyaient à quelque chose. La perspective d'être mobilisé pour aller se battre au Vietnam était vraiment effrayante. Mais les jeunes, à peu d'exceptions près, ne se laissent pas plus impressionner par les charlatans qui expliquent le manque de passion des jeunes gens sur cette question par un « refus » et mettent leur science à contribution pour prouver qu'il y a des causes sans effets, que le public américain en général ne se laissait abuser par un président qui essayait de le persuader qu'il discutait de la guerre nucléaire avec sa petite fille. Leurs vraies préoccupations sont ailleurs. A vrai dire, ils sont assez indifférents à ce propos, ils n'ont pas de l'avenir une vue très vaste ; mais on peut attribuer cela à l'absence d'une frontière à conquérir dans l'Ouest des Etats-Unis ou à la mort de Dieu tout autant qu'à la crainte d'une guerre atomique.

Il est difficile de dire exactement pourquoi cette génération tend à être tellement sincère par comparaison avec celle qui l'a précédée. Bien sûr, il reste encore parmi eux beaucoup de garçons qui prennent des positions publiques, tel l'ensemble des élèves de l'université Brown (institution qui se trouvait à l'avant-garde du démantèlement de l'enseignement littéraire au cours des années soixante), qui ont exigé que l'université mette à leur disposition du cyanure en cas d'attaque nucléaire. C'était là une « déclaration » destinée à tout nous dire à propos des tortures que nous infligeons aux jeunes gens. Mais la grande majorité des étudiants, bien qu'ils souhaitent comme tout un chacun avoir d'eux-mêmes une bonne opinion, sont parfaitement conscients d'être surtout préoccupés par leurs carrières et par leurs relations sentimentales. Il existe une certaine rhétorique de « l'accomplissement de soi-même » qui confère à cette existence une patine séduisante, mais ils peuvent fort bien voir qu'il n'y a rien là de particulièrement noble. La morale de la survie a pris la place de l'héroïsme au sommet de l'échelle des qualités qu'on admire. Cette préoccupation de soi-même n'est pas, comme certains l'imagineraient, un retour à la normale après la fièvre des années soixante ; ce n'est pas non plus un égoïsme qui excède ce qui est naturel. C'est en fait le résultat d'un isolement plus poussé, qui ne laisse pas aux jeunes gens d'autre solution que de regarder vers l'intérieur. Les objets qui, presque naturellement, orientent les pensées vers des préoccupations plus vastes sont purement et simplement absents. La famine en Ethiopie, les grands massacres du Cambodge, comme la guerre atomique, sont de véritables calamités, dignes d'attirer l'attention. Mais elles ne sont pas immédiates, elles ne sont pas connectées organiquement à l'existence d'un individu. Les affaires de l'existence quotidienne n'impliquent que rarement des soucis relatifs à une communauté plus vaste et poussés à tel point que public et privé se confondent dans la pensée d'un homme. Ce n'est pas seulement qu'on est libre d'y participer ou non, ou qu'il n'est pas indispensable de le faire : c'est que tout milite *contre* la participation de l'individu à ces préoccupations de masse. Tocqueville ne décrivait que le sommet de l'iceberg de l'égalitarisme avancé quand il disait combien il est difficile à un homme qui n'a pas de terres ni de traditions familiales à conserver d'éviter l'individualisme et de se considérer comme partie intégrante d'un passé et d'un avenir, et non comme un atome anonyme dans un continuum en évolution. Le principe économique qui veut que le vice privé fasse la vertu publique a pénétré dans tous les aspects de la vie quotidienne, à tel point qu'il ne semble pas y avoir de raison pour qu'on participe consciemment à une existence collective. Comme l'a dit Saul Bellow, la vertu publique est une espèce de ville fantôme dans laquelle n'importe qui peut entrer et déclarer qu'il en est le shérif. Autrement dit : c'est une notion qui est devenue complètement chimérique.

Les horizons qui se déployaient naguère entre l'infinité cosmique et l'individu, et qui permettaient de fixer la conception d'un lieu précis dans le grand tout, ont reculé. Le pays, la religion, la famille, les idées de civilisation, tous les lieux géométriques sentimentaux et historiques ont été rationalisés et ont perdu leur force motrice. Les Etats-Unis ne sont plus ressentis comme un projet commun, mais comme un cadre dans lequel les gens doivent vivre en tant qu'individus, un cadre où on les laisse libres et tranquilles. Dans la mesure où il y a un projet, c'est seulement de mettre ceux qu'on considère comme « défavorisés » en mesure de vivre comme il leur plaît. La gauche radicale parle de « réalisation de soi-même » ; la droite, sous sa forme la plus populaire, est libertaire, c'est-à-dire qu'elle constitue l'aile droite de la gauche : pour elle aussi, chacun doit vivre à sa guise. Les seules formes d'intrusion dans la vie privée qui soient caractéristiques des démocraties libérales, à savoir les impôts et le service militaire, ne sont pas présentes dans la vie estudiantine. S'il existe dans l'homme une impulsion politique intrinsèque, elle est certainement en train de subir une frustration ; mais elle a déjà été si fortement atténuée par la modernité qu'on la ressent à peine. En vérité les jeunes gens pourraient éprouver un certain sentiment d'impuissance, avoir l'impression qu'ils n'ont que peu d'influence sur l'existence collective ou qu'ils n'en ont pas du tout ; mais, pour l'essentiel, ils vivent confortablement dans l'Etat administratif qui a remplacé la politique. La guerre nucléaire constitue effectivement une perspective effrayante, mais c'est seulement quand on l'imagine imminente qu'elle traverse leurs esprits. Même quand on déploie des efforts puissants et concertés pour les sensibiliser à la question, comme au moment de l'agitation autour de l' « hiver nucléaire » et des spectacles qui l'ont accompagnée (tel *The Day After*), la préoccupation qui en résulte n'a rien à voir avec la vie qu'ils mènent et ne constitue guère davantage qu'une distraction. Une faible proportion d'étudiants se destinent à la vie politique ; et s'il se trouve qu'ils en ont une, c'est par accident, elle ne découle pas de leur formation première ni de leur attente. Dans les universités dont je traite ici, il n'y a presque pas d'étudiants nés dans des familles qui aient hérité du privilège et de la responsabilité de gouverner... car, en fait, il ne reste presque plus de familles de ce genre. Les étudiants ne sont impliqués dans la politique ni par le devoir ni par le plaisir ; notre mode de vie actuel réalise à l'extrême ce qu'ont dit Burke et Tocqueville à propos du remplacement des citoyens et des hommes d'Etat par des juristes et des bureaucrates. Et les intérêts personnels mesquins de cette jeunesse — « réussir », se trouver une bonne place — se maintiennent durant toute leur vie. Du fait même de leur honnêteté, les étudiants de cette génération ne peuvent s'empêcher de rire quand on leur demande de se comporter comme s'ils étaient de puissants acteurs de l'histoire du monde. Ils sont tout à fait convaincus de la véracité de cette maxime de Tocqueville : « Dans les sociétés démocratiques, chaque citoyen est habituellement occupé par la contemplation d'un objet très mesquin, qui est lui-même. » Contemplation rendue plus intense encore, à l'heure actuelle, par une plus grande indifférence au passé et par la perte de toute vision nationale de l'avenir. La fascination exercée par *1984* (fascination peut-être exorcisée à présent qu'on a abordé l'année 1985), un livre que presque aucun étudiant n'a lu vraiment et, surtout, n'a compris comme Orwell voulait qu'on le comprenne, ne peut s'expliquer que par une opinion généralement répandue : à savoir que, quel que doive être l'avenir, ce n'est pas quelque chose dont on puisse se réjouir à l'avance. Le seul projet collectif qui mobilise l'imagination de la jeunesse, c'est l'exploration de l'espace, dont chacun sait qu'il est vide.

L'inévitable individualisme, endémique sous notre régime, a été consolidé par une autre évolution, qui n'était ni souhaitée ni attendue, le déclin de la famille, dont j'ai déjà parlé et dont il y aura encore beaucoup à dire. La famille était l'intermédiaire entre l'individu et la société. Elle donnait lieu à des attachements presque naturels au-delà de l'amour de soi-même. Elle suscitait chez les hommes et les femmes des préoccupations sans réserve pour quelques autres personnes au moins et déterminait à l'égard de la société une relation entièrement différente de celle qu'entretient l'individu isolé. Les parents, les maris, les femmes et les enfants sont des otages de la communauté : cela atténue l'indifférence qu'on peut éprouver à son égard et donne à chacun un intérêt personnel pour l'avenir de la société. Ce n'est pas tout à fait l'amour instinctif du pays, mais c'est tout de même l'amour du pays, résultant de l'amour qu'on a pour ce qui nous est proche. C'est la forme douce du patriotisme, celle qui découle très facilement de l'intérêt personnel sans exiger beaucoup d'abnégation. De la décadence de la famille, le corollaire serait que la communauté exige une abnégation extrême à une époque où le seul sentiment rationnel est l'indulgence envers soi-même.

Sans parler du fait que beaucoup d'étudiants ont vécu le divorce de leurs parents et que les statistiques les informent des fortes probabilités d'un divorce dans leur propre avenir, ils ne s'attendent guère à devoir prendre soin de leurs parents, ni d'aucune autre personne de leur famille, ni même à les voir souvent au fur et à mesure qu'ils vieilliront. On dispose désormais de la sécurité sociale, des caisses de retraite et de l'assurance maladie pour personnes âgées : leurs enfants n'ont donc pas à prévoir de leur apporter une aide financière et encore moins de devoir les prendre chez eux. Quand un fils ou une fille entre à l'université, c'est en fait le commencement de la fin de sa relation vitale avec sa famille. Cela ne veut pas dire qu'il en soit très conscient, mais c'est un fait indéniable. Quand leurs enfants quittent la maison, les parents n'ont plus guère d'autorité sur eux, et les enfants sont bien obligés de regarder au-dehors et en avant. Ce n'est pas qu'ils manquent de cœur : c'est simplement que la substance même de leurs intérêts se trouve ailleurs. La famille était assez vide, spirituellement parlant, et au fur et à mesure que le passé s'efface, de nouveaux objets emplissent leur champ de vision. La géographie des Etats-Unis joue un rôle dans cette séparation. C'est un très grand pays, dont la population est très mobile. Depuis la Seconde Guerre mondiale, l'aviation a encore ajouté une différence qualitative à cette mobilité. Pratiquement, aucun étudiant ne sait où il ira habiter quand il aura terminé ses études. Selon toute vraisemblance, il vivra loin de ses parents et loin de son lieu de naissance. Au Canada et en France, même si le vent culturel qui souffle est fondamentalement le même, les gens ne disposent presque d'aucun endroit où aller. Pour un Canadien anglophone né à Toronto, il n'y a pratiquement que Vancouver qui puisse présenter une solution de rechange tentante à la perspective de demeurer dans sa ville natale ; et pour un Parisien, il n'y en a aucune. Dans ces lieux-là, l'horizon illimité — ou en perpétuelle dissolution — qui est la caractéristique de notre époque se trouve artificiellement restreint du fait même de l'endroit dont il s'agit. En fait, les gens n'y sont pas vraiment plus enracinés qu'ailleurs, mais ils y restent. Donc ils continuent à voir leur famille et tous ceux qui ont grandi avec eux. Leur paysage demeure inchangé. Mais un jeune Américain recommence véritablement à zéro et toutes les possibilités lui restent ouvertes. Il peut vivre dans le Nord, dans le Sud, dans l'Est ou dans l'Ouest, en ville, en banlieue ou à la campagne. Toutes ces solutions sont possibles, et il est absolument libre de toute contrainte dans son choix. L'endroit où il trouvera un emploi et ses tendances naturelles, tels sont les facteurs qui risquent de le mener fort loin de tout ce à quoi il a été lié jusqu'alors, et il y est psychiquement préparé. Ce qu'il a investi dans son passé et dans les personnes qui le peuplaient est nécessairement limité.

Du fait de cet avenir indéterminé et ouvert et de l'absence de tout passé aliénant, les âmes des jeunes Américains se trouvent à un stade comparable à celui des premiers hommes à l'état de nature : ils sont nus spirituellement, sans relations, isolés, sans aucune connexion héritée ou inconditionnelle avec quoi que ce soit ni qui que ce soit. Toutes leurs relations doivent résulter d'un consentement, d'un contrat, d'un choix. Aucune n'est donnée d'avance. Mais contrairement à l'état de nature tel qu'il est décrit par les théoriciens du contrat social, celui de l'étudiant américain n'implique aucune raison de faire tel ou tel choix. La crainte d'une mort violente, qu'on présume avoir dominé la condition primitive de l'homme, constituait un motif suffisant pour opérer un choix de société inconditionnel. Si la société n'était pas un état naturel, du moins la nature a-t-elle contribué à orienter vers elle le consentement de l'homme. Tandis que nos enfants vivent avec une assurance relative de jouir de la paix et de la prospérité. Pour les fils des classes moyennes, il reste peu de souvenirs des terreurs de l'état de nature. Ils peuvent être tout ce qu'ils souhaitent être, mais ils n'ont aucune raison particulière de souhaiter être quelque chose en particulier. Ils ne doivent pas seulement choisir le lieu où ils vivront ; ils doivent aussi choisir s'ils croiront en Dieu où s'ils seront athées, à moins qu'ils ne laissent la question en suspens en étant agnostiques ; s'ils seront hétérosexuels ou homosexuels, à moins qu'à nouveau ils ne se laissent libres d'être l'un et l'autre ; s'ils se marieront et s'ils resteront mariés ; s'ils auront des enfants, et ainsi de suite, à l'infini. Il n'existe aucune nécessité, aucune morale, aucune pression sociale, aucun sacrifice à faire qui milite en faveur ou à l'encontre d'aucune de ces directions, et il existe des désirs qui s'orientent vers chacune d'entre elles, avec, contradictoires entre eux, des arguments pour étayer chacun des choix. Bref, les Américains représentent des versions exagérées des jeunes gens en démocratie tels que les décrit Platon : « ... [La jeunesse démocratique] vit au jour le jour, satisfaisant le désir qui la prend, tantôt buvant et écoutant jouer de la flûte, tantôt se restreignant à l'eau fraîche et maigrissant, puis s'exerçant à la gymnastique, puis à nouveau baguenaudant et oublieuse de toutes choses ; et parfois passant son temps comme si elle s'occupait de philosophie. Souvent le jeune homme se lance dans la politique et, d'un coup, il dit et fait tout ce que le hasard lui fait venir à l'esprit ; et s'il admire quelque soldat, il se tourne dans cette direction ; et si ce sont les hommes d'affaires, dans celle-là ; et il n'y a ni ordre ni nécessité dans sa vie, mais la qualifiant de douce, de libre et de bénie, il la poursuit ainsi tout du long » (*La République,* 561 c-d).

Comment s'étonner que ces voyageurs sans bagages se préoccupent principalement d'eux-mêmes, et de trouver un moyen d'éviter une chute libre permanente ? Il n'est pas surprenant que le roman qui conserve la popularité la plus constante chez les étudiants soit *L'Etranger* de Camus.

L'égalité

A part cette gentillesse non dépourvue d'une certaine ironie à l'égard d'eux-mêmes, l'autre qualité frappante des étudiants d'aujourd'hui, c'est leur égalitarisme. Quelles que soient leurs idées politiques, ils croient fermement que tous les hommes — et les femmes — ont été créés égaux et jouissent de droits égaux. C'est plus qu'une conviction, c'est un instinct. Le sentiment de l'égalité est ancré en eux jusqu'à la moelle des os. Quand ils rencontrent quelqu'un, les considérations de sexe, de couleur, de peau, de religion, de famille, d'argent ou de nationalité ne jouent aucun rôle dans leurs réactions. La compréhension même du fait que de telles considérations aient un jour compté pour quelque chose a disparu ; cela appartient à la mythologie. Cela peut paraître surprenant, dans la mesure où l'on s'intéresse actuellement tant aux racines, aux ethnies et au sacré, toutes choses qui naguère ont séparé les hommes. Mais c'est précisément parce qu'elles ne sont plus des réalités qu'elles fascinent. Un émigrant italien des années vingt ne se souciait pas du problème ethnique. Il l'avait, ce problème, et bien qu'Américain, il menait par nécessité et par choix une existence d'Italien, il vivait avec des Italiens. Son petit-fils, aujourd'hui à Harvard, peut souhaiter récupérer son italianité — dont son père a lutté pour écarter les inconvénients sociaux —, mais ses amis seront les individus qu'il aime et cette préférence, qu'il le veuille ou non, sera déterminée non par ses origines italiennes, mais par les caractéristiques communes de la vie américaine. Les personnes vers lesquelles il sera attiré sexuellement, et par conséquent son mariage, ne subiront pas l'influence de son origine italienne ni même celle de son catholicisme traditionnel. Et il en sera ainsi non parce qu'il sera séduit par son contraire ou parce qu'il fera un effort pour pénétrer dans une classe sociale supérieure. Non, ce sera simplement parce que ces choses-là ne comptent pas vraiment aujourd'hui, même si l'on fait un effort conscient pour leur donner de l'importance. Il n'y a pas non plus de société qui exclura le jeune homme ou la jeune femme parce qu'ils se sont mariés en dehors des règles, ni même de parents qui présenteront de vigoureuses objections. Sur aucun point essentiel, le garçon dont nous parlons n'est considéré par ses pairs comme un Italien. Même si les étudiants ont fréquenté des écoles communales où ils ont été séparés les uns des autres pour des raisons religieuses ou ethniques, c'est habituellement la culture générale qui prévaut, et quand ils entrent à l'université ils se trouvent presque immédiatement associés principalement avec ceux qui, naguère, étaient pour eux des étrangers. L'ancien bagage culturel est purement et simplement abandonné. Il n'existe plus rien des rassemblements solennels interreligieux et interethniques que j'ai connus dans mon enfance : à cette époque, des gens qui s'éprouvaient eux-mêmes comme très différents des autres et qui étaient souvent tout à la fois pleins de préjugés et victimes de ceux des autres mettaient pieusement l'accent sur la fraternité des hommes. Mais précisément, les adolescents d'aujourd'hui n'ont aucun préjugé contre qui que ce soit. Est-ce parce que l'homme est retourné à l'état d'animal nu à deux jambes ignorant des chausse-trapes de la civilisation, ou bien avons-nous enfin reconnu notre humanité essentielle ? C'est affaire d'interprétation. Mais le fait est que, dans nos principales universités, chaque élève est un individu à part entière, même s'il n'est pas très individualisé. Ce sont tous, tout simplement, des *personnes*. Pour ce qui est important, il suffit d'être un être humain. Il ne viendrait à l'esprit d'aucun étudiant de penser que quoi que ce soit de ce qui a classiquement divisé les gens, même dans l'Amérique égalitaire, devrait le tenir éloigné de quelqu'un parce que cette personne n'est pas de la « bonne » espèce.

Ainsi, Harvard, Yale et Princeton ne sont plus ce qu'étaient ces universités : les ultimes refuges du sentiment aristocratique au sein de la démocratie. Les différenciations fondées sur l'ancienneté de la famille ou celle de la richesse ont disparu. Les vieilles blessures qu'infligeaient naguère les membres d'un club à ceux qui n'y étaient pas éligibles — version atténuée du système des classes en Angleterre — se sont guéries du fait que les clubs n'ont plus aucune existence dont on se soucie sérieusement. Tout cela a débuté après la Seconde Guerre mondiale avec le *G. I. Bill* * : désormais,

---

* *G. I. Bill* : Loi votée en 1945 et accordant à tous les jeunes gens qui avaient servi pendant la guerre la possibilité d'accomplir un cycle d'études supérieures gratuites dans l'université de leur choix. (N.d.T.)

l'université appartenait à tous. Et peu à peu, les plus cotées d'entre elles cessèrent de marquer leur préférence pour les enfants de leurs anciens élèves et de refuser les « étrangers », notamment les juifs. Les nouveaux critères de sélection, ce furent les dossiers académiques et le résultat des tests. De nouveaux types de privilèges — en particulier en faveur des Noirs — remplacèrent les anciens : ceux-ci avaient préservé le système des classes, alors que ceux-là le détruisaient. Désormais, l'ensemble des étudiants de toutes les principales universités des Etats-Unis est assez semblable, il correspond à l'élite des candidats, et quand on dit d'un étudiant qu'il est « bon », cela veut dire qu'il est « bon dans les disciplines académiques ». Il n'existe plus guère d'étudiant typique de Harvard ou de Yale. Plus aucune université n'a pour vocation de produire des gentlemen aussi bien que des érudits. Le snobisme de l'ancienne espèce est mort. Bien entendu, et quoi qu'ils puissent prétendre, les étudiants sont fiers d'appartenir à l'une des universités prestigieuses du pays. Cela leur confère de la distinction. Mais ils pensent — et probablement ont-ils raison — qu'ils ne s'y trouvent pas pour d'autres raisons que leur talent naturel et le fait d'avoir travaillé avec acharnement au cours de leurs études antérieures. Dans la mesure où la richesse de leurs parents peut avoir contribué à leur réussite dans le secondaire, alors que des enfants plus pauvres y étaient désavantagés, ils considèrent cela comme une injustice sociale. Mais cela ne les tourmente guère du moins quand il s'agit de Blancs, car une bonne partie de la population fait maintenant partie des classes moyennes et ceux qui n'ont pas les moyens de payer leurs études obtiennent facilement des bourses. Ils voient autour d'eux des étudiants provenant de toutes sortes de familles. Il y en a fort peu qui se sentent frustrés culturellement, qui aient l'impression d'être des étrangers regardant avec rancœur les privilégiés dont la société leur est fermée. Il n'existe pas non plus d'arrivistes, car on n'a pas la vision d'une société supérieure à laquelle on puisse accéder à force d'acharnement. Dans le même ordre d'idées, il n'y a plus, comme il y en avait toujours jadis, d'écoles de pensée qui méprisent la démocratie et l'égalité. Une fois encore, c'est la Seconde Guerre mondiale qui a mis fin à tout cela. *Tous* les étudiants sont ce que j'appellerai des « méritocrates » égalitaires : je veux dire par là qu'ils croient qu'on devrait accorder à tout individu la possibilité de développer ses talents particuliers — et inégaux — sans référence à sa race, à son sexe, à sa religion, à sa famille, à sa fortune ou à son origine nationale. C'est là l'unique forme de justice qu'ils connaissent et ils ne peuvent même pas imaginer qu'il puisse exister des arguments solides en faveur de l'aristocratie ou de la monarchie. C'étaient là d'inexplicables folies du passé.

De même, bien que — contrairement aux différences entre juifs et catholiques, Américains d'origine allemande et irlandaise, familles anciennes et nouvelles, qui sont de simples survivances de l'époque des parents et ne correspondent plus à rien dans le mode de vie actuelle — la différence entre filles et garçons ait encore une signification vivante, on a complètement admis l'égalité des femmes sur le plan de l'éducation, la légitimité de leur désir d'embrasser exactement les mêmes carrières que les hommes et le fait qu'elles obtiennent dans ces professions des résultats équivalents, voire supérieurs à ceux de leurs camarades masculins. On n'en plaisante pas, il n'y a pas de gêne à ce propos, bref, nul n'a conscience qu'à aucun égard l'égalité soit moins normale, dans l'histoire de l'homme, que le fait de respirer. Il ne s'agit ici en rien d'un principe, d'un projet, d'un effort. C'est purement et simplement un sentiment, une manière de vivre, la mise en œuvre du rêve démocratique de tout homme pris en tant qu'homme. C'est l'essentiel, une fois qu'on a fait abstraction de tout le reste. Excepté qu'ici il n'y a aucune abstraction. Contrairement à une opinion de bon ton, les universités sont des creusets, des *melting-pots,* que cela soit vrai ou non du reste de la société américaine. L'origine ethnique des étudiants n'est pas un fait plus important que leur taille ou la couleur de leurs cheveux. Et cela parce que ce que ces jeunes gens ont en commun pèse infiniment plus que ce qui les sépare. La quête de traditions et de rites qu'on constate en ce moment constitue tout à la fois une preuve de ce que j'avance et, peut-être, un enseignement quant au prix qu'il a fallu payer pour cette homogénéisation. L'absence de préjugés résulte du fait que les étudiants ne parviennent plus à voir les différences et aussi du fait qu'elles ont été peu à peu déracinées. Quand les étudiants parlent les uns des autres, on ne les entend presque jamais énoncer des faits qui les répartissent en groupes ou en catégories diverses. Ils parlent toujours de l'individu, de ce qui lui est individuel. Toute sensibilité au caractère national, qu'on a parfois considéré comme un stéréotype, a maintenant disparu.

La race

Le seul élément excentrique, dans le portrait que je viens de tracer, le seul échec — échec particulièrement grave dans la mesure où il se rapporte à la tentative la plus chargée d'espoir — concerne la relation entre les Blancs et les Noirs. Les étudiants blancs et noirs ne deviennent généralement pas des amis véritables. Dans ce cas précis, il s'est avéré impossible de jeter un pont sur le gouffre de la différence. L'oubli de la race à l'université, prédit et attendu avec confiance depuis le moment où les barrières ont été levées, ne s'est pas produit. Dans les principales universités des Etats-Unis, de très nombreux Noirs sont désormais présents, leur nombre correspondant fréquemment à leur proportion dans la population du pays. Mais en fin de compte, il s'est avéré qu'ils étaient inassimilables. La plupart restent entre eux. Les étudiants blancs se comportent comme si leurs relations avec les Noirs étaient aussi immédiates et sans contrainte que celles qu'ils entretiennent avec d'autres (y compris les étudiants de race jaune). Mais si, dans cette relation, les paroles sont justes, la musique sonne faux. L'atmosphère est ici celle du bon sens, dans le principe et le projet ; mais le caractère automatique de la camaraderie courante entre étudiants en est absent, et l'attachement vraiment intime, qui ne connaît pas de barrières, tourne court. La fraternité programmée durant les années soixante n'a pas abouti à l'intégration, elle a viré vers l'isolement des Noirs. Les étudiants blancs en éprouvent une sorte d'inconfort et n'aiment pas en parler : ce n'est pas ainsi que les choses sont censées être. La situation, en l'occurrence, n'est pas conforme à l'opinion qui prévaut, selon laquelle tous les êtres humains sont à peu près semblables, l'amitié n'étant qu'un aspect des chances égales accordées à tous. A la cantine, on feint de ne pas remarquer les tables séparées, auxquelles aucun étudiant blanc ne pourrait s'installer confortablement. Et ce n'est là qu'un des aspects les plus frappants d'une ségrégation qui règne dans l'existence proprement dite des universités et se manifeste par l'hébergement dans des locaux séparés et par des différences dans certains aspects des études, particulièrement notables en sciences exactes et en lettres. Formellement, l'intégration universitaire a eu lieu, et Noirs et Blancs ont pris l'habitude de se voir. Mais le contact humain réel, indifférent à la race, le contact d'âme à âme qui s'établit dans tous les autres aspects de l'existence estudiantine n'existe généralement pas entre les deux races. Il y a des exceptions, il y a des étudiants noirs parfaitement intégrés, mais ils sont rares et se trouvent dans une position difficile.

Je ne crois pas que cette situation soit imputable aux étudiants blancs, lesquels sont plutôt loyaux en la matière et souvent prompts, au point d'en être embarrassants, à faire montre de leur libéralisme dans le seul domaine où les Américains soient particulièrement sensibles à l'histoire des injustices passées. Ces étudiants se sont adaptés, sans la moindre fausse note, à quantité de gens de religions et de nationalités diverses, ils ont parfaitement admis l'intégration des Jaunes et le changement des rôles et des aspirations des femmes. Il faudrait donc d'abondantes preuves pour me convaincre qu'ils ne supportent pas une peau de couleur noire et qu'ils restent subtilement racistes. Accorder aux Noirs un traitement préférentiel, cela va à l'encontre d'une conviction profondément enracinée chez eux, à savoir que tous les individus ont des droits égaux et que les droits sont indifférents à la couleur.

Pourtant, les étudiants blancs ont accepté de renverser la tendance et se sont dits prêts, à tout prendre, à des démarches positives à l'égard de leurs camarades noirs, à titre de mesure temporaire, de brève étape sur le chemin de l'égalité pure et simple. Mais cela ne va pas sans les mettre mal à l'aise, car ils ont beau avoir l'habitude de la propagande et être accoutumés à se voir proposer de nouvelles morales, ils préfèrent agir dans la vie quotidienne selon leur sentiment et leur pensée. Or ils ne pensent pas davantage que « le noir » soit « beau » qu'ils ne supposent que « le blanc » est « beau », et ils ne peuvent imaginer qu'on tienne pour doué un élève qui ne l'est pas. Aussi la tendance prédominante, chez les étudiants blancs, est-elle de refouler le problème tout entier, d'agir comme s'il n'existait pas et de se lier avec la minorité de Noirs qui souhaitent se lier avec eux, en ignorant les autres. Ils ne peuvent manifester d'amitié pour les Noirs en tant que tels, et les jours fougueux qui avaient vu l'émergence d'un projet commun sont bien passés. Les lois discriminatoires sont de l'histoire ancienne et il y a désormais un grand nombre de Noirs dans les universités. Les étudiants blancs ne peuvent rien faire de plus pour opérer de grands changements dans leurs relations avec ceux qui sont noirs. C'est là un sombre aspect de l'existence estudiantine.

Ainsi, au moment précis où tous les autres hommes sont devenus des « personnes », les Noirs sont devenus des Noirs. Je ne fais pas allusion ici à la doctrine — bien qu'il y en ait eu, au début, beaucoup à ce sujet — mais au sentiment. « Ils restent entre eux » : c'est une phrase qu'autrefois les gens à préjugés ont bien souvent utilisée à propos de tel ou tel groupe qui se voulait distinct ; mais elle est devenue maintenant, dans l'ensemble, typiquement vraie des étudiants noirs. En général, on a cessé de s'attendre à quoi que ce soit d'autre qu'à des contacts routiniers dans les salles de cours ou dans les emplois du campus, contacts d'habitude fort polis. C'est un phénomène étrange, dans la mesure où la race est quelque chose de spirituellement moins important que la religion. Il est aussi étrange dans la mesure où l'intégration était tout à la fois l'objectif et la pratique des Noirs dans les universités avant la fin des années soixante, alors que leur nombre était beaucoup plus restreint et leurs difficultés humaines beaucoup plus grandes. Et enfin, le phénomène est étrange en ceci que les Noirs semblent être le seul groupe qui a adopté de façon instinctive l' « ethnicité », cette découverte ou cette création des années soixante. Or cela s'est produit alors qu'au même moment on assistait à un abandon progressif de la croyance ou de l'intérêt en une « culture » noire distincte. Les Noirs ne partagent pas entre eux une expérience intellectuelle ou morale spéciale ; ils prennent part pleinement à la culture commune, avec les mêmes buts et les mêmes goûts que n'importe qui d'autre ; mais ils le font tout seuls. Ils continuent à éprouver le sentiment intérieur d'être séparés, provoqué par le fait négatif de l'exclusion, alors que ce fait n'existe plus effectivement. On a mis le creuset au feu, mais ils ne fusionnent pas, comme l'ont fait *tous* les autres groupes.

Il y a évidemment à cela quelques bonnes raisons, et toute partie d'une vaste communauté a le droit, dans une société pluraliste, de se séparer des autres. Mais dans le cas précis, ce mouvement des Noirs non seulement va à l'encontre de celui du reste de la société et tend à les brouiller avec elle, mais encore va à l'encontre de leurs prétentions et de leurs traditions les plus nobles dans ce pays. Et il est associé à une coupure dangereuse des relations entre races dans le monde intellectuel, monde où la ségrégation ne peut se prévaloir d'aucune justification et où c'est l'idéal d'une humanité commune qui doit prédominer. Les confrontations et les indignations du domaine politique se sont fermement fixées dans les universités. Il faut en imputer la faute, en partie du moins, au fait que l'université a perdu la conviction qu'elle avait une mission d'universalisation à remplir.

On peut retracer à grands traits les diverses étapes qui ont conduit à ce nouveau séparatisme noir à l'université Cornell. Depuis la fin de la Seconde Guerre mondiale, il s'est déployé dans la plupart des grandes universités américaines des efforts, d'une intensité sans cesse croissante, pour prodiguer l'instruction à un plus grand nombre de Noirs : cela découlait de la conviction sincère, chez les Américains, que l'éducation est une bonne chose et que le fait d'admettre des Noirs aux plus hauts niveaux de la qualification intellectuelle jouerait un rôle décisif pour résoudre le problème racial aux Etats-Unis. Dans la pratique, il n'y eut pas la moindre hésitation à ce propos ; en privé, on a discuté pour savoir si, du moins au début, il ne faudrait pas abaisser un peu, de façon informelle, les normes de l'enseignement pour permettre aux Noirs doués, mais déshérités, de rattraper leur retard. Des hommes de bonne foi prirent à cet égard des positions diverses, certains pensant qu'il faudrait au contraire fixer aux Noirs de très hautes normes de réussite intellectuelle, pour qu'ils donnent l'exemple aux autres et aussi pour ménager leur amour-propre, d'autres disant que le niveau progresserait au fur et à mesure des générations. Aucune personne de bonne volonté n'a mis alors en doute le fait que, d'une manière ou d'une autre, le mécanisme intégrateur fonctionnerait, que ce qui s'était produit par rapport à la religion et à la nationalité aurait lieu également pour la race. Lorsqu'a culminé le Mouvement des droits civils, on a éprouvé un sentiment d'urgence : il fallait faire accéder aux études supérieures un plus grand nombre de Noirs pour bien démontrer l'absence de discrimination. Signe caractéristique de cette période-là : on vit réapparaître l'exigence de joindre une photographie à la demande d'admission, afin que les examinateurs pussent identifier les Noirs, alors que cette exigence avait été abolie une décennie auparavant, afin que les Noirs ne puissent *pas* être identifiés. On commença aussi à critiquer le recours aux dossiers de l'enseignement secondaire et aux tests normalisés, en arguant que ceux-ci ne faisaient pas suffisamment ressortir les véritables dons des candidats. Mais le but demeurait le même : instruire les Noirs comme tous les autres étudiants, les noter selon les mêmes normes. A cette date, tout le monde était encore intégrationniste ; on croyait seulement qu'on n'avait pas consacré suffisamment d'énergie à recruter des étudiants noirs doués. Cornell fut l'une des nombreuses institutions qui annoncèrent qu'elles avaient considérablement augmenté leurs objectifs en matière d'admission d'élèves noirs. Ajoutant à ce programme une note caractéristique, le président de Cornell annonça que non seulement il recherchait les étudiants noirs, mais que son université, non conformiste, ne les trouverait pas dans les milieux noirs privilégiés mais dans les « cités » réservées.

Au début de l'année académique 1967, il y eut ainsi beaucoup plus de Noirs sur les campus et, bien entendu, pour parvenir à ce nombre accru, et surtout pour recruter beaucoup de Noirs pauvres il avait fallu modifier — silencieusement mais de façon radicale — les normes d'admission. Mais rien n'avait été fait pour préparer ces étudiants aux grandes épreuves intellectuelles et sociales qui les attendaient à l'université. Désormais, on comptait donc à Cornell un grand nombre d'élèves manifestement incompétents et sans préparation sérieuse, et, dès lors, on se trouvait confronté à un choix inévitable : faire échouer la plupart d'entre eux ou leur décerner des diplômes sans qu'ils aient acquis les connaissances correspondantes. La morale et les comptes rendus dans la presse rendaient la première solution inadmissible ; mais la seconde n'était que partiellement réalisable (elle exigeait que la faculté y consente, et que des employeurs acceptent de se contenter de diplômés sans compétence) et elle jetait un discrédit insupportable sur les étudiants comme sur l'université. Cela revenait en fait à admettre que les Noirs étaient des citoyens de seconde classe et qu'on pourrait les reconnaître comme tels.

Le « pouvoir noir », qui déferla juste à ce moment-là sur les universités comme un raz de marée, indiqua une troisième voie. L'intégrationnisme était uniquement une idéologie pour les Blancs et les oncles Tom. Qui peut dire que ce que les universités enseignent est la vérité et non pas une mythologie nécessaire au maintien du système de domination ? Les étudiants noirs n'étaient pas des citoyens de seconde classe parce que c'étaient de mauvais élèves, mais parce qu'on les avait obligés à imiter la culture blanche. Le relativisme et le marxisme avaient rendu en partie cette interprétation crédible ; le malaise actuel la faisait apparaître comme encore plus vraisemblable. Il fallait que les Noirs fassent montre d'orgueil et, par eux, l'université pourrait apprendre quels étaient ses manques. C'était là une perspective extrêmement séduisante pour des gens qui se sentaient manipulés par l'institution. La solution prit la forme d'études « noires », de l'enseignement d'un anglais « noir », et de bien d'autres choses du même genre. On se berçait du faux espoir que ces innovations n'aboutiraient pas à une transformation fondamentale de l'université ni des objectifs fixés pour l'éducation des étudiants noirs ; on postulait que cela se réduisait à un simple enrichissement des programmes. Or c'était en fait une échappatoire et le feu vert donné à une nouvelle forme de ségrégation, qui permettrait aux imprésarios blancs de ce psychodrame de sortir de l'impasse où ils s'étaient fourrés eux-mêmes. Désormais la voie était ouverte : les étudiants noirs pourraient vivre et étudier à leur aise l'expérience noire, plutôt que de subir la contrainte d'un enseignement accessible à l'homme en sa qualité d'homme.

Quand les élèves noirs prirent conscience du fait qu'ils pouvaient intimider l'université et qu'ils n'étaient pas seulement des étudiants, mais pouvaient négocier d'égal à égal le contenu même des programmes universitaires, ils exigèrent le renvoi d'une intégrationniste noire à l'ancienne manière, qui était l'adjointe du doyen responsable des affaires noires. On déféra à cette exigence sous un prétexte incroyable et auquel personne ne crut. A partir de ce moment, les divers accommodements que nous connaissons devinrent habituels.

Dans une large mesure, les programmes d'études « noires » ont connu l'échec : ce qu'ils pouvaient contenir de sérieux n'intéressait pas les étudiants, et le reste était composé de fadaises dont il n'y avait rien à tirer. Aussi le programme universitaire a-t-il bientôt repris son cours normal, ou presque. Mais une espèce de domaine noir, à demi institutionnel seulement, mais accepté, un fantôme de vie universitaire réelle, avait été créé de la sorte : pour l'admission aux études il y a désormais des quotas permanents alloués aux Noirs ; quand on accorde une assistance financière, elle va de préférence aux Noirs ; l'accès à la faculté est motivé par la race ; il est beaucoup plus difficile aux Noirs d'échouer aux examens ; enfin, il existe tout un système organisé de griefs et de ressentiments. Partout l'on rencontre l'hypocrisie ; on entend sans cesse des mensonges, générateurs de mépris, sur ce qui se passe à l'université et sur la façon dont l'ensemble du système fonctionne. Ce petit empire noir tire sa légitimité du racisme supposé qui l'environne et dont il entend protéger ses citoyens. La manifestation la plus visible de ce principe, ce sont les tables séparées dans les cantines, qui reproduisent la ségrégation raciale de l'ancien Sud. Mais à Cornell, tout comme dans d'autres universités, il a fallu que les militants noirs, pour fonder leur système, menacent et malmènent des étudiants de la même couleur qu'eux qui manifestaient des tendances indépendantes. Désormais, ce système est entré dans les mœurs. Pour la majorité des étudiants noirs, aller à l'université est donc une expérience différente de ce qu'elle est pour d'autres étudiants, et la formation universitaire qu'ils en retirent est également différente. L'étudiant noir qui désire être seulement un étudiant comme les autres et ne pas faire allégeance au groupe noir doit payer très cher son audace : il est jugé négativement par ses camarades de couleur et son comportement paraît atypique aux yeux de ses camarades blancs. Les étudiants blancs se sont silencieusement et inconsciemment adaptés à la présence d'un groupe compact de Noirs et ils sont obligés de réaccommoder leur vision pour considérer un Noir qui ne se définit pas en fonction du groupe. De ce fait, celui-ci prend péniblement conscience que beaucoup de Blancs bien intentionnés le jugent à partir de normes particulières ; et tout cela est extrêmement décourageant. Que l'université ait accepté qu'on entrave sa responsabilité première — à savoir de fournir la possibilité de s'instruire à ceux qui en sont capables — voilà un remords qui doit peser lourdement sur sa conscience collective.

Le succès de ces revendications a désormais institutionnalisé les pires aspects de la ségrégation. Le fait est que l'étudiant noir moyen, dans les bonnes universités, n'est pas l'égal de l'étudiant blanc moyen, et tout le monde le sait. C'est encore un fait que le diplôme universitaire d'un étudiant noir est un diplôme de couleur, lui aussi, et que les employeurs le considèrent avec suspicion, ou alors qu'ils se rendent coupables de complicité en tolérant l'incompétence. Le pire, dans tout cela, c'est que les étudiants noirs, qui pour la plupart sont favorables à ce système, en haïssent les conséquences. Un état d'esprit, composé à parts égales de honte et de rancœur, s'est installé chez beaucoup d'étudiants noirs qui bénéficient d'un traitement préférentiel. Car l'idée que les Blancs sont en mesure de leur accorder des faveurs ne leur plaît pas. Ils s'imaginent que tout le monde met en doute leurs mérites, leur aptitude à réussir aussi bien que les autres. Leurs succès deviennent contestables à leurs propres yeux. Ceux qui sont de bons élèves ont peur d'être assimilés à ceux qui ne le sont pas, et ils redoutent que leurs lettres de créance, durement acquises, ne soient pas crédibles. Ils sont victimes d'un stéréotype, mais ce stéréotype, ce sont les leaders noirs qui l'ont choisi. Ceux qui ne sont pas de bons élèves mais bénéficient des mêmes avantages que ceux qui le sont veulent protéger leur position, mais sont hantés par le sentiment qu'ils ne la méritent pas. Cela les incite à éviter de se lier intimement avec des Blancs, peut-être mieux qualifiés qu'ils ne le sont et qui risquent de les regarder de haut. Mieux vaut rester entre soi, dans un milieu où ces difficultés subtiles mais pénibles ne risquent pas de survenir. Il n'est pas surprenant que la politique noire extrémiste reçoive maintenant une espèce de soutien de la part de Noirs des classes moyennes et des classes aisées, dont on n'entendait pas parler autrefois. C'est que la source commune qui, par le passé, unissait au sommet les races différentes a été polluée. La raison ne peut s'accommoder des revendications d'aucune espèce de pouvoir, quel qu'il soit ; et la société démocratique ne peut accepter aucun principe de réussite autre que le mérite. Comme je l'ai déjà souligné, les étudiants blancs ne croient pas vraiment que la revendication des Noirs soit juste, mais ils n'ont nulle envie de remettre en cause les faits et ils s'en détournent pour se joindre, sans en faire état, à leur société entièrement blanche. Cette « discrimination positive » en faveur des Noirs — je pense en particulier aux quotas d'admission — pourrait bien donner naissance à long terme, en tout cas dans le domaine universitaire, à une détérioration permanente, du moins je le crains, dans les relations entre races aux Etats-Unis.

La libération sexuelle

Les Etats-Unis — c'est du moins ce que mon raisonnement m'amène à penser — ne sont rien d'autre qu'une grande scène de théâtre sur laquelle des théories ont servi de thèmes à des pièces tantôt tragiques, tantôt comiques. Contrairement au préjugé populaire qui veut que les Etats-Unis soient le pays des choses pratiques, où les idées sont au mieux des moyens pour parvenir à des fins, notre régime a été fondé par des philosophes et par leurs élèves. Au fur et à mesure que le donné naturel brut de ce continent sauvage s'est soumis avec résignation au joug de la science théorique, tout ce qui constitue l'*être* récalcitrant de l'historicité a dû céder ici devant le *devrait être* pratique et philosophique. D'autres peuples, autochtones ceux-là, ont tiré leurs enseignements premiers des dieux qui régnaient sur leur pays ; et quand ils ont décidé à leur tour d'appliquer les principes dont nous avions été les pionniers, ils ont clopiné gauchement dans notre sillage, sans parvenir à se dégager avec élégance de leur lourd passé. Notre histoire est une marche majestueuse et triomphante des principes de liberté et d'égalité et elle confère son sens à tout ce que nous avons fait et sommes en train de faire. Il n'y a presque jamais d'accidents ; tout ce qui arrive parmi nous est la conséquence d'un ou de deux principes, une victoire remportée sur telle ou telle opposition, la découverte d'un nouveau sens qu'ils peuvent prendre, un débat sur la question de savoir lequel doit avoir la primauté, etc. Nous voici maintenant arrivés à l'un des derniers actes du drame, la formation et la réforme par nos principes de ce qu'il y a de plus intime dans nos vies privées. La question sexuelle et ses conséquences — amour, mariage et famille — sont enfin devenues le thème du projet national et, cette fois, le problème de la nature, toujours présent mais toujours refoulé dans la reconstruction de l'homme exigée par la liberté et l'égalité, se pose avec insistance. Les principaux acteurs de ce dernier acte sont encore la liberté et l'égalité bien sûr, mais accompagnées d'un chœur lugubre exhalant les sentiments d'une nature outragée. Pour nous rendre compte de ce que signifie l'égalité, nous n'avons pas besoin de recourir au génie et à l'imagination débordante d'Aristophane qui, dans *L'Assemblée des femmes,* représente de vieilles sorcières habilitées par la loi à satisfaire leurs désirs sexuels avec de beaux jeunes hommes, ni à ceux de Platon qui, dans *La République,* prescrit aux hommes et aux femmes de pratiquer ensemble des exercices sans le moindre vêtement. Si nous avons des yeux pour voir, il nous suffit de regarder autour de nous.

La modification des relations sexuelles — peut-être vaudrait-il mieux parler d'une nouvelle problématique des relations sexuelles, qui met en ce moment à rude épreuve l'ingéniosité des hommes — nous est venue en deux vagues successives au cours des deux dernières décennies. La première vague, c'est ce qu'on a appelé la « révolution sexuelle » ; la seconde est le féminisme *. La révolution sexuelle s'est déroulée sous le drapeau de la liberté, le féminisme s'est placé sous le drapeau de l'égalité. Bien qu'ils aient marché main dans la main pendant un certain temps, ces deux mouvements ne sont pas identiques et ils sont même, dans une certaine mesure, en conflit l'un avec l'autre, comme le seront toujours, à en croire Tocqueville, la liberté et l'égalité. Cela est manifeste dans le cas du débat sur la pornographie qui met aux prises le désir sexuel libéré d'une part et l'animosité féministe envers les rôles sexuels stéréotypés de l'autre. Nous assistons au spectacle divertissant d'une pornographie vêtue d'une armure empruntée aux combats héroïques pour la liberté d'expression, recourant à une rhétorique miltonienne et livrant bataille au féminisme qui se drape depuis peu dans les atours de la morale collective, se sert du langage qu'on utilisait autrefois pour protéger la chasteté et la pudeur des femmes, mais l'emploie maintenant pour éliminer la notion d'une spécificité féminine et rompre avec la tradition bien établie qui veut qu'il soit tabou de suggérer la moindre relation entre ce qu'une personne peut lire et peut voir et ses pratiques sexuelles. A l'arrière-plan, les libéraux se tordent les

---

* Bien entendu, l'auteur fait ici allusion au mouvement animé par le *Women's Lib* aux Etats-Unis (et par le M.L.F. en France) et non au féminisme traditionnel. (N.d.T.)

mains dans le plus grand désarroi, car ils aimeraient bien donner raison aux deux partis, mais ils ne le peuvent pas.

Ces deux mouvements et leur désaccord reflètent la reconstruction de l'âme contemporaine et la difficulté qu'il y a à l'établir sur des fondements fermes. La libération sexuelle s'est présentée comme une audacieuse affirmation des sens à l'encontre de notre héritage puritain. Sa revendication était censée se fonder sur la nature, sur une impulsion naturelle indéniable, et s'élever contre les conventions et les répressions de la société, étayées par les mythes bibliques relatifs au péché originel : il était bien évident que tout cela était devenu inutile ! A partir du début des années soixante, les limites de l'expression sexuelle ont été progressivement mises à rude épreuve, puis elles se sont effacées, à moins qu'elles n'eussent déjà disparu sans que personne s'en aperçût. La réprobation des parents et des enseignants à l'égard des jeunes qui couchaient ou vivaient ensemble a été aisément surmontée. Y a-t-il encore quelqu'un qui puisse se souvenir de l'inspecteur, dans les hôtels, qui posait aux hommes la question traditionnelle : « Avez-vous amené une femme dans votre chambre ? » Les inhibitions morales, la peur des maladies, le risque de grossesse, les conséquences familiales et sociales des relations sexuelles avant le mariage, la difficulté de trouver un lieu pour s'y livrer, tout ce qui faisait obstacle à ces rapports-là a soudainement cessé d'exister. Les étudiants, et en particulier les filles, n'ont plus eu honte de laisser voir en public qu'ils étaient sexuellement attirés l'un vers l'autre et qu'ils avaient cédé à leur désir. Le type de cohabitation qui était périlleux au cours des années vingt, et qu'on considérait encore comme risqué ou « bohème » au cours des années trente et quarante, est devenu aussi normal que de faire partie d'une équipe de scouts. Je parle ici tout particulièrement des filles, car on a toujours admis que les garçons étaient plus enclins à rechercher une satisfaction sexuelle immédiate, alors que les jeunes filles étaient censées leur résister par pudeur. C'est donc une modification, voire une élimination progressive de la pudeur féminine qui a rendu tous ces nouveaux comportements possibles : les jeunes gens se sont rendu compte que la pudeur constituait un obstacle, mais qu'elle découlait davantage de l'habitude que de la nature ; aussi ont-ils décidé d'agir à cet égard par le laisser-aller et non de recourir à une forme ou une autre de contrainte. Dans ses intentions comme par ses effets, cette émancipation a accentué les différences entre les sexes tout en les rapprochant. En effet, dans la mesure où l'amour devenait l'activité primordiale, l'homme et la femme devenaient plus souvent et plus spécifiquement des mâles et des femelles, au sens fort de ces termes. Bien entendu, la libération s'est également ment étendue aux homosexuels ; mais pour la grande masse des individus, un comportement libre et naturel équivalait à la recherche de satisfactions hétérosexuelles. Au terme de la révolution sexuelle, les hommes et les femmes seraient attirés réciproquement les uns vers les autres, et cette attraction pourrait désormais jouer, explicitement, un rôle plus important dans leurs vies.

La promesse immédiate de la libération sexuelle, c'était, tout simplement, le bonheur. Il semble bien que l'on se soit attendu à ce que les énergies emmagasinées depuis des millénaires dans la nuit noire de la répression se libèrent en de grandes bacchanales perpétuelles. Mais cela ne s'est pas produit, et le lion qui rugissait derrière la porte du placard s'est révélé n'être, une fois la porte ouverte, qu'un petit chat domestiqué. En fait, quand on envisage toute l'affaire dans une longue perspective historique, on peut interpréter la libération sexuelle comme la reconnaissance du fait que la passion sexuelle n'est plus en nous un élément dangereux et qu'il est plus sain de lui laisser libre cours que de courir le risque de rébellions quand on la réfrène. J'ai demandé une fois à mes élèves comment on pouvait expliquer le fait que, il n'y a pas si longtemps, des parents pouvaient dire à leur fille indocile : « Ne remets plus les pieds ici ! » alors qu'à présent il n'est pas rare que les petits amis des filles émancipées viennent coucher dans la maison des parents sans que ceux-ci protestent. Une jeune fille très gentille et très normale m'a répondu : « Parce que cela ne tire pas à conséquence. » Cela dit tout. C'est l'absence de passion qui est l'effet le plus frappant, la révélation, si l'on veut, de la révolution sexuelle. C'est encore elle qui rend les jeunes générations plus ou moins incompréhensibles pour les gens plus âgés.

Dans tout cela, il y a eu fort peu de contrainte. C'était très précisément, comme on l'a dit, une libération. Et c'est alors qu'un élément de la sévérité de la nature s'est manifesté sous la couche de conventions qui avait volé en éclats : les jeunes étaient mieux à même de profiter de la révolution que les gens âgés, les beaux que les laids. L'ancien voile de la discrétion avait eu naguère l'effet de rendre moins importante, dans la vie et dans le mariage, la mauvaise répartition des avantages. Mais on n'a guère tenté d'appliquer à ce genre d'affaires une justice égalitaire, comme le faisaient les vieilles Athéniennes dans la pièce d'Aristophane, où en raison même de leur laideur elles avaient sur les beaux jeunes gens un droit de préemption par rapport aux belles jeunes femmes. On s'est contenté de contrebalancer les aspects peu démocratiques de la liberté sexuelle par des maximes anodines et légèrement ridicules. « La beauté est dans l'œil de celui qui regarde » ou « Il n'y a point de laides amours » : tels ont été, repris avec plus de force, les arguments du nouveau prêche ; l'industrie des cosmétiques a connu une énorme expansion ; et l'éducation sexuelle, associée à une thérapeutique de l'impuissance et de la frigidité, style Masters et Johnson *, avec promesse de superbes orgasmes à tous les souscripteurs, est devenue monnaie courante. J'ai particulièrement apprécié, quant à moi, un cours d'éducation sexuelle pour adultes donné dans le cadre d'une Association chrétienne de jeunes gens locale, pour lequel la radio diffusait la publicité suivante : « Employez-le ou perdez-le » (le sexe, bien entendu). C'est à ce moment-là que la pornographie a secoué son joug.

En revanche, le féminisme, dans la mesure où il s'est présenté lui aussi comme une libération, a consisté beaucoup plus en une libération à l'égard de la nature qu'à l'égard des conventions ou de la société. Aussi présentait-il un visage plus sévère, dénué de tout érotisme, avec quelque chose d'un projet abstrait qui n'exigeait pas tant l'abolition d'une loi existante que l'institution d'un activisme juridique et politique. Ici le langage du programme en marche ne parlait plus de « vivre naturellement », mais recourait plutôt à des termes plus vagues, tels que « autodéfinition », « réalisation de soi-même », « priorités à établir », « façonner un nouveau style de vie », etc. L'instinct, cette fois, n'était pas suffisant. Il y avait bien un sentiment négatif en jeu, celui d'emprisonnement ; mais ce qui faisait défaut, comme l'avait déjà suggéré Freud, n'était pas bien précisé. Ce n'est pas dans un esprit polémique que j'ai dit que le mouvement des femmes n'était pas fondé sur la nature (bien qu'il s'en soit parfaitement réclamé et qu'on ait prétendu que la condition féminine n'était que le résultat des pressions sociales). La prétention cruciale du féminisme, c'est que la biologie ne soit pas un destin : or la biologie est certainement un fait de nature. Et bien qu'il soit peut-être vrai que les rôles féminins ont toujours été déterminés par des relations humaines de domination analogues à celles qui étaient sous-jacentes dans l'esclavage, cela n'est pas d'une évidence absolue et demande à la fois à être interprété et à être discuté. Cette thèse ne résulte pas de l'affirmation unanime des désirs physiques de tous ceux qu'elle concerne, comme celle qui a présidé à la révolution sexuelle. En outre, on affirme souvent que c'est la maîtrise scientifique de la nature — en l'espèce la pilule contraceptive et les appareils électroménagers — qui a rendu possible l'émancipation de la femme par rapport au foyer. Ce qui est certain, c'est que le féminisme a déclenché un processus inexorable de prise de conscience et de changement. Bien sûr, ce processus prend sa source dans ce qui est probablement une tendance permanente de l'homme et certainement une tendance moderne, à savoir l'aspiration à l'illimité. Mais cela aboutit, comme beaucoup de mouvements modernes qui recherchent une justice

* Masters et Johnson : auteurs d'un ouvrage de sexologie, assorti des résultats d'une enquête analogue au fameux rapport Kinsey, qui a connu aux Etats-Unis dans les années soixante un succès fabuleux. (N.d.T.)

abstraite, à l'oubli de la nature et au recours à la force pour refaçonner les êtres humains afin de réaliser la justice.

Le féminisme est en accord avec beaucoup d'éléments de la révolution sexuelle, il les encourage, mais il les utilise à des fins différentes. Le libertinage a permis ce que Rousseau lui-même a appelé le plus grand plaisir. Mais en facilitant les relations sexuelles, ce même libertinage peut rendre banales les relations associées au plaisir sexuel, leur enlever leur caractère érotique et les démystifier. Une femme qui a la possibilité de satisfaire facilement ses désirs sexuels et n'investit pas ses facultés émotives dans des relations affectives exclusives se trouve ainsi libérée pour d'autres tâches plus importantes et émancipée de la tyrannie psychologique des hommes. Ainsi, le féminisme a joué le rôle d'un sédatif sur l'humeur bacchique de la révolution sexuelle, de la même façon que, dans *La République* de Platon, le fait de se mettre nu ne conduit pas à un abandon plus poussé aux plaisirs mais au contraire à une régulation et à une transformation du désir sexuel dans l'intérêt de l'Etat. De même que nous n'avons fièrement surmonté la condamnation puritaine du tabac et de la boisson que pour nous apercevoir, après un bref moment de liberté, qu'il nous fallait subir des assauts moralisateurs dirigés contre la cigarette et l'alcool non plus au nom de Dieu, mais en celui, bien plus respectable et puissant, de la santé et de la sécurité, de même la liberté sexuelle n'a bénéficié que d'un très bref instant ensoleillé avant d'être à nouveau bridée pour satisfaire la sensibilité féministe. Nous ne sommes pas vraiment un peuple de jouisseurs et nous sommes tout à fait capables de différer la satisfaction de nos désirs jusqu'à ce que soient réalisés nos multiples projets. Dans le cas particulier qui nous occupe, le projet vise à démanteler ce qu'on appelle tantôt domination masculine, tantôt machisme, phallocratie, patriarcat, etc. ; système auquel pourtant leurs collaborateurs aussi bien féminins que masculins semblent très attachés à en juger par la quantité de machines de guerre qu'il a fallu monter contre lui. La passion sexuelle masculine est redevenue coupable, parce qu'elle a comme point culminant le « sexisme ». Les femmes se sentent transformées en objets, elles sont violées aussi bien par leurs maris que par des étrangers, elles sont « harcelées » par les désirs sexuels de leurs professeurs et de leurs employeurs, à l'école comme au travail, tandis que leurs enfants, qu'elles sont obligées de mettre dans des crèches pour pouvoir mener à bien leur propre carrière professionnelle, sont victimes eux aussi de violences sexuelles de la part de leurs professeurs. Il faut mettre fin à un tel désordre. Quel homme sensé peut dès lors éviter de voir à quel point ses pulsions sexuelles sont dangereuses ? Y aurait-il peut-être vraiment un péché originel ? Les hommes ont omis de lire certaines clauses de la Proclamation d'émancipation, et tous les crimes qui viennent d'être énumérés doivent faire l'objet d'une législation et être punis. Ce nouvel obstacle mis au désir sexuel est plus étendu, plus intense et plus difficile à surmonter que ne l'était celui de naguère dont on vient seulement de se dégager. Le Quatorze-Juillet de la révolution sexuelle n'aura vraiment duré qu'un jour, entre le renversement de l'Ancien Régime et le début de la Terreur. Le nouveau règne de la vertu a son propre catéchisme, qui commande un examen de conscience et la condamnation de sentiments comme la possessivité, la jalousie, l'esprit protecteur, toutes choses que les hommes ont pris l'habitude de manifester à l'égard des femmes et non des autres hommes. Ces revendications s'accompagnent d'une propagande sans relâche à la radio et à la télévision, ainsi que dans la presse. Et bien entendu, on voit partout une multitude de censeurs justement indignés, équipés de haut-parleurs et étayés par des tribunaux d'inquisition.

Un élément central du projet féministe, c'est la suppression de la pudeur, et pour cela, la révolution sexuelle a joué un rôle préparatoire essentiel, de même que, dans le schéma marxiste de l'évolution économique, le capitalisme ouvre la voie au socialisme en arrachant les voiles sacrés de la féodalité chevaleresque. Il est à nouveau important de relever la différence des intentions impliquées dans cette coopération des deux mouvements. La révolution sexuelle visait à la réunion physique des hommes et des femmes, tandis que le féminisme souhaite au contraire qu'ils soient en mesure de s'en dispenser. Selon les anciennes règles, la pudeur était la vertu féminine par excellence car elle permettait la régulation du désir puissant qui associe les hommes aux femmes et rendait possible un contrôle des relations sexuelles propre à fournir une gratification en harmonie avec la procréation et l'éducation des enfants, dont le risque et la responsabilité échoient naturellement — nous entendons ici « biologiquement » — aux femmes. Certes, la pudeur faisait obstacle aux relations sexuelles, mais en fin de compte elle permettait à cette gratification de jouer un rôle central dans une existence sérieuse et d'accroître l'intérêt du jeu délicat des rapports entre homme et femme, jeu dans lequel l'acquiescement de la volonté est aussi important que la possession du corps. La diminution ou la suppression de la pudeur rend certainement la réalisation du désir plus facile — ce qui est bien l'objectif de la révolution sexuelle — mais en même temps elle démantèle la structure de l'attachement et de l'engagement réciproques, ce qui ramène la relation sexuelle à la chose en elle-même, un point c'est tout. Et voilà où le féminisme entre en scène.

La pudeur féminine étend la différenciation sexuelle de l'acte sexuel à l'existence tout entière. Elle fait que les hommes et les femmes sont toujours hommes et femmes, en toutes circonstances. La conscience de l'inclination que l'un a pour l'autre, les attractions et les inhibitions inhérentes à la condition féminine ou masculine, sont présentes dans toutes les actions de la vie courante. Tant que la pudeur joue son rôle, des hommes et des femmes qui se trouvent ensemble ne seront jamais, tout simplement, des avocats ou des pilotes qui travaillent ensemble. Il y a entre eux quelque chose d'autre, quelque chose de virtuellement très important qui est toujours présent. C'est une question qui a trait aux fins ultimes ou, comme on dit, aux « buts vitaux ». Qu'est-ce qui est le plus important, de gagner ce procès et de faire atterrir cet avion, ou n'est-ce pas plutôt l'amour et la famille ? En tant que juristes ou pilotes, les hommes et les femmes sont identiques, subordonnés à un seul but. En tant qu'amants ou parents, ils sont très différents et intrinsèquement en relation les uns avec les autres en fonction d'une fin qui leur est prescrite par la nature : la continuation de l'espèce. Quand des hommes et des femmes travaillent ensemble, la question des « rôles », donc des « priorités » se pose immédiatement, d'une façon différente de celle qui se pose à des hommes travaillant ensemble ou à des femmes travaillant ensemble. La pudeur agit ici comme rappel constant d'un genre particulier de relations et de problèmes, dans les formes extérieures et les sentiments intérieurs, qui entrave la libre création du moi ou la division technique du travail selon les normes capitalistes. C'est une voix qui répète constamment qu'un homme et une femme ont à créer ensemble quelque chose qui est d'une espèce tout à fait différente de ce qu'on peut trouver sur le marché et d'une bien plus grande importance.

Voilà pourquoi, dans *La République* de Platon, Socrate exige, comme premier sacrifice pour l'établissement d'une cité où les femmes recevront la même éducation, vivront la même existence et exerceront les mêmes emplois que les hommes, celui de la pudeur. Si la différence entre hommes et femmes ne doit pas déterminer leurs fins, si elle ne doit pas être plus importante que la différence entre des chauves et des chevelus, alors les femmes doivent se dépouiller de leurs vêtements et s'exercer nues, tout comme le faisaient les Grecs de sexe masculin au gymnase. A quelques réserves près, les féministes apprécient beaucoup ce passage de Platon, qu'elles considèrent comme prémonitoire, car il aboutit à une libération absolue de la femme, qui n'est plus soumise au mariage et à la corvée de porter et d'élever les enfants, ces tâches cessant de revêtir plus d'importance que n'importe quel autre événement biologique nécessaire et momentané. Socrate prévoit des centres de régulation des naissances et d'avortement, ainsi que des crèches ; il imagine des mariages qui ne durent qu'un jour ou une nuit et sont uniquement destinés à la production de nouveaux citoyens sains de corps et d'esprit, destinés à repeupler la cité et dont celle-ci prend entièrement soin elle-même. Il ajoute même l'infanticide à la liste des facilités dont on peut disposer. Dans ces conditions, une femme n'aura sans doute pas à consacrer à son rôle de mère plus de temps et d'effort qu'un homme à soigner une rougeole. Il faut que tout cela soit possible pour que l'on puisse admettre que les femmes sont naturellement aptes à faire exactement les mêmes choses que les hommes. Le radicalisme de Socrate s'étend aux relations entre parents et enfants. Les citoyens ne doivent pas connaître leurs propres enfants : en effet, s'ils étaient conduits à les aimer plus que les autres, le moyen qui les a fait naître, le coït entre un homme et une femme précis, serait considéré comme revêtu d'une importance spéciale, et l'on en reviendrait à la famille privée et aux types de relations qui lui sont propres.

Les propositions de Socrate dans *La République* se réfèrent spécialement à l'un des cas les plus épineux pour ceux qui recherchent un traitement équivalent des hommes et des femmes : celui qu'envisagent les militaires. Les citoyens dont il parle sont des guerriers, et on voit dans la discussion que, de même que les femmes peuvent se libérer de leur sujétion à l'égard des hommes et prendre place aux côtés de ceux-ci, de même les hommes doivent se libérer de leur préoccupation particulière à l'égard des femmes. Un homme ne doit pas avoir plus de scrupule à enfoncer son glaive dans le corps de l'ennemi qui s'avance si celui-ci est une femme que si c'est un homme, et il ne doit pas se sentir tenu de protéger davantage l'héroïne qui combat dans le même camp que lui à sa droite que le héros qui se bat à sa gauche. Mêmes chances, mêmes risques. Ce qui veut dire que le seul souci est celui du bien commun, et la seule relation, celle qui unit les membres à la communauté. Les individus sont en relation directe avec la communauté, et il faut court-circuiter les rapports intermédiaires qui tendent à vivre d'une existence propre, ceux qui sont censés avoir des racines naturelles dans l'attraction sexuelle et dans l'amour de ses enfants. Socrate défait consciencieusement la trame délicate des relations entre êtres humains tissée à partir de leur nature sexuelle. A moins qu'on n'y trouve un substitut, il en résulte inévitablement l'isolement des individus. Socrate déclare explicitement que, pour que les femmes bénéficient d'un traitement égal, il faut supprimer la signification particulière que revêtait l'ancien type de relations sexuelles — que celles-ci aient été fondées sur la nature ou sur la convention, peu importe — et il annonce également la perte concomitante du lien humain qui en était la conséquence. A la lumière de l'exposé socratique, nous pouvons discerner les contours de ce qui s'est passé récemment chez nous.

On voit ainsi que les conservateurs qui se sont trouvés encouragés par les derniers développements au sein du mouvement féministe se trompent quand ils s'imaginent voir là un terrain d'entente entre eux et ce mouvement. Bien sûr, ils sont opposés les uns et les autres à la pornographie. Mais les féministes le sont uniquement parce qu'elle est la réminiscence corrompue des anciennes relations amoureuses qui impliquaient des rôles sexuels bien différenciés, qu'elles interprètent maintenant comme des situations d'esclavage et de domination. La pornographie n'est rien d'autre que cette relation-là démystifiée, un reflet de la composante purement sexuelle des relations entre mâle et femelle, dépouillées de leurs accessoires érotiques, romanesques, moraux et idéalistes. Elle nourrit et encourage les fantasmes que les hommes entretiennent dans leurs aspirations à la possession des femmes et à une satisfaction sexuelle débridée bien qu'appauvrie. C'est à cela que s'opposent les féministes qui luttent contre la pornographie, et non pas à la dégradation du sentiment ou à la menace qu'elle fait peser sur la famille. Et c'est bien la raison pour laquelle leur censure ne s'exerce pas à l'encontre de la pornographie homosexuelle qui, par définition, n'est pas suspecte de complicité avec la tyrannie masculine et aide même à la saper.

En fait, les féministes sont même favorables au côté démystificateur de la pornographie. Celle-ci démasque la nature véritable des anciennes relations sexuelles, de même que, pour les marxistes, le capitalisme a révélé la véritable nature des relations féodales. Il ne s'agit évidemment pas de remythifier des systèmes usés, mais de progresser vers le royaume de la liberté. Même si elles sont contre la pornographie omniprésente dans le cinéma actuel, les féministes ne sont pas favorables à un retour aux vieilleries romanesques des années trente et quarante, par exemple *Brève rencontre,* qui peignaient sous des couleurs charmantes l'amour à l'ancienne mode. Elles savent que désormais ce passé est mort et elles s'efforcent maintenant d'effacer les dernières traces, désespérées, naïves et semi-criminelles, d'une espèce de désir qui n'a plus place dans le monde. C'est une chose de vouloir empêcher que les femmes soient violées et brutalisées parce qu'il faut respecter la pudeur et la pureté et que des hommes responsables doivent savoir protéger les faibles ; c'en est une autre de vouloir protéger les femmes de toute espèce de désir masculin quel qu'il soit, afin qu'elles puissent vivre à leur guise. En réalité, le féminisme recourt à la morale conservatrice pour ses propres fins. Une telle combinaison est proche de l'alliance fatale (en fait, elle en constitue un nouvel épisode) entre le conservatisme et le marxisme qui a eu des effets à longue échéance pendant plus d'un siècle. Ils n'avaient rien en commun, si ce n'est leur haine du capitalisme, les conservateurs nourrissant la nostalgie d'une résurrection du trône et de l'autel dans divers pays d'Europe et d'un retour à la piété, et les marxistes ayant l'œil fixé en avant, vers une société universelle et homogène et vers la liberté : bref, réactionnaires et progressistes unis contre le présent et se repaissant des contradictions internes de la bourgeoisie. Bien sûr, les « fondamentalistes » et les féministes peuvent collaborer pour promulguer des décrets locaux en vue de proscrire l'indécence, mais les féministes n'agissent de la sorte que pour bien mettre en évidence leur cible politique, pour étayer leur campagne contre les « droits bourgeois » dont, il est triste de le constater, bénéficient en ce moment des gens qui ont envie de voir des films cochons ou d'acheter du matériel propre à mettre en œuvre des fantasmes comiquement biscornus. Il est douteux que les « fondamentalistes » gagnent grand-chose à cet accord tactique, car il garantit seulement la victoire d'une force en plein essor qui est dirigée « contre la famille et contre la vie » (on peut voir combien ces deux tendances sont associées à propos du problème de l'avortement) — alors que les gens qui se délectent de spectacles pornographiques sont toujours un peu gênés de l'avouer et ne tiennent pas à les défendre en tant que tels. Au mieux, ils embouchent une trompette faible et incertaine, en invoquant la Constitution américaine et son premier amendement, dont ils espèrent pouvoir se présenter comme les défenseurs. En principe, ces gens-là ne représentent aucune menace pour quoi que ce soit.

Dans le même ordre d'idées, quelques conservateurs ont jugé récemment « encourageantes » certaines discussions menées par des féministes à propos des différences entre les femmes et les hommes et aussi au sujet de l'accomplissement spécial que peut représenter « la création parentale », sujets interdits aux stades antérieurs du mouvement, quand le thème primordial en était l'obtention de droits égaux. Mais il faut bien noter que les discussions en question n'ont été rendues possibles que par le succès remporté aux stades antérieurs et qu'elles présupposent que la victoire a été remportée et que le nouveau problème est de savoir ce qu'on va en faire. Il se peut bien qu'il y ait vraiment une nature féminine ou un moi féminin, mais il s'est complètement dégagé de ses liens téléologiques. La nature féminine ne se situe en aucune relation réciproque par rapport à la nature masculine et elles ne se définissent pas l'une par l'autre. Les organes sexuels masculins et féminins eux-mêmes ne comportent pas, au stade actuel, de finalité plus évidente qu'une peau noire et une peau blanche, ils ne sont pas davantage destinés les uns aux autres qu'un maître ne l'est à un esclave noir, c'est du moins ce qu'on raconte actuellement. Les femmes sont dotées de structures physiques différentes, mais elles peuvent en faire ce qu'elles veulent, sans avoir à payer pour cela quelque prix que ce soit. La nature féminine est un mystère qui doit être résolu en lui-même, ce qui est possible maintenant parce qu'on s'est débarrassé des revendications masculines à son endroit. Le fait qu'il y ait désormais une attitude plus positive à l'égard de la grossesse n'implique pas qu'aucune impulsion (ou compulsion) vise à établir quoi que ce soit d'analogue à une paternité traditionnelle pour servir de complément à la maternité. Il faut que les enfants soient conçus selon les conditions fixées par les femmes, avec ou sans père. Et il ne faut pas qu'ils fassent obstacle au libre développement de la mère. Cela, désormais, a été bien établi et les hommes ont été amenés à assurer leur coopération. Les enfants sont toujours, comme ils l'ont été de tout temps, davantage le bien de la mère. Les dispositions prises au moment des divorces, selon lesquelles quatre-vingt-dix pour cent ou davantage des enfants restent avec leur mère, en portent témoignage. Ainsi, le droit de propriété de la mère sur ses enfants a même été accru par les exigences féministes et facilement justifié par la démonstration de l'irresponsabilité masculine. Il en découle, comme conséquence nécessaire, la reproduction sans famille, si ce terme implique la présence d'un homme ayant la moindre sorte de fonction définie. Le retour à la maternité comme idéal féministe n'est possible, je le répète, que parce que le féminisme a triomphé de la famille telle qu'elle se présentait jadis, et la liberté des femmes ne s'en trouvera pas limitée. Rien de tout cela n'équivaut au moindre retour aux valeurs familiales ni ne présage particulièrement bien de l'avenir de la famille en tant qu'institution. Cela signifie au contraire que les femmes sont devenues plus libres de chercher un accommodement avec la complexité de leur situation.

L'alliance de la révolution sexuelle et du féminisme, avec les difficultés de leur collaboration et la tension qui a régné entre l'une et l'autre, a abouti à une atmosphère curieusement hybride : certes toutes les restrictions morales qui entravaient la nature ont disparu, mais la nature a disparu elle aussi. La joie de la libération s'est évanouie, car on ne voit pas clairement ce qui a été libéré ni si l'on ne nous a pas imposé du même coup de nouvelles et lourdes responsabilités. Et c'est ici que nous allons en revenir au problème des étudiants, car ils vivent dans cette atmosphère-là. Tout est nouveau, ils ne sont pas sûrs de ce qu'ils éprouvent les uns par rapport aux autres et ils ne disposent d'aucune orientation pour savoir ce qu'ils doivent faire de ce qu'ils ressentent.

En ce qui concerne les questions sexuelles, on peut se livrer à quelques généralisations à propos de la catégorie d'étudiants dont je parle ici. Ils sont au courant de toutes les possibilités sexuelles, ils l'ont été très tôt dans leur existence, et ils ont l'impression que tous les actes sexuels (qui ne sont pas vraiment nocifs pour d'autres) sont licites. Ils ne pensent pas qu'il faille éprouver de sentiments de culpabilité ou de honte à propos des choses sexuelles. Telle est la doctrine. Ils ont suivi, à l'école, des cours d'éducation sexuelle, soit du genre « tels sont les faits biologiques, aux élèves de déterminer eux-mêmes les valeurs morales » (enseignement minimum), soit du genre « options et orientations », considéré comme plus bénéfique pour les élèves. Ils ont vécu dans un monde où ils ont été comblés des descriptions les plus explicites relatives à la sexualité. Ils n'ont plus très peur des maladies vénériennes *. Dès leur puberté, ils ont eu à leur disposition des moyens anticonceptionnels et des possibilités d'avortement. Pour la grande majorité d'entre eux, l'acte sexuel est devenu un élément courant de leur existence avant qu'ils n'entrent à l'université, sans qu'ils aient eu à redouter la condamnation de la société ni même beaucoup d'opposition de la part de leurs parents. Les relations des filles avec les garçons ont sans doute été moins surveillées qu'elles ne l'ont jamais été dans toute l'histoire du monde. Et il ne leur a jamais été difficile de trouver un lieu pour s'y livrer à l'acte sexuel. Ils ne sont pas précisément païens, mais on constate chez eux une familiarité aisée avec les corps des autres et peu d'inhibition à utiliser le leur pour une grande variété de desseins érotiques. Ils n'accordent pas de valeur spéciale à la virginité, que ce soit chez eux-mêmes ou chez leurs partenaires. Ils s'attendent toujours à ce qu'il y ait eu d'autres amants avant eux et, ce qui paraît incroyable aux gens plus âgés, cela ne semble pas les tourmenter beaucoup, même si cela leur fournit une base de prévisions pour l'avenir. Ils n'ont pas le goût des coucheries constantes avec de nouveaux partenaires, ni celui des orgies, et ils n'ont pas l'habitude de coucher avec n'importe qui (du moins dans le sens où l'on entendait cette expression naguère). En général, ils n'ont qu'une liaison à la fois, mais la plupart d'entre eux en ont eu plusieurs l'une après l'autre. Ils ont l'habitude de la mixité dans le logement ; beaucoup d'entre eux vivent en ménage, presque toujours sans avoir en vue le mariage ; il ne s'agit là que d'un arrangement commode. Ce ne sont pas des couples, au sens où le couple offre un simulacre de mariage ou un mode de vie différent de celui des autres étudiants qui n'ont pas d'attaches aussi permanentes pour l'instant. Ce sont des compagnons de chambre, selon leur propre définition, avec sexe et service compris dans le loyer. Tout obstacle dans les relations sexuelles entre jeunes gens célibataires a disparu et celles-ci sont entrées dans la routine. Pour des étrangers venus d'une autre planète, ce qui est le plus frappant ici, c'est que la passion sexuelle n'implique plus la moindre illusion d'éternité.

Les hommes et les femmes ont désormais l'habitude de vivre exactement de la même manière, d'étudier exactement les mêmes matières et de nourrir exactement les mêmes ambitions professionnelles. Aucun homme n'aurait l'idée de tourner en ridicule une femme qui prépare sa médecine ou son droit, ni de penser qu'il

---

* Reste à savoir quel effet l'apparition du S.I.D.A. aura sur la jeunesse. Il y a quelques années, la publicité faite autour de l'herpès n'a produit aucune retombée psychologique discernable.

existait des domaines qui ne conviennent pas aux femmes, ni d'affirmer qu'une femme devrait faire passer la famille avant sa carrière. Les facultés de droit et de médecine sont remplies de jeunes filles et leur nombre se rapproche de celui de la proportion de femmes dans la population en général. Chez la plupart de ces étudiantes, on rencontre fort peu d'idéologie ou de féminisme militant, car elles n'en ont pas besoin. Certes, il y a toujours des féministes stridentes, qui font entendre leur voix dans les journaux universitaires et dans les conseils d'étudiants. Mais, à nouveau, on peut dire que la bataille est déjà gagnée. D'une façon générale, les étudiantes n'ont pas l'impression de faire l'objet d'une discrimination ni de voir leurs aspirations professionnelles méconnues. L'économie aura besoin d'elles et leurs espérances professionnelles ne cessent de croître. Elles n'ont plus besoin de la protection d'organisations féminines, en tout cas pas plus que n'en ont besoin les femmes en général, qui voient qu'elles réussissent au moins aussi bien avec Reagan que du temps des démocrates. Bref, les étudiants actuels sont « unisexes » et le sont confortablement : ils ne retrouvent la notion d'une sexualité bipolaire que pour faire l'amour. La question sexuelle ne figure plus au programme politique des universités, excepté parmi les homosexuels, qui ne sont pas encore tout à fait satisfaits de leur situation par rapport à la communauté au sens large. Mais le fait qu'il y ait sur le campus une présence homosexuelle déclarée et que les homosexuels jouissent de droits qui leur sont reconnus, au moins formellement, par les autorités universitaires et par presque tous les autres étudiants en dit long sur l'existence universitaire actuelle.

Ainsi, les étudiants actuels jouissent d'une situation tout à fait nouvelle et ils estiment, ce qui est compréhensible, que le progrès leur a été profitable. De ce fait, ils éprouvent un sentiment de léger mépris à l'égard de leurs parents, en particulier à l'égard de leurs pauvres mères qui manquaient d'expérience sur le plan sexuel et n'avaient pas de profession qu'on pût prendre au sérieux comme celle du père. Autrefois, parmi les avantages évidents dont jouissaient parents et enseignants par rapport aux jeunes gens impatients d'élucider les mystères de la vie, figurait toujours une expérience plus poussée des choses du sexe, et c'était là une supériorité dont beaucoup d'aînés se prévalaient avec adresse. Mais tel n'est plus le cas, et les étudiants le savent fort bien. Quand certains professeurs tentent de les choquer ou parlent explicitement des faits de la vie — d'une façon qui, naguère, était fort efficace pour allécher des générations d'élèves plus innocents — les jeunes gens d'aujourd'hui sourient paisiblement. Freud et D. H. Lawrence sont désormais relégués aux vieilles lunes. Mieux vaut ne pas essayer d'en parler.

Les élèves s'attendent encore moins à trouver quoi que ce soit d'intéressant à ce sujet dans la littérature ancienne qui, depuis la saga du Jardin d'Eden, a fait de l'accouplement toute une affaire sombre et compliquée. A la réflexion, les étudiants de maintenant se demandent quelle était la raison de toutes ces simagrées. Beaucoup d'entre eux pensent que, sous la forme où nous la connaissons actuellement, leurs grands frères et leurs grandes sœurs n'ont découvert la sexualité qu'au cours des années soixante. Lors d'un cours que j'ai donné sur *Les Confessions* de Rousseau, les élèves ont manifesté une grande surprise en apprenant qu'un jeune homme, au XVIIIe siècle, avait pu vivre avec une femme sans être marié avec elle, et leur surprise m'a beaucoup frappé. Certains types de littérature produisent une impression profonde sur une génération et n'ont aucun intérêt pour la suivante parce que le thème s'en est avéré éphémère ; mais la très grande littérature est censée traiter des problèmes permanents de l'homme. On trouve un bon exemple du premier cas avec *Les Revenants* d'Ibsen, pièce qui a perdu toute sa vigueur aux yeux des jeunes dès que la syphilis a cessé d'être un fléau menaçant. Pour qu'on éprouve de la pitié pour l'infortune des autres, nous enseigne Aristote, il faut que le même malheur puisse nous arriver à nous. Mais actuellement, les épreuves que traversaient naguère les hommes et les femmes, du moins dans les relations entre les sexes, ne nous atteignent plus, et on peut commencer à se demander si, pour les étudiants de la génération montante, il existe encore une permanence de la littérature, car il ne leur semble pas qu'il y ait de problèmes permanents.

Comme je l'ai indiqué plus haut, c'est la première génération pleinement historique et historicisée, non seulement en théorie mais aussi en pratique, et le résultat de cette historicité n'est nullement une plus grande sympathie pour ce qui est très ancien ou très lointain, mais au contraire un intérêt exclusif pour soi-même. Anna Karénine et Emma Bovary sont des femmes adultères, bien sûr, mais l'univers ne s'indigne plus de ce qu'elles font. De nos jours, lors d'un divorce à l'amiable avec Karénine, Anna se serait probablement vu confier la garde de son fils. Les romans sentimentaux, avec leurs portraits d'hommes et de femmes extrêmement différenciés, leur sensualité vaporeuse et sublimée et leur insistance sur le caractère sacré des liens du mariage, ne traitent d'aucune réalité qui concerne les jeunes gens actuels. Mais tel n'est pas davantage le cas de Roméo et Juliette qui doivent lutter contre l'opposition de leurs parents, d'Othello et de sa jalousie, ni de Miranda et de son innocence soigneusement préservée. Un séminariste m'a assuré que saint Augustin souffrait de troubles sexuels ! Et ne parlons pas de la Bible, dont tous les « non » sont, aujourd'hui, devenus des « oui »... A la seule exception (éventuelle) d'Œdipe, tous ces personnages ont pris congé de nous... en même temps que la pudeur féminine.

La doctrine, désormais, veut que dans le domaine du sexe il n'y ait pas de problème. Ainsi, même quand les jeunes gens connaissent des difficultés cruelles dans ce qu'on avait naguère l'habitude d'appeler les relations sexuelles, il ne leur est pas possible d'en rechercher l'origine dans une ambiguïté morale quelconque de la nature sexuelle de l'homme. Ce que, bien sûr, on faisait par erreur autrefois.

L'isolement

En réfléchissant à tout cela, il me semble que la civilisation nous a fait accomplir un tour complet et nous a ramenés à l'état de nature dont parlaient les fondateurs de la pensée moderne, mais il s'agit maintenant non plus de l'état de nature défini par un discours, mais de celui qui se présente actuellement à nos yeux. L'état de nature théorique est celui dans lequel les hommes vivent seuls, exclusivement préoccupés de leur bien-être, libres de choisir ceux avec qui ils veulent s'associer, sans s'encombrer de liens naturels ou juridiques avec qui que ce soit. Les premiers écrivains qui ont parlé d'un tel état l'ont proposé comme une espèce d'hypothèse à notre imagination. Libérés de toutes les attaches conventionnelles qui les lient actuellement à la religion, au pays, à la famille, comment, se demandaient ces auteurs, vivraient les hommes et comment reconstitueraient-ils librement leurs attaches ? Il s'agissait en fait — pour ces pédagogues — d'une expérience destinée à faire prendre conscience aux gens de ce qui leur importe vraiment et à les inciter à prendre des engagements loyaux en se fondant sur ce qui compte pour eux. Mais l'hypothèse est devenue aujourd'hui une réalité et, en exagérant à peine, on peut dire qu'un enfant qui naît aujourd'hui recommence tout *de novo,* sans avoir à tenir compte du donné ni des impératifs qui se seraient imposés à lui hier encore. Son pays exige peu de lui et pourvoit pour lui à la plupart de ses besoins. Sa religion est l'objet d'un choix absolument libre et — ce qui fait de lui un être entièrement neuf — ses engagements sexuels le sont aussi. Désormais il peut choisir, mais il découvre alors qu'il n'a plus de mobile suffisant pour choisir, car le choix est plus qu'un simple caprice, le choix est un lien. Or la reconstitution des liens escomptée par l'éducateur s'avère impossible. L'état de nature du philosophe doit aboutir à un contrat, qui constitue une société à partir d'individus. Et un contrat exige non seulement un intérêt commun entre les parties contractantes, mais aussi une autorité pour en faire appliquer l'exécution. En l'absence du premier, il n'y a pas de relations possibles ; en l'absence de la seconde, il ne peut exister aucune confiance mutuelle, mais seulement de la méfiance.

Dans l'état de nature actuel que nous observons chez les jeunes, du moins en ce qui concerne l'amitié et l'amour, les deux éléments auxquels on vient de faire allusion demeurent sujets à caution. Aussi rencontre-t-on une certaine nostalgie du terrain commun qui a disparu, de ce qu'on a appelé des « racines », et il n'est guère de moyen d'y remédier ; et l'on constate une certaine timidité et une forme d'autoprotection dans des associations qui ne sont garanties ni par la nature ni par la convention. En raison du sentiment de plus en plus répandu de l'inutilité des contrats — qui est peut-être la forme la plus notable du sentiment général d'inutilité qu'on rencontre actuellement —, on a substitué à l'idée de contrat celle, beaucoup plus vague et plus personnelle, d'engagement : en quelque sorte un choix dans le vide, dont la motivation ne réside que dans la volonté ou dans le moi. Les jeunes veulent prendre des engagements : il le faut s'ils veulent un sens à leur vie, car l'amour et la nature ne suffisent pas. Du moins est-ce là ce dont ils parlent, mais ces propos sont évidemment accompagnés de la conscience obsédante que cela ne signifie pas grand-chose et que les engagements sont plus légers que l'air. Telle est la détresse particulière d'un très grand nombre d'étudiants à l'heure actuelle.

A l'origine de la conception moderne des droits naturels, la liberté et l'égalité ont été des principes politiques, destinés à assurer tout à la fois la justice et l'efficacité des relations entre gouvernants et gouvernés, relations qui, dans l'ordre traditionnel précédent, étaient constituées par de prétendus droits de force, de richesse, de tradition, d'âge et de naissance. Les relations entre roi et sujet, maître et esclave, seigneur et vassal, patricien et plébéien, riche et pauvre s'étaient révélées uniquement forgées par l'homme lui-même, et ne comportaient donc aucun lien moral en dehors du consentement réciproque des parties. Il fallait dès lors reconstruire la société civile sur le fondement naturel de l'humanité commune à tous les hommes. Le consentement devenait l'unique source de la légitimité politique. Dans cette perspective, il allait apparaître que toutes les relations dépendaient du libre consentement des individus.

Inévitablement, le droit politique et l'idée de la nature qui s'y associe ont modifié la façon d'envisager les relations dont, au sein de la société civile, on peut le moins contester le caractère naturel et arguer qu'elles sont conventionnelles, c'est-à-dire les relations entre hommes et femmes, entre parents et enfants. On ne saurait interpréter simplement ces rapports-là comme découlant de l'action de la liberté humaine : en fait, ils semblent restreindre cette liberté. Si ce sont des absolus de la nature, alors ils semblent porter témoignage contre les libres arrangements par consentement réciproque qui doivent prévaloir dans l'ordre politique. Mais si l'on doit les comprendre comme on comprend d'autres relations contractuelles, alors ils perdent leur caractère et se dissolvent. Il est difficile d'avancer que la nature, tout à la fois et en même temps, prescrit et ne prescrit pas la relation privilégiée entre deux individus. Du succès du nouvel ordre politique découlait, comme conséquence inévitable, une transformation radicale des relations entre hommes et femmes et entre parents et enfants.

En forçant un peu la note, on pourrait dire que les premiers philosophes qui ont traité de l'état de nature ont prêté peu d'attention à la téléologie naturelle du sexe, parce que ce qui les préoccupait, c'était de détruire par leur analyse les faux-semblants de téléologie qui étayaient les dispositions politiques alors en vigueur. Par téléologie, je n'entends ici rien de métaphysique, mais simplement l'observation quotidienne, évidente, et le sentiment de finalité qui peut n'être qu'illusoire mais sert ordinairement de guide à l'existence humaine, le type de finalité que tout le monde, pratiquement, observe dans le processus de la reproduction. Hobbes et Locke ont usé de leur talent pour démontrer la fausseté des mythes de la souveraineté, mythes qui ont protégé des régimes corrompus et égoïstes, et dont la fameuse fable contée par Menenius Agrippa est un exemple :

Un jour, tous les membres du corps humain
se mutinèrent contre le ventre, l'accusant et se plaignant
de ce que lui seul il demeurait,
au milieu du corps, paresseux et inactif,
absorbant comme un gouffre la nourriture, sans jamais
porter sa part du labeur commun, là où tous les autres organes
s'occupaient de voir, d'entendre, de penser, de diriger,
de marcher, de sentir, de subvenir par leur mutuel concours
aux appétits et aux désirs communs
du corps entier. Le ventre répondit...
aux membres mécontents, à ces mutins
qui se récriaient contre ses accaparements, exactement
comme vous récriminez contre nos sénateurs
parce qu'ils ne sont pas traités comme vous...
« Il est bien vrai, mes chers conjoints,
que je reçois le premier toute la nourriture
qui vous fait vivre ; et c'est chose juste,
puisque je suis le grenier et le magasin
du corps entier. Mais si vous vous souvenez,
je renvoie tout par les rivières du sang,
jusqu'au palais du cœur, jusqu'au trône de la raison ;
et, grâce aux conduits sinueux du corps humain,
les nerfs les plus forts et les moindres veines
reçoivent de moi ce simple nécessaire
qui les fait vivre. Et bien que tous à la fois,
mes bons amis, vous ne puissiez voir

ce que je fournis à chacun de vous,
je puis vous prouver par un compte rigoureux
que je vous transmets toute la farine
et ne garde pour moi que le son... »
Le Sénat de Rome est cet excellent ventre,
et vous êtes les membres révoltés. Car ses conseils et ses mesures
étant bien examinés, les affaires étant dûment digérées
dans l'intérêt de la chose publique, vous reconnaîtrez
que les bienfaits généraux que vous recueillez
procèdent ou viennent de lui,
et nullement de vous-mêmes... *

En lieu et place d'une fable « organique » comme celle-là, Hobbes et Locke donnaient de la légitimité une définition rationnelle, qui faisait de chaque individu le juge de ses propres intérêts et lui conférait le droit de choisir des gouvernants tenus de le protéger, en éliminant les habitudes de pensée et de sentiment qui permettaient aux patriciens, sous couvert du bien commun, d'utiliser les plébéiens pour la satisfaction de leur avidité personnelle. Dans ce nouveau système, la plèbe a le même droit à l'égoïsme que ceux qui gouvernent. Les gouvernés ne sont pas soumis par la nature aux gouvernants, pas davantage que les gouvernants ne se consacrent, par nature, uniquement au bien des gouvernés. Ils peuvent, consciemment, façonner un ensemble dans lequel les intérêts séparés de chaque individu sont protégés. Mais ils ne forment jamais un tout, qui partage le même objectif très élevé, comme les organes du corps de Menenius Agrippa. Il n'existe pas de politique du corps. L'Etat se compose d'individus qui se sont réunis volontairement et peuvent se séparer volontairement sans se mutiler. Ils ne sont pas semblables aux morceaux d'un puzzle, qui sont faits pour s'adapter les uns aux autres et ne composent une figure que quand ils sont assemblés.

Hobbes et Locke, semble-t-il, supposaient que, bien que l'ordre politique fût constitué d'individus, les unités plus petites constituant le corps politique resteraient intactes dans une large mesure. En fait, pour remplacer en partie ce qui se perdrait d'attachement passionné à l'Etat, ils comptaient sur la famille en tant qu'intermédiaire entre l'individu et la nation. L'amour immédiat et fiable que l'on porte à ses biens, à sa femme et à ses enfants, peut contrebalancer plus efficacement l'égoïsme purement individuel que ne peut le faire l'amour abstrait du pays. En outre, le fait que l'Etat protège la famille constitue une raison puissante de se

---

* Shakespeare, *Coriolan*, acte I, scène I, traduction de François Victor-Hugo. Les lecteurs français connaissent sans doute mieux la version du même apologue que donne La Fontaine dans *Les Membres et l'Estomac* (Fables, livres III, fable II). (N.d.T.)

montrer loyal à son égard. La nation considérée comme une communauté de familles, c'est là une formule qui, jusqu'à des temps récents, fonctionnait très bien aux Etats-Unis. Mais elle n'en est pas moins très discutable et on peut se demander si cette solution est viable à la longue. Il existe en effet deux opinions contraires à propos de la nature et, comme les philosophes politiques l'ont toujours enseigné, c'est celle qui fait autorité dans le régime politique en vigueur qui, en dernier recours, influencera ceux qui y participent. Selon l'une de ces opinions, la nature n'a rien à dire sur les relations et la hiérarchie ; selon l'autre, la nature joue un rôle normatif. Est-ce que les relations entre hommes et femmes et entre parents et enfants sont déterminées par des impulsions naturelles ou sont-elles le produit d'un choix et d'un consentement ? La première hypothèse est partie intégrante de la philosophie politique ancienne, comme on peut le voir dans la *Politique* d'Aristote, où les relations familiales infra-politiques ou pré-politiques montrent la nécessité d'une règle politique qui les perfectionne ; alors que dans la doctrine politique de l' « état de nature », la règle découle entièrement du besoin de protection qu'ont les individus et ne tient aucun compte de leurs relations sociales. Avons-nous affaire à des personnes ou à des hommes et à des femmes ? Dans le premier cas, les personnes sont libres d'édifier les unes avec les autres les relations qui leur plaisent ; dans le second, les relations s'inscrivent dans un cadre préalable qui détermine largement les hommes et les femmes avant n'importe quel choix.

Il existe trois images classiques pour représenter l'Etat, et leur interprétation éclaire le problème. La première est celle d'un navire, qui se présente d'une certaine manière si les passagers et l'embarcation sont voués à demeurer en mer pour toujours et d'une façon tout à fait différente si le bateau est destiné à gagner un port et si ses occupants partiront dans des directions différentes une fois qu'ils auront touché terre. Il est bien évident qu'ils conçoivent les relations qui les unissent et celles qu'ils entretiennent avec leur maison flottante de façon fort différente dans le premier cas et dans le second. La première hypothèse se rapporte à la cité antique, la seconde à l'Etat moderne. Les deux autres images de l'Etat sont celles du troupeau et de la ruche, et ce sont des métaphores qui s'opposent d'une certaine manière. Le troupeau peut avoir besoin d'un berger, mais chaque animal paît pour son propre compte et on peut facilement le séparer des autres. Dans la ruche, au contraire, il y a des ouvrières, des faux bourdons et une reine. Il y a répartition du travail en vue d'un résultat pour lequel tout le monde œuvre en commun. Se séparer de la ruche, c'est mourir. On voit ici à nouveau l'opposition entre la cité antique (la ruche) et l'Etat moderne (le troupeau). Bien entendu, aucune de ces images ne constitue une description exacte de la société humaine. Les hommes ne sont ni des atomes ni les parties d'un corps. C'est bien pourquoi il leur a fallu recourir à de telles images : pour des bêtes, les choses dont nous débattons ici ne sont matière ni à discussion ni à délibération. L'homme est un être ambigu. Dans les communautés les plus étroitement liées, au moins depuis l'époque d'Ulysse, il y a un je ne sais quoi qui souhaite y échapper et sent que son développement est entravé par le fait d'être seulement la partie d'un tout et non pas le tout lui-même. Même dans les situations les plus libres et les plus indépendantes, les hommes aspirent à des attachements inconditionnels. La tension entre la liberté et l'attachement, le fait d'être séduit par le charme de chacune de ces deux situations, ainsi que la tentative de réaliser l'union impossible de ces deux éléments, telle est la condition permanente de l'homme. Mais il faut accorder la priorité à l'une ou à l'autre, et dans les régimes politiques modernes, où les droits précèdent les devoirs, la primauté est définitivement décernée à la liberté, à l'encontre de la communauté, de la famille et même de la nature. L'esprit d'un tel choix doit inévitablement imprégner tous les détails de l'existence.

L'ambiguïté humaine dont je parle est bien illustrée par la passion sexuelle et par les sentiments qui l'accompagnent. Les relations sexuelles peuvent n'être qu'un plaisir parmi d'autres, anodin et sans signification au-delà de lui-même, une occupation agréable, subordonnée à l'activité beaucoup plus importante que nécessite l'instinct de conservation. Mais les relations sexuelles peuvent aussi être l'élément constitutif immédiat d'une loi complète de l'existence, à laquelle l'instinct de conservation est subordonné et selon laquelle l'amour, le mariage et le fait d'élever des enfants sont ce qui importe le plus. Toutefois, les relations sexuelles ne peuvent être les deux choses à la fois : la direction dans laquelle on s'est engagé est sans équivoque.

De sorte qu'il n'est pas tout à fait exact de dire que l'humanité dans son ensemble a la possibilité de traiter les relations sexuelles comme un aimable passe-temps. Dans un monde où le fondement naturel de la différenciation sexuelle s'est désagrégé, le choix d'un tel comportement reste tout à fait possible aux hommes mais non aux femmes. L'homme, à l'état de nature, soit celui qu'ont décrit les philosophes, soit celui que nous connaissons aujourd'hui, peut s'en aller après un contact sexuel et ne plus jamais lui accorder une pensée. Mais une femme se retrouvera peut-être avec un enfant et, en fait, comme il apparaît de plus en plus clairement, elle souhaite en avoir un. L'acte sexuel peut être un geste indifférent pour l'homme, il ne peut l'être réellement pour la femme. C'est ce qu'on pourrait appeler la tragédie féminine. La modernité a promis à tous les êtres humains qu'ils seraient traités sur un pied d'égalité. Les femmes ont pris cette promesse au sérieux et se sont rebellées contre l'ordre ancien. Mais au fur et à mesure qu'elles sont devenues des individus, les hommes se sont aussi trouvés libérés des anciennes contraintes associées à leur qualité d'hommes. Et les femmes, maintenant qu'elles sont libérées et qu'elles embrassent des carrières analogues à celles des hommes, découvrent néanmoins qu'elles désirent toujours avoir des enfants, mais ne disposent plus d'aucun fondement pour demander aux hommes de partager ce désir ou d'en prendre, au moins en partie, la responsabilité. La nature fait peser plus lourdement son poids sur les épaules féminines. Dans l'ordre ancien, elles étaient subordonnées aux hommes et dépendaient d'eux ; dans l'ordre nouveau, elles sont isolées, elles ont besoin des hommes, mais elles ne peuvent compter sur eux, et elles se trouvent entravées dans le libre développement de leur individualité. Pour les femmes, les promesses de la modernité n'ont pas été vraiment tenues.

Les premiers penseurs modernes n'ont guère prévu la dégénérescence du fondement naturel des relations familiales et ils n'ont pas préparé le terrain en vue de ce déclin ; mais ils avaient suggéré une certaine réforme de la famille, réforme qui reflétait un mouvement général de rejet des contraintes en faveur des éléments qu'on pouvait considérer comme des manifestations d'une libre expression du sentiment personnel. Chez Locke, par exemple, l'autorité paternelle est remplacée par l'autorité parentale : c'est une négation du droit divin ou naturel qu'on prêtait jusqu'alors au père, celui de régner de façon permanente, et ce refus se fait au profit d'un droit commun du père et de la mère de s'occuper de leurs enfants aussi longtemps que ceux-ci en ont besoin, dans l'intérêt de la liberté des enfants, ce que ceux-ci reconnaîtront immédiatement comme bénéfique quand ils atteindront la majorité. Rien ne demeure, ici, du respect dû au père comme symbole du divin sur la terre, comme détenteur incontesté de l'autorité. En revanche, fils et filles se rendront compte qu'ils ont bénéficié des soins de leurs parents, qui les ont préparés à jouir de leur liberté, et ils en éprouveront de la reconnaissance sans être tenus pour autant à aucun devoir de réciprocité, excepté dans la mesure où ils souhaitent constituer un modèle admissible de conduite à leur égard pour leurs propres enfants. Toutefois, si cela leur convient, ils obéiront à leur père pour hériter de son bien (en admettant qu'il en ait un) dont il peut disposer à sa guise. Ainsi, du point de vue des enfants, la famille conserve sa validité sur la base de principes modernes, et Locke ouvre la voie à la famille démocratique que décrira de façon si touchante Alexis de Tocqueville dans la *Démocratie en Amérique*. Jusque-là, tout va bien. Les enfants sont réconciliés avec la famille. Mais là où, me semble-t-il, l'on se heurte à un problème, c'est dans le mobile qui incite les parents à s'occuper de leurs enfants. Pourquoi la mère et le père souhaite-raient-ils faire tout cela, au prix de tant de sacrifices, sans aucune récompense? Les enfants, eux, peuvent dire à leurs parents : « Vous êtes forts, nous sommes faibles. Servez-vous de votre force pour nous aider. Vous êtes riches, nous sommes pauvres. Dépensez votre argent pour nous. Vous êtes sages, nous sommes ignorants. Dispensez-nous votre enseignement. » Mais que peuvent dire les parents, en contrepartie, pour répondre à une telle argumentation? Peut-être pourrait-on avancer que les soins aux enfants sont un devoir, ou que la vie familiale apporte de grandes joies; mais aucune de ces deux réponses n'est concluante quand on a décrété le règne des droits égaux et de l'autonomie individuelle. Les enfants ont de leurs parents un besoin inconditionnel et ils en tirent d'incontestables bénéfices; mais on ne saurait en dire autant des parents. Locke croyait, et les événements de l'époque actuelle semblent confirmer sa conviction, que les femmes ont pour leurs enfants un attachement instinctif qui ne peut être ni expliqué ni infirmé par des considérations d'intérêt personnel ou de calcul. C'est peut-être le seul lien social indéniablement naturel : l'attache-ment de la mère pour l'enfant. Il n'est pas toujours efficace et, en s'y employant énergiquement, on peut le supprimer, mais c'est une force qui est toujours présente. Et c'est bien ce que nous constatons encore aujourd'hui. Mais qu'en est-il du père? Peut-être se plaît-il à imaginer sa propre éternité sous les espèces des générations qui descendent de lui; mais ce n'est là qu'une imagination et elle peut être atténuée par d'autres préoccupations et d'autres calculs, par exemple s'il cesse d'avoir confiance dans la perpétuation prolongée de son nom en raison de la mobilité des conditions qui caractérise la démocratie. C'est donc par nécessité qu'a été assigné à la femme le rôle de séduire et de retenir l'homme par ses charmes et ses artifices, car, de par sa nature, rien d'autre n'induirait celui-ci à renoncer à sa liberté au profit des lourdes tâches de la famille. Or, cela, les femmes ne veulent plus le faire aujourd'hui et elles considèrent même, à juste titre, que c'est une conduite déloyale compte tenu des principes qui nous gouvernent. Avec ce change-ment de dispositions de la part des femmes, le ciment qui faisait tenir ensemble la famille s'est désagrégé. Ce ne sont pas les enfants qui se détachent, ce sont les parents qui les abandonnent. Les femmes ne sont plus disposées à prendre des engagements incondi-tionnels et à perpétuité à des conditions inégales et, quoi qu'elles espèrent, rien ne peut efficacement amener la plupart des hommes à partager à égalité les responsabilités qui découlent de l'enfante-ment et de l'éducation des enfants. Le taux de divorce n'est que le symptôme le plus frappant de cette décomposition.

Aucun de ces problèmes ne date d'aujourd'hui ou d'hier; cela ne résulte ni de la crise des années soixante, ni des incitations à la vanité masculine que les publicitaires ont inaugurées au cours des années cinquante, ni d'aucun autre événement superficiel lié à la culture pop. Voici plus de deux siècles, Rousseau a été alarmé d'observer dans la société libérale les germes de l'écroulement de la famille, et il a consacré beaucoup de son grand génie à chercher des correctifs à cette menace. Il a découvert que l'individualisme était en train de détruire l'association essentielle entre l'homme et la femme et il a concentré ses efforts, aussi bien théoriques que pratiques, à encourager l'amour sentimental et passionné chez l'un comme chez l'autre. Rousseau voulait reconstruire et consolider cette association, naguère hypothéquée par des réglementations civiles et religieuses désormais discréditées, sur des fondements modernes de désir et de consentement mutuel. Il redessina l'image de la nature, réduite à l'état de palimpseste par les éraflures du criticisme moderne et il chercha à inciter les hommes et les femmes à admirer l'ordonnance téléologique de ladite nature, et plus spécifiquement la complémentarité des deux sexes. Ceux-ci sont, selon lui, des rouages qui s'engrènent l'un dans l'autre et mettent en mouvement le mécanisme de la vie ; ils diffèrent l'un de l'autre mais sont, des profondeurs du corps jusqu'aux sommets de l'âme, indispensables l'un à l'autre. Par opposition au calcul individualiste de l'intérêt, Rousseau propose qu'on s'abandonne aux sentiments et à l'imagination de l'amour idéalisé. Il a inspiré ainsi tout un courant de littérature romanesque et poétique qui a prospéré fiévreusement pendant plus d'un siècle, tandis que, dans le même temps, les écrits de Bentham et de Stuart Mill travaillaient avec ardeur à l'homogénéisation des sexes. L'entreprise de Rousseau revêtait la plus lourde signification, car la communauté humaine était effectivement en danger. En substance, il essayait de convaincre les femmes de se vouloir librement différentes des hommes et de se charger de la tâche difficile de leur faire conclure un pacte positif avec la famille, pacte qu'il opposait au contrat qui lie les hommes à l'Etat, purement négatif, destiné à la seule protection de l'individu. Tocqueville devait reprendre ce thème chez Rousseau : il a décrit la séparation absolue du mari et de la femme dans la famille américaine et il a attribué le succès de la démocratie américaine à ses femmes qui choisissent librement leur sort. A cela il opposait le désordre, voire le chaos, qui régnait en Europe, chaos qu'il attribuait à une mauvaise compréhension ou une mauvaise application du principe d'égalité, qui reste une abstraction quand il n'est pas contrôlé par les impératifs de la nature.

Tous ces efforts ont fait long feu. Actuellement, ou bien cette théorie suscite la colère des femmes, qui y voient une tentative de les priver de droits garantis à tous les êtres humains, ou bien elles la considèrent comme hors de propos à une époque où les femmes font exactement les mêmes choses que les hommes et affrontent les mêmes difficultés pour assurer leur indépendance. Rousseau, Tocqueville et tous les autres n'ont plus maintenant qu'une importance historique et, au mieux, ils nous fournissent une perspective différente pour analyser notre situation. L'amour sentimental nous est désormais aussi étranger que la chevalerie errante, et il est à peine moins improbable de voir un jeune homme faire la cour à une femme que de le voir porter une armure, non seulement parce que cela ne lui convient pas à lui, mais parce que cela serait presque insultant pour la femme. Au cours d'une rencontre révélatrice que j'ai eue avec des étudiants, l'un d'eux s'est exclamé, approuvé par ses camarades : « Qu'attendez-vous que je fasse ? Que je joue de la guitare sous les fenêtres d'une jeune fille ? » Cela lui paraissait aussi absurde que d'avaler un poisson rouge. Mais il s'avéra ensuite que les parents de ce garçon étaient divorcés ; et il exprima alors fortement, bien que de façon incohérente, sa détresse et sa recherche incantatoire — devenue désormais rituelle — de « racines ». Sur ce point, Rousseau nous est particulièrement utile, car il a rendu compte de cette aspiration, et il en a honnêtement exposé le mobile, alors que la discussion à propos des « racines » est en fait une évasion. Il y a un passage dans *Emile* qui me revient toujours à l'esprit quand j'observe mes élèves. Ce passage se situe dans le contexte des dispositions que le maître prend avec les parents de l'élève dont il entreprend l'éducation totale, avec en arrière-fond le fait que maris et femmes, parents et enfants, ne sont plus unis organiquement après avoir été soumis à l'action dissolvante de la théorie et de la pratique modernes :

> *... je voudrais même que l'élève et le gouverneur se regardassent tellement comme inséparables, que le sort de leurs jours fût toujours entre eux un objet commun. Sitôt qu'ils envisagent dans l'éloignement leur séparation, sitôt qu'ils prévoient le moment qui doit les rendre étrangers l'un à l'autre, ils le sont déjà ; chacun fait son petit système à part ; et tous deux, occupés du temps où ils ne seront plus ensemble, n'y restent qu'à contrecœur. (Emile, livre I.)*

Voilà ce qui cloche. Tout le monde a « son petit système à part ». La description la plus adéquate que je puisse trouver de l'état d'âme des étudiants ressortit à la psychologie de l'isolement.

La possibilité de la séparation, c'est déjà la séparation, dans la mesure où l'on doit projeter d'être complet et autosuffisant et où l'on ne peut prendre le risque de l'interdépendance. L'imagination contraint celui qui veut se séparer à prévoir et escompter le jour de la séparation, pour voir ce qu'il fera alors. L'énergie qu'on devrait employer à des entreprises communes est épuisée par la prépara-tion de l'indépendance. Ce qui, dans le cas d'une union, serait pierre à bâtir devient obstacle sur le chemin de la sécession. On peut accepter ce avec quoi on est obligé de vivre, et ainsi les buts de ceux qui vivent ensemble doivent devenir naturellement et nécessairement un bien commun. Mais il n'y a pas de bien commun pour ceux qui sont séparés. La présence d'un choix change déjà le caractère de la relation. Et plus il y a de séparation, plus il y en aura. La mort des parents, celle d'un enfant, d'un époux, d'une femme ou d'un ami, cela a toujours été une éventualité et un fait ; mais la séparation est quelque chose de très différent, car c'est le refus de la volonté d'aimer, qui est la part la plus importante de l'attachement. On peut vivre en association avec un être bien-aimé qui est mort ; mais on ne peut être associé à un être bien-aimé vivant qui ne souhaite plus être aimé. Ce remuement perpétuel des sables dans notre désert — séparation des lieux, des personnes, des croyances — produit un état de nature psychique où les dispositions prédominantes sont la réserve et la timidité. Nous sommes des solitaires sociaux.

Le divorce

Ici, il me faut nécessairement parler du divorce, qui est le signe le plus visible de notre isolement croissant, en même temps que la cause d'une progression de l'isolement. Le divorce a une influence profonde sur nos universités car il y a de plus en plus d'étudiants dont les parents sont divorcés, et non seulement ils souffrent de problèmes particuliers, mais encore ces problèmes se répercutent sur d'autres étudiants et sur l'atmosphère générale du campus. Le divorce est, aux Etats-Unis, le symptôme le plus concret du fait que les gens ne sont plus faits pour vivre ensemble ; même s'ils ont envie et besoin de s'unir, il est presque impossible de fonder une volonté commune en combinant des volontés particulières qui ne cessent de se renouveler. On cherche des accommodements, on essaie de remettre les choses en place, mais avec de moins en moins d'espoir d'y parvenir. Et c'est là la quadrature du cercle, car chacun s'aime soi-même davantage que n'importe qui d'autre, mais veut en même temps que les autres l'aiment plus qu'ils ne s'aiment eux-mêmes. Telle est, en particulier, l'exigence des enfants, une exigence contre laquelle les parents sont en rébellion. En l'absence d'un bien commun ou, comme le dit Rousseau, d'un « objet commun », la désintégration de toutes ces unités composites en volontés particulières est inévitable. Dans ce cas, l'égoïsme n'est ni un vice moral ni un péché mais une nécessité naturelle. Dire que c'est la « génération du moi » ou parler de « narcissisme », cela revient à décrire le phénomène, non à en déceler la cause. Au sauvage solitaire à l'état de nature, on ne saurait reprocher de penser tout d'abord à lui-même ; on ne saurait le reprocher davantage à une personne qui vit dans un monde où la primauté de l'égocentrisme n'est que trop évidente dans les institutions les plus fondamentales, un monde où le point de départ de l'état de nature n'a visiblement pas été dépassé et où, quand on affecte de se préoccuper du bien commun, ce n'est vraiment qu'une affectation de plus. En d'autres termes, les hommes ont acquis le besoin de se développer, de s'exprimer et d'accroître leur personnalité, et ce goût a fleuri à la faveur d'une foi optimiste en une harmonie préétablie entre un tel souci et le bien de la société ou de la communauté. Or, peu à peu, ce sentiment s'est au contraire révélé néfaste à la communauté. Quand un jeune ne manifeste à des parents divorcés qu'un attachement restreint ou conditionnel, il ne fait qu'appliquer la leçon qu'ils lui ont donnée. Il s'agit là de tout autre chose que du détachement classique que les jeunes manifestent à l'égard de leur famille ou d'autres institutions qui étaient à coup sûr très dévouées à leurs membres : un tel détachement est parfois nécessaire, mais il est toujours moralement problématique. Cette situation constitue encore une des raisons pour lesquelles la littérature classique reste étrangère à tant de nos jeunes gens ; en effet, celle-ci est dans une grande mesure consacrée à la libération d'emprises réelles — comme celles de la famille, de la foi et du pays — alors que le mouvement actuel va en sens inverse : les jeunes recherchent quelque chose qui ait sur eux une emprise valable. On peut légitimement redouter que les enfants qui ont fait chez leurs parents l'apprentissage de relations hypothétiques voient le monde dans l'éclairage de cet enseignement.

On peut répéter tant qu'on veut aux enfants que leurs parents ont le droit de vivre leur vie, que le temps qu'ils leur accordent vaut par la qualité et non par la quantité, que leurs parents les aiment même s'ils doivent se séparer d'eux, ils ne croient rien de tout cela. Ils pensent qu'ils ont droit à une attention totale et que leurs parents doivent vivre pour eux. Il n'existe aucun moyen de leur faire admettre qu'il en soit autrement, et tout écart par rapport à cette norme produit inévitablement chez eux de l'indignation et un sentiment indéracinable d'avoir subi une injustice. A cet égard, la séparation volontaire des parents est pire que leur mort, précisément parce qu'elle est volontaire. Le spectacle de volontés capricieuses, la constatation que celles-ci manquent de se diriger vers le bien commun, le fait qu'elles pourraient être différentes mais ne le sont pas, toutes ces impressions-là constituent la vraie source de la guerre de tous contre tous. Dès lors les enfants redoutent de dépendre de la volonté des autres, et cette peur se combine avec le besoin de maîtriser cette volonté : tel est le résultat de ce qu'ils ont observé dans le lieu même où ce serait le contraire qu'ils seraient censés apprendre. On nous objectera que beaucoup de familles restent réunies, mais sont malheureuses. Objection non pertinente : l'enseignement qui importe, pour les enfants, c'est de voir qu'il existe entre deux êtres humains un lien indissoluble, pour le meilleur ou pour le pire.

La dissolution du seul lien qui ait subsisté inconditionnellement au cours des siècles, celui de la famille, pose aux Etats-Unis leur problème social le plus grave et le plus urgent. Mais personne ne tente d'y apporter le moindre remède : le raz de marée paraît impossible à arrêter. Parmi les nombreux articles des programmes des hommes qui se proposent de « régénérer moralement » notre pays ne figurent jamais ni le mariage ni le divorce. La dernière personne qui, disposant des pouvoirs publics, a tenté de faire quelque chose dans ce domaine, c'est le président Carter quand il a demandé aux fonctionnaires fédéraux qui vivaient en concubinage de légaliser leur union. Il vaut la peine de noter que c'est la première fois, en un demi-siècle, que les Etats-Unis sont gouvernés par un président conservateur qui soit en même temps un divorcé ; et que la secrétaire d'Etat à la Santé et aux problèmes humains, donc la fonctionnaire la plus directement associée aux questions familiales, a déclaré, lors de son propre divorce, dont on a beaucoup parlé, qu'elle avait été encouragée à prendre cette décision par l'exemple du président Reagan.

Un professeur de lettres ne peut s'empêcher de constater quelques handicaps particuliers chez les étudiants, de plus en plus nombreux, dont les parents sont divorcés. Je ne doute pas le moins du monde qu'ils réussissent aussi bien que les autres dans toutes sortes de disciplines spécialisées, mais je trouve qu'ils ne sont pas aussi ouverts à l'étude sérieuse de la philosophie et de la littérature que ne le sont certains autres. Pour autant que je puisse en juger, c'est parce qu'ils sont moins désireux de scruter le sens de leur vie, moins disposés à se défaire des opinions reçues. Pour parvenir à vivre avec l'expérience chaotique qu'ils ont intériorisée, ils ont tendance à se construire des cadres rigides de comportement : ceci est juste, cela est faux, il faut agir de la sorte. Leur conversation abonde en platitudes désespérées sur l'autodétermination, sur le respect des droits et des décisions des autres, sur le besoin de mettre en œuvre ses valeurs individuelles et de tenir ses engagements, etc. Tout cela n'est qu'une mince écume sur un océan de rage, de doute et de peur. Souvent, ces jeunes gens manquent d'audace intellectuelle parce que la confiance en l'avenir, si naturelle à la jeunesse, leur fait défaut. L'appréhension de la solitude, la crainte de s'attacher à quelqu'un, ces deux angoisses contradictoires occultent toutes leurs perspectives. D'habitude, les jeunes gens sont tout prêts à larguer leurs façons de penser coutumières pour se rallier à une idée nouvelle qui les excite : ils ont peu de chose à perdre. Bien que ce ne soit pas vraiment une démarche philosophique, car ils n'ont pas conscience de l'importance des enjeux, ils peuvent, durant cette période, faire l'expérience du non-conformisme et acquérir des façons de penser plus profondes et un peu de l'apprentissage qui les accompagne. Mais chez les étudiants dont je parlais à l'instant, une bonne part de l'enthousiasme, au sens littéral du terme, s'est éteinte et a été remplacée par des moyens mécaniques de se protéger. De même, la confiance ouverte dans l'amitié, qui est un élément de la quête du bien dont ils ont fait récemment la découverte, reste quelque peu entravée, embryonnaire : c'est que chez eux, l'*éros* dont parle Glaucon, celui qui incite à la découverte de la nature, a subi des lésions plus graves que chez la plupart des autres jeunes gens. Certes, ces garçons et ces filles peuvent faire de leur désarroi au milieu de l'univers le thème de leurs réflexions et de leurs études ; mais c'est là un travail triste et dangereux, et ils sont de tous mes élèves ceux qui m'inspirent le plus de pitié. Car ce sont, en vérité, des victimes.

Dans leur état d'âme, un facteur supplémentaire joue souvent un rôle négatif : ils ont subi une psychothérapie, ce qui veut dire qu'on leur a enseigné la façon dont ils doivent ressentir les choses et ce qu'ils doivent penser d'eux-mêmes. Ce traitement est le fait de psychologues payés par les parents de ces jeunes gens, pour faire « fonctionner » l'ensemble de la situation de façon aussi indolore que possible (pour les parents, s'entend). Il semble que la psychothérapie fasse partie intégrante d'un « divorce réussi », et si jamais on a pu parler de conflit d'intérêts, c'est bien le cas ici. Pour les psychothérapeutes, il y a gros à gagner dans les affaires de divorce, où ils sont plus couramment appelés à « déculpabiliser » leurs clients que dans toute autre situation, car les divorcés sont impatients de se retrouver libres de mener leurs justes combats : lutter contre les misérables qui fument, mettre fin à la course aux armements ou sauvegarder « la civilisation telle que nous la connaissons ». Or les psychologues les aident beaucoup à se libérer en confortant l'idéologie qui justifie le divorce : par exemple, en expliquant que rien n'est pire pour les enfants que de vivre dans un foyer dont le climat est tendu (ce qui fournit aux transfuges éventuels un mobile pour rendre, par leur départ, ledit foyer aussi peu désagréable que possible). On sait que les psychologues sont les ennemis jurés de la culpabilité. Et ils disposent d'un langage artificiel pour équiper les enfants qu'ils « soignent » de sentiments artificiels, prothèses qui, malheureusement, ne permettent pas à ces amputés spirituels d'avoir une prise solide sur quoi que ce soit. A coup sûr, tous les psychologues qui traitent de tels cas ne se contentent pas de jouer la musique choisie par ceux qui les paient ; mais leurs dons d'illusionnistes (qu'ils baptisent « créativité ») et les réalités du marché influencent certainement les psychothérapies en question. Après tout, les parents ont bien le droit de dénicher un psychologue de la même manière que les catholiques se cherchaient un confesseur. Ainsi, quand les enfants de divorcés arrivent à l'université, non seulement ils sont ébranlés par les effets destructeurs de la débâcle de la confiance et de la loyauté qui sont les inévitables séquelles du divorce, mais encore ils ont été assourdis par des mensonges et des assurances hypocrites à leur usage personnel, exprimés dans un jargon pseudo-scientifique. Dans la mesure où la psychologie moderne a, dans le meilleur des cas, une compréhension très contestable de l'âme, qui ne tient aucun compte de la supériorité naturelle d'une existence philosophique et méconnaît complètement la nature de l'éducation, ceux qui ont été imprégnés de cette psychologie ont un long chemin à faire pour remonter jusqu'à la caverne de Platon, jusqu'au monde du sens commun, qui est le point de départ adéquat pour parvenir à la sagesse. Car ils n'ont aucune confiance en ce qu'ils éprouvent ni en ce qu'ils voient, et ils sont nourris d'une idéologie qui fournit une *justification* intellectuelle de leur timidité.

Ces étudiants ne sont que les symboles des problèmes politico-intellectuels de notre époque. Sous une forme extrême, ils représentent le tourbillon intellectuel déclenché par la perte du contact avec les autres êtres humains et avec l'ensemble du monde. Mais *tous* les étudiants sont affectés, affectés dans leur vie quotidienne au sens le plus pratique, sans se rendre compte que leur situation est anormale, parce que leur éducation ne leur donne aucune perspective sur elle.

L'amour

Pour pénétrer dans l'univers spécial ou vivent aujourd'hui les étudiants, le meilleur « sésame » réside dans la constatation d'un fait surprenant ; lors de ce qu'on appelait autrefois des histoires d'amour, ils ne recourent plus jamais à l'expression « je t'aime ». Après avoir découvert ce phénomène, j'ai commencé à interroger mes élèves pour confirmer mon observation. L'un d'eux m'a répondu que, bien sûr, il disait « je t'aime » à ses petites amies... « au moment où nous rompons ». Rompre est un phénomène beaucoup plus habituel et plus typique que s'unir. C'est la rupture propre et facile — sans dommage, sans responsable. Elle est entendue comme une morale, sous la rubrique du respect dû à la liberté d'autrui. Pourquoi les jeunes gens ne disent plus « je t'aime » est une question intéressante. C'est peut-être simplement par honnêteté : ils n'éprouvent plus d'amour, ayant trop pris l'habitude des rapports sexuels pour les confondre avec l'amour et trop préoccupés eux-mêmes de leur propre sort pour être victimes du fol oubli de soi qu'est l'amour, l'ultime fanatisme authentique. Mêlé et associé à cela, il y a aussi le dégoût pour le bagage historique qui accompagne fatalement l'amour : rôles sexuels, transformation des femmes en objets de possession sans respect pour leur liberté. On a jugé que les jeunes gens d'aujourd'hui avaient peur de prendre des engagements, et le fait est que l'amour *est* un engagement, et bien davantage. Engagement est un mot inventé par notre modernité abstraite pour signifier l'absence de tout motif réel, dans l'âme, pour se consacrer moralement à quelque chose ou à quelqu'un. L'engagement est gratuit, sans mobile, car les vraies passions sont toutes basses et égoïstes. On peut être attiré sexuellement, mais cela ne veut pas dire, c'est du moins l'avis général, qu'on soit suffisamment motivé pour se préoccuper vraiment et durablement de l'autre. Les jeunes gens, et ils ne sont pas les seuls dans ce cas, ont étudié et mis en pratique un *éros* infirme qui ne peut plus s'envoler, qui ne comporte plus d'aspiration à l'éternité ni de divination de la relation à l'être. Ce sont des kantiens pratiques : ce qui est corrompu par la luxure ou le plaisir ne peut être moral. Mais ils n'ont pas découvert la morale pure. Celle-ci demeure une catégorie vide, propre à discréditer toutes les inclinations réelles qui, naguère, étaient moralisatrices. On trouve chez eux trop d'authenticité pour qu'ils se fient à leurs instincts ; et l'excès de sérieux apporté aux affaires du sexe les a mis dans l'impossibilité de prendre le sexe au sérieux. Les jeunes garçons et les jeunes filles se méfient trop de l'érotisme pour le considérer comme l'indication suffisante d'un mode de vie. Les fardeaux dont nous charge l'*éros* et auxquels il apporte sa bénédiction ne sont des fardeaux que lorsqu'il en est absent. Ce n'est pas de la lâcheté d'éviter de prendre des responsabilités qui n'ont même pas de charme par avance.

Quand il y a mariage, ce ne semble pas, habituellement, être le résultat d'une décision et d'une volonté consciente de prendre des responsabilités. Le couple a vécu ensemble pendant longtemps, il en a pris l'habitude et, par un processus presque imperceptible, il se trouve marié, autant par commodité que par passion, autant pour des raisons négatives que positives : on n'escompte pas vraiment de meilleure solution, car on a bien regardé tout autour de soi et vu combien toutes les combinaisons semblent imparfaites. De nos jours, en tout cas chez les gens cultivés, le mariage semble avoir, au mieux, été contracté dans un moment d'absence de réflexion (pour reprendre le mot célèbre qu'a eu Winston Churchill à propos de l'Empire britannique).

Dans cette scène sexuelle jouée sans engagement, un rôle important est joué par l'idéologie des sentiments. Les jeunes gens me disent toujours des choses fort raisonnables à propos de la jalousie, de la possessivité et même de leurs rêves pour l'avenir.

Mais pour ce qui est des rêves d'avenir avec un partenaire, ils n'en ont pas. Parce que cela reviendrait à imposer un schéma rigide et autoritaire à un avenir qui, selon eux, devrait au contraire se dessiner spontanément. Si l'on interprète leur pensée là-dessus, cela signifie qu'ils ne peuvent prévoir aucun avenir ou que celui qu'ils prévoiraient naturellement leur est interdit par la morale actuellement en vigueur, car il serait sexiste. Dans le même ordre d'idées, pourquoi un homme ou une femme seraient-ils jaloux si leur partenaire a des relations sexuelles avec quelqu'un d'autre ? Quelqu'un de sérieux ne tient pas à forcer les sentiments des autres. Il en va de même pour la possessivité. Quand j'entends des choses pareilles, toutes fort sensées et en harmonie avec la société libérale, il me semble que je me trouve en présence de robots. Tout cela fonctionne comme si l'on n'avait aucune expérience des sentiments, comme si l'on n'avait jamais aimé, comme si l'on faisait abstraction de la texture de la vie. Ces prodiges de raison n'ont évidemment pas à redouter le sort d'Othello. Tuer par amour ! Qu'est-ce que cela peut vouloir dire ? Il se peut très bien que cette *apathéïa,* cette indifférence, soit un refoulement du sentiment, un refus de l'angoisse d'être blessé. Mais je n'en suis pas sûr. Il se peut aussi qu'elle soit une réalité. Il se pourrait que les êtres humains, après avoir assimilé l'incompatibilité des fins, se soient donné une nouvelle espèce d'âme. Sur aucun point je ne me sens aussi incapable de comprendre ce qui se passe à l'intérieur de mes élèves. Aucune des possibilités sexuelles qu'ils ont actualisées ne m'était inconnue. Mais l'absence de passion, d'espoir, de désespoir, du sentiment de la gémellité de l'amour et de la mort, cela est incompréhensible pour moi. Quand je vois un jeune couple qui a vécu ensemble pendant toutes ses années de faculté se quitter avec une simple poignée de main et partir, chacun de son côté, pour vivre sa vie, je suis frappé de mutisme.

Les étudiants ne se donnent plus de rendez-vous. Les rendez-vous étaient le squelette pétrifié de la cour que le garçon faisait à la fille. Ils vivent maintenant en troupeaux, sans plus de différenciation sexuelle que n'en ont les animaux d'un groupe en dehors de la saison du rut. Bien sûr, les êtres humains ne sont pas sexuellement saisonniers, de sorte qu'ils peuvent faire l'amour à n'importe quel moment. Mais il ne reste plus rien non plus des conventions inventées par la civilisation pour remplacer le rut, pour servir de guide à l'accouplement et peut-être le canaliser. Personne ne sait bien qui fera des avances, s'il y aura un poursuivant et un poursuivi, ce que l'événement doit signifier. Il leur faut inventer leurs rôles au fur et à mesure, car les rôles sont désormais bannis, et un homme paiera le prix fort pour avoir mal évalué l'attitude de sa partenaire. Puis l'acte a lieu, mais il ne sépare pas le couple du troupeau, auquel il retourne immédiatement, tel qu'il était auparavant, indifférencié.

Il est désormais plus facile pour les hommes d'obtenir la satisfaction qu'ils désirent et beaucoup d'hommes bénéficient de l'avantage d'être poursuivis par les femmes. Certes, ils n'ont plus besoin de déployer tous les efforts et de donner toutes les marques d'attention auxquels leurs aînés étaient astreints. Mais quelques-uns au moins de ces avantages sont contrebalancés, pour les hommes, par l'inquiétude de devoir prouver leurs capacités sexuelles. Autrefois, un homme pouvait penser qu'il faisait à une femme un merveilleux cadeau et il pouvait s'attendre à être admiré pour ce qu'il lui apportait. Mais cela se passait à un moment où il pouvait être à peu près sûr qu'on ne le comparerait à personne d'autre, qu'on ne le jugerait pas à l'aune d'un autre amant, ce qui est décourageant. De plus, certains aspects de la biologie masculine, indéniablement, font qu'il n'est pas toujours facile à l'homme de s'exécuter : aussi préfère-t-il en général être le premier à manifester son désir.

Les femmes sont toujours contentes de leur liberté et de leur aptitude à se tracer une route indépendante. Mais elles sont souvent tourmentées par un soupçon : celui qu'on se sert d'elles, qu'à la longue elles auront peut-être davantage besoin des hommes que les hommes n'auront besoin d'elles et qu'il n'y a pas grand-chose à attendre de l'homme contemporain, cet être mou et veule. Elles méprisent ce que les hommes pensaient naguère que les femmes avaient à offrir (et c'est, en partie, la raison pour laquelle elles l'offrent désormais si librement), mais elles sont torturées par un doute : est-ce que les hommes sont très impressionnés par ce qu'elles leur offrent maintenant ? Le commerce entre sexes, apparemment si facile, est à présent imprégné de méfiance. Comme je l'ai dit, il y a une quantité impressionnante de ruptures, certainement désagréables mais non catastrophiques. On m'a assuré que la période des examens est aussi celle où ont lieu le plus de séparations. C'est un moment où la tension et le travail sont trop intenses pour qu'on puisse s'accommoder de beaucoup de difficultés dans les relations avec l'autre.

Des relations, voilà ce qu'ont les étudiants, non des histoires d'amour. Le mot amour suggère quelque chose de merveilleux, d'excitant, de positif, de fondé sur la passion. Tandis qu'une relation, c'est gris, c'est amorphe, cela ne suggère qu'un projet sans contenu précis, bref une tentative. Il faut œuvrer pour une relation, tandis que l'amour prend soin de lui-même. Dans une relation, les difficultés viennent en premier lieu, après quoi il y a recherche de bases communes. L'amour présente à l'imagination des illusions de perfection et il fait oublier toutes les faiblesses naturelles de toutes les associations humaines. Des relations, on parle sans cesse avec anxiété : c'est le genre de conversations qu'on ne peut s'empêcher de surprendre dans les chambres d'étudiants ou dans les restaurants fréquentés par les jeunes cadres, le genre de discussions obsessionnelles entre hommes et femmes « collés » ensemble, si merveilleusement saisies dans les vieux numéros de Nichols et May * et dans les films de Woody Allen. Je me rappelle toujours un dialogue des premiers : il avait lieu entre un garçon et une fille qui venaient de coucher ensemble pour la première fois et déclaraient, avec le ton affirmatif qui dissimule le doute et le vide : « Nous allons avoir une *relation.* » Au cours des années cinquante, l'université de Chicago se passionnait pour ce qu'elle croyait être une lumineuse découverte : la notion de « foule solitaire » (fondée sur l'essai du sociologue David Riesman, *The Lonely Crowd*). Mais la faiblesse de cette formule, c'est qu'elle confortait une conviction erronée : à savoir qu'en se laissant orienter par leur intériorité, donc en allant plus loin sur la voie du moi isolé, les gens seraient moins solitaires. Or le problème n'est pas que les gens ne sont pas assez authentiques, c'est qu'ils n'ont pas d'objectif commun, pas de bien commun, pas de complémentarité naturelle. Le moi, c'est évident, n'a de relation qu'avec lui-même, et c'est pourquoi la « communication » est son problème. La discussion d'une relation est toujours sans fin, c'est un récipient vide en quête d'un contenu. Tout le monde admet l'esprit grégaire, comme celui des animaux dans un troupeau. Le donné, c'est cela : paître côte à côte et se frotter l'un contre l'autre. Mais il existe tout de même le désir et la nécessité d'avoir quelque chose de plus, de faire une transition : du troupeau à la ruche, dans laquelle il y a une véritable interconnexion. Ainsi l'on prise beaucoup la ruche, c'est-à-dire la communauté, les racines, une extension de la famille. Mais personne n'est disposé à transformer son moi indéterminé en une personnalité trop déterminée, celle d'une ouvrière, d'un faux bourdon ou d'une reine dans la ruche, personne ne veut se soumettre à la hiérarchie et à la division du travail qui sont nécessaires à n'importe quel ensemble s'il doit être autre chose qu'un simple amas de parties séparées. Les moi veulent être des totalités à eux seuls ; mais, récemment, ils se sont aussi mis à aspirer à être les parties d'un tout. Voilà pourquoi la conversation sur les « relations » reste tellement vide, abstraite et sans programme, tout son contenu étant emmagasiné dans une bouteille portant l'étiquette « engagement ». C'est aussi la raison pour laquelle on parle tant de phénomènes tels que la « liaison » (au sens scientifique). Faute de véritable élément d'association dans les âmes des êtres humains, on cherche à se rassurer par une

---

* Duettistes célèbres aux Etats-Unis durant les années cinquante. Nichols a ensuite connu une renommée internationale comme metteur en scène (*Le Lauréat,* avec Dustin Hoffman). Sa partenaire est plus ou moins tombée dans l'oubli. (N.d.T.)

analogie stérile avec la détermination biologique des animaux. Mais cette analogie ne fonctionne pas : d'une part parce que ces mécanismes ne vont pas assez loin pour procurer ce que l'on désire, d'autre part parce que l'attachement humain comporte toujours un élément de choix délibéré que, précisément, l'analogie exclut. Pour bien voir ce qui manque, il suffit de comparer les romans et les films innombrables qui présentent une « liaison » avec l'exposé de l'amitié dans l'*Éthique* d'Aristote. Pas plus que l'amour, qui est un phénomène jumeau, l'amitié n'est à notre portée, car l'une et l'autre exigent des notions de l'âme et de la nature que, pour un mélange de raisons théoriques et politiques, nous ne pouvons même plus envisager.

Le fait de se contenter de « relations » telles qu'on les pratique à présent, ce n'est pas seulement une façon de se donner du courage, c'est aussi une manière de se leurrer soi-même, car les relations ainsi conçues sont fondées sur une contradiction interne. Examinons plus spécialement les relations entre homme et femme, puisque ce sont elles qui nous occupent ici. Les relations entre les sexes ont toujours été difficiles et c'est bien pourquoi une si grande partie de la littérature est consacrée aux disputes entre hommes et femmes. Certes, il y a de quoi mettre en doute la possibilité d'accord entre eux, si l'on envisage le vaste éventail — du harem à la *République* platonicienne — de combinaisons imaginables et qui ont existé dans les rapports entre les sexes : soit que la nature ait à cet égard agi en marâtre, soit que Dieu ait détérioré sa création après coup, comme l'ont imaginé certains romantiques. Que l'homme ne soit pas fait pour vivre seul, c'est évident, mais qui est fait pour vivre avec lui ? Voilà pourquoi hommes et femmes ont toujours hésité avant de se marier : on a jugé nécessaire que l'homme fasse la cour à une femme pour voir si le couple était « compatible » et, peut-être, pour lui fournir une sorte d'entraînement à la vie commune. Personne ne souhaitait alors, pas plus que maintenant, être associé pour toujours à un partenaire impossible. Et pourtant, chacun savait parfaitement bien ce qu'il attendait de l'autre. La question était de savoir s'il pouvait l'obtenir (alors qu'aujourd'hui la question est beaucoup plus de savoir ce qu'on veut). Un homme, alors, devait se procurer des moyens d'existence et protéger sa femme et ses enfants, et une femme devait pourvoir à l'économie du ménage, particulièrement en s'occupant de son mari et de ses enfants. Fréquemment, il faut le dire, cela ne fonctionnait pas très bien pour l'un des partenaires ou pour tous les deux, soit parce qu'ils n'étaient pas très doués pour leur fonction, soit parce qu'ils n'avaient pas grande envie de s'en acquitter. Les femmes travesties que l'on voit dans les pièces de Shakespeare, comme Portia ou Rosalinde, sont obligées de se déguiser en garçons parce que les hommes ne sont pas à la hauteur de leur rôle et qu'ils ont besoin d'être corrigés. Autrement dit, en l'absence de vrais hommes, les femmes deviennent des hommes pour assurer l'ordre convenable des choses. Cela ne se produit que dans les comédies : quand il n'y a pas de femmes aussi intrépides, la situation tourne à la tragédie. Mais au théâtre, quand les femmes prennent un habit d'homme, les convenances sont respectées ; des hommes pourraient faire ce qu'elles font, et une fois qu'elles ont remis les choses en ordre, elles redeviennent des femmes et se soumettent à nouveau aux hommes, tout en gardant conscience, avec tact et ironie, qu'en partie au moins elles jouent un rôle pour préserver un ordre durable. L'arrangement qui est implicite dans le mariage, même s'il n'est que conventionnel, informe ceux qui s'y engagent de ce qu'ils doivent en attendre et des satisfactions qu'ils sont censés y trouver. En simplifiant, on peut dire que la famille est une espèce d'organisme politique en miniature, où la volonté du mari représente celle de l'ensemble. La femme peut influer sur la volonté de son mari, et celle-ci est censée être déterminée par l'amour de la femme et des enfants.

De nos jours, tout ce système a purement et simplement volé en éclats. En fait, il n'existe plus et on ne considère pas qu'il serait bon qu'il revive. Mais rien de solide n'a pris sa place. Ni les hommes ni les femmes n'ont la moindre idée de ce vers quoi ils vont ou, plus exactement, ils ont toutes les raisons de redouter le pire. Il y a désormais deux volontés égales sans aucun principe médiateur pour les unir. De plus, aucune des deux volontés n'est sûre d'elle. C'est ici qu'intervient l' « ordre de priorités », particulièrement chez les femmes, qui n'ont pas encore décidé si elles doivent donner la priorité à leur carrière ou à leurs enfants. On n'enseigne plus aux enfants à penser que le mariage et la responsabilité devraient être leur objectif premier dans l'avenir, et l'incertitude qui découle de ce manque d'enseignement est puissamment renforcée par la considération des statistiques des divorces : en en prenant connaissance, on peut estimer qu'en mettant tous ses œufs psychologiques dans le même panier, celui du mariage, on court un sacré risque. La situation actuelle est donc caractérisée par un conflit sentimental entre les buts et les volontés. Les individus — les hommes et les femmes considérés en tant que tels — sont devenus des sortes de lignes parallèles et il faudrait l'imagination d'un Lobatchevski pour espérer qu'ils se rencontrent.

C'est dans la carrière féminine (qui est actuellement exactement la même que celle de l'homme) que la dysharmonie des objectifs finaux trouve son expression la plus concrète. Dans presque tous les ménages composés de personnes instruites âgées de moins de trente-cinq ans, on voit deux individus qui poursuivent deux carrières égales. Et ces carrières ne sont pas l'équivalent de celles qui, naguère, consistaient à remuer la terre pour nourrir la famille, donc servaient de simples moyens pour des fins familiales. Il s'agit ici d'accomplissements personnels. Dans le pays de nomades qui est le nôtre, il est plus que probable qu'un des partenaires sera obligé ou aura l'occasion de prendre un emploi dans une ville autre que celle où travaille son conjoint. Que faire ? Ils peuvent rester ensemble, l'un des partenaires sacrifiant alors sa carrière à l'autre ; ils peuvent faire la navette entre les deux villes ; ils peuvent se séparer. Aucune de ces solutions n'est satisfaisante. Ce qui est plus important, c'est qu'on ne peut prédire ce qui va se produire. Est-ce le ménage ou la carrière qui comptera le plus ? Le résultat, c'est que le ménage et la carrière sont l'un et l'autre dévalués. De tels conflits sont désormais inévitables : tel est l'aspect qualitativement différent que revêtent aujourd'hui les carrières féminines par rapport à ce qu'elles étaient voici vingt ans.

Depuis fort longtemps, les femmes des classes moyennes ont embrassé certaines professions, avec l'accord de leurs maris. On considérait qu'elles avaient le droit de faire fructifier des dons précieux au lieu de se limiter aux corvées ménagères. Certes, il y avait déjà implicitement dans cette démarche l'opinion que les professions bourgeoises offrent une possibilité de développer ses capacités personnelles, alors que la famille et en particulier les tâches féminines sont du domaine de la nécessité, domaine limité qui limite ceux qui l'occupent. Des hommes sérieux, à la conscience irréprochable, admettaient qu'ils devaient permettre à leurs femmes de se développer. Mais à de rares exceptions près, les deux parties admettaient que la femme était responsable de la famille et qu'en cas de conflit éventuel elle renoncerait à sa carrière. Ce n'était pas là une solution très sérieuse et, d'habitude, la femme s'en rendait bien compte. Car la combinaison était une sorte de demi-mesure insoutenable à la longue, et on pouvait déjà prévoir clairement de quel côté la balance allait pencher tôt ou tard. On avait donc admis que le ménage ne constituait pas pour la femme un accomplissement spirituel ; on avait aussi admis que les femmes avaient des droits égaux à ceux des hommes. La notion d'une existence propre aux femmes avait perdu toute crédibilité. Il ne restait plus qu'à se demander pourquoi les femmes ne prendraient pas leur profession aussi au sérieux que le faisaient les hommes et pourquoi on ne les prendrait pas, elles, aussi au sérieux qu'on prenait les hommes. Il en est résulté un très vif sentiment de l'injustice dont les femmes, compte tenu de l'idée qu'on se fait aujourd'hui de la justice, étaient victimes : et cette rancœur a trouvé son expression dans des exigences parfaitement légitimes, dont les prémisses, admises aussi bien par les hommes que par les femmes, étaient que les hommes acceptent de renoncer à un peu de leur attachement exclusif à leur carrière et qu'ils prennent une part égale dans les travaux ménagers et dans l'éducation des enfants.

L'abandon, par les femmes, de la « personnalité » féminine s'est trouvé alors consolidé par le fait que leur « personnalité » était en train de les abandonner. En raison de changements économiques, il était devenu désirable et nécessaire que les femmes travaillent ; du fait de la baisse de la mortalité infantile, les femmes n'étaient plus tenues à des grossesses aussi nombreuses ; à cause de leur plus grande longévité et de leur meilleure santé, les femmes consacraient désormais une proportion beaucoup plus faible de leur existence à avoir des enfants et à les élever ; et enfin, en raison d'une modification des relations au sein de la famille, il était de moins en moins probable qu'elles soient occupées de façon continue par les soins à donner à leurs enfants et aux enfants de leurs enfants. A quarante-cinq ans, une femme se trouvait désormais avec la perspective de n'avoir rien à faire pendant les quarante années qui lui restaient à vivre. Elle avait perdu les années au cours desquelles elle aurait pu acquérir une formation ; de ce fait, elle n'était pas en mesure d'entrer en compétition avec les hommes. Et, de plus, une femme qui aurait souhaité alors se montrer femme dans l'ancien sens du terme aurait rencontré de grandes difficultés pour le faire, même en acceptant de braver une opinion publique hostile. Sur tous ces points, la cause des féministes est extrêmement solide. Mais il faut ajouter que les conditions du mariage ont été radicalement altérées entre-temps, sans qu'on en ait défini de nouvelles.

La réponse des féministes à cette objection, c'est qu'en toute justice, les conditions du mariage devraient se fonder sur un partage égal de toutes les responsabilités ménagères entre les hommes et les femmes. Mais d'abord, ce n'est évidemment pas une solution mais un compromis, une atténuation de l'investissement excessif des hommes dans leur profession et des femmes dans la famille, accompagnée de ce qu'on peut considérer comme un enrichissement des deux parties sur le plan de la diversité des tâches, mais qu'on peut considérer aussi comme une fragmentation fâcheuse de leurs existences. Le problème concomitant dans le cas d'emplois de l'homme et de la femme dans des villes différentes ne se trouve du reste pas résolu : or, quoi qu'on puisse en dire, c'est là un dilemme fréquent, une plaie purulente, une source de soupçons et de ressentiments, qui contient en germe la possibilité d'un conflit ouvert entre les deux époux. D'autre part, ce compromis ne règle pas la question de l'éducation des enfants. Les deux parents devront-ils se consacrer davantage à leurs carrières respectives ou davantage à leurs enfants ? Autrefois, l'un des deux, la femme, avait comme souci le plus important l'éducation des enfants ; du moins ceux-ci bénéficiaient-ils alors de l'investissement inconditionnel d'une personne à leur profit. Est-ce que la moitié de l'attention qu'on vous prêtait naguère multipliée par deux équivaut à l'attention complète d'une personne ? Est-ce que ce n'est pas là une simple formule pour s'autoriser à négliger ses enfants ? Sous une telle règle, la famille n'est pas une unité et le mariage est transformé en une sorte de combat déplaisant, dont il n'est que trop facile de se dégager, surtout pour les hommes.

C'est ici que toute l'affaire s'envenime. Car pour se conformer à la nouvelle règle matrimoniale, l'âme de l'homme doit être restructurée. Il faut démanteler le caractère belliqueux, ambitieux, protecteur, possessif du mâle, pour libérer la femme de sa domination. Le « machisme », terme polémique pour décrire la virilité ou le courage qui était la passion centrale *naturelle* des âmes masculines dans la psychologie des anciens, passion de l'attachement et de la loyauté, a été dénoncé comme l'ennemi numéro un, et cela parce que c'est effectivement la source de la différence entre les sexes. Ici, les féministes ne faisaient qu'achever une entreprise commencée par Hobbes dans son projet de mater les éléments rudes et agressifs de l'âme. Une fois qu'on a discrédité le machisme, il faut rendre l'homme tendre, sensible et même nourricier. Ce qui fera fort bien l'affaire de la famille, ainsi restructurée. Une fois de plus, on aura rééduqué l'homme pour répondre à un projet abstrait. On a incité les hommes à admettre qu'ils ont, dans leur nature, des « éléments féminins ». Les écoles, les études psychologiques, la télévision, le cinéma sont envahis par une foule de personnages à la Dustin Hoffman et à la Meryl Streep * et cela contribue à rendre ce nouvel avatar des rôles sexuels respectable. Les hommes ont tendance à se plier à cette rééducation, avec un peu de maussaderie mais studieusement néanmoins, pour « participer », pour éviter l'opprobre de l'étiquette « sexiste » et pour rester en paix avec leurs femmes et leurs petites amies. Et il est en effet possible d'*adoucir* les hommes. Mais de les *attendrir*, d'en faire des êtres aimants qui prennent soin des autres, c'est une autre affaire, et le projet est voué à l'échec.

Il est voué à l'échec parce que, dans une ère individualiste, on ne peut obliger personne à se soucier du bien des autres, et l'admonestation est particulièrement mal reçue quand elle provient de ceux qui vont eux-mêmes dans la direction opposée. En outre, l'amour des autres est une passion ou une vertu, mais non une simple qualité. Une vertu peut gouverner une passion, comme la modération gouverne la luxure ou le courage la peur. Mais quelle passion gouverne l'amour des autres ? Peut-être la possessivité ; mais à l'époque actuelle, on ne se propose pas de « contrôler » la possessivité, mais, purement et simplement, de l'extirper. Non, ce qu'on cherche à obtenir, c'est un antidote à l'égoïsme naturel des hommes, mais c'est là un vœu pieux qui ne se réalisera jamais, avec

---

* Allusion au film *Kramer contre Kramer*. (N.d.T.)

145

quelque ardeur que l'exige la morale abstraite. Si imparfait qu'il fût, le vieil ordre moral avait au moins l'avantage d'orienter les hommes vers les vertus par le truchement des passions. Si les hommes étaient préoccupés d'eux-mêmes, cet ordre ancien essayait d'accroître le champ de cette préoccupation de façon qu'elle englobe aussi les autres, plutôt que de commander aux hommes de cesser de se préoccuper d'eux-mêmes, exigence tout à la fois tyrannique et inefficace.

Un ordre politique et social véritable exige que l'âme ait une structure de cathédrale gothique, que toutes les contraintes et les tensions de l'égoïsme contribuent à renforcer. La morale abstraite condamne certaines clés de voûte, les enlève, puis, quand la cathédrale s'écroule, elle accuse la qualité des pierres ou celle de la construction. Le meilleur exemple qu'on puisse donner de cette erreur, c'est peut-être l'échec de l'agriculture dans le socialisme collectiviste. Une motivation imaginaire est censée remplacer les vrais mobiles; et quand la motivation imaginaire ne réussit pas à produire le résultat véritable qu'on en attend, on accuse et on persécute ceux qu'on n'est pas parvenu à motiver de la sorte. Dans les questions familiales, dans la mesure où les hommes étaient censés être très motivés par la notion de propriété, une sagesse ancienne essayait de rattacher le souci de la famille à cette motivation-là : c'est-à-dire qu'on autorisait et encourageait l'homme à considérer sa famille comme sa propriété, ce qui l'incitait à prendre soin de sa famille comme, d'instinct, il aurait pris soin de son bien. Ce processus était efficace, même si, manifestement, il comportait certains inconvénients du point de vue de la justice. Et certes, quand femmes et enfants viennent dire à leur époux et père : « Nous ne sommes pas ta propriété, nous sommes des fins en nous-mêmes et nous exigeons d'être traités comme tels », l'observateur anonyme ne peut s'empêcher d'en être impressionné. Mais la difficulté vient ensuite : quand la femme et les enfants demandent que l'homme continue à s'occuper d'eux comme il le faisait auparavant et cela au moment même où ils lui donnent l'exemple contraire, en ne se préoccupant que d'eux-mêmes. Ils critiquent les motivations du père qu'ils jugent intéressées, et demandent qu'elles soient remplacées miraculeusement par des mobiles purs, mais c'est parce qu'ils souhaitent en faire usage pour leurs propres fins ! Presque inévitablement, le père va restreindre son goût et sa quête de la propriété; il cessera alors d'être un père et redeviendra un homme comme les autres... mais ne se transformera pas en un dieu providentiel, comme sa famille lui demande de le faire. Ce qu'il y a d'intolérable dans la *République* telle que nous la montre Platon, c'est qu'on exige des hommes qu'ils renoncent à leurs terres, à leur argent, à leurs femmes, à leurs enfants au profit du bien public, alors que leur souci du bien public était précisément étayé, dans la période antérieure, par ces attachements vils auxquels on leur demande de renoncer. Ainsi on espère obtenir une cité heureuse faite entièrement d'hommes malheureux. Aujourd'hui, à une époque de morale relâchée et de sybaritisme, on émet des exigences analogues ! Platon nous enseigne que, si louable que soit la justice, on ne saurait attendre des gens ordinaires des prodiges de vertu. Mieux vaut une cité vraie gâtée par des motivations égoïstes qu'une cité qui ne peut exister, qui n'existe qu'en paroles et peut aussi aboutir à une tyrannie véritable.

Je ne prétends pas, ici, que les anciennes dispositions familiales fussent parfaites, ni qu'il faille ou qu'on puisse y revenir. Le seul point sur lequel j'insiste est le suivant : il ne faut pas occulter notre vision au point de croire qu'il existe des solutions de rechange, simplement parce que nous le souhaitons ou que nous en avons besoin. L'attachement particulier des mères aux enfants existait, il existe encore dans une certaine mesure, que cela soit le produit de la nature ou de la culture. Et il est sans exemple que les pères aient exactement le même genre d'attachement. Nous pouvons essayer d'aller dans ce sens ; mais si la nature ne coopère pas, tous nos efforts seront vains. La biologie oblige les femmes à prendre des congés de maternité ; la loi enjoint désormais aux pères de prendre des congés de paternité, mais elle ne peut les obliger à éprouver les sentiments souhaités. Seul le plus obtus des idéologues pourrait ne pas voir la différence entre ces deux espèces de congé et le caractère artificiel et un peu ridicule du second. La loi pourrait même aller jusqu'à prescrire que les seins des hommes soient aussi gros que ceux des femmes : ils ne donneront pas de lait pour autant ! L'attachement des mères aux enfants doit être, au moins en partie, remplacé par celui des pères : c'est une traite en blanc tirée sur les sentiments masculins. Sera-t-elle honorée ? Peut-on compter sur une alchimie miraculeuse qui transformera le papier en or pur ? Ou bien tout le monde va-t-il s'en tenir à son petit système bancaire séparé (psychologiquement parlant, bien sûr) ?

De même, ne pouvant plus compter sur les hommes, les femmes ont dû pourvoir aux moyens de leur indépendance. Cela a simplement fourni aux hommes un prétexte pour s'occuper encore moins de la subsistance des femmes, puisqu'elles s'en chargeaient elles-mêmes. Certes, une femme faible et dépendante est vulnérable puisqu'elle se met à la merci des hommes. Mais cette vulnérabilité même a très souvent séduit beaucoup d'hommes. Pour traiter le manque de responsabilité des hommes, les femmes ont trouvé un bon remède : les rendre encore plus irresponsables ! Et une femme qui peut gagner sa vie indépendamment des hommes a beaucoup moins de motifs d'inciter un homme à prendre soin d'elle et de ses enfants. Autre exemple du même style : j'ai entendu, à la radio, une femme lieutenant-colonel dans l'armée expliquer que le seul obstacle qui se dresse sur le chemin de l'égalité complète des femmes et des hommes dans la carrière militaire, c'est l'esprit protecteur masculin! Eh bien, qu'on en finisse avec l'esprit de protection des hommes! Et pourtant, c'était cet esprit-là, fondé sur la fierté masculine, qui se prévalait de la gloire de défendre l'honneur et la vie d'une faible femme; c'était tout à la fois une forme du lien entre homme et femme et une manière de sublimer l'égoïsme du mâle. Mais à quoi bon risquer sa vie pour protéger une femme champion de karaté qui sait exactement quelle partie de l'anatomie masculine elle doit attaquer pour se défendre? « Il n'y a plus ici que des personnes. » Quelles solutions de rechange trouvera-t-on pour des types de relations homme-femme qui ont été démantelées au nom de la nouvelle justice?

Pour reprendre une image dont je me suis servi plus haut, toutes nos réformes ont contribué à émousser les dents de nos rouages, qui ne peuvent plus engrener les uns sur les autres. Ils tournent à vide, côte à côte, dans l'incapacité de mettre en mouvement la machine sociale. Et c'est dans ce vide que les jeunes gens plongent leur regard quand ils pensent à leur avenir. Les femmes sont ravies de leurs succès, des nouvelles occasions qui s'offrent à elles, de leur programme, de leur supériorité morale; mais, sous-jacente, réside la conviction plus ou moins consciente qu'elles sont encore et toujours des êtres doubles par nature, certes capables de faire la plupart des choses que font les hommes, et pourtant désireuses d'avoir des enfants.

Mais quel que soit leur espoir à cet égard, elles sont bien décidées à poursuivre fermement leur carrière professionnelle (alors qu'en fait l'amour des enfants est quelque chose de bien plus important), et il est probable que ce qu'elles ont si délibérément projeté se réalisera. Les hommes, dépourvus des motivations idéologiques des femmes, peuvent du moins se retirer du jeu sans que cela leur coûte trop cher. Dans leurs relations avec les femmes, ils n'ont guère leur mot à dire; admettant l'injustice de l'ordre ancien dont ils étaient responsables, ils sont bien incapables de modifier la direction de l'énorme machine de guerre que les femmes ont mise en marche et ils attendent patiemment qu'on leur dise ce qu'il faut faire, essayant de s'adapter, mais prêts à tout moment à s'éloigner et à reprendre leur mise. Bien sûr, ils aimeraient entretenir avec une femme des relations agréables, mais la situation n'est pas nette : on peut espérer un certain profit de cet investissement affectif, mais il se peut aussi que cela se termine par une faillite sentimentale et qu'on ait sacrifié des objectifs professionnels sans aucune assurance d'en retirer autre chose qu'une vague association avec une autre personne... Et qu'on ne me traite pas de cynique si je mentionne crûment un simple fait : ce qui était naguère l'un des mobiles du mariage ne joue plus de rôle aujourd'hui. Car désormais les hommes peuvent faire l'amour avec des filles « bien » sans prendre d'engagement, alors qu'autrefois ils ne pouvaient y parvenir qu'en les épousant. Ce qui est curieux, c'est que les lieux communs les plus usés que les mères et les pères débitaient jadis à leurs filles — « Si tu lui accordes trop facilement ce qu'il demande, il ne te respectera pas et ne t'épousera jamais » — s'avèrent être l'analyse la plus juste et la plus concluante de la situation actuelle. Les femmes peuvent bien dire qu'elles s'en moquent, qu'elles veulent se marier pour de bons motifs ou ne pas se marier du tout : tout le monde sait que ce n'est qu'à demi vrai. Et elles le savent mieux que personne.

L'éros

Tel est donc le tableau de la vie sexuelle à l'université. Le relativisme en théorie, l'absence de relations authentiques en pratique mettent les étudiants dans l'incapacité de penser à leur avenir et même de l'envisager, et ils s'en tiennent frileusement aux limites de leur *moi* actuel et matériel. L'avenir n'est pas seulement obscur : ils savent que des monstres s'y dissimulent. Ils sont à la rigueur d'accord pour marmonner le catéchisme qu'on leur a appris, véritable succédané de la pensée, qui leur promet le salut, mais la foi n'y est pas. « Nous allons tous obsessionnellement, m'a dit un étudiant intelligent, chercher de l'eau au puits, mais le puits est toujours à sec ». La rhétorique des homosexuels qui participent à la vie du campus ne fait que confirmer ce jugement. Après toutes leurs exigences, toutes leurs récriminations contre l'ordre existant — « ne faites pas de discrimination à notre égard, ne légiférez pas sur la moralité, ne mettez pas un policier dans chaque chambre, respectez notre orientation » — ils retombent dans leur bavardage creux à propos du « style de vie » qu'il leur faut trouver. Il n'y a rien, il ne peut rien y avoir de plus spécifique. Toutes les relations ont été homogénéisées dans leur indétermination.

L'érotisme de nos étudiants est infirme. Ce n'est pas la folie divine que glorifiait Socrate, la prise de conscience stimulante de sa propre imperfection et la quête du moyen de la surmonter, la grâce naturelle qui permet à un être partiel de retrouver son intégralité en étreignant autrui ou à un être temporel d'aspirer à l'éternité en se perpétuant par sa semence, l'évocation par tout homme de ses exploits ou la contemplation de sa perfection. L'*éros* produit un malaise, mais un malaise qui porte en lui-même sa guérison, et c'est aussi une affirmation de l'excellence des choses. C'est la preuve, la preuve subjective mais incontestable, du fait que l'homme est lié aux autres hommes et à l'ensemble du monde, si imparfaite que soit cette relation. L'émerveillement, source tout à la fois de la poésie et de la philosophie, en est l'expression caractéristique. L'*éros* exige de ses fervents qu'ils soient audacieux et il leur fournit de bonnes raisons de l'être. L'aspiration à la perfection, c'est l'aspiration au savoir, et l'étude en est l'éducation. La connaissance que Socrate dit avoir de l'ignorance est identique à sa connaissance parfaite de l'érotisme. Le désir de converser avec lui, de boire ces paroles par lesquelles il contaminait ses compagnons, ce désir qui s'est encore intensifié après sa mort et qui s'est perpétué au cours des siècles, a prouvé qu'il était à la fois le plus avide et le plus tenace des amants et le plus riche et le plus généreux des aimés. Mais les existences sexuelles de nos étudiants et les réflexions qu'ils font à leur propos enlèvent toute ardeur à un tel désir et le leur rendent incompréhensible. Il ne reste presque plus aucun lien visible à leurs yeux entre ce qu'ils apprennent par l'éducation sexuelle et *Le Banquet* de Platon. Le réductionnisme a volé à l'*éros* ses pouvoirs divinatoires. Parce qu'ils n'ont pas confiance en lui, les étudiants n'ont pas de respect pour eux-mêmes.

C'est sur ces hauteurs dangereuses qu'il faut se placer si l'on veut voir dans une perspective adéquate notre situation actuelle. Le fait que l'existence de ces hauteurs n'est plus crédible donne la mesure de la crise que nous traversons. Lorsqu'on envisage immédiatement le *Phèdre* et *Le Banquet* comme des modes d'interprétation de nos expériences, on peut être certain que ces expériences seront vécues dans leur plénitude et qu'un minimum d'éducation est nécessaire. Rousseau, fondateur du plus puissant des enseignements réductionnistes de l'*éros,* a dit que *Le Banquet* est toujours le livre des amants. N'avons-nous plus d'amants ? Telle est ma manière de poser la question de l'éducation de façon appropriée à notre époque.

Pour rendre ma pensée plus claire, il me faut faire ici quelques observations générales. Chez toutes les espèces animales autres que l'homme, quand un individu atteint l'âge de la puberté il est tout ce qu'il sera une fois pour toutes. La puberté est manifestement le sommet vers lequel sont orientés la croissance et l'apprentissage. L'activité de l'animal, c'est la reproduction, et il vit constamment à ce niveau, jusqu'à ce qu'il commence à décliner. C'est seulement chez l'homme que la puberté n'est, à tout bien considérer, qu'un commencement. La part la plus vaste et la plus intéressante de son apprentissage moral et intellectuel vient après la puberté ; et chez l'homme civilisé, cette part est incorporée à son désir érotique. Son goût, donc ses choix, se déterminent durant cette « éducation sentimentale » ; tout se passe comme si son apprentissage avait lieu au profit de sa sexualité. Réciproquement, une grande partie de l'énergie nécessaire à l'apprentissage lui vient manifestement de sa sexualité. Personne ne prend un enfant qui a atteint la puberté pour un adulte ; nous sentons, à juste titre, que c'est le commencement et qu'il y a un long chemin à parcourir jusqu'à l'âge adulte au sens précis du mot, jusqu'à l'état dans lequel l'enfant est capable de se gouverner lui-même et d'être un père véritable. Ce chemin, c'est la partie sérieuse de l'éducation, c'est la période où la sexualité animale devient sexualité humaine, où chez l'homme l'instinct cède le pas au choix fondé sur le vrai, le bon et le beau. La puberté ne munit pas l'homme, comme elle le fait pour d'autres animaux, de tout ce qui est nécessaire pour qu'il puisse laisser après lui d'autres êtres de son espèce. Cela signifie que la partie animale de la sexualité est entremêlée de la façon la plus complexe avec les aspirations les plus élevées de l'âme, qui doit modifier les désirs par son intuition ; cela veut dire aussi que la tâche la plus délicate de l'éducation, c'est de maintenir en harmonie ces deux aspects.

Je ne puis prétendre comprendre grand-chose de ce mystère ; mais le fait de savoir que je ne sais pas me rend attentif aux phénomènes de cet aspect de notre nature, qui unit en nous ce qu'il y a de plus élevé et ce qu'il y a de plus bas, et me préserve des simplifications auxquelles on se livre trop communément aujourd'hui. Je crois avoir observé que les plus intéressants de mes élèves sont ceux qui n'ont pas résolu le problème sexuel, qui sont encore très jeunes, qui ont l'air également très jeunes, qui pensent avoir beaucoup de choses en vue dont ils doivent se réjouir et pour lesquelles ils ont encore besoin de mûrir, qui sont frais et naïfs, pleins de l'excitation que suscitent en eux les mystères auxquels ils n'ont pas encore été pleinement initiés. Mais il y en a d'autres qui sont déjà des hommes et des femmes à seize ans et qui n'ont plus rien à apprendre au sujet de l'art d'aimer. Ils sont adultes, en ce sens qu'ils ne changeront plus beaucoup. Ces étudiants-là peuvent devenir des spécialistes compétents, mais leur âme est sans relief. Pour eux, le monde est tel qu'il se présente à leurs sens ; il n'est pas garni d'ornements par leur imagination et il est vide de tout idéal. Cette âme sans relief, c'est celle que la « sagesse » sexuelle de notre époque contribue à rendre universelle.

L'accès trop facile aux plaisirs sexuels, chez les jeunes gens entre quinze et vingt ans, rompt le fil d'or qui relie l'*éros* à l'éducation. Et la vulgarisation de Freud y met un terme une fois pour toutes, car elle appose le sceau de la science sur une compréhension non érotique de la sexualité. Un jeune homme dont les aspirations sexuelles informent consciemment ou inconsciemment les études passe par une série d'expériences très différentes de celles d'un garçon ou d'une fille chez qui ces motivations-là sont absentes. Un voyage à Florence ou à Athènes, c'est un type d'expérience pour un jeune homme qui espère rencontrer sa Béatrice sur le pont Santa Trinità ou son Socrate sur l'Acropole, c'en est un tout à fait différent pour celui qui part sans éprouver un besoin aussi brûlant. Le second n'est qu'un touriste, le premier cherche un accomplissement. Flaubert, grand expert du sort des aspirations dans le monde moderne, envoie Emma Bovary, tout intimidée, à un bal donné dans la propriété d'aristocrates décadents. Voici ce qu'elle y voit :

> *... Au haut bout de la table, seul parmi toutes ces femmes, courbé sur son assiette remplie, et la serviette nouée dans le dos comme un enfant, un vieillard mangeait, laissant tomber de sa bouche des gouttes de sauce. Il avait les yeux éraillés et portait une petite queue enroulée d'un ruban noir. C'était le beau-père du marquis, le vieux duc de Laverdière, l'ancien favori du comte d'Artois, dans le temps des parties de chasse au Vaudreuil, chez le marquis de Conflans, et qui avait été, disait-on, l'amant de la reine Marie-Antoinette, entre MM. de Coigny et de Lauzun. Il avait mené une vie bruyante de débauches, pleine de duels, de paris, de femmes enlevées, avait dévoré sa fortune et effrayé toute sa famille. Un domestique, derrière sa chaise, lui nommait tout haut, dans l'oreille, les plats qu'il désignait du doigt en bégayant ; et sans cesse les yeux d'Emma revenaient d'eux-mêmes sur ce vieil homme à lèvres pendantes, comme sur quelque chose d'extraordinaire et d'auguste. Il avait vécu à la Cour et couché dans le lit des reines !*

D'autres verraient seulement un vieillard répugnant, mais Emma voit l'Ancien Régime tout entier. Et c'est sa vision qui est plus vraie, car il y eut réellement jadis un Ancien Régime et, sous ce régime, des amants magnifiques. Le présent, ramené à lui-même, ne peut rien nous apprendre sans l'aspiration qui fait que nous ne nous en contentons pas. C'est de telles aspirations que les étudiants ont le plus besoin, et l'analogie avec la scène décrite par Flaubert est parfaitement juste, car les grands vestiges de la tradition sont devenus calmes faute de soins. L'imagination est indispensable pour restaurer leur jeunesse, leur beauté et leur vitalité, puis pour éprouver leur inspiration.

L'étudiant qui trouve ridicule de jouer de la guitare sous la fenêtre d'une jeune fille ne lira ni n'écrira jamais de poésie sous son influence. Son *éros* imparfait ne peut alimenter son âme en images du beau et elle restera brute et relâchée. Cela ne signifie pas que ce garçon cessera d'orner ou d'idéaliser le monde : cela veut dire qu'il ne verra pas ce qui s'y trouve.

Naguère, un nombre considérable d'étudiants arrivaient à l'université vierges, physiquement et spirituellement, et ils escomptaient y perdre leur innocence. Leur désir se mêlait à tout ce qu'ils pensaient et faisaient. Ils prenaient douloureusement conscience qu'ils avaient envie de quelque chose, mais ils n'étaient pas très sûrs de ce que c'était exactement, de la forme que ce quelque chose revêtirait et de ce que cela signifiait. L'éventail des satisfactions que demandaient leurs désirs allait des prostituées à Platon, puis de Platon aux prostituées, et du criminel au sublime. Mais surtout ils aspiraient à l'instruction. Pratiquement tout ce qu'ils lisaient, dans leurs études de lettres ou de sciences sociales, pouvait leur servir d'enseignement à propos de leur peine et de moyen pour la guérir. Cette tension puissante, cet appétit — au sens charnel du terme — de connaissance, voilà ce que le maître pouvait voir dans les yeux de ceux qui le charmaient en lui fournissant une telle preuve de leur besoin de lui. Et il se promettait à lui-même de grandes satisfactions, du fait qu'il disposait de quoi nourrir leur faim, de quoi remplir leur vide. La joie du professeur, c'était d'entendre un « Oh oui ! » extatique quand il leur proposait Shakespeare et Hegel pour répondre à leurs attentes. La soif de ce qui semblait n'être que l'acte sexuel était en fait la manifestation de l'ordre de l'oracle de Delphes, qui n'est qu'un rappel du plus fondamental des désirs humains : « Connais-toi toi-même. »

Mais aujourd'hui, rassasiés de satisfactions faciles, cliniques et stériles, de l'âme et du corps, les étudiants qui arrivent à l'université ne foulent plus le sol enchanté sur lequel ils marchaient autrefois. Ils passent à côté des ruines sans même imaginer ce qu'elles étaient naguère. Ce qu'ils viennent chercher à l'université, ce n'est plus une plénitude qui permette de soulager la tumescence de leur esprit. Les années les plus fécondes de l'apprentissage, cette époque de la vie où Alcibiade laissait pour la première fois pousser sa barbe, ce temps-là est à présent gâché en raison de la précocité artificielle et de la « sagesse », fondée sur des sophismes, que les élèves ont acquises au lycée. Le moment véritable pour l'éducation sexuelle est escamoté : il n'est plus guère personne qui ait une idée de ce qu'il devrait être.

Réciproquement, comme je n'ai cessé de le répéter de maintes façons dans cet essai, l'université ne se voit plus elle-même comme chargée de pourvoir à de tels besoins et elle ne pense plus que les momies exposées dans son musée puissent dire quoi que ce soit aux visiteurs ou même, horreur ! aller vivre chez eux, avec eux. Les humanistes sont maintenant de vieilles bibliothécaires célibataires. Quand j'y resonge, il me semble que la dernière période fertile où étudiants et université aient formé un couple, c'est au moment où nous avons eu la révélation choquante de Freud, dans les années quarante et cinquante. Car il nous initiait à une vraie psychologie, à une version adaptée au palais de l'homme moderne des vieilles recherches sur les phénomènes de l'âme. On a peine, aujourd'hui, à imaginer l'excitation que cela nous procurait. Quel frémissement j'ai ressenti quand ma première petite amie, à l'université, m'a déclaré que le clocher de l'université était un symbole phallique ! C'était un mélange de mes obsessions secrètes et du sérieux que j'attendais de l'enseignement universitaire ! Au lycée, il n'y avait rien de pareil. Il était difficile de savoir ce que tout cela signifiait : étais-je impatient de perdre ma virginité ou de pénétrer les mystères de l'être ? Confusion admirable ! Enfin, toutes les cartes étaient étalées sur la table ! Les malpropretés avaient disparu de la philosophie de l'*esprit* et Freud promettait de restaurer l'*âme* et de prendre au sérieux ce qui s'y produisait. Il se prenait pour un nouveau Platon, plus vrai que le premier, et il nous autorisait à apprécier à nouveau Platon, comme le précurseur de Freud. Mais bientôt il s'avéra que cette psychologie était sans *psyché*, c'est-à-dire sans âme. Freud ne rendait pas compte de façon satisfaisante de tout ce que nous éprouvions. Selon lui, tout ce qu'il y avait de plus élevé n'était qu'un refoulement de ce qu'il y avait de plus bas, un symbole de quelque chose d'autre et non une chose en soi. Ce que la vision freudienne pouvait produire de meilleur pour les aspirations intellectuelles de l'homme, c'est *La Mort à Venise* : une bien pauvre moisson pour les esprits vraiment raffinés !

Aristote a dit que l'homme peut connaître deux instants suprêmes, tous deux accompagnés d'un plaisir intense : le coït et la pensée. L'âme, selon lui, est une espèce d'ellipse dont les phénomènes se répartissent le long d'une courbe entre ces deux foyers, ce qui leur permet de présenter une variété et une ambiguïté quasi tropicales. Freud, lui, ne voyait qu'un seul des deux foyers — celui qu'on trouve aussi chez les animaux — et il lui fallait expliquer tout ce qu'il y a dans l'âme par la répression sociale et par d'autres tours de prestidigitation analogues. C'est qu'il ne croyait pas vraiment à l'existence de l'âme : il ne croyait qu'au corps, associé à son instrument passif de prise de conscience, l'esprit. Cela émoussait sa vision des phénomènes plus élevés, comme on peut le voir d'après ses observations sans finesse à propos de l'art et de la philosophie. Ce n'était pas seulement la satisfaction sexuelle que nous cherchions, nous étudiants de cette période, mais, que nous en fussions conscients ou non, la connaissance de nous-mêmes, et Freud ne nous la procurait pas. En pratique, le « connais-toi toi-même » de Freud ne faisait rien d'autre que d'amener les gens sur le divan, où ils vidaient leur réservoir du carburant comprimé qui aurait dû au contraire alimenter en énergie leur vol vers la connaissance.

Ainsi le « connais-toi toi-même » de Freud ne signifiait pas, en fin de compte, qu'il connût la place de l'homme dans le tout. De toute façon, il y a longtemps que la psychologie académique a cessé de présenter la moindre séduction pour les étudiants qui éprouvent le besoin de philosopher. Et la psychologie freudienne est devenue une grosse affaire commerciale, elle a pénétré dans le courant de l'existence publique à peu près au même titre que l'ingéniérie ou la banque. Mais elle n'offre pas plus de séduction intellectuelle que ces deux domaines-là. Pour répondre à nos questions, il va falloir chercher ailleurs.

DEUXIÈME PARTIE

LE NIHILISME

CHAPITRE I

LA FILIÈRE ALLEMANDE

Le président Ronald Reagan a qualifié l'Union soviétique d' « empire du mal ». Unies en un chœur irrité, plusieurs personnes à l'esprit sain ont protesté contre cette rhétorique provocatrice. En d'autres circonstances, M. Reagan a déclaré que les Etats-Unis et l'Union soviétique avaient « des valeurs différentes », assertion qui a été saluée par les mêmes personnes raisonnables, dans le pire des cas par le silence, plus souvent par l'approbation. Quant à moi, je crois qu'il disait exactement la même chose dans les deux cas, et la différence des réactions aux paroles prononcées par le président en des occasions diverses nous met en présence du phénomène le plus important et le plus surprenant de notre époque, phénomène d'autant plus surprenant qu'il est passé presque inaperçu : on utilise actuellement un langage entièrement nouveau pour parler du bien et du mal ; autrement dit, si l'on tâche d'en identifier l'origine, il se parle une langue nouvelle qui dérive d'une tentative d'aller « au-delà du bien et du mal » ; ou encore, disons qu'on n'est plus capable de parler avec la moindre conviction du bien et du mal. Même ceux qui déplorent notre situation morale actuelle le font dans le langage de cette situation.

Ce nouveau langage, c'est celui du *relativisme de la valeur* et il constitue dans notre vision des choses morales et politiques un changement aussi considérable que celui qui s'est produit au moment où le christianisme a remplacé le paganisme grec et romain. Un nouveau langage reflète invariablement un point de vue nouveau, et la vulgarisation progressive et inconsciente de termes nouveaux, ou d'anciens termes utilisés d'une façon nouvelle, est le signe infaillible d'un changement profond dans la manière dont le monde s'articule par rapport aux individus. Quand les évêques, une génération après la mort de Hobbes, parlaient presque naturellement le langage de l'état de nature, du contrat et des droits, il était clair que Hobbes avait remporté la victoire sur des autorités ecclésiastiques, qui n'étaient plus en mesure de se comprendre elles-mêmes comme elles l'avaient fait auparavant. Il était donc inévitable que les archevêques de Cantorbéry modernes n'aient pas plus de choses en commun avec ceux d'autrefois que la seconde Elisabeth n'en a avec la première.

Pour examiner de plus près le cas qui nous occupe, ce qui est blessant pour des oreilles contemporaines dans l'utilisation faite par le président Reagan du mot *mal*, c'est son arrogance culturelle, c'est la présomption que les Etats-Unis et lui savent ce qui est bon, c'est le fait d'être fermé à la dignité d'autres modes de vie, c'est son mépris implicite pour ceux qui ne partagent pas notre manière d'être. Le corollaire politique de cette attitude, c'est qu'il n'est pas ouvert à la négociation. L'opposition entre le bien et le mal n'est pas négociable, c'est un motif de guerre. Ceux qui s'intéressent à la solution du conflit trouvent beaucoup plus facile de réduire la tension entre les valeurs que la tension entre le bien et le mal. Les valeurs sont faites d'une matière sans substance, qui existe avant tout dans l'imagination, tandis que la mort est quelque chose de réel. Le terme de *valeur,* qui signale la subjectivité radicale de toute conviction relative au bien et au mal, favorise la tendance à la complaisance et la recherche d'une autoprotection confortable.

Mais il y a le revers de la médaille. Les personnes qui sont profondément attachées aux valeurs sont objet d'admiration. Leur foi intense, leur dévouement, ainsi que le fait qu'elles croient en quelque. chose, sont une preuve d'autonomie, de liberté et de créativité. Ces gens-là se situent à l'opposé de la complaisance et ils vivent selon des normes d'autant plus valables qu'elles ne sont pas héritées de la tradition, qu'elles ne sont pas fondées sur une réalité que tout le monde peut voir ou dérivées d'un mince raisonnement tout juste capable de calculer des intérêts matériels. Les héros et les artistes se consacrent à des idéaux qu'ils se sont forgés eux-mêmes. Ce sont des antibourgeois. Dans ce cas, la *valeur* ennoblit ceux qui cherchent une inspiration neuve, qui quêtent de nouvelles convictions sur le bien et le mal au moins aussi puissantes que les croyances anciennes, elles-mêmes désensorcelées, démystifiées et démythifiées par la raison scientifique. Selon une telle interprétation des valeurs, il semble que mourir pour elles soit la fin la plus élevée et on conclut que l'ancien réalisme, ou objectivisme, suscitait un attachement bien faible à ses buts. La nature est indifférente au bien et au mal ; mais les interprétations de l'homme prescrivent à la nature une loi de vie.

Ainsi, notre recours au langage de la valeur conduit dans deux directions opposées : à s'accommoder de ce qui est puissant et a du succès ; ou à adopter des attitudes fortes et des résolutions fanatiques. Mais cela ne doit pas occulter, avant tout, le fait que ce sont simplement là des déductions différentes tirées d'une prémisse commune. Les valeurs ne sont pas le produit de la raison et il est inutile de partir à leur recherche pour découvrir la vérité ou le secret d'une bonne existence. La quête entreprise par Ulysse et poursuivie pendant plus de trois millénaires est parvenue à son terme quand on a découvert qu'il n'y avait rien à chercher. Cette prétendue découverte a été annoncée par Nietzsche, voici tout juste un siècle, quand il a dit : « Dieu est mort. » C'est alors que, pour la première fois, le bien et le mal sont apparus comme des valeurs, valeurs qui se sont multipliées prodigieusement, aucune n'étant rationnellement ou objectivement plus digne d'être choisie qu'aucune autre. L'illusion salutaire a été définitivement dissipée. Pour Nietzsche, c'était une catastrophe sans précédent, qui équivalait à la décomposition de la culture et à la fin des aspirations humaines. L'existence « examinée » selon Socrate n'est plus possible ni désirable. S'il subsiste la moindre possibilité d'une vie humaine dans l'avenir, celle-ci doit commencer par l'aptitude naïve à vivre sans examen. Le mode de vie philosophique est devenu purement et simplement toxique. Bref, avec la plus profonde gravité, Nietzsche a dit à l'homme moderne qu'il était libre de tomber dans les abysses du nihilisme. Peut-être après avoir vécu cette terrible expérience et bu le calice jusqu'à la lie sera-t-il possible de trouver l'espérance d'une nouvelle ère de création de valeurs et de l'apparition de nouveaux dieux...

Bien entendu, la démocratie moderne a été la cible des critiques de Nietzsche. Selon lui, le rationalisme et l'égalitarisme, corollaires de la démocratie, sont le contraire de la créativité et, toujours à en croire Nietzsche, la vie quotidienne de la démocratie est un retour civilisé de l'homme à l'état animal. Personne ne croit plus vraiment à quoi que ce soit, et tout le monde passe sa vie à travailler et à s'amuser frénétiquement afin de ne pas regarder la réalité en face, afin de ne pas plonger l'œil dans les abysses. Nietzsche appelle plus puissamment et plus radicalement à la révolte contre la démocratie libérale que ne le fait Marx. Et il ajoute que la gauche, le socialisme, n'est pas du tout le contraire de cette espèce particulière de droite qu'est le capitalisme, mais qu'elle en est l'accomplissement. L'appel nietzschéen vient de droite, mais c'est une nouvelle droite qui transcende le capitalisme et le socialisme, lesquels sont les deux grandes puissances motrices du monde actuel. La gauche est synonyme d'égalité, la droite d'inégalité.

Il reste que, ou peut-être pour cette raison même, il y a dans la manière dont Nietzsche comprend ces choses une approche profondément séduisante pour les modèles les plus récents de la démocratie moderne et de l'homme égalitaire ; et c'est le signe de la force de l'égalité, et de l'échec de la guerre menée par Nietzsche contre elle, que le penseur allemand soit maintenant beaucoup mieux connu de la gauche que de la droite et qu'il ait beaucoup plus d'influence réelle sur la première que sur la seconde.

On peut considérer que le relativisme de la valeur constitue une libération de la tyrannie perpétuelle du bien et du mal, avec son fardeau de honte et de culpabilité et les efforts·sans fin qu'impliquent la poursuite du premier et la conjuration du second. Une attitude intraitable à l'égard du bien et du mal est cause d'une détresse infinie, tout comme la guerre ou le refoulement sexuel : on se trouve presque instantanément soulagé quand sont mises en œuvre des valeurs plus souples. S'il est seulement nécessaire de procéder à une adaptation minima de l'échelle des valeurs, il n'est pas nécessaire d'éprouver des sentiments pénibles ou de se sentir mal dans sa peau. Et ce désir de se débarrasser des contraintes et de vivre dans un monde heureux et paisible représente la première affinité entre notre univers américain, bien réel, et celui de la philosophie allemande sous sa forme la plus avancée : c'est cette affinité-là qui s'exprime dans les critiques formulées à l'encontre du discours manichéen du président.

Mais il y a aussi une seconde affinité : le goût de ce qui est héroïque, la recherche de ce qui *confère* de la valeur. Cette affinité peut, à première vue, paraître surprenante, dans la mesure où elle renvoie à l'extraordinaire et non plus à l'ordinaire, à l'inégal et non plus à l'égal. Mais c'est précisément de cela qu'il s'agit. L'homme démocratique a besoin d'être flatté, comme tous ceux qui gouvernent, et dans ses versions primitives, la théorie démocratique ne décernait aucune flatterie. Cette théorie justifiait la démocratie comme le régime sous lequel des gens très ordinaires sont protégés dans leurs tentatives pour parvenir à des fins très ordinaires et communes. C'est aussi le régime dominé par l'opinion publique, où le dénominateur commun fixe la règle de chacun. Selon cette théorie, la démocratie se présente comme une médiocrité décente, par opposition à la corruption splendide des autres régimes. Or c'est tout autre chose que de vivre sous un régime dans lequel on peut imaginer que les citoyens sont, au moins potentiellement, autonomes, créateurs et aptes à fixer des valeurs pour eux-mêmes. Un homme créateur de valeurs représente un substitut plausible pour un homme bon, et il devient pratiquement impossible de se passer de substituts de cette espèce dans le relativisme populaire qui prévaut en ce moment, car bien peu de gens acceptent de se considérer eux-mêmes comme mauvais ou nuls. En ce cas, on ne recherche pas la noblesse et la respectabilité humaines par la quête ou la découverte d'une bonne façon de vivre, mais par la création de son propre « style de vie » : des styles de vie, il n'en existe pas un seul, mais des quantités dont aucun n'est comparable à l'autre. Celui qui a un

« style de vie » ne se trouve en concurrence avec personne, et n'est donc inférieur à personne ; il peut avoir la maîtrise de sa propre estime et de celle des autres.

Tout cela est devenu monnaie courante aux Etats-Unis, et les écoles de psychologie les plus populaires ainsi que les psychothérapies qu'elles préconisent considèrent que l'énoncé de valeurs est la norme d'une personnalité saine. C'est la tarte à la crème des Américains. Les comédies de Woody Allen ne sont rien d'autre que la reprise incessante de variations sur le thème de l'homme qui sent qu'il n'a pas un « moi » véritable, une « identité » réelle, qui se trouve quelque peu supérieur aux gens inauthentiquement contents d'eux-mêmes parce qu'il est conscient de sa situation, mais qui, en même temps, se sent inférieur à eux parce qu'eux, au moins, sont « adaptés ». Cette psychologie empruntée tombe au niveau du manuel scolaire dans *Zelig,* qui est l'histoire d'un homme « dirigé par les autres », par opposition à l'homme « dirigé par l'intérieur * », termes popularisés au cours des années cinquante par David Riesman dans son ouvrage *La Foule solitaire.* Riesman les avait empruntés à son analyste, Erich Fromm, qui les avait lui-même pris à un penseur très sérieux, Martin Heidegger, héritier de Nietzsche, le premier à avoir employé l'expression « *der innige Mensch* ». En voyant ce film, j'ai été ébahi tout à la fois de constater combien Woody Allen était doctrinaire et combien sa façon de voir les choses, qui a ses racines immédiates dans la philosophie allemande la plus profonde, est devenue normale sur le marché américain du spectacle. Une des personnalités qui jouent un rôle de trait d'union entre l'Allemagne et les Etats-Unis, le psychologue Bruno Bettelheim, joue d'ailleurs un petit rôle dans *Zelig.*

Zelig est un homme qui devient, littéralement, ce qu'on attend de lui ou celui qu'on attend qu'il soit : républicain avec les gens riches, « mafieux » avec les gens de la mafia, Noir, Chinois ou femme avec les Noirs, les Chinois ou les femmes. Il n'est rien en lui-même, il n'est qu'un ensemble de rôles définis par les autres. Inévitablement, il doit subir un traitement psychiatrique, au cours duquel on apprend qu'il a été jadis « dirigé par la tradition », c'est-à-dire qu'il sort d'une famille de stupides Juifs rabbiniques qui dansent. « Dirigé par la tradition » signifie qu'on est guidé par des valeurs anciennes, elles-mêmes héritées de vieilles croyances, habituellement religieuses, qui assignent à un individu un rôle qu'il considère comme autre chose qu'un rôle, une réalité, et une place dans le monde. Il va sans dire qu'un retour à cet ancien mode d'adaptation et de santé apparente n'est ni possible ni souhaitable.

---

* En anglais, *other-directed* et *inner-directed* (« dirigé par les autres » et « dirigé par l'intérieur »). (N.d.T.)

Le spectateur est censé trouver comique le Juif qui danse, mais il n'est pas dit clairement si le comique découle de son aliénation ou de sa bonne santé. Ce qui est sûr, c'est que le Juif est un paria : cette catégorie, énoncée par Max Weber et à laquelle Hannah Arendt a donné une notoriété spéciale, signifie ici qu'il n'est intéressant qu'en tant qu'étranger, qui a une vue spéciale de l'homme intégré, mais dont la judéité n'a en soi rien de positif. Sa valeur est définie par le monde qui présente au moment même de l'intérêt pour lui. Et il retrouve la santé au moment où il devient « dirigé par l'intérieur », c'est-à-dire quand il suit ses instincts véritables et fixe ses propres valeurs. « Dirigé par l'intérieur » constitue le troisième terme de la triade représentée par la reconnaissance du fait que l'homme est un animal « créateur de valeurs » et par les diverses réactions de la psyché au problème des « valeurs ». Dans le film d'Allen, ce stade trouve sa représentation au moment où Zelig répond à ceux qui lui disent qu'il fait beau, ce qui est manifestement le cas, qu'il ne fait pas beau. Il est immédiatement renvoyé à l'asile par ceux qu'il essayait jusque-là d'imiter et dont il combat désormais les opinions. C'est ainsi que la société impose ses valeurs au créateur. A la fin il se met, de sa propre initiative, à lire *Moby Dick,* dont il a parlé auparavant sans l'avoir lu, pour impressionner les gens. Sa santé retrouvée est dès lors un mélange de pétulance et de désinvolture.

La comédie de Woody Allen établit un diagnostic de nos maux : ils proviennent du relativisme des valeurs, et le traitement consiste à fixer des valeurs. Sa grande force, c'est de nous communiquer le sentiment de gêne lucide de celui qui joue un rôle, qui n'est jamais tout à fait à l'aise dans son rôle et qui est intéressant parce qu'il tente assidûment d'être comme les autres, qui sont eux-mêmes ridicules parce qu'ils n'ont pas conscience de leur vide. Mais Woody Allen est superficiel et manque de goût quand il se moque de sa judéité, dont la dignité intérieure lui échappe apparemment. Et là où il échoue complètement, c'est dans sa présentation de l'homme en bonne santé, celui qui est « dirigé par l'intérieur » et qui n'est ni drôle ni intéressant. Ce personnage, qui représente la norme selon laquelle les autres sont compris et jugés, de même que l'avare n'est ridicule que lorsqu'on est en mesure de lui opposer l'homme qui connaît la vraie valeur de l'argent, est tout simplement vide, ou même inexistant, et son absence nous oblige à nous demander jusqu'à quel point la présentation de son contraire peut être profonde. C'est là que nous nous trouvons face au néant, mais il n'est pas évident qu'Allen en ait été conscient. La « direction par l'intérieur » est une promesse égalitaire qui nous permet de mépriser et de ridiculiser avec facilité les « bourgeois » que nous voyons évoluer autour de nous. Cette solution est terriblement légère et décevante, car elle essaie en réalité de nous assurer que les angoisses du nihilisme que nous sommes en train de subir ne sont rien d'autre que des névroses qu'on peut soigner en suivant une psychothérapie et en raidissant un peu l'échine. L'ouvrage d'Erich Fromm, *La peur de la liberté*, n'est guère plus qu'une méthode pour mieux vivre, à la Dale Carnegie, avec un peu de culture d'Europe centrale pour servir de garniture comme de la crème Chantilly sur une glace. Qu'on se débarrasse de l'aliénation capitaliste et du refoulement dû au puritanisme, et tout ira bien, chacun choisissant ses valeurs par lui-même. Woody Allen n'a rien à nous dire sur la « direction par l'intérieur » : sur ce point, il ne sait rien de plus que Riesman et, pour remonter plus loin en arrière, que Fromm. Il faut en revenir à Heidegger pour apprendre quelque chose de sérieux sur ce que peut vraiment signifier « la direction par l'intérieur ». C'est pourquoi Woody Allen n'est jamais, de loin, aussi drôle que l'était Kafka, qui prenait vraiment le problème au sérieux, sans se rassurer en pensant, conformément aux idées reçues, que le progressisme de gauche résoudrait toutes les difficultés. Zelig flirte un moment avec Hitler (dont la séduction, cela va sans dire, s'adresse aux personnes « dirigées par les autres » ou, pour recourir à une expression équivalente popularisée par un autre psychosociologue allemand, Theodor Adorno, aux « personnalités autoritaires » *), mais il est sauvé par son « psychiatre ex machina ». (Dans son univers intellectuel, il n'est pas besoin d'explication pour flirter avec Staline.) Bref, Woody Allen nous aide à apprivoiser le nihilisme, ou du moins à l'américaniser. « *Je* suis O.K., *tu* es O.K., à la condition que *nous* nous mettions d'accord pour avoir ensemble un peu mauvaise conscience. »

En politique, dans les loisirs, en religion, partout, on trouve un discours associé à la révolution nietzschéenne des valeurs, langage rendu nécessaire par une nouvelle perspective sur les choses qui nous préoccupent le plus. Des mots comme *charisme, style de vie, engagement, communication* et *identité* et beaucoup d'autres, dont on peut toujours retrouver l'origine chez Nietzsche, font désormais partie, pratiquement, de l'argot de tous les jours, bien que ces termes et les réalités auxquelles ils se réfèrent eussent été incompréhensibles pour nos pères, pour ne pas parler des Pères fondateurs des Etats-Unis.

Il y a quelques années, à Atlanta, j'ai bavardé avec un chauffeur de taxi, qui m'a dit qu'il venait de sortir de prison : il y avait purgé une peine pour trafic de drogue. Heureusement pour lui, disait-il, on l'y avait soumis à une « thérapie » ; et quand je lui ai demandé quel type de traitement il avait subi, il m'a répondu sans hésiter : « Tous les types. Psychologie des profondeurs, analyse transaction-

---

* On trouve exactement le même schéma, mais sans l'humour salutaire de Woody Allen, dans *Le Conformiste* de Bertolucci.

nelle, mais ce que j'ai préféré à tout, c'est la *Gestalt*. » Certaines idées germaniques n'ont même pas eu besoin de termes anglais pour entrer dans la langue du peuple. Qu'il est extraordinaire de songer que le vocabulaire philosophique de ce qui a été l'élite de la vie intellectuelle occidentale en Allemagne est devenu aussi naturel que le chewing-gum dans les rues des Etats-Unis ! Et ce discours avait vraiment produit de l'effet sur mon chauffeur de taxi. Il m'a dit qu'il avait trouvé son identité et qu'il avait appris à s'aimer lui-même. Une génération auparavant, il aurait découvert Dieu et appris à se mépriser en tant que pécheur. Le problème résidait dans son sentiment du « moi », et non pas dans le péché originel ou dans des démons qui se seraient logés en lui. Nous avons ici un exemple de la façon particulière qu'ont les Américains d'assimiler le désespoir européen. C'est du nihilisme avec un « happy end ».

Cette vulgarisation de la philosophie allemande aux Etats-Unis présente pour moi un intérêt particulier, parce que j'y ai assisté de mon vivant, et je ressens un peu ce que devait éprouver quelqu'un qui avait connu Napoléon quand il avait six ans. J'ai participé à quelque chose qui est devenu un événement de première importance. J'ai vu le relativisme de la valeur et tout ce qui en découle se propager plus vite que personne n'aurait pu l'imaginer. Car qui, en 1920, aurait cru que, par exemple, la terminologie sociologique de Max Weber deviendrait un jour courante, qu'elle serait le langage quotidien des Etats-Unis, pays des Philistins, devenus entre-temps la nation la plus puissante du monde ? Au fur et à mesure que la compréhension d'eux-mêmes des hippies, des yippies, des yuppies, des panthères, des prélats et des présidents se modelait inconsciemment sur une pensée allemande expérimentée un demi-siècle auparavant en Europe ; au fur et à mesure que l'accent d'Herbert Marcuse se muait en un nasillement du Middle West et que l'étiquette *echt deutsch* était remplacée par *Made in America ;* au fur et à mesure que le nouveau style de vie américain devenait une reproduction à la Disneyland de la République de Weimar à l'intention de la famille tout entière, mes études me renvoyaient inéluctablement aux origines à demi cachées et fort passionnantes de tout ce qui venait ainsi de se produire. Cela m'a procuré un point de vue qui me permet de regarder dans deux directions à la fois, en avant vers l'évolution de l'existence présente aux Etats-Unis, en arrière vers la réflexion philosophique profonde qui a rompu avec la tradition philosophique, puis l'a enterrée, avec des conséquences intellectuelles, morales et politiques des plus ambiguës. Telle est la fascinante histoire intellectuelle de notre époque, celle qu'il nous faut connaître pour nous comprendre nous-mêmes et imaginer de vraies solutions de rechange, en admettant qu'on puisse persuader ceux qui écrivent l'histoire intellectuelle que l'intellect a vraiment des répercussions sur l'histoire et que, pour reprendre la formule de

Nietzsche, « les plus grandes actions sont les pensées » et « le monde tourne autour des inventeurs de valeurs nouvelles, il tourne en silence ». Nietzsche lui-même était un inventeur de ce genre, et nous tournons encore autour de lui, encore que ce ne soit guère en silence, mais plutôt avec de sinistres grincements. C'est là notre théâtre, et le spectacle consiste à voir de quelle façon ses opinions ont été vulgarisées par l'homme de la démocratie, désireux de se duper lui-même en revêtant des oripeaux empruntés, et aussi comment la démocratie a été corrompue par des opinions étrangères et des goûts étrangers.

J'ai eu un premier aperçu de ce spectacle au moment où il en était à sa moitié, c'est-à-dire au moment où la vie universitaire américaine était révolutionnée par la pensée allemande mais où l'université était encore le territoire réservé des intellectuels les plus sérieux. Quand je suis entré à l'Université de Chicago, au milieu des années quarante, juste après la guerre, des termes comme « jugement de valeur » étaient nouveaux, limités à une élite et ils laissaient entrevoir des perspectives inattendues. Dans les sciences humaines, on nourrissait de grandes espérances : on escomptait le début d'une ère nouvelle, au cours de laquelle on parviendrait à comprendre l'homme et la société mieux qu'on ne les avait jamais compris précédemment. En raison du caractère purement académique des sections de philosophie, avec leur méthodologie et leur positivisme fatigués et fatigants, ceux qui s'intéressaient aux questions permanentes et vivantes avaient émigré vers les sciences humaines. Il y avait deux auteurs qui y dominaient et qui soulevaient un véritable enthousiasme : Freud et Weber. On révérait aussi Marx, mais, comme c'était le cas depuis fort longtemps, on le lisait peu et il ne fournissait pas d'inspiration pour traiter des problèmes qui se posaient vraiment à nous. Freud et Weber, ces deux penseurs étaient profondément influencés par Nietzsche ; cela est évident pour quiconque connaît Nietzsche et sait ce qui se passait dans le monde germanophone à la fin du XIXe siècle, et pourtant aujourd'hui encore, on ne le sait pas suffisamment ou on n'en tient pas suffisamment compte. Assez étrangement, Freud et Weber se sont en quelque sorte partagé les préoccupations psychologiques et sociales de Nietzsche. Freud s'est concentré sur le *ça*, ou inconscient, sur le sexuel considéré comme le moteur des phénomènes spirituels les plus intéressants et sur les idées corollaires de sublimation et de névrose. Weber s'est surtout intéressé au problème des valeurs, à la religion envisagée dans son rôle dans la formation des valeurs et à la communauté. A eux deux, ils constituent la source immédiate de la plus grande partie du langage qui nous est devenu familier.

Tout le monde savait que c'étaient des penseurs allemands, et les professeurs qui enseignaient leurs doctrines étaient un mélange de réfugiés allemands ayant fui Hitler et d'Américains qui avaient soit fait leurs études en Allemagne avant l'hitlérisme, soit appris ce qu'ils savaient des émigrés allemands eux-mêmes. Chez tous ces enseignants, le fait que ces idées fussent d'origine allemande ne posait aucun problème. Elles participaient de la grande tradition classique allemande d'avant Hitler, que tous respectaient. Toutefois, Nietzsche lui-même n'était pas, à cette époque, considéré comme très respectable, car sa pensée présentait certains rapports gênants avec l'idéologie fasciste, et beaucoup de ceux qui avaient été adeptes de Nietzsche dans le monde anglo-saxon (où ce penseur avait exercé sa plus forte influence directe sur les artistes) n'avaient pas été assez vigilants face aux dangers du fascisme et de l'antisémitisme (bien que Nietzsche lui-même eût été tout le contraire d'antisémite) ; le plus notoire de ces artistes égarés étant évidemment Ezra Pound. Que quelque chose eût modifié la pensée allemande avec l'apparition de Nietzsche et, davantage encore, avec celle de Heidegger, c'était évident ; mais le corps professoral refoulait purement et simplement cette constatation et fermait les yeux à l'influence que Nietzsche et Heidegger exerçaient sur leurs contemporains. Parfois on ridiculisait quelque peu Hegel, Fichte et Nietzsche, mais la tradition classique allemande en général, ainsi que l'historicisme allemand, conservaient une grande faveur, et les grandes étoiles qui brillaient à notre firmament se trouvaient toujours associées à ce courant, à moins qu'on ne les considérât comme produites *in vitro*. En ce qui concerne la République de Weimar, le seul ennui, c'était que les mauvais l'avaient emporté.

Mes professeurs, dont plusieurs allaient devenir très illustres, n'étaient pas hommes à tomber dans des excès philosophiques et n'avaient pas l'habitude de rechercher les sources du nouveau langage et des nouvelles catégories dont ils se servaient. Ils pensaient que c'étaient là des découvertes de type scientifique, auxquelles il fallait avoir recours pour faire de nouvelles découvertes. Comme Tocqueville l'avait prédit, ils s'adonnaient beaucoup à l'abstraction et à la généralisation. Ils croyaient au progrès scientifique et paraissaient être convaincus (mais il pouvait y avoir là une part de fanfaronnade et d'ironie dirigée contre eux-mêmes) qu'on se trouvait sur le point d'effectuer dans les sciences humaines une percée équivalente à celle qu'avaient pratiquée aux xvie et xviie siècle dans les sciences exactes Galilée, Kepler, Descartes et Newton, percée qui rendrait les sciences humaines antérieures aussi inadéquates que l'était devenue l'astronomie de Ptolémée après l'œuvre de Copernic. Ils étaient littéralement enivrés par les notions d'inconscient et de valeurs ; les sciences sociales allaient devenir l'équivalent de la physique. Tous ces professeurs étaient soit marxistes, soit libéraux de la tendance New Deal. La lutte contre la droite s'était achevée sur une victoire, en politique intérieure sur le terrain électoral, dans les affaires étrangères sur le champ de bataille. La question de principe essentielle avait été résolue. L'égalité et l'Etat-providence faisaient désormais partie des réalités et ce qui restait encore à faire viendrait bientôt parachever l'accomplissement du projet. La psychothérapie assurerait le bonheur des individus comme la sociologie améliorerait les sociétés. Je ne crois pas qu'aucun d'entre eux ait remarqué les aspects plus obscurs de Freud et de Weber, sans même parler de l'extrémisme sous-jacent de Nietzsche et Heidegger, pourtant affleurant presque à la surface. Disons que, s'ils en ont noté la présence, ils ont estimé que c'était d'un intérêt plus autobiographique que scientifique. La source irrationnelle de toute la vie consciente chez Freud et la relativité de toutes les valeurs chez Weber ne leur posaient pas de problème, aussi surprenant que cela paraisse, et ne menaçaient pas leur projet. Freud était fort dubitatif quant à l'avenir de la civilisation et quant au rôle de la raison dans l'existence humaine ; et ce n'était certainement pas un partisan convaincu de la démocratie et de l'égalité. Et Weber, beaucoup plus prudent que Freud au sujet de la science, de la morale et de la politique, vivait dans une atmosphère de tragédie permanente. Il avait formulé sa philosophie à la manière d'un défi hésitant à l'encontre du chaos des choses, et les valeurs se situaient certainement au-delà des limites de la science : c'est ce que signifie la distinction très précaire, sinon imaginaire, entre les faits et les valeurs. Et en politique, la raison conduit à l'inhumanité de la bureaucratie. Weber avait jugé impossible de préférer la politique rationnelle à celle qui se fonde sur un engagement irrationnel ; il savait que la raison et la science elles-mêmes sont des engagements qui, comme tout autre engagement, s'appuient sur des valeurs et par conséquent ne peuvent prétendre à la certitude, perdant ainsi ce qui avait toujours été leur caractère le plus distinctif. La politique exige que l'on établisse une échelle des valeurs semi-religieuse, de façon risquée et incontrôlable ; et Weber assistait à une lutte des dieux pour la possession de l'homme et de la société, lutte dont les résultats étaient imprévisibles. Selon lui, la raison calculatrice aboutirait à une administration des affaires, sans cœur et sans âme, sans formation de communauté ni de valeurs pour la soutenir ; le sentiment déboucherait sur une auto-complaisance égoïste investie dans des plaisirs superficiels ; l'engagement politique engendrerait probablement le fanatisme et on pouvait se demander s'il restait encore à l'homme assez d'énergie pour formuler des valeurs. Tout était en l'air et il n'y avait aucune théodicée susceptible de l'aider dans sa tâche. Comme beaucoup d'autres penseurs en Allemagne qui avaient subi l'influence de Nietzsche, Weber voyait bien que tout ce qui nous tenait à cœur était menacé par les idées nietzschéennes et que nous n'avions pas les ressources intellectuelles ou morales pour en maîtriser les conséquences. Ce qu'il faut pour cela, ce sont des valeurs, et ces valeurs exigent une créativité humaine particulière qui est en train de se tarir et qui, en tout état de cause, ne dispose d'aucun support cosmique. L'analyse scientifique elle-même conclut que la raison est impuissante, tout en dissolvant l'horizon protecteur à l'intérieur duquel l'homme est à même d'avoir une échelle des valeurs. Rien de tout cela, il est vrai, n'est particulier à Weber ; ou si ce l'est, cela découle seulement de sa personnalité angoissée, et celle-ci l'était, au moins en partie, en raison des sombres perspectives qu'il entrevoyait devant lui. Il est hors de doute que le relativisme des valeurs, s'il s'avère fondé et qu'on y croit, plonge le penseur dans les régions les plus obscures de l'âme et l'entraîne à des expériences politiques très dangereuses. Plus simplement, tous les comptes rendus fiables qu'en ont faits ceux qui ont accompli ce trajet nous indiquent qu'il y a une crise des valeurs, une crise aux proportions inouïes. Mais sur le sol enchanté des Etats-Unis, le sens du tragique n'a pas sa place, et les premiers défenseurs des nouvelles sciences humaines ont accepté joyeusement la thèse de la valeur, persuadés que leurs valeurs à eux étaient bonnes et marchaient du même pas que la science. Si l'on compare la personnalité et les préoccupations de Talcott Parsons avec celles de Max Weber, on a la mesure de la distance qui nous sépare de l'Europe. Chez Parsons, on constate la banalisation des idées de Weber. Ce n'est pas avant les années soixante que la notion de valeur a commencé à produire ses vrais effets aux Etats-Unis, ceux qu'elle avait eus en Allemagne trente ou quarante ans auparavant. A ce moment, soudain, une nouvelle génération, qui n'avait pas été nourrie de valeurs héritées et qui avait été élevée dans l'indifférence philosophique et scientifique au bien et au mal, apparut sur le devant de la scène et administra à ses aînés une fort désagréable leçon.

On peut trouver l'image de cette surprenante américanisation du pathos germanique en contemplant le visage souriant de Louis Armstrong quand il vocifère les paroles de son grand succès *Mack the Knife*. Comme le savent la plupart des intellectuels américains, cette chanson est la traduction de la « Complainte de Mackie », extraite de *L'Opéra de quat'sous* de Bertolt Brecht et Kurt Weill, monument de la culture populaire de la République de Weimar dû à deux héros de la gauche artistique. Dans une bonne partie de l'intelligentsia américaine, il flotte une étrange nostalgie de l'époque qui a juste précédé l'arrivée au pouvoir de Hitler, et l'interprétation qu'a donnée Lotte Lenya des chansons de *L'Opéra de quat'sous* a longtemps figuré — tout comme celle de Marlene Dietrich chantant « *Ich bin von Kopf bis Fuss auf Liebe eingestellt* » dans *L'Ange bleu* — comme le symbole d'une nostalgie séduisante, névrotique, décadente et connotée de sexualité, nostalgie de la réalisation de quelque désir brumeux que la conscience n'identifie pas complètement. Ce que cette même intelligentsia sait moins bien, c'est que Brecht a puisé l'idée de sa « Complainte de Mackie » dans un aphorisme de *Ainsi parlait Zarathoustra* de Nietzsche, intitulé *Du blême criminel*. Ce chapitre raconte l'histoire d'un meurtrier névrotique, ressemblant étrangement au Raskolnikov de *Crime et châtiment,* qui ne sait pas, qui ne peut pas savoir qu'il a commis son meurtre avec un mobile aussi légitime que n'importe quel autre, et utile en beaucoup d'importantes situations, mais délégitimisé par notre époque pacifique : il avait soif de la « joie du couteau ». On peut voir là le début de l'attitude d'attente qui consiste sans référence à la morale à observer ce que le volcan du *ça* va vomir et qui séduisait si fort la République de Weimar et ses admirateurs américains. Tout cela est fort bien tant que ce n'est pas le fascisme ! Quand Louis Armstrong prend la place de Lotte Lenya (comme May Britt a pris celle de Dietrich dans le remake de *L'Ange bleu*), toute l'affaire débouche sur le marché de masse et le message devient plus optimiste et moins dangereux, mais non pas moins corrompu. Toute conscience de son origine étrangère disparaît et on considère dès lors qu'il s'agit de « culture populaire » tout à fait américaine, qui fait partie du siècle de l'Amérique, de même que « *stay loose* » (« décontractez-vous », par opposition à « *up tight* », « tenez bon ») est censé avoir été une invention de la musique rock et non pas une traduction de la *Gelassenheit* de Heidegger. Le sens historique et la distance de notre époque, seuls avantages de la nostalgie de la République de Weimar, ont disparu, et l'autosatisfaction des Américains — le sentiment que le lieu théâtral se trouve chez nous, que le passé n'a rien d'important à nous enseigner sur la vie — se trouve comblée.

Ces images empruntées au monde du spectacle peuvent être traduites en termes d'histoire intellectuelle : il suffit de mettre Mary McCarthy à la place de Louis Armstrong et Hannah Arendt à celle de Lotte Lenya ; ou David Riesman à la place de Louis Armstrong et Erich Fromm à celle de Lotte Lenya, et ainsi de suite en se conformant au tableau d'honneur des intellectuels américains. Nos stars chantent une chanson qu'elles ne comprennent pas, traduite d'un original allemand et bénéficiant d'un grand succès populaire, avec des conséquences inconnues mais d'une grande portée dans la mesure où quelque chose du message original atteint quelque chose dans les âmes des Américains. Derrière tout cela, les auteurs du script original se nomment Nietzsche et Heidegger.

En résumé, après la guerre, tandis que les Etats-Unis exportaient à qui mieux mieux leurs blue jeans pour faire des jeunes de toutes les nations du monde une grande famille — c'était là une forme concrète d'universalisme démocratique qui a eu des effets libérateurs sur beaucoup de pays encore en esclavage —, ils importaient pour leurs âmes un vêtement de fabrication allemande, vêtement qui jurait avec l'universalisme en question et faisait planer un doute sérieux sur l'américanisation du monde que nous avions entreprise en nous imaginant que c'était une chose bonne et conforme aux droits de l'homme. Notre horizon intellectuel avait été altéré par les penseurs allemands de façon encore plus radicale que ne l'avait été notre horizon visuel par les architectes allemands *.

Il ne faudrait pas imaginer que mon insistance sur la germanité de tout ce qui s'est produit depuis la guerre soit la manifestation d'un protectionnisme opposé ** à toute influence étrangère, une sorte de chasse aux sorcières qui me ferait voir un intellectuel allemand sous tous les lits américains. Je veux simplement faire mieux prendre conscience de ce qu'il nous faut envisager si nous voulons comprendre ce que nous disons et faisons, car nous sommes en grand danger de l'oublier. Qu'une nation dotée d'une vie intellectuelle particulièrement riche ait une grande influence sur des Etats moins bien doués, même si leurs armées sont très puissantes, cela n'est pas un phénomène rare dans l'histoire humaine. Les exemples les plus évidents sont celui de la Grèce par rapport à Rome et de la France en Allemagne et en Russie. Mais c'est précisément les différences qui apparaissent entre les deux cas que je viens de citer et celui de l'Allemagne qui rend ce dernier si inquiétant pour nous. Les philosophies grecque et française étaient universalistes dans leurs intentions et dans les faits. Elles faisaient appel à l'utilisation d'une faculté que tous les hommes, partout et à toutes les époques, possédaient virtuellement. Le qualificatif, quand on parle de philosophie *grecque,* est une étiquette sans importance essentielle, et il en va de même quand on dit de la philosophie des Lumières qu'elle est *française.* (C'est encore vrai de la Renaissance *italienne,* résurrection qui prouve précisément le caractère accidentel des nations et l'universalité des penseurs grecs). Le mode de vie idéal et le juste régime que ces écoles de pensée préconisaient ne connaissaient aucune limite de race, de nation, de religion ou de climat. Cette relation à l'homme en tant qu'homme constituait la définition même de la philosophie. De cette universalité-là, nous sommes bien conscients quand nous parlons de science, et personne ne parle sérieusement de physique

* Mies van der Rohe a, lui aussi, été une personnalité connue à Chicago avant même d'avoir vraiment la possibilité de construire, et le Bauhaus était encore un produit de la République de Weimar, étroitement lié aux courants de pensée dont j'ai parlé.
** *A know-nothing response :* Les « know-nothing » étaient les membres du « National Council of the United States of America », parti ultra-protectionniste fondé vers 1850 qui prétendait réagir comme l'immigration étrangère et empêcher l'expansion du catholicisme. Ce parti a été la préfiguration du Ku-Klux-Klan. (N.d.T.)

allemande, italienne ou anglaise. De même, quand les Américains parlent sérieusement de politique, ils veulent faire comprendre que leurs principes de liberté et d'égalité et les droits qui sont fondés sur ces principes sont rationnels et applicables partout. La Seconde Guerre mondiale comportait vraiment un projet éducatif : elle a été entreprise pour obliger ceux qui n'acceptaient pas ces principes à les adopter. En revanche, la philosophie allemande d'après Hegel jette le doute sur ces principes et il existe une relation entre la politique allemande et la pensée allemande. L'historicisme nous a enseigné que l'esprit se trouve dans une relation essentielle avec l'histoire ou la culture. Selon les derniers philosophes allemands, la germanité est une part essentielle de leur pensée. Pour Nietzsche et ceux qu'il a influencés, les valeurs sont des produits des esprits populaires et ne s'appliquent qu'à ceux-ci. Heidegger met en doute jusqu'à la possibilité d'une traduction quelconque : selon lui, les traductions latines des termes philosophiques grecs sont superficielles et ne restituent pas l'essence du texte traduit. La pensée allemande ne tend pas à se libérer de sa propre culture, comme l'avaient tenté les pensées antérieures ; elle cherche au contraire à rétablir l'enracinement dans son propre sol, qui a été détruit par le cosmopolitisme philosophique et politique. Nous avons précisément choisi de nous inspirer d'une pensée qui, comme certains vins, ne supporte pas le voyage ; nous ressemblons au millionnaire de *Fantôme à vendre* * qui transporte un château de l'Ecosse mélancolique dans la Floride ensoleillée et y ajoute des canaux et des gondoles pour faire couleur locale. En plus de cela, dans cette perspective, on considérait les Etats-Unis comme une non-culture, comme une collection de rebuts des vraies cultures qui avaient seulement cherché un refuge confortable sous un régime condamné au cosmopolitisme par sa pensée et ses actions. Nous avons donc choisi une manière de considérer les choses qui ne pourra jamais être la nôtre et qui a son origine dans l'aversion que nous éprouvons pour nous-mêmes et pour nos objectifs ! Notre attirance pour ce qui est allemand prouvait justement que nous ne pouvions le comprendre. Si l'on croit au caractère déterminé des peuples et de leurs valeurs, que décrètent les historicismes de toutes espèces, mais particulièrement l'historicisme radical de Nietzsche, le cas de l'Allemagne est l'exact contraire de celui de la Grèce. On peut fort bien apprécier cette différence en comparant la façon dont Cicéron a parlé de Socrate et la manière dont le traite Nietzsche. Pour Cicéron, Socrate est un ami et un contemporain ; pour Nietzsche, c'est un ennemi et un ancien. Compte tenu de l'universalisme

---

* L'auteur donne ici au célèbre film de René Clair son titre américain *Ghost Goes West*, et il fait remarquer que le terme anglais *Ghost* (fantôme) a une étymologie commune avec le mot allemand *Geist* (esprit, dans tous les sens du terme). (N.d.T.)

extrême de notre pays, rien ne pourrait être plus malvenu pour Nietzsche et pour Heidegger que notre accolade.

A la suite de ces remarques, il faut au moins soulever la question de l'accord possible entre le relativisme de la valeur et la démocratie. C'est en général une question qu'on résout en évitant de la poser. En particulier, les sciences humaines ont traité du nazisme en le considérant comme un cas psycho-pathologique, résultant de l'action de personnalités autoritaires ou « dirigées par les autres », bref une maladie pour des psychiatres telle que nous la présente Woody Allen. On n'envisage même pas que la pensée, surtout la pensée sérieuse et celle-là même qui se trouve à l'origine des sciences humaines, puisse avoir quoi que ce soit à voir avec le succès de Hitler. Mais le fait est que cette République de Weimar, qui, dans sa version gauchiste, séduit tant les Américains, comportait aussi des personnes intelligentes qu'attirait le fascisme, du moins à ses débuts, pour des raisons très semblables à celles qui ont motivé les réflexions des idéologues de gauche sur l'autonomie et la création de valeurs. Or, une fois qu'on a plongé dans l'abîme, on n'a pas la moindre assurance de trouver de l'autre côté l'égalité, la démocratie ou le socialisme. Au mieux, la détermination de soi-même reste indéterminée. Mais les conditions de la création de valeurs, en particulier son caractère autoritaire et religieux ou charismatique, sembleraient militer contre le rationalisme démocratique. Les racines sacrées de la communauté sont contraires aux droits des individus et à la tolérance libérale. C'est cette nouvelle religiosité associée à la communauté et à la culture qui a incité des gens envisageant les choses du point de vue de la créativité à pencher vers la droite. A gauche, on affirmait seulement que Marx, après sa révolution, produirait exactement ce que Nietzsche avait promis ; mais à droite, on méditait sur ce que nous savons des conditions de la créativité. Je ne me livrerai ici à aucun commentaire sur la période nazie de Heidegger, aujourd'hui dénazifié, sinon pour remarquer qu'en reconnaissant que ce fut le penseur le plus intéressant de notre siècle (c'est là une idée de plus en plus admise, bien qu'elle ait été quelque temps chastement dissimulée par l'admiration que l'on vouait à ses moins compromettants mandataires), nous fournissons la preuve que nous jouons avec le feu. L'intérêt que Heidegger portait aux nouveaux dieux l'a conduit, comme il avait conduit Nietzsche avant lui, à honorer dans son enseignement la démesure comme supérieure à la modération et il l'a également incité à tourner la morale en ridicule. Cet éloge de la démesure et ce dénigrement de la morale ont contribué à constituer l'atmosphère ambiguë de la République de Weimar, dans laquelle les libéraux avaient l'air de demeurés et où tout était possible, tandis que dans les cabarets on exaltait la « joie du couteau ». Des gens honnêtes avaient pris l'habitude d'entendre des choses auxquelles, par le passé, ils auraient été horrifiés de penser et qu'il n'aurait pas été permis d'exprimer en public. Que la lutte entre la droite et la gauche se soit conclue de façon violente, ce n'est pas le fruit du hasard.

Ce qui demeure un mystère, c'est l'affinité qu'ont trouvée avec tout cela les âmes de citoyens américains qui n'étaient préparés à une telle confrontation ni par leur éducation ni par leur expérience historique. C'est un mystère que je ne suis pas à même de résoudre, mais le présent essai s'interroge sur le phénomène en question et essaie d'en discerner certaines causes et certains effets éventuels. Un jour qu'il rêvait à haute voix, Pierre Hassner s'est demandé si le succès fantastique de Freud aux Etats-Unis n'était pas simplement dû au fait que beaucoup de ses disciples s'y étaient réfugiés et lui avaient fait une publicité efficace, ou si l'on éprouvait de Freud quelque besoin spécial dans un pays dont il ne s'était pas beaucoup soucié. Lorsque j'étais enfant, à Chicago, j'ai toujours été particulièrement frappé par le fait que Marshall Field, troisième du nom et descendant d'une grande famille de négociants, archétype de la réussite de ce que les webériens appellent l'éthique protestante, avait été analysé par Gregor Zilboorg, un des premiers freudiens qui aient eu une réelle influence aux Etats-Unis, et qu'après cela il était devenu un ardent supporter des causes de la gauche et avait perdu des fortunes pour financer les journaux de ses amis politiques. Il se passait évidemment dans le « sous-sol » de l'analysé beaucoup plus de choses qu'on ne l'aurait supposé. Y résidait-il quelque chose que la lucidité des Américains n'avait pas suffisamment reconnu ou satisfait ?

Une fois que les Américains ont été convaincus qu'il existe vraiment un « sous-sol » dont les psychiatres détiennent la clé, ils se sont délibérément orientés vers le « moi », ce centre mystérieux, libre et illimité de notre être. Toutes nos croyances en émanent et ne peuvent être validées autrement. Certes, le nihilisme et le désespoir existentiel qui l'accompagne ne sont guère plus qu'une pose pour les Américains : néanmoins, au fur et à mesure que le langage dérivé du nihilisme est devenu un élément de leur éducation et s'est insinué dans leur vie quotidienne, ils recherchent le bonheur par des voies que détermine ce langage. Il y a désormais tout un arsenal de termes qui ne veulent rien dire : dévouement, accomplissement de soi-même, conscience en expansion, et ainsi de suite. Rien de bien défini, rien qui ait un référent, comme on s'en rend bien compte en voyant les films d'Allen et en lisant les ouvrages de Riesman. Il y a un effort pour dire quelque chose, une recherche d'une intériorité dont on sait qu'elle existe mais qui reste une cause sans effet. L'intérieur semble n'avoir aucune relation avec l'extérieur. L'extérieur se dissout et devient informe à la lumière de l'intérieur, et l'intérieur est une sorte de lueur vacillante comme un feu follet, ou bien un vide pur et simple. Il n'est pas étonnant que la seule sonorité du *néant* des existentialistes ou de la *négation* de Hegel soit si séduisante pour.les oreilles contemporaines. Le nihilisme américain est une humeur, une humeur chagrine, une vague inquiétude. C'est le nihilisme sans l'abîme.

Ce qui révèle le nihilisme en tant qu'état d'âme, ce n'est pas tant l'absence de convictions fermes qu'un chaos d'instincts ou de passions. On ne croit plus à une hiérarchie naturelle des inclinations variées et contradictoires de l'âme, et les traditions qui constituaient un substitut de la nature se sont écroulées. L'âme devient une scène pour une compagnie théâtrale qui change régulièrement de spectacle : tantôt une tragédie, tantôt une comédie, un jour l'amour, un autre la politique, et finalement la religion ; maintenant le cosmopolitisme, demain la fidélité à l'enracinement ; comme décor la ville, puis la campagne ; l'individualisme ou la communauté ; la sentimentalité ou la brutalité. Et il n'y a ni principe ni volonté pour imposer à tout cela un ordre de priorité. Des personnages de tous les âges et de tous les lieux, de toutes les races et de toutes les cultures peuvent jouer sur cette scène. Nietzsche pensait que le bal costumé sauvage des passions offrait tout à la fois l'avantage et le désavantage de la modernité récente. Le désavantage évident, c'est la décomposition de l'unité, ou de la « personnalité », qui conduira à la longue à l'entropie psychique. L'avantage qu'on espérait en retirer, c'est que la richesse et la tension présentes dans l'âme moderne servent de base à de nouvelles vues du monde, plus complètes, qui prendraient au sérieux ce qu'on avait précédemment jeté à la poubelle. Selon Nietzsche, cette richesse de l'âme moderne était très largement constituée par l'héritage d'aspirations religieuses millénaires qui se trouvent désormais non satisfaites. Mais cet avantage éventuel n'existe pas pour les jeunes Américains, car la mauvaise qualité de leur éducation a appauvri leurs aspirations et ils n'ont plus guère conscience des grandeurs passées auxquelles pensait Nietzsche et qu'il conservait en lui. Ce dont les jeunes disposent aujourd'hui, c'est d'un enchevêtrement désordonné de passions plutôt ordinaires, qui se présente dans leur conscience comme les images d'un kaléidoscope monochrome. Ils sont égotistes, non pas de façon vicieuse, à la manière de ceux qui savent très bien ce que sont le bon, le juste et le noble, et les rejettent égoïstement, mais parce que l'*ego* est tout ce que leur offre la théorie actuelle qu'on leur a enseignée.

Nous sommes un peu comme des sauvages qui, après avoir été découverts et évangélisés par des missionnaires, se sont convertis au christianisme sans avoir fait l'expérience de tout ce qui a eu lieu avant et après la révélation. Le fait que la plupart d'entre nous n'auraient jamais entendu parler d'Œdipe si Freud n'en avait pas fait un de ses personnages principaux nous fait prendre conscience du fait que nous dépendons presque complètement de nos missionnaires allemands pour notre connaissance de la Grèce, de Rome, du judaïsme et du christianisme. Nous nous rendons compte aussi que, si profonde que puisse être cette connaissance, ce n'est qu'une interprétation, et qu'on ne nous a enseigné que ce qu'on estimait que nous avions besoin de savoir. Pour celui qui est en quête d'une prise de conscience de lui-même, il est urgent de bien réfléchir à la signification des choses que nous disons et qui nous ont conduits dans l'impasse où nous nous trouvons. Le petit dictionnaire explicatif de notre langage courant qui figure dans les pages suivantes se veut une modeste contribution à cette entreprise.

DEUX RÉVOLUTIONS

Découvrir le sous-sol de l'âme, l'explorer et se laisser séduire par son sombre contenu, ce fut longtemps une des spécialités de l'Europe. Des aspirations obscures, la quête des fondements fuyants de toutes choses, tels sont les thèmes omniprésents de la littérature française, allemande et (avant la révolution) russe des XIXe et XXe siècles. La « profondeur » européenne s'opposait spécifiquement à la « superficialité » américaine. On considérait que les âmes américaines étaient, pour ainsi dire, construites sans fondations, qu'elles étaient dans les meilleurs termes avec ce monde-ci et n'avaient pas l'habitude de regarder ce qu'il y avait en dessous, qu'elles n'étaient pas obsédées par le sentiment que leur expérience ne reposait sur rien. Aussi quand les Américains ont pu s'offrir le luxe de s'adonner à la littérature européenne, ainsi qu'à la cuisine européenne, on s'est demandé si cela correspondait à un appétit réel et comment ils seraient capables de les digérer. La dyspepsie que je viens de décrire est assurément un résultat de ce nouveau régime.

Ce qui nous sépare de l'Europe peut être résumé par le terme *bourgeois*. Depuis plus de deux siècles, les philosophes et les artistes européens ont étiqueté comme *bourgeois* l'homme nouveau du régime politique démocratique nouveau. A l'origine, le mot était négatif : il désignait un être amoindri, égoïste, matérialiste, sans beauté ni grandeur d'âme ; et il a conservé ce sens — surtout connu des Américains en raison de son utilisation par Marx — jusqu'à nos jours : c'est demeuré un thème obsessionnel, bien après que Nietzsche eut déclaré qu'il était déjà devenu assommant. Le mot « bourgeois » représente ce qu'il y a de pire et de plus méprisable, le signe de l'échec de la modernité, échec qu'il faut à tout prix surmonter. Dans son sens le plus tangible, le nihilisme veut dire que le *bourgeois* l'a emporté, que l'avenir, tout avenir prévisible, lui appartient, que toutes les hauteurs qui le dominent et

178

toutes les profondeurs qui se trouvent au-dessous de lui ne sont que des illusions et que, dans de telles conditions, la vie ne vaut pas la peine d'être vécue. Cela ne fait qu'annoncer l'échec de toutes les solutions de rechange et toutes les tentatives de correction : par exemple l'idéalisme, le romantisme, l'historicisme et le marxisme. Toutefois, les Américains ont généralement cru que le projet moderne s'était réalisé dans leur pays, qu'il pouvait également se réaliser ailleurs et que c'était un bon projet. Naturellement, ils n'appliquent pas le terme *bourgeois* à eux-mêmes, ni d'ailleurs à qui que ce soit d'autre. Ils préfèrent se qualifier de « classe moyenne », mais cette expression ne comporte aucun contenu spirituel spécial : c'est plutôt une bonne chose d'en faire partie. S'il y a échec ici, c'est qu'il subsiste des gens pauvres. A la classe moyenne ne s'oppose aucun des nombreux contraires — tous connotés positivement — qui s'opposent au *bourgeois :* aristocrate, saint, héros ou artiste ; excepté peut-être (comme contraire de la classe moyenne) le prolétaire ou le socialiste. Et l'esprit est à l'aise ici, même s'il n'est pas entièrement satisfait.

La modernité est constituée par les régimes politiques fondés sur la liberté et l'égalité, donc sur le consentement des administrés ; ces régimes ont été rendus possibles par une nouvelle science de la nature qui a maîtrisé et domestiqué cette dernière et apporté aux hommes la prospérité et la santé. Cela découlait d'un projet philosophique conscient et cela a représenté la plus grande transformation qui ait jamais eu lieu des rapports de l'homme avec ses semblables et avec la nature. La révolution américaine a mis en œuvre ce système pour les Américains qui, en général, se sont montrés satisfaits du résultat et qui avaient une notion assez claire de ce qu'ils avaient fait en instituant ce gouvernement. On avait ainsi résolu une fois pour toutes les questions de principe politique et de droit ; plus n'était donc besoin d'une révolution ultérieure, si « révolution » désigne un changement des principes fondamentaux de légitimité, qui s'accorde avec la raison et l'ordre naturel des choses, mais exigeant de durs combats contre ceux qui restent attachés à l'ordre ancien et à ses formes injustes de gouvernement. Terme relativement récent dans le vocabulaire politique, le mot révolution se réfère d'abord à celle qui a eu lieu en Angleterre en 1688 au nom de principes très semblables à ceux qui ont inspiré la révolution américaine : il fait allusion au mouvement du soleil qui fait succéder le jour à la nuit.

La Révolution française, que Kant a qualifiée d' « aube nouvelle » et qui a représenté, aux yeux du monde de l'époque, un événement beaucoup plus important que la révolution américaine, parce qu'il concernait l'une des deux grandes puissances d'alors et l'un des peuples les plus anciens et les plus civilisés, qui constituait la véritable école de l'Europe, a remporté la victoire au nom de l'égalité et de la liberté, tout comme les révolutions anglaise et américaine. Il semblerait donc qu'elle ait consacré le triomphe irrésistible du projet philosophique moderne et constitué l'épreuve finale de la théodicée de la liberté et de l'égalité. Mais contrairement à celles qui l'ont précédée, elle a donné naissance à un chatoyant éventail d'interprétations et suscité dans toutes les directions des réactions qui n'ont pas encore épuisé l'impulsion qu'elle leur avait imprimée. La droite, qui, dans sa seule acception sérieuse, représentait le parti opposé à l'égalité, non pas à l'égalité économique mais à l'égalité des droits, et qui voulait défaire l'œuvre de la Révolution au nom du trône et de l'autel, a probablement rendu son dernier soupir en même temps que Francisco Franco en 1975 ; et la droite qui cherchait à imposer au monde un nouveau type d'inégalité en créant une nouvelle aristocratie européenne (ou plutôt allemande) s'est effondrée en une gigantesque explosion à Berlin en 1945. La gauche, qui avait l'intention de compléter la Révolution en abolissant la propriété privée, est toujours en vie, mais elle n'a jamais réussi à accomplir son projet dans les nations, en particulier la France, qui ont été le plus influencées par la Révolution française. Finalement, c'est le centre — c'est-à-dire la solution « bourgeoise » — qui l'a emporté à la longue en France, en Allemagne, en Autriche, en Belgique, en Italie, en Espagne et au Portugal, comme il l'avait emporté en Angleterre et aux Etats-Unis, mais en laissant beaucoup de rancœurs et de déceptions. Les derniers grands ennemis du bourgeois sont morts à peu près en même temps : Sartre, de Gaulle et Heidegger. (Les Américains ne se rendent pas suffisamment compte que la haine du bourgeois est au moins autant une caractéristique de la droite que de la gauche). On peut s'attendre, toutefois, à ce que la littérature en répercute encore certains échos, car fustiger le bourgeois demeure chez les écrivains presque un réflexe, dont ils ne peuvent se débarrasser qu'avec la plus grande difficulté, comme on en a eu la preuve quand tant d'auteurs ont continué à s'acharner contre la bourgeoisie alors que sévissaient autour d'eux des nazis et des communistes qui auraient bien mérité qu'on s'intéresse à eux. Pour maintenir la flamme bien vivante, beaucoup de littérateurs ont d'ailleurs interprété Hitler comme un phénomène *bourgeois :* interprétation à laquelle ils ont réussi à conférer quelque crédibilité à force de redites.

En bonne logique, on devrait maintenant être venu à bout des nouvelles révolutions et des nouvelles métaphysiques qui les justifient, et dont l'objectif est de rectifier les échecs *perçus* comme étant ceux de la Révolution française. Mais la réconciliation avec la réalité semble pour l'instant le fruit de la lassitude plutôt que de l'enthousiasme. Si j'ai recouru ici à l'épithète *perçu*, encore un mot à la mode, c'est parce que, en se fondant sur quantité de lectures de la Révolution française — vue par des monarchistes, des catholiques, des libéraux, des socialistes, des partisans de Robespierre, des bonapartistes —, lectures qui n'étaient pas des exercices académiques oiseux, mais des réflexions vivifiantes et génératrices d'action, Nietzsche a conclu que, dans ce cas précis, il n'existe pas de texte mais seulement des interprétations. Cette observation est le fondement de l'opinion, très répandue aujourd'hui, selon laquelle il n'y a pas d'*être,* mais seulement des perspectives sur le *devenir,* que la perception comporte autant de réalité qu'il peut en exister ici-bas et que les choses sont ce qu'on perçoit qu'elles sont. Cette opinion s'associe, bien entendu, à celle qui veut que l'homme soit le créateur des valeurs et non pas un être qui découvre le bien. Il n'est pas surprenant d'en trouver la source, au moins partiellement, dans les plus grands événements de la politique moderne. La révolution américaine a produit une réalité historique claire et unifiée ; la Révolution française a posé une série de questions et de problèmes.

Les Américains ont eu tendance à considérer la Révolution française avec indulgence et même assez favorablement. Elle représentait un bien proche de celui que nous avions acquis, mais elle n'avait pas réussi à donner à ce bien un cadre institutionnel stable. Tout au contraire, un vaste secteur de l'opinion intellectuelle européenne, celui qui était le plus influent, a considéré que la Révolution française était un échec, non pas parce qu'elle n'avait pas réussi à établir une démocratie libérale, mais parce qu'elle avait beaucoup trop bien réussi à produire un type d'homme libéral et démocratique, c'est-à-dire le *bourgeois,* et qu'elle avait conféré à sa classe, la bourgeoisie, le pouvoir dans la société. Le malentendu est total entre les Américains et l'Europe : là où les Américains ont vu une solution, les Européens ont vu un problème*. Même un écrivain aussi proaméricain et prolibéral que Tocqueville, qui comprenait fort bien que la grande difficulté pour la France résidait dans son incapacité à s'adapter aux institutions libérales, était assez pessimiste quant à la possibilité, pour une existence pleinement humaine, de s'y épanouir.

Les Américains en général, y compris ceux qui pensent, ont trouvé peu de chose qui les séduise dans l'Ancien Régime français. Le trône et l'autel étaient, respectivement, les représentants réels de l'injuste inégalité et du préjugé que le régime américain avait l'intention d'extirper partout dans le monde. Les Etats-Unis,

---

* Les penseurs qui, comme Alexis de Tocqueville, ont approuvé, même avec des réserves, la solution américaine sont peu lus en France et n'y sont pas appréciés ; et le Français qui est le plus proche de la tradition de la philosophie politique anglaise et américaine et qui a le plus influencé les fondateurs des Etats-Unis, Montesquieu, est celui des très grands écrivains français qui a eu le moins d'influence sur les intellectuels de son pays.

estimaient-ils, avaient été en mesure de réussir avec une relative facilité dans leur projet, parce qu'ici nous avions commencé à vivre dans une certaine égalité de conditions sociales. En Amérique du Nord, il n'avait pas été nécessaire de tuer un roi, de destituer une aristocratie qui voulait se maintenir en place et provoquer des difficultés, non plus que de séparer de l'Etat une Eglise qu'il faudrait peut-être abolir. Si l'on y ajoute le rôle du peuple de Paris qui ne pouvait accepter l'autorité de la loi, on voit les raisons qui ont empêché les Français de parvenir au consensus raisonnable pour mettre en place un gouvernement démocratique. Du moins est-ce ainsi que les Américains comprenaient les choses et il y a beaucoup de vrai dans cette analyse.

Mais on peut aussi se placer à un point de vue différent, qui est celui qui a prévalu dans beaucoup de discussions publiques en France. Les Etats-Unis représentent un rétrécissement intolérable de l'horizon humain et le prix à payer pour leur ordre raisonnable et leur prospérité est trop élevé. L'aristocratie française était dotée d'une noblesse, d'un brillant et d'un goût qui contrastaient de façon frappante avec la mesquinerie et la grisaille de l'existence et des motivations commerciales de la société libérale. La perte de ce que représentait l'aristocratie appauvrirait le monde. Ce qui est encore plus important, c'est que l'on peut estimer que la religion, qui a été démantelée par la Révolution, exprimait la profondeur et le sérieux de la vie. Si le noble et le sacré ne peuvent trouver d'expression sérieuse dans la démocratie, il devient douteux que ce régime soit digne d'être choisi. Tels sont les arguments des réactionnaires, les dépossédés de l'Ancien Régime, arguments qu'on peut considérer comme spécieux.

Plus sérieuse pour nous est la critique que nous font ceux des révolutionnaires qui ont accepté nos principes de liberté et d'égalité. Beaucoup d'entre eux ont estimé que nous n'avions pas réfléchi assez à fond à ces idéaux si chers. Pour les Américains, disent-ils, la liberté signifie simplement le fait d'agir sans contrainte, d'être limité seulement par les exigences minimales de l'existence sociale. Mais aucun écrivain n'a suffisamment cherché à comprendre ce qui est nécessaire pour établir vraiment des lois qui nous conviennent, ni n'est allé au-delà de la notion de liberté négative, celle qui permet de satisfaire des appétits bestiaux. De même, est-ce que l'égalité peut ne signifier que l'octroi de chances égales pour permettre à des êtres aux talents inégaux d'acquérir la prospérité ? Et faut-il que l'astuce qui mène à l'enrichissement soit mieux récompensée que l'excellence morale ? Quant à la religion, les Eglises domestiquées des Etats-Unis préservent le christianisme, cette superstition dont la destruction est peut-être la clé de la libération de l'homme. Et faut-il qu'un bon régime soit athée ou doit-il se donner une religion civile ? En outre, est-il possible que la propriété privée et l'égalité coexistent, alors que Platon lui-même a prescrit le communisme entre gens égaux ? Or, dans ce pays peu radical, le communisme ni le socialisme n'ont jamais fait beaucoup de progrès dans leur combat contre le respect de la propriété privée. La définition qu'a donnée Locke de la propriété convient parfaitement à notre tempérament, et la critique qu'en a faite Rousseau n'a guère produit d'impression aux Etats-Unis, alors qu'elle a fait un puissant effet en Europe et continue à le faire. Enfin, que pouvons-nous penser de l'ambition héroïque et de la gloire militaire d'un Napoléon, sinon l'ignorer ou la démystifier ?

Telles ont été les questions abordées au cours du grand dialogue historique que la Révolution française a ouvert dans le sang, dialogue auquel les Etats-Unis étaient fort peu désireux de participer. En Europe continentale, où l'esprit philosophique anglais avait émigré, ces questions ont tout au contraire alimenté pendant un siècle une réflexion philosophique extrêmement sérieuse. La philosophie commence, semble-t-il, lorsqu'on aborde les diverses options politiques fondamentales. Il faut noter que, parmi les philosophes vraiment grands qui se sont exprimés depuis la Révolution française, seul Kant était favorable à la démocratie libérale. Et il s'est estimé obligé de la réinterpréter d'une manière qui l'a rendue tout à la fois méconnaissable et peu séduisante pour nous. Il a développé une épistémologie nouvelle qui rend possible la liberté alors que les sciences exactes sont déterministes, une nouvelle morale qui rend la dignité de l'homme possible alors qu'il considère que la nature de l'homme est faite d'appétits naturels égoïstes, et une nouvelle esthétique qui préserve le beau et le sublime de la pure subjectivité. Rien de cela n'avait de rapport avec la pensée égalitariste telle qu'elle avait été conçue auparavant. Stuart Mill lui-même, pourtant héritier de l'utilitarisme et représentant le plus étroit et le plus satisfait de la pensée libérale antérieure, a été obligé, quand il a voulu offrir une image séduisante de l'essence de la liberté pour la protéger des dangers de la tyrannie de la majorité, d'emprunter la notion de spontanéité à un penseur allemand, Humboldt. Or on ne trouve rien de ce genre chez les fondateurs du libéralisme.

Il faut chercher la cause de tous ces grands événements qui ont bouleversé la société civile dans la propagation d'un certain nombre d'idées relatives à la situation réelle de l'homme. Ces idées venaient d'être découvertes par les explorateurs d'un territoire, récemment découvert, qu'ils avaient baptisé l'état de nature et où nos ancêtres avaient résidé jadis. Ces Christophe Colomb de l'esprit — Thomas Hobbes avait ouvert la voie, mais Locke et Rousseau avaient pris sa suite et on les considérait comme des observateurs plus fiables — étaient porteurs d'une nouvelle importante : par nature, tous les hommes sont libres et égaux et ils ont droit à la vie, à la liberté et à la propriété. C'est là le genre d'informations qui provoque les révolutions parce qu'elles retirent de dessous les pieds des rois et des nobles le tapis volant qui les situe au-dessus des autres. Tous nos observateurs étaient d'accord sur ces points fondamentaux et ceux-ci devinrent les bases solides de la politique moderne. Mais sur d'autres points, ils étaient en désaccord entre eux, en particulier Locke et Rousseau, et c'est de là qu'allaient surgir les principaux conflits de la modernité. Ceux que nous venons de voir entre les révolutions américaine et française se trouvaient déjà exposés préalablement dans les écrits de Locke et de Rousseau, qu'on peut considérer comme les scénaristes du drame de la politique moderne. Sur le plan pratique, Locke a connu une réussite spectaculaire : les nouveaux régimes de l'Angleterre et de l'Amérique se sont fondés selon ses instructions. Quant à Rousseau, qui a probablement joui du plus grand succès littéraire de tous les temps, il s'est emparé de l'imagination des esprits les plus intéressants et a inspiré toutes les tentatives qui ont été faites, en pensée ou en acte, privées ou publiques, pour modifier et corriger la victoire totale de Locke, ou du moins échapper à la fatalité de celle-ci.

Il est aujourd'hui de bon ton de nier qu'il y ait jamais eu un état de nature : nous ressemblons à ces aristocrates qui ne se soucient pas de savoir que nos ancêtres ont été jadis des sauvages motivés uniquement par la peur de la mort et de la disette, et qui s'entre-tuaient pour des histoires de cueillette de glands. Nos origines sont beaucoup plus nobles, mais nous continuons à vivre sur le capital que nous ont transmis ces prédécesseurs désavoués. Tout le monde croit à la liberté et à l'égalité et aux droits qui en découlent : mais ceux-ci ont été transmis à la société civile à partir de l'état de nature et, en l'absence de tout autre fondement, ils seraient aussi mythiques que la fable de l'état de nature que nous ont contée nos voyageurs auxquels on ne peut tout à fait se fier. Ceux-ci sont remontés à l'origine, instruits par les nouvelles sciences exactes qui leur ont fourni leur boussole, mais ils ne se sont pas dirigés vers la fin comme le faisaient les philosophes de la politique qui les avaient précédés. Socrate a *imaginé* en paroles une cité étincelante ; Hobbes, lui, a découvert un individu isolé dont la vie était « médiocre, dégoûtante, bestiale et brève ». Ce point de vue a ouvert une perspective très différente sur ce qu'on veut et peut attendre de la politique. La prudence ne nous oriente pas vers des régimes consacrés à la culture de vertus rares et difficiles, sinon impossibles, mais vers l'établissement d'une bonne force de police pour protéger les hommes les uns des autres et leur permettre de se conserver eux-mêmes le mieux possible. Les trois penseurs qui ont traité de l'état de nature ont tous découvert que, d'une manière ou d'une autre, la nature conduisait les hommes à la guerre et que l'objectif de la société civile n'était pas de collaborer avec la tendance naturelle de l'homme à la perfection, mais d'établir la paix là où l'imperfection de la nature provoque la guerre.

Les comptes rendus de l'état de nature étaient mitigés : il y avait là du bon et du mauvais. Peut-être la découverte la plus importante a-t-elle été qu'il n'y avait pas de Jardin d'Eden : l'Eldorado de l'esprit s'est avéré être à la fois un désert et une jungle. A ses débuts, l'homme était démuni, et son état actuel ne résulte pas de ses péchés, mais de l'avarice de la nature. Il est seul ; Dieu ne se soucie pas de lui ni ne le punit. La nature est indifférente à la justice, et c'est là pour l'homme une réalité redoutable qui l'attriste : il doit prendre soin de lui-même, sans nourrir l'espoir qu'ont toujours eu les bons, à savoir qu'il y a un prix à payer pour le crime et que les méchants seront punis. Mais cette description de l'état de nature implique aussi une grande libération : libération de la tutelle de Dieu, des prétentions des rois, des nobles et des prêtres, et de la culpabilité ou de la mauvaise conscience. Les plus grands espoirs sont anéantis, mais ce qui terrorise et asservit l'âme a en partie disparu.

Absence de protection, nudité, souffrances sans secours, horreur de la mort : telles sont les perspectives auxquelles l'homme sans illusions doit faire face. Mais s'il considère les choses du point de vue de la société déjà établie, il peut être fier de lui. Il a progressé, et par ses propres efforts. Il peut avoir bonne opinion de lui-même. Et maintenant qu'il détient la vérité, il peut même se trouver plus libre d'être lui-même et d'améliorer sa situation. Il peut établir librement des gouvernements qui, sans être entravés par des tâches mythiques et les titres que certains prétendaient avoir à régner, seront au service de ses intérêts. L'exploration des origines a rendu possible en théorie un nouveau départ, un projet pour la reconstruction de la politique, tout comme la découverte du Nouveau Monde avait promis un nouveau commencement dans la pratique. Ces deux nouveaux départs ont coïncidé et ont produit, entre autres merveilles, les Etats-Unis.

De sa réflexion sur l'état de nature, Locke a tiré la formule de la philosophie des Lumières, avec sa combinaison particulière de science exacte et de politique. Son point de départ, c'est l'usage sans entraves de la raison, en quoi il ne fait que se conformer aux plus anciennes opinions des philosophes. Pour l'homme, la liberté consiste à mettre sa vie en accord avec ce qu'il peut voir par lui-même en recourant à sa faculté de discernement la plus aiguë, libérée de la force des tyrans et de l'autorité des mensonges, c'est-à-dire des mythes. En recourant ainsi à la raison sans aucune aide, l'homme en tant qu'homme — opposé ici à l'homme de tel lieu ou de telle époque, de telle nation ou de telle religion — peut découvrir les causes de tout et appréhender la nature par lui-même.

Etre autonome, cela ne signifie pas, comme on le pense généralement, prendre dans le vide une décision fatidique et sans fondement, mais diriger sa propre existence en fonction du réel. Pour
que le dedans ait un sens, il faut qu'il y ait un dehors.

Ainsi pensaient Locke et les philosophes qui l'ont précédé et
suivi. Ce qui a distingué la philosophie des Lumières de celle qui la
précédait, c'est son intention d'étendre à tous les hommes ce qui
avait été le territoire de quelques-uns seulement, à savoir une
existence menée conformément à la raison. Ce n'est pas l' « idéalisme » ou l' « optimisme » qui a motivé ces penseurs dans leur
entreprise, mais une nouvelle science, une « méthode », et, alliée à
celles-ci, une nouvelle science politique. Si elle n'avait pas la faculté
d'octroyer aux individus ordinaires le génie propre à découvrir
cette connaissance, du moins la science mathématique claire et
distincte du mouvement des corps, découverte au moyen d'une
méthode simple aisément accessible au commun des mortels,
pouvait-elle leur permettre de comprendre la nature. On pourrait
désormais se passer des diverses explications mythiques et poétiques du monde dans son ensemble qui avaient jusqu'alors fixé les
horizons des nations et des hommes et dans les limites desquelles
les philosophes avaient toujours vécu seuls et incompris : ainsi la
différence fondamentale de perspectives entre les savants et ceux
qui ne l'étaient pas serait surmontée. En outre, si l'on extrait
l'homme de l'obscurité du royaume des ombres et qu'on l'examine
à la lumière de la science, il peut voir qu'il appartient par nature au
domaine des corps en mouvement et que, comme tous les autres
corps, il souhaite préserver son mouvement, c'est-à-dire sa vie.
Tout homme a terriblement peur de la mort, et cette peur est
inscrite dans la nature. Si l'on examine de façon critique, selon une
méthode scientifique, les autres fins qui ont été prescrites à
l'homme autrefois, on peut voir qu'elles appartiennent au domaine
de l'imagination, ou des opinions erronées, ou qu'elles dérivent de
cette terreur primitive. De cet examen critique, dont tous les
hommes sont capables si les philosophes les guident et qui est
soutenu par des tendances profondes chez tous les individus,
découlent une unité salutaire des desseins et une utile simplification du problème humain : vulnérable, l'homme doit rechercher les
moyens de se préserver. Comme c'est ce que tous les hommes
désirent vraiment, tout arrangement qui leur permet de se procurer
de la nourriture, des vêtements, un abri, la santé, et surtout une
protection contre les agressions des autres, doit obtenir, s'ils ont été
convenablement éduqués, leur consentement et leur loyauté.

Une fois que le monde a été débarrassé des fantômes et des
esprits, il s'avère que le problème le plus grave, c'est la disette. La
nature est une marâtre qui nous a laissés démunis. Mais cela veut
dire aussi que nous n'avons pas à lui être reconnaissants. Tant que

nous avions du respect pour la nature, nous étions pauvres. Comme il n'y avait pas assez, il nous fallait prendre les uns aux autres ce qui nous manquait et, résultat de cette concurrence, la guerre était inévitable. Or, véritablement, la guerre est la plus grande menace qui pèse sur notre existence ; et la disette nous rend ennemis les uns des autres. Mais si, au lieu de nous combattre, nous nous liguons pour faire la guerre à notre marâtre qui nous prive de ses richesses, nous pouvons en même temps nous procurer le nécessaire et mettre fin à la lutte qui nous oppose à nos frères. La conquête de la nature, rendue possible par les découvertes de la science et le pouvoir que celle-ci s'avère capable d'engendrer, est la clé de la politique. L'ancien commandement d'aimer nos frères nous imposait une exigence impossible, une exigence contre nature, sans rien nous donner qui nous permette de pourvoir à nos besoins réels. Ce qu'il faut, ce n'est pas l'amour fraternel ou la foi, l'espérance et la charité, mais un travail rationnel effectué dans un but intéressé. L'homme qui contribue le plus à soulager la misère humaine, c'est celui qui produit le plus, et le moyen le plus sûr de l'inciter à produire davantage, ce n'est pas de l'y exhorter mais de bien le récompenser. Ce qui est le plus nécessaire c'est d'être capable de sacrifier le plaisir présent en vue d'un bénéfice futur, ou pour éviter des souffrances grâce au pouvoir qu'on aura acquis de cette manière. Du point de vue du bien-être de l'homme et de sa sécurité, ce qu'il faut, ce ne sont pas des hommes qui mettent en pratique les vertus chrétiennes ou aristotéliciennes, mais des individus rationnels (c'est-à-dire capables d'évaluer leur intérêt) et industrieux. Le contraire de ces gens-là, ce ne sont pas les vicieux, les méchants ou les pécheurs, ce sont les paresseux et les querelleurs (les premiers s'opposant aux industrieux, les seconds aux rationnels, ce qui permet de mieux comprendre la signification de la raison). Par paresseux et querelleurs, on entend tout autant les prêtres et les nobles que ceux qui sont le plus manifestement tels. Et le gouvernement est là pour protéger le produit du travail des hommes, leur propriété, et, de ce fait, leur vie et leur liberté.

Ce schéma fournit la structure du terme clé de la démocratie libérale, de la notion qui a le plus de succès et d'utilité dans notre monde : les *droits*. La notion que l'homme détient des droits naturels et inaliénables, que ces droits lui appartiennent en sa qualité d'individu, tant dans le temps que par leur caractère sacré, avant même l'existence de n'importe quelle société civile, et que les sociétés civiles existent pour garantir ces droits et acquièrent leur légitimité du fait qu'elles les assurent, c'est là une invention de la philosophie moderne. Les *droits,* comme les autres termes dont il est question dans ce chapitre, sont une expression nouvelle de la modernité, qui ne fait pas partie du langage commun de la politique ou de la tradition de la philosophie politique à son apogée. Mais les *droits* nous appartiennent. Ils sont constitutifs de notre être ; nous les vivons ; ils sont notre sens commun. Contrairement aux autres termes, nous comprenons parfaitement bien le mot *droits* et nous avons immédiatement accès à la pensée qui leur est sous-jacente. Les autres termes sont étrangers, problématiques, et pour les comprendre, il faut un grand effort, un effort que, c'est du moins ce que je prétends, nous ne faisons pas.

C'est Hobbes qui a instauré la notion de droits, mais c'est Locke qui lui a conféré sa pleine respectabilité. Le *droit* n'est pas le contraire du tort, mais celui du devoir. C'est une part de la liberté, ou plutôt c'en est l'essence. Il découle de la passion de vivre qui caractérise l'homme, et de vivre de façon aussi peu douloureuse que possible. Si l'on analyse les besoins universels et leur relation à la nature prise dans son ensemble, on se rend compte que cette passion n'est pas purement imaginaire. On peut dire que c'est un droit et on peut la traduire en termes politiques dans la mesure où un homme est pleinement conscient de ce qui lui est le plus nécessaire, où il reconnaît qu'il est menacé par les autres et qu'ils sont menacés par lui. Cette reconnaissance est le ressort qui déclenche le mécanisme social : à partir de là, l'homme peut calculer que, s'il accepte de respecter la vie, la liberté et la propriété des autres (pour lesquelles il n'éprouve aucun respect naturel), ceux-ci peuvent être induits à lui rendre la pareille. Ainsi la reconnaissance réciproque est le fondement des droits ; c'est un nouveau type de morale, solidement enraciné dans l'intérêt.

Pour les Américains, dire « j'ai le droit » est aussi instinctif que de respirer, tant cette façon de voir les choses est claire et évidente. Cette formule désigne les règles du jeu, règles dans les limites desquelles ils peuvent jouer pacifiquement, dont ils voient et acceptent la nécessité et dont la violation suscite leur indignation. De la connaissance que nous avons de nos droits découle notre acceptation de nos devoirs à l'égard de la communauté qui les protège. La droiture est une qualité que nous acquérons du fait que des droits égaux nous sont également garantis par l'action du gouvernement. Tout le monde, sur la planète, parle de droits, même les communistes, héritiers de Marx qui tournait en ridicule les « droits bourgeois » qu'il qualifiait de simulacre et dont la pensée ne laisse aucune place à des droits. Mais presque tout observateur réfléchi sait que c'est aux Etats-Unis que l'idée de droits a pénétré le plus profondément dans le cœur des citoyens, ce qui explique que ceux-ci soient exceptionnellement exempts de servilité. Faute de cette idée, nous n'aurions rien d'autre qu'un égoïsme chaotique ; elle est la source intéressée d'un certain désintéressement. Nous sentons que les intérêts des autres doivent être respectés.

Cette disposition a représenté une rupture complète avec les anciennes façons de voir le problème politique. Auparavant, on estimait que l'homme était un être double, dont une part se préoccupait du bien commun tandis que l'autre ne se souciait que de ses intérêts privés. Pour réaliser une action politique, il fallait donc, selon cette conception, que l'homme surmonte la partie égoïste de sa personnalité, qu'il impose sa volonté à ses intérêts strictement privés et qu'il fasse preuve de vertu. Locke et ses prédécesseurs immédiats ont prodigué un autre enseignement : aucune composante de l'homme ne l'oriente naturellement vers le bien commun ; aussi cette ancienne façon de concevoir la politique était-elle à la fois excessivement dure et de plus inefficace, parce qu'elle allait contre la nature. Les philosophes de l'école de Locke ont donc décidé de mettre en pratique un autre système : recourir à l'intérêt privé pour le bien de l'intérêt public et placer la liberté naturelle avant la vertu austère. En soi, l'intérêt est hostile au bien commun ; mais s'il est *éclairé,* il cesse de l'être. Cette formule est peut-être la meilleure interprétation de ce qu'on entend par philosophie des Lumières. On peut amener la raison de l'homme à voir sa vulnérabilité et à prévoir la disette future. Cette prise de conscience rationnelle de l'avenir et de ses dangers suffit à mettre en mouvement les passions. Autrefois, les hommes étaient membres de communautés en vertu d'un ordre divin et en raison d'attachements proches des liens du sang qui constituent la famille. Pour utiliser un terme cher à Rousseau, ils étaient « dénaturés » : leurs loyautés étaient fanatiques et elles les obligeaient à réprimer leur nature. Mais un raisonnement clair a passé l'éponge sur cette vieille ardoise pour y inscrire des contrats calmement conclus en escomptant certains profits sur la base du type de relations qui s'établissent en affaires. Ce qui en découle en fin de compte, c'est un travail bien compris. L'industriel Thomas Watson, fondateur d'IBM, a bien résumé tout cela en faisant inscrire, sur les cloisons de tous ses bureaux et de toutes ses usines le mot *Think* (« Réfléchissez »), car il s'adressait à des gens qui étaient déjà en train de travailler.

Les Américains sont lockistes : ils reconnaissent que le travail est nécessaire (sans nostalgie d'un Eden qui n'existe pas), que le travail engendrera le bien-être ; ils suivent avec modération leurs inclinations naturelles, non parce qu'ils possèdent la vertu de modération, mais parce que leurs passions sont équilibrées et qu'ils reconnaissent qu'il est raisonnable qu'il en soit ainsi ; ils respectent les droits des autres afin que les leurs soient respectés ; et ils obéissent aux lois parce qu'ils les ont faites dans leur propre intérêt. Du point de vue de Dieu et des héros, tout cela n'est pas très exaltant. Mais pour les pauvres, les faibles et les opprimés, c'est-à-dire pour l'immense majorité de l'humanité, c'est la promesse du salut.

Comme l'a dit le philosophe Leo Strauss *, les modernes ont construit sur un sol bas mais solide.

Selon Rousseau, Hobbes et Locke ne sont pas allés assez loin ; ils n'ont pas atteint « les Indes de l'esprit », bien qu'ils s'imaginent y être arrivés. En réalité, ils sont parvenus aux faubourgs, où ils ont discerné ce qu'ils pensaient être l'homme naturel dans le faible demi-jour émanant de la métropole. Et ils ont ainsi découvert exactement ce qu'ils avaient entrepris de trouver : un homme naturel dont le naturel consiste à avoir exactement les qualités nécessaires à la constitution d'une société. Mais c'était trop simple pour être vrai.

> *L'homme naturel est tout pour lui ; il est l'unité numérique, l'entier absolu, qui n'a de rapport qu'à lui-même ou à son semblable. L'homme civil n'est qu'une unité fractionnaire qui tient au dénominateur et dont la valeur est dans son rapport avec l'entier, qui est le corps social...*
>
> *Celui qui dans l'ordre civil veut conserver la primauté des sentiments de la nature ne sait ce qu'il veut. Toujours en contradiction avec lui-même, toujours flottant entre ses penchants et ses devoirs, il ne sera jamais ni homme ni citoyen ; il ne sera bon ni pour lui ni pour les autres. Ce sera un de ces hommes de nos jours, un Français, un Anglais, un* bourgeois ; *ce ne sera rien.*
>
> Rousseau, *Emile*, Livre I.

Locke a voulu préserver la primauté du sentiment de la nature dans l'ordre civil, et le résultat de cette erreur est le *bourgeois*. Rousseau a inventé ce terme dans son acception moderne, et nous nous trouvons, avec cette invention, à la source principale de la vie intellectuelle moderne. L'envergure et la subtilité de son analyse du phénomène ne permettent de dire rien de nouveau là-dessus, et cette description de l'homme moderne a dès lors été acceptée et considérée comme purement et simplement véridique, aussi bien par la droite que par la gauche, tandis que le centre était impressionné, intimidé et se sentait acculé à la défensive. Rousseau s'est même montré si convaincant qu'il a détruit la confiance en elle-même de la triomphante philosophie des Lumières au moment même de son triomphe.

Il ne faut toutefois pas oublier que la critique de Rousseau est partie d'un accord fondamental avec Locke, qu'il admirait beaucoup, à propos de l'homme animal. Par nature, celui-ci est un être

---

* Le plus grand philosophe politique américain, professeur à l'université de Chicago (1899-1973), auteur entre autres de *Droit naturel et histoire, De la tyrannie* et *La Cité et l'histoire*. (N.d.T.)

solitaire que ne préoccupent que sa conservation et son confort. En outre, Rousseau est également d'accord avec Locke pour penser que la société civile est faite par l'homme, qu'elle est constituée par un contrat pour la préservation de l'homme. Là où il se sépare de Locke, c'est quand celui-ci pense que l'intérêt, de quelque façon qu'on le comprenne, se trouve automatiquement en harmonie avec ce dont la société civile a besoin et qu'elle exige. S'il en est ainsi, la raison de l'homme quand il calcule ce qui est son véritable intérêt ne le conduira pas à souhaiter être un bon citoyen respectueux des lois : ou bien il sera lui-même, ou bien il sera un citoyen, ou bien il essaiera d'être l'un et l'autre et ne sera rien. En d'autres termes, la philosophie des Lumières ne suffit pas à établir une société, et elle tend même à la dissoudre.

La route qui part de l'état de nature a été fort longue et nous sommes maintenant très loin de la nature. Un être autarcique et solitaire doit avoir subi maints changements pour devenir un être social et actif. En cours de route, le but a changé : ce n'est plus le bonheur qu'on recherche, mais la sécurité et le confort, c'est-à-dire les moyens du bonheur. Certes, la société civile est supérieure à un état de disette et de guerre universelle ; mais si tous ces artifices ne servent qu'à conserver un être qui ne sait plus ce qu'il est, qui est si absorbé par son existence qu'il en oublie sa raison d'exister, qui, s'il parvenait vraiment à une pleine sécurité et un confort parfait, n'aurait aucune idée de ce qu'il faut faire ensuite, alors le progrès aurait consisté à s'oublier soi-même. Hobbes avait certainement raison de rechercher dans l'homme les sentiments les plus puissants, ceux qui existent indépendamment de l'opinion et font sûrement toujours partie de l'homme. Mais la peur de la mort, si puissante qu'elle puisse être et si utile qu'elle soit comme mobile pour vouloir la paix et créer des lois qui aient prise sur elle, ne peut être la passion fondamentale. La peur de la mort présuppose un sentiment encore plus fondamental : que la vie est une bonne chose. L'expérience la plus profonde, c'est le sentiment de *l'agré-ment* de l'existence. Oisif et sauvage, l'homme peut éprouver ce sentiment. Le bourgeois affairé ne le peut pas, en raison de son dur travail et de son constant souci de négocier avec les autres au lieu d'être lui-même.

La nature a encore quelque chose de la plus grande importance à nous dire. Nous pouvons nous mettre en quatre pour la maîtriser ; mais c'est de la nature qu'émane la raison de maîtriser la nature. La peur de la mort, sur laquelle Hobbes fait reposer sa philosophie et qui sous-tend celle de Locke, met l'accent sur une appréhension négative de la nature et oblitère l'expérience positive qui y est sous-jacente. C'est quelque chose qui, d'une certaine manière, agit en nous ; nous sommes pleins de vagues insatisfactions dans notre oubli de la nature, mais il nous faut un énorme effort de l'esprit pour la retrouver dans sa plénitude. Le retour en arrière est au moins aussi long que le chemin qui nous a amenés où nous en sommes. Pour Hobbes et Locke, la nature est proche, mais elle n'est pas séduisante. Pour Rousseau, elle est lointaine et séduisante. Selon les premiers, le mouvement qui a conduit l'homme à la société a été facile et, incontestablement, favorable ; selon le dernier, ce fut un mouvement difficile et il a divisé l'homme. Au moment même où la nature paraissait avoir été finalement évacuée et vaincue en nous, Rousseau a donné naissance à une irrésistible nostalgie de celle-ci : la plénitude que nous avons perdue se trouve dans la nature. On ne peut s'empêcher de songer ici au *Banquet* de Platon ; mais dans cette œuvre, la nostalgie de la plénitude s'orientait vers la connaissance des *idées* et des fins. Chez Rousseau, la nostalgie est dirigée, du moins au premier abord, vers les *sentiments* primitifs originels. Là où Platon et Rousseau se rejoignent pourtant, c'est dans leur opposition au *bourgeois,* quand ils soulignent qu'il est de l'essence de l'homme d'aspirer au bien, plutôt que de s'efforcer d'éviter le mal. Le bourgeois n'est doté ni d'aspiration ni d'enthousiasme. Sous l'influence de Rousseau, toute l'évolution de la philosophie et des arts a consisté à rechercher ou à fabriquer des objets plausibles de désir au rebours du sentiment de bien-être et d'autosatisfaction du bourgeois. Et de leur côté, les bourgeois ont fait effort pour acquérir la faculté de cultiver ces aspirations, afin qu'elles constituent un élément de leur autosatisfaction. Le personnage de M. Homais dans *Madame Bovary* de Flaubert représente parfaitement cet effort, dont Flaubert semble supposer qu'il arrivera à ses fins. Le présent chapitre a pour sujet la possibilité que la nostalgie devienne simple routine et que l'aspiration s'embourgeoise finalement *.

Rousseau interprète la dualité de l'homme en expliquant que cette dualité est provoquée par l'opposition entre la nature et la société. Il trouve que les bourgeois éprouvent cette division sous forme de conflit entre l'amour de soi et l'amour des autres, entre l'inclination et le devoir, entre la sincérité et l'hypocrisie, entre être soi-même et être aliéné. Cette opposition entre nature et société est présente dans toutes les discussions modernes sur le problème humain. Hobbes et Locke avaient établi cette distinction pour surmonter toutes les tensions provoquées chez l'homme par les exigences de la vertu et pour lui faciliter l'accession à la plénitude ; ils s'étaient imaginé avoir réduit la distance entre l'inclination et le devoir en essayant de faire dériver tout devoir de l'inclination. Rousseau, lui, a fait valoir qu'ils avaient plutôt accru cette distance, et il a donc rétabli l'idée ancienne selon laquelle l'homme est divisé,

* L'auteur parle ici de la « bourgeoisification » de l'aspiration. Nous n'avons pas cru devoir conserver ce néologisme. (N.d.T.)

d'où la difficulté qu'il y a pour lui à parvenir au bonheur, un bonheur dont la société libérale l'assure qu'il pourra l'atteindre tout en rendant la chose impossible. Mais si Rousseau rétablit la division de l'homme, c'est sur des bases très différentes : on le voit bien si l'on se rappelle qu'autrefois les hommes attribuaient la tension aux exigences inconciliables de l'âme et du corps, et non pas à celles de la nature et de la société. Cette innovation ouvre aussi un riche champ de réflexion sur l'originalité de Rousseau. La cause du mal n'est plus la même, le foyer de la quête éternelle d'unité se déplace. L'homme est né un et entier, et on peut à la limite concevoir qu'il le redeviendra un jour, espérance dont la nature même était interdite par la distinction entre l'âme et le corps. Un changement radical s'est produit dans la réflexion que l'homme fait sur lui-même et sur ses désirs. Les correctifs qu'on y applique vont de la révolution à la psychothérapie, mais il ne reste guère de place pour le confessionnal et pour la mortification de la chair. Contrairement à celles de saint Augustin, les *Confessions* de Rousseau ont pour intention de montrer qu'il est né bon, que les désirs du corps sont bons et qu'il n'y a pas de péché originel. La nature de l'homme a été mutilée par une longue histoire ; et il lui faut maintenant vivre en société, ce pour quoi il n'est pas fait et qui lui impose des exigences impossibles. On assiste donc soit à une acceptation malaisée du présent, soit à une tentative de revenir d'une manière ou d'une autre au passé, soit encore à la recherche d'une synthèse créatrice des deux contraires, nature et société.

Cette dernière phrase résume toute la pensée sociale et politique des xixᵉ et xxᵉ siècles, pensée qui a entièrement tiré son origine de la critique faite par Rousseau du libéralisme. La distinction entre nature et société nous est plus que familière ; c'est Freud qui nous l'a fait le mieux connaître. Dans l' « inconscient » de Freud, on retrouve la nature perdue, ainsi que toute la rude histoire qui nous en a arrachés ; dans ses « névroses » on voit les effets des exigences de la civilisation sur nous ; dans son « principe de réalité », on reconnaît la sinistre adaptation à la société bourgeoise. Il rejette la solution facile pour pallier la division de l'homme qu'avait proposée la pensée moderne antérieure, mais il espère néanmoins une solution. Penser que les problèmes ont des solutions, faciles ou difficiles, c'est la marque de la modernité, alors que l'Antiquité considérait les tensions fondamentales comme permanentes.

La première réaction possible à la mauvaise adaptation du *moi* à la société à son refus de la rationalité de la préservation et de la propriété consiste à tenter de revenir à l'état primitif, de vivre conformément à ses inclinations premières, de « rejoindre ses propres sentiments », de vivre naturellement, dans une simplicité vraie, sans les désirs artificiellement créés par la société, sans ses servitudes et ses hypocrisies. L'anarchisme, sous une forme ou une autre, est l'expression de cette aspiration, qui se manifeste dès qu'on considère que la politique et les lois sont des formes de répression, peut-être nécessaires, de nos inclinations, et non pas des moyens de les perfectionner ou de les satisfaire. Pour la première fois dans l'histoire de la philosophie politique, on a estimé alors qu'aucune impulsion naturelle ne conduisait à la société civile ni n'y trouvait satisfaction. Les Etats-Unis ont connu très tôt l'aspect de la pensée rousseauiste qui suscite la nostalgie de la nature : on rencontre cette aspiration dans la vie et les écrits d'un homme comme Thoreau. Toutefois, cette tendance n'a pris toute sa dimension que tout récemment, quand, jointe à d'autres mouvements contemporains, elle a fleuri et trouvé un vaste public. Les premiers penseurs qui avaient établi la distinction entre nature et société (ce qui signifie de toute évidence que la société n'est pas naturelle et qu'elle est entièrement fabriquée par l'homme) avaient estimé que, immédiatement et sans hésitation, il fallait accorder la préférence à la société ; en fait, la distinction avait été faite pour bien montrer à quel point la société civile est désirable et combien l'existence de l'homme est fragile par nature : il s'agissait d'éteindre les passions qui se rebellent contre la société civile et ne sont que le produit de l'illusion que la nature ou Dieu protège l'homme. Si l'homme est raisonnable, il se sépare de la nature et en devient le maître et le conquérant. C'était et c'est encore la conviction qui prévaut dans les démocraties libérales, avec leur paix, leur douceur, leur prospérité, leur productivité et leurs sciences appliquées, en particulier la médecine.

Tout cela a été considéré comme un grand progrès par rapport à la condition naturelle de l'homme. Locke a dit qu'un « journalier en Angleterre est mieux habillé, logé et nourri qu'un roi en Amérique » (il voulait parler d'un chef indien). Mais Tocqueville a fait observer qu'il y avait néanmoins quelque chose d'impressionnant chez le « roi » américain. Peut-être le journalier est-il perdant d'une certaine manière si l'on fait entrer en ligne de compte la fierté, l'indépendance, le mépris de la mort, la libération de l'angoisse de l'avenir et d'autres caractéristiques du même genre. Bref, si l'on considère la nature du point de vue du sauvage, elle commence à apparaître comme bonne plutôt que mauvaise. Une nature qui exclut l'homme et sa main corruptrice devient un objet de respect et d'admiration. Cela constitue une ligne directrice là où, auparavant, on ne rencontrait que le caprice de l'homme. Il y a donc maintenant deux opinions concurrentes quant à la relation de l'homme avec la nature. Ou bien la nature est la matière première de la libération de l'homme par rapport à la plus rude nécessité ; ou bien l'homme est le pollueur de la nature. Ces deux opinions se fondent l'une et l'autre sur la distinction moderne de la nature et de la société. La nature est une nature morte ; ou c'est au contraire une nature vivante, sans l'homme et intacte par rapport à lui : montagnes, forêts, lacs et fleuves. Dans cette conception-là, l'ancienne idée que les villes sont à proprement parler l'apogée de la nature n'est jamais prise en considération ; elle est à peine compréhensible. La ville est coupée de la nature et n'est qu'un produit de l'artifice humain. On peut conférer aux villes des valeurs extrêmement diverses en les opposant à la nature, mais toutes ces évaluations partent des mêmes prémisses.

La nation qui semble être une scène gigantesque pour la représentation des grandes idées dont il est question ici offre une confrontation classique des opinions de Locke sur l'état de nature et de la critique que Rousseau en a faite. D'un côté vous avez le paysan américain, qui n'a jamais regardé d'un œil romantique les arbres, les champs et les cours d'eau des Etats-Unis. Il faut abattre les arbres pour défricher, pour construire des maisons et pour les chauffer ; il faut traiter les champs de toutes les manières pour en accroître le rendement ; il faut y creuser des mines pour extraire ce qui est nécessaire au fonctionnement des machines ; les cours d'eau sont des voies de transport pour les produits agricoles ou alors ce sont des sources d'énergie. De l'autre côté, il y a les clubs écologiques qui se consacrent à empêcher les dégradations causées à la nature de se poursuivre plus avant et qui semblent certainement regretter ce qui a déjà été fait en ce domaine. Ce qui est encore plus intéressant, c'est la présence simultanée de ces courants contraires parmi les esprits les plus avancés du moment. La nature est une matière première qui est sans valeur si le travail humain ne s'en mêle pas ; la nature est la chose la plus élevée et la plus sacrée. Les mêmes personnes qui luttent pour la sauvegarde des petits poissons * bénissent la pilule contraceptive ; ceux qui s'opposent à la chasse au cerf défendent l'avortement. Respect pour la nature, maîtrise de la nature... selon ce qui convient le mieux. Le principe de contradiction a été abrogé.

Cette présence simultanée de deux courants opposés, aux Etats-Unis et ailleurs, résulte directement des deux enseignements relatifs à l'état de nature dont nous venons de parler. Locke est responsable de nos institutions, il justifie notre attachement à la propriété privée et au libre-échange, il nous a donné notre sens du droit. Rousseau préside aux opinions les plus répandues sur le sens de la vie et sur la façon dont nous pourrions guérir nos maux. Le premier enseigne que l'adaptation à la société civile est presque automatique ; le second que cette adaptation est vraiment très

* *Snail-darters :* petits poissons d'eau douce spécifiquement américains (c'est une espèce de perche, *Percina Imostoma Tanasi*) qu'on disait en voie de disparition, ce qui a suscité la constitution d'une société de sauvegarde. Celle-ci a réussi à empêcher la construction d'un barrage hydro-électrique, qui aurait, paraît-il, abouti à l'extinction totale de ce genre de poissons. (N.d.T.)

difficile et exige toutes sortes d'intermédiaires entre la société et la nature que nous avons perdue. Les deux types intellectuels les plus marquants de notre époque représentent bien ces deux enseignements : l'économiste vif, positif, efficace, raisonnable est lockiste ; le psychanalyste profond, rêveur et sombre est rousseauiste. En principe, leurs positions sont incompatibles, mais les Etats-Unis, accommodants, leur fournissent un *modus vivendi* : les économistes nous apprennent à gagner de l'argent ; les psychiatres nous procurent un moyen de le dépenser.

CHAPITRE III

LE MOI

Le domaine sur lequel règnent désormais les psychiatres, ainsi que d'autres spécialistes de la compréhension profonde de l'homme, c'est le *moi*. C'est encore une des découvertes que l'on a faites dans l'état de nature, et peut-être la plus importante, car c'est la découverte de ce que nous sommes vraiment. Nous sommes des *moi*, et tout ce que chacun fait est destiné à satisfaire ou à réaliser son *moi*. Locke a été l'un des premiers penseurs, sinon le tout premier, à utiliser ce mot dans son sens moderne. Dès le début, cette notion a été difficile à définir ; et, comme Woody Allen nous a aidés à nous en rendre compte, la chose est devenue de plus en plus difficile. Nous souffrons d'une crise d'identité qui dure depuis trois siècles. Nous remontons sans cesse plus loin en quête de notre *moi* qui se réfugie dans une sombre forêt, toujours d'un pas en avant sur nous, échappant à toute prise. Si inquiétant que ce puisse être, il se peut bien que ce soit, du point de vue de son interprétation la plus récente, l'essence même de la chose. On considère maintenant que le *moi* est mystérieux, ineffable, indéfinissable, illimité, créateur, qu'on ne le connaît que par des mots, bref qu'il est semblable à Dieu dont il est comme le reflet impie dans un miroir. Et surtout, il est individuel, unique ; c'est *moi*, et non pas quelque individu éloigné en général ou en lui-même. Comme on le voit dans *La Mort d'Ivan Ilitch* de Tolstoï, le fameux syllogisme qui justifie la mort de Socrate, « Tous les hommes sont mortels », ne peut s'appliquer à Ivan Ilitch qui possédait une balle de caoutchouc rouge quand il était enfant. Tout le monde sait que le particulier en tant que particulier échappe à l'emprise de la raison, dont la forme est le général ou l'universel. En résumé, le *moi* est le substitut moderne de l'âme.

Tout cela remonte peut-être bien à cet audacieux novateur, Machiavel, quand il parlait avec admiration des hommes qui se préoccupaient plus de la sauvegarde de leur patrie que du salut de leurs âmes. Les fortes exigences que l'âme exerce sur les hommes les amènent inévitablement à négliger ce monde au profit de l'autre. Des millénaires de discussions philosophiques à propos de l'âme n'ont débouché sur aucune certitude à son sujet, cependant que ceux qui prétendaient la connaître, les prêtres, détenaient le pouvoir ou l'influençaient et corrompaient la politique au nom de leur prétendu savoir. Les opinions que les princes ou leurs sujets défendaient à propos du salut de leurs âmes réduisaient les détenteurs du pouvoir à l'impuissance, tandis que des hommes se massacraient massivement les uns les autres en raison de leurs désaccords sur ces mêmes opinions. Le souci de l'âme paralysait les hommes dans la conduite de leurs existences.

Machiavel a littéralement mis les hommes au défi d'oublier leurs âmes et la possibilité de la damnation éternelle, et de faire en théorie comme en pratique la même chose que les héros qu'il admirait ; et Hobbes, parmi d'autres, a relevé le défi de Machiavel en interprétant de façon tout à fait nouvelle le vieil adage de l'oracle de Delphes « Connais-toi toi-même » que Socrate avait compris comme une exhortation à philosopher et que Freud allait plus tard considérer comme une invitation à la psychanalyse. Sans le savoir, Freud se situait dans la lignée de Hobbes, qui avait dit que tout homme devrait veiller à ce qu'*il sent :* à ce qu'il sent et non à ce qu'il pense ; et *lui-même,* à ce qu'il sent, non à ce que sentent les autres. Le *moi* relève davantage du sentiment que de la raison, et il se définit en premier lieu comme le contraire de l'autre. « Sois toi-même. » Curieusement, Hobbes est le premier philosophe qui ait fait de la publicité pour la vie de bohème et qui ait prêché la sincérité et l'authenticité. Il ne se livre à aucune divagation sur les fins de l'univers en voyageant sur les ailes de son imagination ; il ne cherche pas de fondements métaphysiques ; il n'y a pas chez lui d'âme qui ordonne les choses aussi bien que les hommes. L'homme est peut-être un étranger dans la nature. Mais il est quelque chose et il peut s'orienter au moyen de ses passions les plus puissantes. « Ressens ! » lui crie Hobbes. En particulier, il vous faut imaginer ce que vous ressentez quand un autre appuie une arme à feu sur votre tempe et menace de tirer : une telle expérience concentre tout le *moi* en un seul point et nous dit ce qui compte. A un tel moment, on est un *moi* réel et non une fausse conscience ; on n'est pas aliéné par les opinions de l'Eglise, de l'Etat ou du public. Cette expérience nous aide bien davantage à établir des priorités que ne pourrait le faire une quelconque connaissance de l'âme ou de ses prétendues émanations telles que la conscience.

Tout au long de cette tradition religieuse et philosophique, l'homme a eu deux préoccupations, le soin de son corps et celui de son âme, exprimés dans l'opposition entre désir et vertu. En principe, il était censé aspirer à la vertu, à n'être que vertu, à se libérer des chaînes du désir physique. C'est la plénitude qui assurerait le bonheur ; mais une telle plénitude n'est pas possible, du moins dans cette vie. Machiavel a retourné le raisonnement. Le bonheur, c'est en effet la plénitude, essayons donc d'atteindre à la plénitude qui est accessible ici-bas. La vertu n'est tout simplement pas possible, mais, tout aussi simplement, le désir l'est. Si l'amour de la vertu n'est qu'une vue de l'esprit, une sorte de perversion du désir résultant des exigences que la société (c'est-à-dire les autres) exerce sur nous, nous redeviendrons nous-mêmes en démystifiant la vertu. La tradition a envisagé l'homme comme l'union incompréhensible et contradictoire de deux substances, l'âme et le corps. On ne peut concevoir que l'homme ne soit qu'un corps. Mais si son corps et ce qui n'est pas corporel en lui sont vraiment inséparables et coopèrent pour satisfaire le désir, la division de l'homme en deux parts se trouve surmontée. Cet absolu du désir, non inhibé par les idées de vertu, c'est ce qu'on trouve dans l'état de nature. On passe de l'ancienne tentative de dompter ou de perfectionner le désir par la vertu à un processus inverse, qui consiste à découvrir ce qu'on désire et de vivre en conséquence. On y parvient dans une large mesure en faisant la critique de la vertu, qui recouvre et corrompt le désir. Ainsi, notre désir devient une sorte d'oracle que nous consultons et qui a le dernier mot, alors que par le passé le désir était considéré comme la partie sujette à caution et dangereuse de notre être. L'unité de l'homme dans le désir est entachée de difficultés théoriques, tout comme l'est l'union incompréhensible et contradictoire du corps et de l'âme ; mais elle est, si l'on peut dire, existentiellement convaincante car, contrairement à l'union du corps et de l'âme, elle est affirmée par des expériences vécues qui n'exigent aucun raisonnement abstrait ni aucune exhortation. Hobbes a ainsi ouvert la voie au *moi,* qui a ensuite progressé sur la voie d'une psychologie omniprésente, d'une psychologie débarrassée de la *psyché,* c'est-à-dire de l'âme.

Toutefois, et ce fut aussi le cas de Locke, Hobbes n'a pas développé pleinement la psychologie du *moi,* de même qu'il n'a pas étudié de façon très profonde l'état de nature, parce qu'il s'imaginait que la solution se trouvait à la surface. Une fois qu'on aurait réfuté les anciennes vertus — la piété des religieux et l'honneur des nobles — Hobbes et Locke semblent avoir considéré comme acquis que la plupart des hommes tomberaient immédiatement d'accord pour penser que les désirs visant à la conservation du *moi* sont authentiques, qu'ils proviennent de l'intérieur et qu'ils ont la priorité sur tout autre désir. Le vrai *moi* n'est pas seulement bon pour les individus ; il procure une base de consensus que ne fournissent ni les religions ni les philosophies. Locke substitue à l'homme vertueux l'homme rationnel et industrieux : c'est l'expression parfaite de cette solution. Il ne s'agit pas d'une éthique ou d'une morale protestante ou autre, mais d'un égoïsme éclairé franchement admis (c'est-à-dire d'un égoïsme auquel la philosophie moderne a enseigné quels sont les objectifs réels et quels sont ceux qui sont imaginaires) ou, si l'on préfère, d'un intérêt bien compris. Pour démystifier la vertu de façon moins provocante que ne l'avait fait Hobbes, Locke a tracé le portrait du contraire de l'homme rationnel et industrieux : l'oisif et le querelleur (que nous pouvons voir sous les espèces du prêtre ou du noble, c'est-à-dire de ceux qui prétendent à une morale plus élevée). En tant que prototype, l'homme rationnel et industrieux est revêtu de la séduction de l'homme sincère qui agit comme il pense et qui, sans pitié frauduleuse, recherche son propre bien. Mais bien entendu, derrière son égoïsme, Locke fait apparaître l'espoir que cette attitude conduise davantage au bien des autres que ne le fait le moralisme. Cette opinion s'exprime davantage par des attaques contre la tartufferie que par des éloges des gens vertueux.

L'accord subjectif immédiat sur l'expérience fondamentale du *moi* a coïncidé avec la philosophie naturelle qui affirmait que la nature est faite de corps en mouvement et qui essaient de s'y maintenir. Hobbes et Locke ont estimé que les deux choses étaient dans une relation réciproque. Le fait que les corps se comportent effectivement de cette manière ne prouve ni que l'homme est un simple corps ni qu'il *devrait,* lui aussi, se conduire ainsi. Mais le fait qu'il cherche à se préserver ne contredit pas ce que nous savons de la nature en général. La subjectivité de l'homme étaye les prémisses de la philosophie naturelle et la philosophie naturelle juge conforme à l'observation rationnelle l'homme qui suit ses désirs. D'une façon ou d'une autre, l'homme demeure une partie de la nature, mais de façon différente et beaucoup plus problématique que, par exemple, dans la philosophie d'Aristote, où l'âme se trouve au centre et où ce qu'il y a de plus élevé dans l'homme est apparenté à ce qu'il y a dans la nature, où, en quelque sorte, l'âme *est* la nature. En réalité, l'homme n'est qu'une partie du tout, non pas un microcosme. La nature n'a pas d'ordre de priorité ni de hiérarchie des êtres, pas plus que n'en a le *moi.*

L'homme « naturel » de Locke, qui est vraiment identique à l'homme civil que le souci de préserver son confort rend respectueux des lois et actif, n'est pas du tout si « naturel » que cela. Rousseau a très vite observé que Locke, dans son empressement à trouver une solution simple et automatique au problème politique, a fait faire à la nature beaucoup plus de choses qu'on n'est en droit d'en attendre d'une nature mécanique et non téléologique. L'homme naturel serait bestial, il se distinguerait à peine de n'importe quel autre animal. Il ne serait ni sociable, ni industrieux, ni rationnel, mais, tout au contraire, oisif et non rationnel, motivé exclusivement par des sensations ou des sentiments. Après avoir ôté à l'homme ses plus hautes aspirations, celles qui étaient associées à l'âme, Hobbes et Locke espéraient trouver sous ses pieds un sol solide, que Rousseau lui a purement et simplement *retiré*. Aussi l'homme est-il tombé dans ce que j'ai appelé le sous-sol, un sous-sol qui désormais paraît être sans fond. Et là, en dessous, Rousseau a découvert dans l'homme toute la complexité qu'avant Machiavel on situait en haut. A en croire Rousseau, Locke a illégitimement choisi les parties de l'homme dont il avait besoin pour son contrat social et il a supprimé tout le reste, procédure peu satisfaisante théoriquement et pratiquement coûteuse. Le bourgeois donne la mesure du prix payé, lui qui moins que quiconque est capable de regarder son vrai *moi*, qui nie l'existence au fond de lui-même de ce sous-sol à peine planchéié et qui est surtout adapté aux desseins d'une société qui ne lui promet même pas la perfection ou le salut, mais se contente d'acheter son silence. Rousseau fait exploser l'harmonie simpliste entre nature et société qui paraissait si bien fonctionner en Amérique.

Il espérait encore atterrir en douceur sur le véritable sol de la nature, mais savait que ce ne serait pas facile et qu'il y faudrait à la fois étude et effort. Cet atterrissage en douceur et l'existence même d'un sol naturel sont devenus douteux ; et c'est ici que l'abîme s'est ouvert sous nos pieds. Mais c'est Rousseau qui a fondé la psychologie moderne du *moi* dans sa plénitude, avec sa quête incessante de ce qu'il y a vraiment sous la surface de la rationalité et de la civilité, avec ses méthodes de recherche et son effort perpétuel pour constituer une espèce de saine harmonie entre le dessus et le dessous.

L'intransigeance de Rousseau a été à l'origine de la séparation de l'homme et de la nature. Il acceptait parfaitement de se conformer à la compréhension scientifique moderne de l'homme et de décider qu'un être bestial est un homme véritable. Mais la nature ne peut rendre compte de façon satisfaisante de la différence entre l'homme et les autres animaux, du mouvement qui l'a conduit de la nature à la société, de son *histoire*. Descartes, autre protagoniste du démantèlement de l'âme, a réduit la nature à l'étendue, en n'en excluant que l'ego qui observe l'extension de la nature. En toutes choses sauf dans sa conscience, l'homme fait partie de cette extension. Comment il se fait qu'il soit un homme, une unité qui en est venue à être appelée un *moi*, cela reste tout à fait mystérieux. Ce tout dont l'homme fait l'expérience, combinaison d'étendue et d'ego, semble inexplicable et sans fondement. Le corps, ou les atomes en mouvement, les passions et la raison constituent une espèce d'unité, mais une unité qui échappe à l'emprise de la science. Locke semble avoir inventé le *moi* pour procurer une unité dans la continuité à l'incessante succession temporelle d'impressions sensorielles qui disparaîtraient dans le néant s'il n'existait pas de lieu pour les rassembler et les conserver. Nous pouvons tout connaître dans la nature... excepté ce qui connaît la nature. Dans la mesure où l'homme est un morceau de la nature, il disparaît. Progressivement, le *moi* se sépare de la nature et il faut dès lors traiter séparément les phénomènes humains. L'ego cartésien, en apparence invulnérable, d'un calme et d'un isolement olympiens, s'avère n'être que le sommet d'un iceberg flottant dans une mer insondable et turbulente qu'on a appelé le *ça,* et la conscience n'est qu'un épiphénomène de l'inconscience. L'homme est le *moi,* cela semble désormais clair. Mais qu'est-ce que le *moi*?

Voilà où nous en sommes, avec toute notre psychologie à laquelle nous avons si joyeusement adhéré. L'histoire qui se déroule derrière elle, et qu'il est si important pour nous de connaître s'il nous faut nous y abandonner, est intolérablement compliquée. Une chose est certaine : s'il faut croire à cette psychologie-là, elle est arrivée bien tard pour nous permettre de traiter ce qui a été si longtemps négligé dans notre société libérale, et elle a ouvert une boîte de Pandore — nous-mêmes, notre *moi.* Comme Iago, elle nous dit : « Je n'ai encore jamais connu un homme qui sache comment s'aimer lui-même. » La psychologie moderne a une opinion en commun avec la sagesse populaire : c'est la vieille idée de Machiavel selon laquelle l'égoïsme, d'une certaine manière, est une bonne chose. L'homme est un *moi,* et le *moi* doit être égoïste. Ce qui est nouveau, c'est qu'on nous invite à regarder plus profondément dans le *moi,* et qu'on nous dise que nous avons trop facilement supposé que nous le connaissions et que nous y avions accès.

L'ambiguïté de la vie humaine exige toujours qu'on fasse des distinctions entre le bien et le mal, sous une forme ou sous une autre. Le grand changement, c'est que l'homme bon était tradition-nellement celui qui se préoccupait des autres et qu'on l'opposait à celui qui se préoccupe exclusivement de lui-même. Maintenant, l'homme bon est celui qui sait prendre soin de lui-même, et on l'oppose à celui qui en est incapable ; cela est surtout évident dans le domaine politique. Aristote distingue les bons régimes des mauvais par le fait que les premiers ont des gouvernants qui se consacrent au bien commun, tandis que les seconds sont dirigés par des hommes qui se servent de leur position pour favoriser leurs intérêts privés. Mais dans la classification des régimes que donnent Locke et Montesquieu, on ne trouve nulle distinction de ce genre. Un bon régime, c'est celui qui dispose de structures institutionnelles adéquates pour satisfaire les égoïstes qui l'ont mis en place, sans se laisser dominer par eux, alors que les institutions d'un mauvais régime en seraient incapables. L'égoïsme est présupposé ; on ne suppose pas que les hommes sont comme ils devraient être, mais on admet qu'ils sont comme ils sont. La psychologie ne fait de distinction qu'entre les bonnes formes d'égoïsme et les mauvaises (c'est le sens de la distinction délicieusement sincère que fait Rousseau entre « amour de soi » et « amour-propre »).

Aux Etats-Unis, on a établi un autre type de distinction, nous l'avons vu plus haut, entre ceux qui sont « dirigés de l'intérieur » et ceux qui sont « dirigés par les autres » ; c'est la première catégorie qui passe pour incontestablement meilleure ; on nous assure qu'une personne saine « dirigée de l'intérieur » se préoccupera *vraiment* des autres. A quoi je répondrai que, si quelqu'un est assez naïf pour le croire, il peut croire n'importe quoi. La distinction de Rousseau était bien meilleure.

La psychologie du *moi* a si bien réussi que, d'instinct, la plupart d'entre nous se tournent désormais vers l'intérieur d'eux-mêmes pour soigner leurs maux, au lieu de rechercher la nature des choses. Socrate estimait, lui aussi, que vivre selon les opinions des autres était un mal. Mais il n'incitait pas les autres à rechercher des opinions qui leur soient propres, et il ne les blâmait pas d'être conformistes. La santé ne résidait pas pour lui dans la sincérité, l'authenticité ou aucun des autres critères, nécessairement vagues, qui permettent de distinguer le « vrai » *moi*. La vérité est la chose la plus nécessaire, et se conformer à la nature est tout à fait différent de se conformer à la loi, à la convention ou à l'opinion. A quel point cette attitude est différente de la nôtre, on s'en rend compte en comparant Socrate, ce personnage éminent de la tradition antique, à un personnage de stature analogue dans la modernité, Rousseau. Socrate a passé sa vie à discuter avec d'autres hommes et avec lui-même de ce que sont la vertu, la justice et la piété, rejetant les opinions qu'on ne peut défendre parce que contradictoires et recherchant sans relâche celles qui semblent plus solides. Selon lui, on accède à la nature des choses en réfléchissant à ce que les hommes en disent. Socrate vivait au milieu des Athéniens, mais il n'en faisait pas tout à fait partie, et le fait qu'ils n'avaient pas confiance en lui ne semble pas l'avoir jamais mis mal à l'aise ; il n'était ni solitaire ni complètement citoyen. En revanche, Rousseau, affligé par la haine de l'humanité, était à certains moments, du moins en paroles, un parfait citoyen, à d'autres un solitaire complet. Il était déchiré entre des extrêmes et ne trouvait aucun terrain intermédiaire. Bien que ce fût un remarquable raisonneur, ses méthodes préférées pour apprendre à se connaître lui-même étaient la rêverie, le rêve, les souvenirs, un courant d'associations qui ne fût entravé par aucun contrôle rationnel. A son avis, ce Rousseau particulier et son histoire personnelle sont plus importants pour connaître un être amorphe comme l'est l'homme que ne l'est la quête de Socrate pour découvrir l'homme en général ou l'homme en soi. Les meilleures images que l'on puisse donner de ces deux personnalités, ce sont d'une part Socrate discutant avec deux jeunes gens du meilleur régime politique possible, et, d'autre part, Rousseau couché sur le dos sur un radeau qui flotte à la surface d'un lac aux légères ondulations, et éprouvant sa propre existence.

CHAPITRE IV

LA CRÉATIVITÉ

L'expression « dignité de l'homme », même si c'est Pic de la Mirandole qui l'a forgée, rend un son quelque peu blasphématoire. L'homme en tant que tel n'a jamais été conçu comme une créature particulièrement pleine de dignité. Dieu a de la dignité, et celle qu'on a pu conférer à l'homme lui avait été octroyée parce qu'il était fait à l'image de Dieu (tout en étant créé à partir de la poussière) ou parce que c'était un animal rationnel dont la raison pouvait saisir la totalité de la nature, donc qui était proche de cette totalité. Mais actuellement, la dignité de l'homme n'est plus étayée par aucune de ces deux raisons ; et la phrase doit donc signifier que l'homme est le plus élevé des êtres, assertion à laquelle s'opposent énergiquement et Aristote et la Bible. L'homme est certes élevé, mais il est seul. Pour que cet isolement de l'homme soit plausible, il doit être libre — non pas au sens de la philosophie ancienne, selon laquelle un homme libre est celui qui participe à un régime où il gouverne aussi bien qu'il est gouverné, ni au sens que Hobbes et Locke donnent au mot « libre », c'est-à-dire un homme qui est capable de suivre sa raison sans avoir à obéir à Dieu ou à un autre homme — mais libre dans une acception beaucoup plus élevée, à savoir qu'il est capable d'imposer des lois à la nature et de se les imposer à lui-même, donc qu'il n'a pas besoin d'être guidé par la nature. Le complément et l'explication nécessaires de cette conception de la liberté, c'est la *créativité*. Nous nous sommes si bien accoutumés à ce terme qu'il ne nous fait pas plus d'effet que le plus banal des discours un jour de fête nationale (et, de fait, c'est devenu un thème de discours de fête nationale). Mais la première fois que le mot *créativité* a été utilisé à propos de l'homme, il avait une odeur de blasphème et de paradoxe. Seul Dieu avait été jusqu'alors qualifié de créateur, et c'était pour rendre compte du miracle des miracles, un miracle situé au-delà de la causalité, un démenti apporté aux prémisses de toute raison : *ex nihilo nihil fit.*

Ce qui définit désormais l'homme, ce n'est plus sa raison, qui est seulement un outil propre à assurer sa préservation, mais son art, car c'est dans l'art qu'on peut dire qu'il est *créateur.* Par l'art, l'homme met de l'ordre dans le chaos. Les plus grands hommes ne sont pas les savants, mais les artistes, les ·Homère, les Dante, les Raphaël, les Beethoven. L'art n'est pas l'imitation de la nature mais la libération de la nature. Un homme qui peut engendrer des visions d'un cosmos et des idéaux selon lesquels on vit est un *génie,* un être mystérieux et démoniaque. La plus grande œuvre d'art d'un homme de ce genre, c'est lui-même. Un homme qui peut se saisir de sa propre personne, chaos d'impressions et de désirs dont l'unité même est douteuse, et lui imprimer ordre et unité, cet homme-là est une *personnalité.* Tout cela résulte de la libre activité de son esprit et de sa volonté. Il contient en lui les éléments du législateur et du prophète et il saisit le vrai caractère des choses de façon plus profonde que les contemplatifs, les philosophes et les hommes de science, qui prennent l'ordre existant pour permanent et ne parviennent pas à comprendre l'homme. Telle est la manière dont on peut restaurer la grandeur ancienne de l'homme contre l'égalitarisme scientifique, mais que l'homme semble à présent différent ! Tout ce nouveau langage dont nous traitons ici est la mesure de cette différence ; et réfléchir à la manière dont les Grecs traduiraient ce langage et articuleraient les phénomènes qu'il décrit est une entreprise qui occuperait une vie entière ; mais cette entreprise serait certainement récompensée par un grand enrichissement de la compréhension de soi-même.

Ce vocabulaire du *moi,* de la *culture* et de la *créativité* résume assez bien les effets de la révolution inaugurée par Rousseau. Il exprime l'insatisfaction que les solutions scientifiques et politiques de la philosophie des Lumières ont suscitée. Et tout cela s'organise autour de la compréhension de ce qu'est la nature. En un certain sens, c'est toujours d'après la nature que nous nous orientons. Aucun penseur important n'a essayé de revenir à l'idée de la nature antérieure au siècle des Lumières, la thèse dite téléologique d'après laquelle la nature est la plénitude que chaque être s'efforce d'acquérir. Comme je l'ai dit plus haut, il y a eu deux réactions opposées à la notion de nature considérée comme matière en mouvement qu'on peut maîtriser pour satisfaire les besoins de l'homme : d'une part un retour à la conception d'une nature « bonne », mais en entendant par nature la nature brute, les champs, les forêts, les montagnes et les cours d'eau dans lesquels les animaux vivent heureux ; d'autre part une tendance à transcender la nature dans son ensemble dans la direction de la *culture.* C'est cette dernière réaction qui a gagné l'Europe continentale, et elle a ensuite été introduite en Angleterre par des hommes comme Coleridge et Carlyle, qui en avaient pris l'idée en Allemagne. Très peu de penseurs s'y sont tenus de façon cohérente et ont pris au sérieux la pleine signification de cette révolution de la pensée, Hegel étant la plus grande exception. Mais tout le monde a été affecté par elle et son influence s'est manifestée en politique sur tout l'éventail des convictions, de la droite à la gauche. Le marxisme aussi bien que le conservatisme tels que nous les connaissons sont inimaginables sans l'œuvre de Rousseau.

On peut trouver un exemple éclairant de la contamination du monde intellectuel par une pensée opposée à celle du siècle des Lumières dans un petit phénomène sémantique : récemment, les hommes de science ont commencé à se qualifier eux-mêmes de « créateurs ». Dans la mesure où cette description de soi-même tend à être flatteuse, j'y vois la preuve qu'ils pensent que la créativité est une bonne chose. Mais rien ne pourrait être plus contraire à l'esprit de la science que l'idée que l'homme de science *fabrique* ses découvertes plutôt que de les découvrir. Les hommes de science sont en principe opposés au créationnisme ; ils reconnaissent à juste titre que, s'il y a quelque chose de fondé dans cette théorie, leur science est fausse et inutile. Mais ils ne voient pas que la créativité a exactement les mêmes conséquences. Ou bien la nature est dotée d'un ordre soumis à des lois ou elle ne l'est pas ; ou bien il peut y avoir des miracles ou c'est impossible. Les hommes de science ne prouvent pas qu'il n'y a pas de miracles, ils le supposent ; sans cette supposition, pas de science. Aujourd'hui, il est facile de nier la créativité de Dieu — préjugé qui remonte à la nuit des temps et dont la science a eu raison —, mais la créativité de l'homme, chose beaucoup plus improbable et qui ne serait qu'une imitation de celle de Dieu, exerce une étrange séduction. A cet égard, l'opinion des savants ne découle pas de la science ou d'une réflexion sérieuse sur la science ; elle ne fait que se conformer à l'opinion publique démocratique qui a été, sans s'en rendre compte, contaminée par des notions romantiques adaptées pour la flatter (tout homme est créateur). Ainsi c'est l'artiste, et non l'homme de science, qui est devenu le type humain qu'on admire ; et la science pressent qu'il lui faut s'assimiler à ce type pour conserver intacte sa respectabilité. Quand on admettait que tout homme devait être avant tout un raisonneur, l'homme de science pouvait être considéré comme l'incarnation parfaite de ce que tous les hommes désiraient être ; ce fut ainsi que les philosophes des Lumières établirent le caractère central de la science et la firent admirer de tous. Mais on voit, d'après la modification de la description que les hommes de science donnent d'eux-mêmes, combien l'esprit du temps a changé et combien la science, loin de se tenir à l'écart de la mode et de s'en libérer, s'en est imprégnée. La vie contemplative a perdu son statut. Désormais, l'homme de science joue des pieds et des mains pour retrouver sa position de modèle de ce que tous les hommes voudraient être ; mais ce que tous les hommes veulent être a changé, et cela détruit l'harmonie entre la science et la société. Certes, on peut considérer que cette façon de qualifier la science de « créatrice » est banale (on est proche, ici, de la définition de C. P. Snow *, qui considère la science comme une « culture »). Et de fait, il se peut que la science n'apparaisse comme « créatrice » que parce qu'on oublie ce que signifie le mot « créativité » et qu'on le prend comme synonyme d'intelligence, dans le sens de proposer des hypothèses, trouver des preuves ou inventer des expériences. A cet égard, la science demeure ce qu'elle est, et sa prétendue « créativité » n'est qu'un nouvel exemple de la pollution du langage. Mais cette forme de pollution, bien qu'on la redoute moins que l'autre, est en fait plus mortellement dangereuse, car elle dénote le désordre intellectuel dans lequel nous nous trouvons. Recourir à un discours non signifiant, cela implique qu'on renonce à toute clarté quant à ce que sont la science et l'art, qu'on les affaiblit l'une et l'autre dans une synthèse impossible de contraires et qu'on s'adresse à l'imagination d'une société qui aime à s'entendre dire qu'elle détient tout ce qui est bon. Et cela dénote aussi une funeste perte de confiance dans l'idée de la science sinon dans sa pratique détaillée, idée qui se trouvait à l'origine de la fondation de la société démocratique et qui représentait l'absolu dans un monde relativisé. Ils ne savent pas ce qu'ils font. La philosophie, méprisée et rejetée par la science positive, prend sa revanche : vulgarisée par une opinion publique grossière, elle intimide la science !

Ainsi, les répercussions de la pensée de Rousseau et de ses successeurs se trouvent partout autour de nous, dans le courant de l'opinion publique. Bien entendu, l'emploi de mots comme *créativité* et *personnalité* ne signifie pas que ceux qui les utilisent comprennent l'idée qui en a rendu l'usage nécessaire et moins encore qu'ils soient d'accord avec cette idée. Les mots ont subi le processus de banalisation dont j'ai déjà parlé ; des termes qui ont été conçus en leur temps pour définir et exalter Beethoven et Goethe s'appliquent désormais à n'importe quel écolier. Il est dans la nature de la démocratie de ne refuser à personne l'accès à ce qui est bon. Et si ce bien n'est pas vraiment accessible à tous, alors on a tendance à contester le fait : par exemple, à proclamer tout simplement que ce qui n'est pas de l'art en est. La société américaine se caractérise par une course folle pour se distinguer des autres ; puis, aussitôt que quelque chose a été accepté comme exceptionnel, de l'emballer de telle sorte que tout le monde puisse

---

* Physicien et essayiste britannique jouissant de quelque notoriété dans les pays anglo-saxons. (N.d.T.)

s'y sentir inclus. *Créativité* et *personnalité* ont été conçus comme des termes de distinction, tout à la fois dans le sens d'être distingué et dans celui d'être différent d'autre chose. En fait, on les a conçus pour désigner les distinctions qui conviennent à une société égalitaire, dans laquelle toute distinction est menacée. Le nivellement de ces distinctions, obtenu en s'en faisant le familier, ne fait qu'encourager la satisfaction de soi-même. Maintenant qu'elles appartiennent à tout le monde, on peut dire qu'elles ne signifient rien, pas plus dans le langage courant que dans les sciences humaines qui s'en servent comme de « concepts ». Mais cette néantisation des mots dénotant les distinctions désigne néanmoins une certaine direction : *créativité* et *personnalité* ont pris la place de mots plus anciens comme vertu, industrie, rationalité et caractère ; ces termes affectent nos jugements et nous indiquent des objectifs éducatifs. Ils n'ont pas de contenu spécifique et représentent une sorte d'opium des masses. Mais ils polarisent tous les mécontentements que toute existence, partout et à toutes les époques, apporte aux individus, et particulièrement dans une société démocratique. Ils dénotent la façon bourgeoise de ne pas être bourgeois ; il en découle donc un snobisme et une prétention étrangers à nos vertus réelles. Nous disposons, aux Etats-Unis, de quantité de bons ingénieurs mais de fort peu de bons artistes. Mais tous les honneurs *culturels* sont décernés cependant aux artistes ou, pour mieux dire, à ceux qui jouent le rôle d'artistes aux yeux de la foule. Les vrais artistes n'ont pas besoin de ce genre de soutien, qui les affaiblit plutôt. L'homme qui ramasse l'argent à la pelle n'offre pas un spectacle très ragoûtant, mais il est de loin préférable au faux intellectuel.

Ainsi, ce qui avait été conçu à l'origine comme un moyen d'élever le goût et la moralité est devenu purement et simplement de l'eau apportée à notre moulin, tout en sapant les fondations du moulin. En Europe, ce résultat n'a pas été le seul : pendant un certain temps, la *culture* y a eu des effets positifs, et elle y avait davantage d'aliment pour se nourrir. Mais même en Europe, comme on va le voir, le bilan est sans doute négatif. Et pour ce qui est des Etats-Unis, je n'y vois en ce domaine aucun bénéfice. Désormais, le mot *culture* lui-même fait partie d'un discours complètement creux et son imprécision originelle en est arrivée à un point pathologique. Les anthropologues ne peuvent en fournir aucune définition, même s'ils sont certains qu'il existe quelque chose comme une « culture ». Les artistes n'ont plus aucune vision du sublime, mais ils savent que la « culture » (c'est-à-dire ce qu'ils font) a le droit d'être honorée et soutenue par la société civile. Les sociologues et ceux qui diffusent leurs idées, journalistes de toutes catégories, baptisent « culture » absolument n'importe quoi : la culture de la drogue, la culture du rock, la culture des loubards, et ainsi de suite, sans discrimination aucune. L'échec de la *culture*, c'est maintenant une « *culture* ». Voilà comment la réaction héroïque à la Révolution française a évolué quand elle a émigré en Amérique. Notre pays est encore et toujours un *melting-pot,* un creuset.

CHAPITRE V

LA CULTURE

La culture : on peut résumer par ce mot la façon intéressante dont l'humanité a réagi à l'opposition entre nature et société, bien plus fertile dans ses conséquences que le retour à la nature ou la nostalgie de la nature. La culture semble désigner quelque chose d'élevé, de profond, de respectable, un objet devant lequel nous nous inclinons. Elle prend place à côté de la nature et bénéficie même d'un statut plus élevé. On n'utilise presque jamais ce terme péjorativement comme on le fait des mots *société, Etat, nation* ou même *civilisation,* auxquels la culture se substitue progressivement ou dont elle garantit la légitimité. La culture constitue l'unité de la nature animale de l'homme et de l'ensemble des arts et des sciences, unité qu'il a acquise dans le mouvement qui l'a mené de l'état de nature à la société civile. La culture rétablit la plénitude perdue du premier homme à un niveau plus élevé, un niveau où ses facultés peuvent être pleinement développées sans contradiction entre les désirs de la nature et les impératifs moraux de sa vie sociale.

Le mot *culture,* dans son acception moderne, a été utilisé pour la première fois par Emmanuel Kant qui, en l'employant, a pensé à Rousseau, et en particulier à ce que Rousseau avait dit du bourgeois. Le bourgeois est égoïste, mais sans la pureté et la simplicité de l'égoïsme naturel. Il établit des contrats en escomptant en tirer le meilleur parti pour lui aux dépens de ceux avec lesquels il les fait. Sa foi dans les autres et son allégeance à la loi sont fondées sur l'attente du gain. « L'honnêteté est la meilleure des polices. » Ce faisant, il corrompt aussi la morale, dont l'essence est d'exister pour elle-même. Le bourgeois est l'intermédiaire qui ne satisfait aucun des extrêmes, la nature et la morale. L'exigence morale n'est qu'un idéal abstrait si elle demande ce que la nature ne peut donner. Un égoïsme animal serait préférable à une fausse moralité. Les progrès de la culture établissent le lien entre l'inclination et le devoir.

Comme exemple de ces progrès, Kant recourt à l'éducation du désir sexuel. Par nature, l'homme a le désir des rapports sexuels, donc de la procréation. Mais il n'a aucun désir de s'occuper de ses enfants ou de les élever. Le besoin de prendre soin de l'individu découle du progrès des facultés humaines et de la nécessité qui en résulte d'élever des enfants, et donc de les éduquer. La famille est ainsi devenue nécessaire. Mais le désir naturel ne vise nullement à la constitution d'une famille. Le désir vise à la liberté et aux rapports sexuels multiples. Aussi faut-il le réprimer : l'homme reçoit l'ordre de renoncer à son désir. Il est puni s'il s'y abandonne ; des mythes se créent, qui l'obsèdent, lui font éprouver un sentiment de culpabilité, le persuadent qu'il est pécheur du fait même de ses désirs naturels. Le mariage est une contrainte pour les deux parties ; il s'accompagne en général d'infidélités et de désirs adultères. En dépit de tout le mécanisme social, le désir demeure toujours indompté. Il est naturel. On peut le refouler, mais ce refoulement n'est jamais total : le désir se venge toujours d'une manière ou d'une autre. Dans ces conditions, un homme ne peut jamais être heureux. Mais quand un homme est profondément amoureux d'une femme, il la désire et, en même temps, du moins pendant un temps, il aime une autre personne que lui-même. Si cette situation peut devenir permanente, le désir et la morale coïncident pratiquement. Le libre choix d'un conjoint et la faculté de s'y attacher non seulement extérieurement mais encore intérieurement sont preuves de culture : c'est le désir transformé par la civilité. C'est aussi la preuve de la liberté humaine, de la possibilité de dépasser la nature pour satisfaire la morale, sans que l'homme en soit pour autant malheureux. La préférence exclusive d'une personne dont on croit que la séduction réside dans sa beauté et sa vertu — idées qui n'appartiennent pas à l'homme naturel et sont signes d'une spiritualité avancée — rend la vie sexuelle sublime, elle la *sublime*. La *sublimation* est le lien culturel entre la nature et la société. La musique et la poésie accompagnent l'amour ; et les enfants qui en sont les produits rendent nécessaire une réflexion sur l'éducation. La famille, ses droits et ses devoirs, ses fondements légaux et sa protection associent finalement à la vie politique celui qui, naguère, était un individu isolé qui ne se préoccupait que de lui-même. Il peut désormais vouloir tout cela ensemble, redevenir son propre maître tout en étant aussi un être social sans exploiter les autres. Dorénavant, sa vie sexuelle n'est ni faite de débordements ni refoulée. Sa passion sexuelle s'exprime pleinement, elle est ennoblie et satisfaite. Le monde de la nature et celui de la société sont l'un et l'autre satisfaits. Les diverses formes d'apprentissage de l'homme ne constituent pas un simple amoncellement de connaissances, elles servent et enrichissent harmonieusement son existence. Tel est l'idéal de la *culture,* du moins dans le domaine sexuel. Il faut que des phénomènes analogues se produisent dans tous les domaines de la vie humaine pour produire une *personnalité,* c'est-à-dire un être humain pleinement cultivé.

Il faut faire observer à nouveau que cette vision rousseauiste et kantienne est, dans son essence, en accord avec la notion de ce qui est naturel dans l'homme selon la philosophie des Lumières ; mais elle en diffère à propos de ce qu'on peut et qu'on devrait faire de l'homme au-delà de la nature. Pour la première fois dans l'histoire de la philosophie, on trouve dans l'homme quelque chose d'autre que la nature, quelque chose de plus élevé que la nature.

Il faut aussi noter que la sexualité est un thème qu'on ne rencontre guère dans la pensée qui a servi de base à la fondation des Etats-Unis. Dans cette pensée, il est entièrement question de préservation de la vie, et non de procréation, car la peur est plus puissante que l'amour et les hommes préfèrent leur vie à leur plaisir. Cette subordination du sexuel et de tout ce qui y est associé a quelque rapport avec la conviction qu'il est extrêmement facile pour la société de satisfaire la nature. La réhabilitation du droit qu'a tout citoyen de mener une vie sexuelle rend beaucoup plus difficile la tâche de la société, car elle fait peser sur elle des exigences différentes. La primauté accordée à l'instinct sexuel dans la pensée moderne récente, primauté qui s'oppose à celle qui était donnée à l'instinct de conservation dans la pensée moderne primitive, est un thème occulte qui fournit l'explication d'une bonne partie du drame de notre vie intellectuelle actuelle ainsi que de la modification des attentes de l'individu à l'égard de la vie sociale. Nous voilà revenus à la métaphore du psychiatre et de l'économiste.

Mais quel rapport y a-t-il entre la façon dont Kant utilise le mot *culture* et celle dont nous l'utilisons actuellement ? Il semble qu'il y ait à présent deux emplois différents de ce terme qui, bien que distincts l'un de l'autre, remontent à une racine commune et en tirent l'un et l'autre leur signification. Dans le premier sens, le mot *culture* est presque identique aux mots « peuple » ou « nation » : c'est ainsi qu'on parle de culture française, de culture allemande, de culture iranienne, etc. Dans le second sens, la culture se réfère à l'art, à la musique, à la littérature, à la télévision éducative, à certains genres de films, bref, à tout ce qui élève l'esprit et édifie, par opposition au commerce. Le lien entre les deux acceptions, c'est que la *culture* est ce qui constitue la vie sociale au niveau le plus élevé possible ; elle est le mode de vie dont la richesse constitue un peuple, ses coutumes, ses styles, ses goûts, ses fêtes, ses rites, ses dieux... tout ce qui unit des individus en un groupe dans lequel ils ont des *racines,* où s'expriment en général leur pensée et leur volonté en tant que communauté, où le peuple trouve son unité morale et où l'individu se sent réuni à lui-même. C'est une œuvre d'art, et les beaux-arts sont aussi l'expression sublime de la collectivité. De ce point de vue, les démocraties libérales ressemblent à des marchés désordonnés, auxquels les individus apportent leurs produits le matin et dont ils rentrent le soir pour jouir en privé de ce qu'ils ont acheté avec les bénéfices de leurs ventes. Mais par ailleurs, une culture évoque aussi le chœur dans une tragédie grecque. Il faut noter que, pour un Charles de Gaulle, et également pour un Alexandre Soljénitsyne, les Etats-Unis ne sont qu'un agrégat d'individus, une sorte de décharge pour le rebut d'autres pays, un lieu consacré à la seule consommation : bref, ce n'est pas une *culture*. Dans ce jugement négatif, les deux acceptions du terme se rejoignent.

Prise dans le sens d'art, la culture constitue la *créativité* de l'homme, sa faculté de se dégager des liens étroits de la nature, donc d'échapper à l'interprétation dégradante que donnent de lui les sciences exactes et politiques modernes. La culture fonde la *dignité* de l'homme ; en tant que forme de communauté, elle est le tissu de relations dans lesquelles le *moi* trouve une expression diversifiée et élaborée. La culture est le foyer du *moi,* mais aussi sa production. Elle est plus profonde que l'*Etat* moderne, qui ne s'occupe que des besoins physiques de l'homme et tend à dégénérer en économie pure. Un Etat de ce type n'est pas un forum où l'homme puisse agir sans se déformer. Voilà pourquoi, dans les cercles évolués, il semble de mauvais goût de parler de « l'amour du pays », alors qu'il est parfaitement respectable d'être dévoué à la *culture* occidentale, voire américaine. La culture rétablit « l'unité de l'art et de la vie » de l'ancienne *polis* platonicienne.

Le seul élément de la *polis* qui fasse défaut à la culture, c'est la politique. Pour les anciens, l'âme de la cité était son régime : organisation de fonctions et participation à celles-ci, délibération sur ce qui est juste et sur le bien commun, choix relatifs à la guerre ou à la paix, élaboration de lois. Il était admis que le centre de la vie communale et la cause de tout le reste résidaient dans le choix rationnel, par les citoyens, de la personnalité des hommes d'Etat. Ainsi la *polis* était définie par son régime. Or on ne trouve rien de ce genre dans la *culture* et il est extrêmement difficile de discerner ce qui définit une culture. Nous nous intéressons à la culture grecque et non à la politique athénienne. Actuellement, on considère que la version donnée par Thucydide de l'oraison funèbre de Périclès est l'expression idéale, l'archétype de cette culture, avec son évocation splendide — dans le contexte d'une cérémonie religieuse — de l'amour des Athéniens pour la beauté et la sagesse. Cette lecture de Thucydide n'est pas dépourvue de signification, mais c'est néanmoins un contresens, qui est censé nous enrichir mais ne fait que nous confirmer dans nos préjugés et qui manifeste de façon typique combien nous dépendons de l'interprétation que les Allemands ont donnée des réalités helléniques. En réalité, Périclès, par la voix de Thucydide, ne dit rien des dieux ni de la poésie, de l'histoire, de la sculpture ou de la philosophie auxquelles nous pensons. Il fait l'éloge du régime athénien et trouve de la beauté à sa réussite politique et, en particulier, à l'empire que ce régime a constitué et régit de façon tyrannique. Les Athéniens sont pour lui des héros politiques qui surpassent ceux d'Homère, et il est sous-entendu que les arts ne sont que des imitations et des ornements de cet héroïsme. Mais nous trouvons chez Thucydide ce que nous y cherchons et nous ne voyons rien de ce qu'il nous dit. Un Périclès interprété comme il nous le présente serait trop superficiel pour nous. La disparition du politique est l'un des aspects les plus frappants de la pensée moderne : cela a beaucoup à voir avec l'évolution de notre politique actuelle. Le politique tend à disparaître tant du sous-politique, c'est-à-dire de l'économie, que de ce qui prétend se situer au-dessus de lui, c'est-à-dire de la culture : l'un et l'autre échappent ainsi à la juridiction de l'art politique qui relève de la prudence de l'homme d'Etat. Or, dans son acception ancienne, la politique embrassait ces deux extrêmes et les faisait tenir ensemble. L'opposition entre l'économie et la culture est une nouvelle formulation du dualisme de la vie intellectuelle contemporaine aux Etats-Unis, dualisme dont il est question de façon récurrente dans ces pages et qui leur sert de thème unificateur. Essayons ici d'en rendre la source un peu plus claire.

On la trouve dans l'un des passages les plus remarquables des œuvres de Rousseau, passage qui marque la rupture avec la conception de l'art de gouverner qu'avait exprimée la pensée moderne antérieure et qui a joué un rôle décisif dans le développement de l'idée de culture. C'est le chapitre consacré au législateur dans *Le Contrat social* (II, 7). Rousseau appelle l'attention des hommes sur la *polis* antique qu'il présente comme un correctif à l'enseignement politique des philosophes des Lumières. Contrairement à beaucoup de ceux qui sont venus après lui, il était réaliste en politique et considérait que les actions des hommes d'Etat constituaient un élément central de la vie d'un peuple.

Et ce sont précisément les conditions mêmes de l'existence d'un peuple que Rousseau accuse ses prédécesseurs immédiats d'avoir mal comprises ou ignorées. L'intérêt individuel n'est pas suffisant pour établir un bien commun, dit-il avec insistance. Sans bien commun, la vie politique est impossible et les hommes seront politiquement méprisables. Le fondateur d'un régime doit d'abord façonner un peuple auquel le régime appartiendra. Un peuple ne naîtra pas automatiquement du fait que les individus soient éclairés sur leur intérêt. Un acte politique est nécessaire. Le législateur doit :

> *se sentir en état de changer pour ainsi dire la nature humaine, de transformer chaque individu, qui par lui-même est un tout parfait et solitaire, en partie d'un plus grand tout dont cet individu reçoive en quelque sorte sa vie et son être ; d'altérer la constitution de l'homme pour la renforcer, de substituer une existence partielle et morale à l'existence physique et indépendante que nous avons tous reçue de la nature. Il faut, en un mot, qu'il ôte à l'homme ses forces propres pour lui en donner qui lui soient étrangères, et dont il ne puisse faire usage sans le secours d'autrui. Plus ces forces naturelles sont mortes et anéanties, plus les acquises sont grandes et durables, plus aussi l'institution est solide et parfaite : en sorte que si chaque citoyen n'est rien, ne peut rien que par tous les autres, et que la force acquise par le tout soit égale ou supérieure à la somme des forces naturelles de tous les individus, on peut dire que la législation est au plus haut point de perfection qu'elle puisse atteindre.*

Avec une franchise caractéristique et rafraîchissante, Rousseau souligne que la communauté forme un corps, et il insiste sur ce qu'il faut pour le réaliser, à l'encontre de l'individualisme abstrait popularisé par les philosophes des Lumières. Ce système nerveux complexe édifié par le législateur est exactement ce que nous appelons *culture*. En élaborant ce schéma, Rousseau y ajoute même les fêtes populaires et tout le reste. En d'autres termes, la culture est l'effet de la législation sans le législateur, sans intention politique. Ce sont la franchise et la rudesse théoriques de Rousseau qui ont déconcerté toutes les générations ultérieures de penseurs ; mais ils n'en souhaitaient pas moins les résultats de cette rudesse, à savoir la communauté. A moins que, et c'est le plus probable, ce soient la rudesse pratique de Robespierre et l'échec de sa tentative de législation qui aient épouvanté les observateurs modérés. Il semble que ce soit une chose brutale et tyrannique, une sale besogne, de transformer la nature humaine. C'est pourquoi, plutôt que de faire une chose pareille, on a commencé à contester qu'il existe quelque chose comme une nature humaine. On préfère dire que l'homme croît et qu'il croît dans une culture (les cultures étant, comme il ressort à l'évidence du mot lui-même, des formes de croissance). En plus de la nature, il y a *l'histoire* : le fait même du mouvement qui conduit de l'état de nature à l'état civil démontre qu'il y a une histoire et qu'elle est plus importante que la nature. Ce que l'homme tire de la nature n'est pratiquement rien comparé à ce qu'il a acquis de la culture. La *culture* est constituée par une série de simples accidents qui aboutissent à une collection dotée d'une signification cohérente et constitutive de l'homme. Les langues en fournissent une claire indication. L'homme est un être de culture, non pas un être naturel. La nature est progressivement bannie de l'étude de l'homme ; et on finit par considérer l'état de nature comme un mythe, même si la notion de culture est inconcevable sans une élaboration préalable de l'état de nature. La primauté de l'acquisition sur la nature dans l'humanité de l'homme est le fondement de l'idée de culture ; et cette idée est liée à celle de l'histoire, non pas l'histoire en tant qu'enquête sur les actes de l'homme mais en tant que dimension de la réalité, en tant que dimension de l'être humain. Chez Rousseau, la tension entre la nature et l'ordre politique est maintenue et il faut que le législateur les force l'une et l'autre pour les amener à une sorte d'harmonie. L'histoire est l'union de ces deux entités, union dans laquelle elles disparaissent toutes deux.

Cependant, malgré toutes les adaptations faites par le législateur, Rousseau poursuivait encore le même objectif universel que les penseurs des Lumières : assurer, dans une société civile, des droits naturels égaux à tous les hommes. Il faisait seulement valoir que Hobbes et Locke n'y avaient pas réussi et que l'intérêt n'est pas suffisant pour fonder une morale politique. Aussi la solution politique était-elle plus compliquée et plus exigeante. Kant, qui a inventé la culture en tant qu'élément d'un enseignement historique, avait encore un objectif universel analogue. Bien que dans son enseignement les droits naturels soient devenus des droits humains, ce sont en fait les mêmes droits, mais fondés sur une nouvelle base ; et le processus historique qu'il avait discerné dans l'enseignement de Rousseau allait dans le sens de l'actualisation de ces droits. Ainsi l'universalité et la rationalité restaient les marques distinctives de tous ces enseignements. Mais très vite, après cela, *la culture* — qui, pour Kant et, anachroniquement parlant, pour Rousseau aussi, était un singulier — allait devenir *les cultures*. Il était clair qu'il y avait des Anglais, des Français, des Allemands, des Chinois ; mais il n'était pas évident qu'il y eût une culture cosmopolite, soit existante, soit en devenir. Les unions diverses de la nature avec les acquis de la civilisation sont déjà rares et difficiles ; qu'elles tendent à la même fin est improbable ; il nous faut nous attendre à ces créations et nous féliciter qu'il existe une culture en général. On découvrit bientôt un certain charme à cette diversité. Rousseau avait institué l'enracinement comme condition préalable pour que l'homme parvienne simplement à un but rationnel. Mais ses successeurs romantiques ont fait valoir qu'un tel but saperait l'enracinement, et c'est l'enracinement qui est alors devenu le but.

Ainsi, nous voilà de nouveau confrontés à deux interprétations contradictoires de ce qui compte pour l'homme. L'une nous dit que ce qui est important, c'est ce que tous les hommes ont en commun. L'autre rétorque que ce que les hommes ont en commun est *inférieur,* tandis que ce qu'ils tirent de cultures séparées leur confère profondeur et intérêt. Les deux écoles admettent que la vie, la liberté et la recherche de la propriété, c'est-à-dire ce qui intéresse la santé et la conservation, sont ce que tous les hommes partagent. La différence qui les sépare, c'est le poids qu'ils accordent au fait d'être français ou chinois, juif ou catholique, ou l'ordre de priorité qui est donné à ces cultures particulières en relation avec les besoins naturels du corps. L'une des interprétations est cosmopolite, l'autre particulariste. Le respect des droits humains s'associe à la première école, le respect des cultures à la seconde. On n'attaque pas toujours les Etats-Unis parce qu'ils manquent au devoir de promouvoir les droits de l'homme ; parfois on leur reproche de vouloir imposer l'*American way of life* à tous les peuples, sans égard pour leurs cultures. Dans la mesure où ce reproche est fondé, les Etats-Unis agissent ainsi au nom de vérités évidentes par elles-mêmes qui concernent le bien de tous les hommes. Les critiques des Etats-Unis rétorquent qu'il n'existe pas de vérités de cet ordre, que ce sont là des préjugés propres à la *culture* américaine. L'ayatollah Khomeini a été soutenu, aux Etats-Unis, par certaines personnes parce qu'il représentait la culture iranienne authentique. Maintenant, on l'attaque parce qu'il viole les droits de l'Homme. Ce qu'il fait, il le fait au nom de l'islam. Ses adversaires insistent sur le fait qu'il existe des principes universels qui limitent les droits de l'islam. Lorsque ceux qui critiquent les Etats-Unis au nom de la culture et l'ayatollah au nom des droits de l'Homme se trouvent être les mêmes hommes, ce qui est souvent le cas, on peut dire qu'ils veulent avoir à la fois le beurre et l'argent du beurre.

Mais pourquoi, demandera-t-on, ne pourrait-il y avoir à la fois respect des droits de l'Homme et respect pour la culture ? Simplement parce qu'une culture engendre son mode de vie et ses principes, particulièrement ses principes les plus élevés : elle les engendre elle-même, adaptés à elle-même et n'admettant aucune autorité au-dessus d'eux. S'il y avait une telle autorité, le mode de vie unique qui naît de ses principes se trouverait miné. On a précisément adopté l'idée de *culture* parce qu'elle offrait une solution de rechange à ce qu'on considérait comme une universalité creuse et déshumanisante : l'universalité des droits fondés sur notre nature animale. Les mentalités particulières des peuples prennent la place de la raison de l'espèce. Il y a guerre incessante entre l'universalité prônée par le siècle des Lumières et le particularisme qui a découlé des enseignements de ceux qui ont critiqué les philosophes des Lumières. Leurs critiques en appelaient à tous les anciens attachements : à la famille, au pays, à Dieu ; attachements qui avaient été déracinés par la philosophie des Lumières ; et ils leur conféraient une nouvelle interprétation, avec un nouveau pathos. Cette réaction a établi des fondements philosophiques... pour résister à la philosophie.

La question est de savoir si les raisonnements prennent vraiment la place des instincts, si les discussions au sujet de la valeur de la tradition ou des racines peuvent se substituer aux passions immédiates, si toute cette interprétation n'est pas simplement une réaction, d'ailleurs incapable d'endiguer la marée d'un individualisme égalitaire et calculateur, individualisme que les personnes mêmes qui le critiquent partagent et aux privilèges duquel ils ne voudraient pour rien au monde renoncer. Lorsqu'on entend des divorcés faire l'éloge de la famille, sans prendre conscience des liens sacrés et de la tyrannie ancestrale qu'il a fallu maintenir pour que cette famille existe, il est facile de voir qu'ils ont conscience de ce qui manque à leur existence, mais difficile de croire qu'ils savent avec lucidité ce qu'il leur faudrait sacrifier pour l'obtenir. Et quand on entend des hommes et des femmes proclamer qu'ils doivent préserver leur *culture,* on ne peut s'empêcher de se demander si cette notion artificielle peut vraiment prendre la place du Dieu et de la patrie pour lesquels, autrefois, ils auraient accepté de mourir.

La « nouvelle ethnicité », la quête des « racines », est encore une manifestation de ce souci de particularisme : cette tendance dénote non seulement quels sont les vrais problèmes de communauté dans les sociétés de masse contemporaines, mais aussi combien superficielle est la réponse qui y est apportée, et cela prouve aussi qu'on reste complètement inconscient du conflit fondamental entre société libérale et culture. Cet effort pour préserver des cultures anciennes dans le Nouveau Monde est superficiel, parce qu'il ignore le fait que les différences réelles entre les hommes sont fondées sur des différences réelles dans leurs convictions fondamentales sur le bien et le mal, sur ce qui est le plus élevé, sur Dieu. Les différences de vêtements ou de nourriture sont soit sans intérêt, soit des expressions secondaires de croyances plus profondes. Les différences « ethniques » que l'on voit aux Etats-Unis ne sont que des réminiscences en déclin de différences plus anciennes qui ont conduit nos ancêtres à s'entre-tuer. Le principe qui les animait, leur âme, a disparu de ces différences-là. Les festivals « ethniques » ne sont que des étalages superficiels de vêtements, de danses et d'aliments en provenance du pays d'origine. Il faut être tout à fait ignorant du splendide passé « culturel » qui se trouve à la source de tout cela pour être impressionné ou charmé par ces manifestations folkloriques insipides (qui, soit dit en passant, unissent les deux acceptions du mot *culture :* peuple et art). Et la bénédiction qu'a donnée, aux Etats-Unis, le mouvement dit « de la culture » à la notion de diversité culturelle a contribué à intensifier et à légitimer la formation de groupes politiques, tout en favorisant la décadence de la conviction que les droits individuels énoncés par la Déclaration d'indépendance soient autre chose qu'une rhétorique démodée.

Récapitulons. L'idée de *culture* a été établie pour tenter de découvrir la *dignité de l'homme* dans le contexte de la science moderne. Cette science est matérialiste, donc réductionniste et déterministe. L'homme ne peut prétendre à aucune dignité s'il ne bénéficie pas d'un statut spécial, s'il n'est pas essentiellement différent de la brute. Il faut qu'il y ait dans l'homme quelque chose d'autre si l'on doit rendre compte de la plénitude de son être et empêcher que des combinaisons politiques et économiques qui présupposent son animalité foncière ne l'y réduisent. Ceux qui ont tenté d'établir la dignité de l'homme n'espéraient ni ne voulaient transformer les nouvelles sciences. Pour eux, il s'agissait de coexister avec elles. Pour cela, on a inventé une série de dualismes avec lesquels nous vivons encore : nature-liberté, nature-art, science-créativité, sciences exactes-lettres : dans ces oppositions de termes, le second terme est censé être investi d'une dignité supérieure, mais il s'est avéré que le fondement de cette classification est toujours demeuré problématique. La liberté est un postulat, chez Kant c'est une possibilité, non une démonstration ; et cela reste la grande difficulté de l'affaire. La culture a beau prétendre être globale et inclure toutes les plus hautes activités de l'homme, elle n'inclut nullement les sciences, qui n'en ont nul besoin, car elles se sont fort bien développées dans l'ancienne combinaison démocratique qu'elles ont contribué à fonder et qui les a encouragées. C'est là un thème auquel il nous faudra encore revenir ; mais il faut noter d'ores et déjà qu'il existe, par exemple, en psychologie une école importante qui affirme que l'homme n'est rien d'autre qu'un animal (par exemple le behaviourisme de B. F. Skinner) ; tandis que dans d'autres doctrines le fait que l'homme est un animal est au contraire ignoré (par exemple dans l'analyse existentielle de R. D. Laing) ; et il y a encore diverses combinaisons qui ne se soucient pas de cohérence : à commencer par la théorie psychanalytique de Freud, qui veut se fonder sur la biologie et, en même temps, rendre compte des phénomènes spirituels, au détriment de l'une et des autres. D'une façon générale, tout le monde tient à être scientifique ; et, en même temps, à respecter la dignité de l'homme.

CHAPITRE VI

LES VALEURS

Nous en sommes revenus au point de départ de cette partie, là où les *valeurs* prennent la place du bien et du mal. Mais avant d'en revenir là, nous avons fait au moins un tour d'horizon rapide de l'expérience intellectuelle vécue politiquement qui semble avoir rendu nécessaire une modification de cette espèce. La façon dont les Allemands qui y réfléchissaient envisageaient cette évolution est particulièrement révélatrice dans un passage fameux de l'œuvre de Max Weber qui, parlant de Dieu, de la science et de l'irrationnel, dit ceci :

> *Finalement, bien qu'un optimisme naïf ait célébré la science — c'est-à-dire la technique de maîtrise de la nature fondée sur la science — comme le chemin qui conduirait au bonheur, je crois que je puis laisser toute la question de côté à la lumière de la critique radicale que Nietzsche a faite des « derniers hommes » qui ont « découvert le bonheur ». Qui donc y croit encore, sinon quelques vieux bébés dans leurs chaires universitaires ou dans des maisons d'édition ?* (La Science comme vocation).

Un observateur aussi pénétrant et aussi bien informé que Max Weber pouvait dire, en 1919, que l'esprit de la démocratie libérale était mort pour tous les hommes sérieux et que Nietzsche l'avait tué ou, du moins, lui avait donné le coup de grâce. La présentation du « dernier homme » dans *Ainsi parlait Zarathoustra* eut un effet si décisif que l'on cessa même de discuter du rationalisme vieux jeu de la philosophie des Lumières ; et, comme Weber le laisse entendre, toute discussion et toute étude futures du sujet doivent s'effectuer avec la certitude que les perspectives de cette philosophie se sont avérées un échec « naïf ». La raison ne peut établir des *valeurs*. Et non seulement elle ne le peut pas, mais l'idée qu'elle le peut est la plus stupide et la plus pernicieuse des illusions.

Autrement dit, presque tous les Américains de cette période, et en particulier ceux qui pensaient, étaient de « grands enfants » ; et ils le sont demeurés bien longtemps après que l'Europe fut devenue adulte. Il suffit de penser à John Dewey pour reconnaître qu'il correspond à la lettre à la description de Weber... et de se rappeler, après cela, qu'il a eu aux Etats-Unis une influence considérable. Mais Dewey n'a pas été le seul dans ce cas. Tous, dès le début, surtout ceux qui disaient : « Nous tenons ces *vérités* pour *évidentes par elles-mêmes* » — tous participaient au rêve rationaliste. La remarque de Weber est donc importante parce que cet auteur a, autant ou plus que quiconque, contribué à remettre nos pendules à l'heure : il a servi d'intermédiaire entre Nietzsche et nous, qui étions le plus récalcitrants à sa pensée, peut-être parce que, selon cette pensée-là, nous avions l'air de représenter ce qu'il y avait de pire, de plus désespérant. Alors, une vue très sombre de l'avenir s'est superposée à notre optimisme incorrigible : ce chapitre de l'histoire de la pensée américaine peut être à juste titre préfacé par Weber. Nous sommes des enfants qui jouent avec des jouets d'adultes, et ces jouets se sont avérés trop brûlants pour que nous les manipulions. Mais, pour notre défense, il faut ajouter que nous ne sommes probablement pas les seuls pour lesquels ils ont été trop brûlants.

Weber désigne Nietzsche comme le point de départ commun des penseurs sérieux du XXe siècle. Il nous indique aussi quel est l'unique problème fondamental : la relation entre la raison, ou la science, et le bien de l'homme. Quand il parle du « bonheur » ou du « dernier homme », il ne veut pas dire que le dernier homme soit malheureux, mais que ce bonheur est nauséabond. Pour bien saisir la situation dans laquelle nous nous trouvons, il faut avoir l'expérience d'un mépris profond ; or notre capacité de mépris est en train de disparaître. La science de Weber présuppose cette expérience, que nous qualifierions de subjective. Après avoir goûté à cette expérience à la suite de sa rencontre avec Nietzsche, il a passé son existence à étudier ce qui n'était pas méprisable, à se pencher sur ceux qui sont capables d'estime et de respect et ne sont donc pas contents d'eux-mêmes, ceux qui ont des valeurs ou, pour employer un autre terme, des dieux, en particulier les créateurs de dieux ou les fondateurs de religions. Ainsi, il a passé la plus grande partie de sa vie de chercheur à étudier les religions. De Nietzsche, il avait appris que la religion, ou le sacré, est le plus important de tous les phénomènes humains ; mais il l'avait appris à la manière très particulière et nouvelle qui était celle de Nietzsche.

« Dieu est mort », a proclamé Nietzsche. Mais il ne l'a pas dit sur un ton de triomphe, dans le style de l'ancien athéisme, ce qui signifierait que le tyran a été renversé et que l'homme est désormais libre. Non, la phrase est prononcée avec l'intonation angoissée de la piété la plus puissante et la plus délicate qui se trouve privée de son objet. L'homme qui aimait Dieu et avait besoin de lui a perdu son Père et son Sauveur, sans possibilité de résurrection. La joie de la libération, que l'on trouve chez Marx, s'est muée en terreur devant la nudité de l'homme dépourvu de protection. L'honnêteté oblige les hommes sérieux à examiner leur conscience pour admettre que l'ancienne foi n'est plus contraignante. C'est l'apogée de la vertu chrétienne qui exige le sacrifice du christianisme, c'est-à-dire le plus grand sacrifice qu'un chrétien puisse faire. La philosophie des Lumières a tué Dieu ; mais, comme Macbeth, les hommes des Lumières ne savaient pas que le cosmos se rebellerait contre cet acte et que le monde deviendrait « une histoire contée par un idiot, pleine de bruit et de fureur et qui n'a aucun sens ». Nietzsche a remplacé un athéisme insouciant et content de lui par un athéisme angoissé, souffrant des conséquences humaines de l'athéisme. L'aspiration à la foi associée à un refus intransigeant de satisfaire cette aspiration, voilà ce qui caractérise selon lui notre attitude profonde en face de notre condition spirituelle entière. Marx, lui, niait l'existence de Dieu, mais investissait l'histoire de toutes Ses fonctions. Les fondements solides de l'histoire, le fait qu'elle soit inévitablement orientée vers un objectif satisfaisant pour l'homme, voilà ce qui selon Marx remplaçait la Providence. Si l'on est aussi naïf, on pourrait aussi bien être chrétien ! Avant Nietzsche, tous ceux qui ont enseigné que l'homme est un être historique ont présenté son histoire comme orientée dans le sens du progrès d'une manière ou d'une autre. Après Nietzsche, en revanche, la formule caractéristique pour décrire notre histoire devient « le déclin de l'Occident ».

Après avoir examiné et résumé les courants contradictoires de la pensée moderne, Nietzsche a conclu que le rationalisme victorieux est incapable de régner, que ce soit dans la culture ou dans l'âme, qu'il ne peut se défendre théoriquement et que ses conséquences humaines sont intolérables. De là a découlé une crise grave en Occident, car partout en Occident, pour la première fois de l'histoire, tous les régimes sont fondés sur la raison. Les fondateurs, n'envisageant que les principes universels d'une justice naturelle reconnaissable par tous les hommes sans autre secours que celui de leur raison, ont établi des gouvernements sur la base du consentement des gouvernés, sans faire appel à la révélation ou à la tradition. Mais la raison a aussi constaté que toutes les cultures précédentes avaient été fondées par des dieux, sur des dieux ou sur la croyance en des dieux. C'est donc seulement si les nouveaux régimes ont un succès énorme, s'ils sont capables de rivaliser avec le génie créateur et la splendeur d'autres cultures, qu'on pourra dire que les fondations rationnelles de la raison sont égales ou supérieures aux fondations que la raison sait avoir été instituées ailleurs. Or une telle égalité ou une telle supériorité est fort sujette à caution : de ce fait, la raison est bien obligée de reconnaître son insuffisance. Il faut qu'il y ait une religion ; et la raison ne peu˙ fonder de religions.

Ces considérations étaient déjà implicites dans la première vague de critiques dirigées contre la philosophie des Lumières et dont nous avons traité plus haut. Rousseau a déclaré qu'une religion civile est nécessaire à la société et qu'il faut que le législateur apparaisse comme drapé dans les couleurs de la religion. Tocqueville, lui aussi, a insisté sur le caractère central de la religion en Amérique. Après l'échec du type de religion civile que Robespierre voulait instituer, il y a eu un effort incessant pour promouvoir un christianisme révisé ou libéral, inspiré de la *Profession de foi du Vicaire savoyard* de Rousseau. L'idée même de culture était un moyen de préserver quelque chose comme une religion, sans en parler. La culture est une synthèse de raison et de religion qui tente de dissimuler la distinction bien tranchée entre ces deux pôles.

Nietzsche examine le malade, observe que le traitement n'a pas réussi et déclare que Dieu est mort. Désormais, il ne peut plus y avoir de religion, mais dans la mesure où l'homme a besoin de culture, l'impulsion religieuse demeure. Plus de religion, donc, mais de la religiosité. Ce constat imprègne toute l'analyse nietzschéenne de la modernité et, sans qu'on l'ait remarqué, il est également sous-jacent dans les catégories contemporaines de la psychologie et de la sociologie. Il a ramené au centre de la philosophie la question religieuse. Le point de vue critique d'où il faut considérer la culture moderne, c'est son athéisme essentiel ; et ce successeur du bourgeois, plus répugnant encore que lui, le *dernier homme,* est le produit de l'athéisme égalitaire, rationaliste et socialiste.

Ainsi l'aspect nouveau de la crise de l'Occident, c'est qu'elle est identique à une crise de la philosophie. Quand on lit Thucydide, on constate que le déclin de la Grèce a eu un caractère purement politique et que ce que nous appelons l'histoire intellectuelle est de peu d'importance pour le comprendre. Les anciens régimes avaient des racines traditionnelles ; mais dans la modernité, ce sont la philosophie et la science qui ont repris le rôle des dirigeants, et des problèmes purement théoriques ont maintenant des effets politiques décisifs. On ne peut imaginer l'histoire politique moderne sans une analyse des idées de Locke, de Rousseau et de Marx. Le manque de plausibilité théorique, la décrépitude de la théorie sont, comme chacun sait, au cœur du malaise qui règne en Union soviétique ; et le monde libre n'est pas loin de souffrir du même malaise. Nietzsche est celui qui a établi le diagnostic le plus profond, le plus clair et le plus puissant de cette maladie. Il fait valoir qu'il y a pour nous une nécessité intérieure d'abandonner la raison, en nous fondant sur des motifs rationnels, et que, de ce fait même, notre régime est condamné.

La *démythification* de Dieu et de la nature a nécessité une description nouvelle de la nature même du bien et du mal. Pour paraphraser une formule platonicienne relative aux dieux, nous n'aimons pas une chose parce qu'elle est bonne, elle est bonne parce que nous l'aimons. C'est notre *décision* d'estimer une chose ou un être qui les rend estimables. En fait, l'homme est un « être estimant », le seul qui soit capable de révérence profonde comme de mépris de soi ; c'est, selon la formule nietzschéenne, la « bête aux joues rouges ». Nietzsche a affirmé avoir bien vu que les objets du respect humain ne forcent en rien ce respect ; souvent, ils n'existent même pas. Leurs qualités ne sont que des projections de ce qui est le plus puissant en l'homme et elles servent à satisfaire ses besoins ou ses désirs les plus forts. Le bien et le mal, c'est ce qui permet aux hommes de vivre et d'agir. Le caractère de leurs jugements sur le bien et le mal fait voir ce qu'ils sont.

Pour simplifier, on peut dire que, selon l'analyse de Nietzsche, l'homme moderne est en train de perdre ou il a perdu sa faculté d'évaluer, donc son humanité. L'autosatisfaction, le désir de s'adapter, de trouver une solution confortable à ses problèmes, tout le programme de l'Etat-providence sont des signes de l'incapacité de l'homme à regarder vers le haut. Mais le signe le plus sûr, c'est la façon dont nous usons du mot *valeur,* et sur ce point, Nietzsche n'a pas seulement diagnostiqué la maladie : il a contribué à l'aggraver. Son intention était de montrer aux hommes le danger qu'ils courent et la tâche accablante qui les attend s'ils veulent protéger et exalter leur humanité. Dans la décrépitude actuelle, les hommes pourraient s'en tirer selon Nietzsche, s'ils croyaient que Dieu, la nature ou l'histoire sont créateurs de *valeurs.* Cette conviction était salutaire aussi longtemps que les créations objectivées de l'homme étaient encore nobles et vitales. Mais en présence de l'épuisement actuel des anciennes valeurs, si l'on veut faire prendre conscience aux hommes qu'ils doivent assumer la responsabilité de leur destin, il faut les conduire au bord de l'abîme, les terrifier en leur montrant le danger et leur donner la nausée en leur présentant ce que l'homme risque de devenir. Il faut qu'ils se tournent vers l'intérieur d'eux-mêmes et reconstituent les conditions de leur créativité pour engendrer des *valeurs.* L'âme doit être un arc tendu ; autrement dit, il lui faut lutter avec son contraire plutôt que de s'harmoniser avec lui, et plutôt que de transmettre sa tension aux grands instruments de la « dernière humanité », les détenteurs d'arcs spécialisés, les Jésuites de notre époque, les psychiatres qui, dans le même esprit que les virtuoses de la paix et participant de la même conspiration de la modernité, réduisent le conflit. Comme nous l'avons appris dans la Bible, le chaos, la guerre des contraires est la condition de la créativité, elle est ce que le créateur doit vaincre. L'âme doit donc tirer des flèches de son aspiration. Arc et flèche, l'un et l'autre appartenant à l'homme, peuvent viser une étoile du ciel pour guider l'homme. Selon Nietzsche, notre situation exige l'élimination de toutes nos illusions sur les *valeurs* : il faut renoncer à tout espoir trompeur de réconfort ou de consolation, donc emplir de terreur les rares créateurs qui existent encore et les convaincre que tout, absolument tout, dépend d'eux. Le nihilisme est un stade dangereux de l'histoire humaine, mais il est nécessaire et peut-être salutaire : par lui, l'homme est confronté à sa vraie situation. Le nihilisme peut briser l'homme, le réduire au désespoir, au suicide spirituel ou physique. Mais il peut aussi l'encourager à reconstruire un monde qui ait un sens. Les œuvres de Nietzsche représentent l'exposition glorieuse de l'âme d'un homme qui mérite, mieux que n'importe quel autre, le nom de *créateur* ; elles constituent le témoignage le plus profond sur la créativité par un homme qui éprouvait un besoin brûlant de la comprendre.

Nietzsche a été inéluctablement amené à méditer sur la naissance de Dieu — sur la création de Dieu — attendu que Dieu est la plus haute des valeurs, celle dont les autres dépendent. Dieu n'est pas créateur, car Dieu *n'est* pas. Mais Dieu, tel que l'homme l'a fait, reflète ce qui, dans l'homme, lui est le plus inconnu à lui-même. On a dit que Dieu avait fait le monde qui importe pour nous à partir de rien ; de même l'homme a fait quelque chose, Dieu, à partir de rien. La foi en Dieu et la croyance aux miracles sont plus proches de la vérité que toute explication scientifique, qui doit négliger ou justifier ce qu'il y a de créateur en l'homme. Moïse, dominé par les pulsions obscures qui l'habitaient, est monté au sommet du Sinaï et en a rapporté les tables des *valeurs* qui ont fait un peuple, un peuple dont l'être était constitué par le fait qu'il estimait, qu'il révélait ces valeurs. Ces valeurs avaient, pour ce peuple, une nécessité, une substantialité plus contraignantes que la santé ou la richesse. Elles étaient le noyau de la vie. Il existe d'autres tables de valeurs possibles — mille et une, selon Zarathoustra — mais celles de Moïse sont celles qui ont constitué ce peuple et lui ont conféré un style de vie, une unité d'expérience intérieure et d'expression extérieure, une forme. Il n'y a aucune règle pour créer les mythes qui constituent un peuple, point de test standardisé qui puisse désigner l'homme qui les créera ou déterminer quels sont les mythes qui fonctionneront ou s'adapteront à tel peuple. Il y a la matière et il y a celui qui fait, comme dans le cas de la pierre et du sculpteur ; mais ici, le sculpteur n'est pas seulement la cause efficiente, mais aussi la cause formelle et finale. Rien n'est sous-jacent au *mythe,* ni substance, ni cause. On ne peut rendre compte avec précision de la cause des *valeurs* au terme d'aucune recherche, qu'il s'agisse de la quête rationnelle d'une connaissance du bien et du mal ou, par exemple, de l'étude de leurs déterminants économiques. Seule une ouverture sur les phénomènes psychologiques de la créativité peut apporter ici quelque clarté.

Cette psychologie-là ne peut ressembler à celle de Freud qui, partant de la compréhension de l'*inconscient* selon Nietzsche, trouve à la créativité des causes qui estompent toute différence entre Raphaël et un barbouilleur quelconque. Or tout réside dans cette différence, qui échappe nécessairement à notre science. L'inconscient est un grand mystère ; c'est la vérité de Dieu et le *ça* est aussi insondable que l'était Dieu. Freud a accepté l'inconscient, puis il a tenté de projeter sur lui une parfaite clarté par la science. Mais c'est le *ça* qui produit la science ; il peut même produire plusieurs sciences. La procédure suivie par Freud équivaut à essayer de déterminer l'essence ou la nature de Dieu d'après ce qu'il a créé ; or Dieu pourrait avoir créé une infinité de mondes. S'il s'était limité au nôtre, il n'aurait pas été créateur, il n'aurait pas été libre. Tout cela est nécessaire si l'on doit comprendre la créativité. Le *ça* est la source ; il est fuyant et insondable, et il produit les diverses interprétations du monde. Les hommes de science, au nombre desquels Freud souhaitait qu'on le comptât, ne prennent rien de cela au sérieux. Dans le cadre de leur science, les biologistes ne peuvent même pas traiter de la conscience, et encore moins de l'inconscient. Et les psychologues comme Freud se trouvent dans une position intenable, à mi-chemin entre la science, qui n'admet pas l'existence des phénomènes qu'il veut expliquer, et l'inconscient, qui n'est pas du ressort de la science. Il faut choisir, Nietzsche y insiste de façon persuasive, entre la science et la psychologie ; et, de ce fait même, la psychologie se trouve gagnante, puisque la science est le produit de la *psyché*. Les hommes de science eux-mêmes ont été progressivement affectés par ce choix. Peut-être la science n'est-elle qu'un produit de notre culture, une culture dont nous savons qu'elle n'est pas meilleure qu'une autre ? Et la science est-elle « vraie » ? On commence à voir s'effriter quelque peu les bords de sa bonne conscience, naguère si robuste. Des livres comme celui de Thomas Kuhn *, *La Structure des révolutions scientifiques,* sont des symptômes de ce déclin.

C'est là qu'apparaît ce que j'ai appelé le « moi » sans fond ou insondable, la dernière version du *moi.* Nietzsche l'a appelé *id,* le *ça* (terme réutilisé par Freud). Le *ça* nargue le *moi* quand un homme dit : « *Ça* m'est arrivé à *moi.* » La conscience souveraine escompte que quelque chose, là, en bas, va fournir un aliment à la pensée. La différence entre cette version et les autres, c'est que les autres commençaient par une expérience commune, plus ou moins

* Historien des sciences américain, professeur à l'Université Princeton. (N.d.T.)

immédiatement accessible, que tous les hommes partageaient, qui établissait une humanité commune, ne fût-ce qu'une intersubjectivité, une humanité commune qui peut être appelée nature humaine. La peur d'une mort violente et le désir d'auto-préservation ont marqué le premier arrêt sur la voie descendante : tout le monde connaît ces réflexes et nous pouvons nous y reconnaître les uns les autres. Le second arrêt a été marqué par le doux sentiment d'exister, qu'on avait oublié mais qu'il était possible de retrouver. Quand on est sous l'empire de ce sentiment, on peut avec certitude se dire à soi-même : « C'est ce que je suis vraiment, c'est ce pour quoi je vis », avec la conviction, en outre, que la même chose est vraie pour tous les autres hommes. Cela, allié à un sentiment vague mais généralisé de compassion, fait de nous une espèce et cela peut nous offrir une ligne directrice. Mais à l'étape suivante, il s'avère qu'il n'y a plus d'arrêt possible, et la descente est vertigineuse. Si l'on y trouve quoi que ce soit, c'est strictement personnel, c'est ce qui selon Nietzsche constitue le *fatum* d'un être, ce qu'il appelle un « âne entêté et robuste* », qui n'a rien à dire pour lui, si ce n'est qu'il existe. Là on ne trouve, au mieux, que soi-même : quelque chose d'incommunicable et qui isole chaque individu des autres au lieu de les unir. Seuls de très rares êtres trouvent là leur propre point fixe, d'où ils peuvent alors remuer le monde. Ce sont, littéralement, des êtres profonds.

Si les valeurs, les « horizons », les tables du bien et du mal qui tirent leur origine du *moi* ne peuvent être qualifiées de vraies ou de fausses, si elles ne peuvent être justifiées ni par le sentiment commun de l'humanité ni par les normes universelles de la raison, cela ne signifie pas pour autant qu'elles soient toutes équivalentes, comme l'imaginent les partisans vulgaires de la théorie des valeurs. Selon Nietzsche et tous les penseurs sérieux qui, d'une façon ou d'une autre, se sont conformés à ses idées, c'est exactement le contraire qui est vrai. Dans le cas des valeurs, les qualificatifs « vrai » et « faux » sont remplacés par des distinctions telles que « authentique-inauthentique », « profond-superficiel », « créateur-créé ». Le fait qu'il n'y ait pas là d'expérience commune, accessible en principe à tout le monde, prouve l'inégalité entre les hommes. La *valeur* individuelle d'un homme devient l'étoile polaire de beaucoup d'autres, auxquelles leurs propres expériences n'ont fourni aucune ligne directrice. Le créateur est le plus rare des hommes, et tous les autres en ont besoin et le suivent.

Les valeurs authentiques sont celles selon lesquelles une vie peut être vécue, celles qui forment un peuple susceptible d'accomplir de

---

* Ou plus exactement « *asinus pulcher et fortissimus* » : citation latine empruntée par Nietzsche à un « mystère ancien ». (*Par-delà le bien et le mal*, § 8). (N.d.T.)

grandes actions et de produire de grandes pensées. Moïse, Jésus, Homère, Bouddha : ces êtres sont des créateurs, ce sont les hommes qui ont formé des horizons. On peut dire qu'ils ont été les fondateurs de la *culture* juive, de la culture chrétienne, de la culture grecque, de la culture indienne. Ce n'est pas la « vérité » de ce qu'ils ont pensé qui les a distingués, mais la capacité de leur pensée à engendrer une culture. Une valeur n'en est une que si elle préserve et rehausse la vie. La quasi-totalité des valeurs des hommes ne sont que des copies plus ou moins pâles des valeurs du promoteur. L'égalitarisme équivaut au conformisme, dans la mesure où il confère du pouvoir à l'individu stérile qui ne peut se servir que d'anciennes valeurs, celles d'autres hommes, qu'il a empruntées à un assortiment de valeurs toutes prêtes, des valeurs qui ne sont pas vivantes et qui n'impliquent pas de véritable engagement. L'égalitarisme est fondé sur le rationalisme, lequel nie la créativité. L'œuvre tout entière de Nietzsche constitue une attaque contre l'égalitarisme rationnel. Ces quelques remarques devraient suffire à démontrer l'inanité du verbiage habituel à propos des valeurs. Par ailleurs elles font comprendre qu'on puisse s'étonner du respect qu'une partie de la gauche porte à Nietzsche.

Comme les valeurs ne sont pas rationnelles et qu'elles n'ont pas de fondement dans la nature de ceux qui leur sont soumis, elles doivent être imposées ; autrement dit, elles doivent vaincre d'autres valeurs opposées, de sorte qu'un combat est nécessaire. On ne peut les rendre crédibles par la persuasion rationnelle : produire de telles valeurs et y croire, ce sont des actes de volonté. Le défaut crucial devient alors l'absence de volonté et non le manque de compréhension. Et *l'engagement* devient la grande vertu morale, car il indique le sérieux de celui qui agit. Ce n'est pas l'amour de la vérité, mais l'*honnêteté intellectuelle* qui caractérise l'état d'esprit adéquat : puisqu'il n'y a pas de vérité dans les valeurs et que la vérité qu'on peut trouver dans la vie n'est pas aimable, lorsqu'on est confronté à ce qu'on est et à ce qu'on subit, la marque d'un *moi authentique* consiste à consulter son oracle intérieur. Les moteurs des actes sont dès lors des *décisions* et non des délibérations. On ne peut connaître l'avenir, ni le planifier : il faut le *vouloir*. Il n'y a pas de programme. Le grand révolutionnaire doit détruire le passé et ouvrir l'avenir au libre jeu de la créativité. La politique est révolutionnaire : mais contrairement à la révolution anglaise, à la révolution américaine, à la révolution française ou à la révolution russe, les nouvelles révolutions ne devront pas avoir de programmes et il faudra qu'elles soient le fait d'hommes intellectuellement honnêtes, engagés, dotés d'une forte volonté et créateurs. Nietzsche n'était pas fasciste, mais ce projet a inspiré une rhétorique spécifiquement fasciste, qui visait à revitaliser les anciennes cultures ou à en fonder de nouvelles, cela par opposition au

229

cosmopolitisme rationnel et sans racines des révolutions de la gauche.

Relativiste culturel, Nietzsche voyait bien ce que tout cela impliquait : la guerre, une cruauté accrue et non pas une plus grande compassion. La guerre est le phénomène fondamental sur lequel la paix peut parfois prévaloir, mais toujours de la façon la plus précaire. Les démocraties libérales ne se font pas la guerre entre elles, car elles considèrent que la nature humaine est la même partout et que les mêmes droits sont applicables à tous les hommes. Mais les *cultures* se livrent la guerre les unes aux autres et il faut qu'il en soit ainsi : car c'est seulement en triomphant des autres, non en raisonnant avec eux, qu'on peut affirmer des valeurs, qu'on peut les *poser en principes*. Les cultures sont perçues de diverses façons, et ces perceptions déterminent ce qu'est le monde ; il n'y a pas, entre elles, de compromis possible : il n'existe pas de *communication* à propos des choses les plus élevées. La communication se substitue à la compréhension quand les hommes ne disposent pas d'un monde commun qu'ils puissent partager et auquel ils puissent se référer quand il y a entre eux malentendu. Pour sortir de l'isolement des systèmes clos que constituent le *moi* et la *culture,* on tente donc d' « entrer en contact » et il y a souvent « échec de la communication » ; mais de quelle manière les individus et les cultures peuvent « être en relation » les uns avec les autres, voilà qui est tout à fait mystérieux.

Ainsi la culture représente tout à la fois une guerre contre le chaos et une guerre contre les autres cultures. L'idée même de culture est porteuse de valeur : l'homme a besoin de culture et doit faire ce qui est nécessaire pour créer et maintenir *des cultures*. Un homme qui mène une existence purement théorique n'a pas de lieu où se situer ; pour vivre, pour avoir une substance intérieure, il faut qu'un homme dispose de valeurs, qu'il soit *engagé*. Voilà pourquoi un individu dont l'attitude est relativiste à l'égard de la culture doit se préoccuper de celle-ci plus que de la vérité ; il faut qu'il se batte pour sa culture tout en sachant qu'elle n'est pas « vraie ».

C'est là, en un certain sens, une position impossible, et Nietzsche a lutté pour résoudre ce problème au cours de toute sa carrière, probablement sans parvenir à une solution satisfaisante. Mais il savait qu'une approche scientifique est mortelle pour la culture et que le relativisme culturel ou moral ordinaire condamne celui qui le professe à n'avoir aucune culture du tout. Contrairement au relativisme pur et simple, le relativisme culturel enseigne qu'il faut croire : mais il sape la croyance.

Il semble que Nietzsche ait emprunté sans beaucoup d'hésitation l'idée de culture aux philosophes qui l'avaient précédé. Selon lui, la culture est le seul cadre dans lequel on puisse rendre compte de ce qu'il y a de spécifiquement humain dans l'homme. Contrairement à tous les autres êtres naturels, l'homme est pur devenir ; et c'est dans sa culture qu'il devient quelque chose, quelque chose qui transcende la nature et qui n'a pas d'autre mode d'existence ni d'autre support qu'une culture particulière. L'actualité des plantes et des autres animaux est contenue dans leurs potentialités ; mais cela n'est pas vrai de l'homme, et on en trouve l'indication dans les nombreuses fleurs culturelles, essentiellement dissemblables les unes des autres, que produit cette même graine, l'homme. A ce problème, Nietzsche a apporté une importante contribution : la parfaite intransigeance avec laquelle il a tiré les conséquences de cette idée et essayé de vivre avec elles. S'il existe quantité de cultures, qui ne soient pas sollicitées par une seule culture, parfaite et complète, dans laquelle l'homme serait homme tout simplement et qui n'aurait pas besoin d'un qualificatif comme « grecque », « chinoise », « chrétienne », « bouddhiste » ; si, par exemple, la *République* de Platon qui met en évidence le meilleur régime possible est simplement un mythe, l'œuvre de l'imagination de Platon — alors le mot « homme » lui-même est un paradoxe. Il y a autant de types d'homme qu'il existe de cultures, sans aucune perspective qui permette de parler de l'homme au singulier. Cela ne s'applique pas seulement à ses habitudes, à ses coutumes, à ses rites, à ses manières et à ses modes, mais surtout à son esprit. Si l'on n'inclut pas l'esprit lui-même parmi les choses qui sont relatives à une culture, les observations du relativisme culturel sont banales et tout le monde les a déjà acceptées. Mais il faut qu'il y ait autant de types d'esprit différents qu'il y a de cultures différentes. Tout le monde se satisfait du relativisme culturel ; mais chacun veut bénéficier d'une exemption spéciale en ce qui le concerne. Le physicien désire sauver ses atomes, l'historien ses événements, le moraliste ses valeurs. Mais tous ces éléments sont également relatifs ; ou alors, si une seule vérité peut échapper au flux du relativisme, il n'y a aucune raison, en principe, pour que quantité de vérités n'y échappent pas : et dès lors, le flux — appelons-le devenir, changement, histoire ou de n'importe quel autre nom — n'est plus la vérité fondamentale : c'est l'être, la fixité, l'éternité, et ainsi de suite, qui l'est. C'est d'ailleurs là ce qui a toujours été le principe immuable de la science et de la philosophie.

Nietzsche, et c'est tout à son honneur, se rendait parfaitement compte que, dans la perspective historiciste et culturelle, il était radicalement problématique de vouloir philosopher. Il a reconnu que cela impliquait des risques intellectuels et moraux terribles. Au centre de toute sa pensée réside la question : « Comment est-il possible de faire ce que je fais ? » Il a essayé d'appliquer à sa propre pensée les enseignements du relativisme culturel, ce que pratiquement personne ne fait jamais. Ainsi, par exemple, Freud dit que les hommes sont motivés par le désir sexuel et par le désir du pouvoir ;

mais il n'a pas appliqué ces mobiles pour expliquer sa propre science ou sa propre activité scientifique. Pourtant, s'il lui est possible, à lui, d'être un «vrai» savant (c'est-à-dire un homme motivé par l'amour de la vérité), alors d'autres hommes en sont également capables, et toute sa description de leurs motivations comporte un vice fondamental. Si au contraire il est motivé, lui, Freud, par le sexe ou par le pouvoir, ce n'est pas un « vrai » homme de science et sa science n'est qu'un moyen parmi d'autres possibles pour parvenir aux mêmes fins. Ce problème est constamment sous-jacent dans toutes les sciences exactes et humaines puisqu'elles rendent compte de choses qui ne peuvent expliquer la conduite de ceux qui pratiquent ces sciences. L'économiste doté d'une éthique rigoureuse qui ne parle que de gain, le professeur de science politique amoureux du bien public et qui ne voit que des intérêts sectoriels, le physicien qui signe des pétitions en faveur de la liberté, mais ne reconnaît dans l'univers que des lois mathématiques gouvernant la matière en mouvement, tous ces spécialistes sont de bons exemples de la difficulté qu'il y a à fournir à la science une explication d'elle-même et à la vie théorique un fondement solide : difficulté qui a entaché la vie de l'esprit depuis les débuts de l'ère moderne, mais qui est devenue particulièrement aiguë avec l'avènement du relativisme culturel. Pour réagir contre cette difficulté, Nietzsche s'est livré consciemment à des expériences dangereuses avec sa propre philosophie : il en a cherché la source non dans la volonté de vérité, mais dans la volonté de puissance.

Pour reprendre la philosophie à zéro, Nietzsche part de l'observation que le moyen le plus sûr de reconnaître une culture et la clé de sa compréhension sous toutes ses facettes, c'est de participer au sens du *sacré*. Hegel avait déjà énoncé cela clairement dans sa philosophie de l'histoire et il avait découvert la même prise de conscience dans les études d'Hérodote sur les Grecs et les Barbares. Ce devant quoi un peuple s'incline nous apprend ce qu'il est. Mais Hegel, selon Nietzsche, a commis une erreur en croyant qu'il peut y avoir un dieu tout à fait rationnel, un dieu qui concilie les exigences de la culture et celles de la science. Toutefois, il a pris conscience qu'il n'en était pas ainsi quand il a déclaré que « la chouette de Minerve vole au crépuscule », ce qui signifie qu'on ne peut comprendre une culture que lorsqu'elle est révolue. Et de fait, la compréhension que Hegel a eue de l'Occident a coïncidé avec la fin de celui-ci. L'Occident a été *démythifié* : il a perdu sa capacité d'inspiration et sa vue de l'avenir.

La conséquence de ce qui précède est que les mythes sont ce qui anime une culture et que les fabricants de mythes sont aussi les fabricants de cultures et ceux de l'homme. Ils sont supérieurs aux philosophes qui se contentent d'étudier et d'analyser ce que font les poètes. Hegel admet que la poésie a perdu son pouvoir prophétique, mais il se console en imaginant que la philosophie suffira.

Les artistes que Nietzsche voyait autour de lui, ceux-là mêmes dont les dons étaient le plus éclatants, confirmaient sa thèse. C'étaient, selon le mot de Nietzsche, des décadents, non parce qu'ils manquaient de talent ou que leurs œuvres n'étaient pas de grandes œuvres, mais parce que ces œuvres étaient des lamentations sur l'impuissance artistique de leurs auteurs et des représentations d'un monde affreux que les poètes ne croyaient pas pouvoir influencer. Immédiatement après la Révolution française, il y avait eu une effervescence artistique prodigieuse : c'est le moment où les poètes ont cru qu'ils pourraient redevenir les législateurs de l'humanité. La vocation que prêtait aux artistes la nouvelle philosophie de la culture les encourageait et un nouvel âge classique était en train de naître. L'idéalisme et le romantisme semblaient avoir ménagé dans l'ordre des choses une place particulière pour le sublime. Mais en une génération ou deux, l'humeur s'est aigrie de façon notable, et les artistes ont commencé à représenter les visions romantiques comme des mystifications sans fondement. Des hommes comme Baudelaire et Flaubert se sont détournés du public et ont tourné en dérision le moralisme et l'enthousiasme romantique de leurs prédécesseurs immédiats. Des adultères sans amour, des péchés sans punition, tels sont devenus les thèmes créateurs, beaucoup plus authentiques que les précédents. Le monde s'était désenchanté. Baudelaire a présenté un homme pécheur, comme dans la vision chrétienne, mais sans aucun espoir du salut divin ; il perce à jour le caractère frauduleux de la piété de son *hypocrite lecteur*. Et Flaubert s'est vautré dans une haine venimeuse de la bourgeoisie qui avait remporté la victoire et pour qui la culture servait exclusivement d'aliment à sa vanité. Les grands dualismes s'étaient écroulés ; l'art, la créativité et la liberté avaient été engloutis par le déterminisme et par des égoïsmes mesquins. Dans sa plus grande création, le pharmacien Homais, Flaubert a résumé tout ce que la modernité était alors et allait devenir. Homais représente l'esprit de la science, le progrès, le libéralisme, l'anticléricalisme. Il vit prudemment, avec un regard attentif sur sa santé. Son éducation comporte le meilleur de ce qui a été dit et pensé. Il sait tout ce qui est arrivé depuis toujours. Il sait que le christianisme a contribué à libérer les esclaves, mais qu'il a survécu à son utilité historique. L'histoire n'a eu lieu que pour le produire, lui, Homais, l'homme sans préjugés. Rien ne l'embarrasse et rien n'échappe à sa compréhension. Il est journaliste et diffuse son savoir pour éclairer les masses. La compassion est son thème moral préféré. Et tout cela n'est rien d'autre qu'amour-propre mesquin. La société n'existe que pour honorer M. Homais et accroître l'estime qu'il a de lui-même. La *culture* lui appartient. Dans le monde de Homais, il n'y a ni héros proprement dits ni auditoires qui puissent s'exalter ; tous sont, d'une manière ou d'une autre, dans les affaires. Emma Bovary elle-même sert de repoussoir à Homais. Elle ne peut que rêver d'un monde et d'hommes qui n'existent pas et ne peuvent exister ; dans l'univers rassis d'un Homais, elle est simplement ridicule. Comme l'artiste moderne, Mme Bovary est aspiration pure, sans but possible. Son seul triomphe, son seul acte libre, ce sera le suicide.

Ces décadents, ces pessimistes, ces « protonihilistes », Nietzsche les trouve révélateurs ; comme il trouve révélateurs les fabricants d'exploits et de grandes passions qui sont l'envers de la médaille, en particulier Wagner. Il méprise les premiers, non parce qu'ils manquent d'honnêteté ou parce que leur représentation du monde qui les entoure est inexacte, mais parce qu'ils savent qu'il y a eu un jour des dieux et des héros qui étaient les produits d'une imagination poétique — ce qui signifie que l'imagination poétique peut les recréer — et qu'ils n'ont pas le courage de le créer eux-mêmes ou ne peuvent s'y résoudre. Ils sont donc sans espoir. Eux seuls peuvent pourtant encore aspirer à quelque chose, ils peuvent avoir la nostalgie de quelque chose : mais c'est qu'ils croient en secret au Dieu chrétien ou, du moins, à la *Weltanschauung* chrétienne et ne peuvent se résoudre à croire à celle du monde nouveau. Ils ont peur de mettre à la voile sur une mer tumultueuse dont ils n'ont pas la carte. Ils sont à la fois débordés par le christianisme et par la science, le plateau de la balance qui s'abaisse dans le dualisme nature-art. Ils ne peuvent surmonter ce dualisme. Et tel est précisément le projet de Nietzsche : dépasser le dualisme art-nature. Seul Dostoïevski possède encore une vitalité de l'âme qui témoigne contre la décadence. Son inconscient, filtré par la conscience chrétienne, s'exprime en désirs défendus, en crimes, en actes d'humiliation de soi-même, en sentimentalité et en brutalité ; mais il est vivant, il se bat et il prouve la permanence de la santé de l'animal et de tout ce qui fermente en nous.

L'artiste est le plus intéressant de tous les phénomènes, car il représente la créativité et c'est la définition même de l'homme. Son inconscient est plein de monstres et de rêves, mais c'est cet inconscient qui fournit des images à la conscience, qui les prend comme données, qui en fait un « monde » et les rationalise. La *rationalité* est simplement l'activité qui consiste à trouver de bonnes raisons à ce qui n'en a pas ou qui est déraisonnable. Nous faisons ce que nous faisons en vertu d'un destin qui est notre individualité, mais il nous faut l'expliquer et le communiquer. C'est là la fonction de la conscience ; et quand celle-ci a bien été alimentée par l'inconscient, son activité est féconde et l'illusion qu'elle a de se suffire à elle-même est même salutaire. Mais quand elle a bien haché et mâché son acquis, comme l'a fait à ce jour la physique mathématique, il ne lui reste plus assez de plantes nourrissantes pour s'alimenter. La conscience exige alors qu'on l'approvisionne.

Ainsi, c'est Nietzsche qui a ouvert les portes du vaste domaine qu'ont exploré ensuite les artistes modernes, les psychologues et les anthropologues, qui ont cherché à rafraîchir notre culture épuisée dans les profondeurs de l'inconscient le plus obscur ou dans celles de l'Afrique la plus noire. Je n'ai pas à discuter ici de la plausibilité de tout ce que Nietzsche a affirmé, mais il est indéniable que sa pensée est séduisante. Il est allé jusqu'au bout de la voie que Rousseau avait tracée, et même au-delà. Cet aspect de la modernité (celui qui intéresse le moins les Américains) recherche moins des solutions politiques que la compréhension et la satisfaction de *l'homme* dans sa plénitude complète et trouve chez Nietzsche son affirmation la plus profonde. Il représente le sommet de ce qu'on peut appeler « le second état de nature ». Et surtout, Nietzsche a été l'ami d'artistes qui ont été les premiers à reconnaître sa grandeur quand il avait mauvaise réputation auprès des universitaires : c'est chez ces artistes que son influence a été manifestement la plus fertile. Il suffit de penser à Rilke, à Yeats, à Proust et à Joyce pour justifier cette assertion. Le plus grand tribut philosophique qui ait été rendu à Nietzsche l'a été par Heidegger, dans un livre qui porte comme titre le nom du philosophe et dont la partie la plus importante est intitulée *La volonté de puissance comme acte.*

Dans notre compréhension de l'homme, Nietzsche a rétabli quelque chose qui ressemble à l'âme, en apportant un supplément à l'écran sec et plat de la conscience qui, pourvue du seul intellect, apparaît au reste de l'homme comme quelque chose d'étranger, un ensemble d'états affectifs élémentaires, comme n'importe quel objet d'étude de la physique, de la chimie et de la biologie. L'inconscient se substitue à tous les éléments irrationnels — avant tout la folie divine et à l'*éros* — qui constituaient l'âme ancienne et qui avaient perdu toute signification dans la modernité. Il établit un lien entre la conscience et le tout et, de ce fait, il restaure l'unité de l'homme. Nietzsche a refait de la psychologie l'étude la plus importante de toutes ; et tout ce qui s'est fait d'intéressant en ce domaine au cours des cent dernières années — non seulement la psychanalyse, mais aussi la Gestalt, la phénoménologie et l'existentialisme — s'est déroulé à l'intérieur du continent spirituel qu'il avait découvert. Mais la différence entre le *moi* et l'âme reste grande : cela tient au statut de la raison. Œuvrer à la reconstitution de l'homme comme Nietzsche l'a fait, cela exige de sacrifier la raison que la philosophie des Lumières, quelles qu'aient pu être ses lacunes, a mis au centre de tout. Malgré toutes les séductions de Nietzsche et tout ce qui chez lui réconforte l'amant de l'âme, il est, sur ce point crucial, plus éloigné de Platon que ne l'étaient Descartes et Locke.

La psychologie de Nietzsche est une psychologie de l'élan vers Dieu, car c'est dans cet élan que le *moi* dispose et étale tous ses pouvoirs ; aussi l'influence de Nietzsche a-t-elle apporté au monde intellectuel un nouvel élan d'intérêt religieux, sinon de religion. Nietzsche nous enseigne que Dieu est un mythe, et les mythes sont créés par les poètes. C'est exactement ce que Platon dit dans *La République* et, pour lui, c'est l'équivalent d'une déclaration de guerre entre philosophie et poésie. Le but de la philosophie est de substituer la vérité au mythe (car, par définition, le mythe est mensonge, ce que nous oublions trop souvent en raison de la fascination postnietzschéenne qu'exerce sur nous le mythe). Comme les mythes préexistent et dotent les hommes de leurs premières opinions, la philosophie équivaut à une destruction critique du mythe en faveur de la vérité et au profit de la liberté et d'une existence naturelle. Socrate, tel qu'il nous est décrit dans les dialogues platoniciens, remettant en question et réfutant les opinions reçues, est le modèle vivant de la signification de la vie philosophique ; et le fait que ses concitoyens l'aient condamné à mort pour avoir refusé de croire à leurs mythes fournit l'exemple parfait des risques de la philosophie. Nietzsche, quant à lui, a tiré des mêmes faits relatifs au mythe la conclusion exactement opposée et, selon lui, le philosophe doit faire le contraire de ce qu'a fait Socrate. Voilà pourquoi il est le premier philosophe à avoir jamais attaqué Socrate. Il n'y a pas de nature ni de liberté comme celles au nom desquelles s'exprime Socrate. Sa vie n'est pas une existence modèle, mais une existence corrompue et monstrueuse, dépourvue de toute noblesse. C'est la vie tragique, celle que Socrate a voulu désamorcer et assainir, qui est l'existence sérieuse. Le nouveau philosophe est l'allié des poètes, il est leur sauveur. En d'autres termes la philosophie est elle-même la forme la plus élevée de poésie. La philosophie façon ancienne *démythifie* et *démystifie ;* elle n'a aucun sens du sacré et, en désacralisant le monde et en déracinant l'homme, elle conduit au vide, au néant. La révélation du néant que la philosophie rencontre au terme de sa quête informe le nouveau philosophe qu'il doit avoir, pour fabriquer un monde, la création du mythe comme préoccupation centrale.

C'est Max Weber, comme je l'ai déjà dit, qui a « transfusé » dans une large mesure cette interprétation religieuse, mythifiante et créatrice de valeurs, de l'expérience sociale et politique dans le courant intellectuel américain. Le succès qu'a remporté aux Etats-Unis le langage webérien est, serait-on tenté de dire, miraculeux. Un bon exemple de ce succès, c'est son invention la plus connue, celle de l' « éthique protestante ». Quand j'ai lu l'ouvrage qui en traite *(L'Ethique protestante et l'esprit du capitalisme),* je suivais mes premiers cours de sciences humaines à l'Université de Chicago et je m'initiais aux mystères modernes de ces disciplines. L'un des cours en question nous donnait un aperçu des sciences humaines « classiques » (qu'on appelait alors « sciences sociales ») et on y traitait entre autres de Marx : non seulement du *Manifeste communiste,* mais aussi du *Capital,* dont nous lisions de larges extraits. Bien entendu, ni Locke ni Adam Smith, porte-parole officiels du « capitalisme », et qu'on pourrait même considérer comme leurs fondateurs, ne figuraient sur la liste de nos auteurs, car nous étions censés nous occuper de penseurs qu'un spécialiste contemporain des sciences humaines pût prendre au sérieux. Marx expliquait l'apparition du capitalisme comme une nécessité historique indépendante de toute volonté humaine : c'était le résultat d'un conflit de classes concernant les relations que celles-ci avaient avec la propriété matérielle. Pour lui, le protestantisme n'était qu'une idéologie reflétant la maîtrise que le capitalisme détenait sur les moyens de production. Weber, lui, prétendait que c'était le *charisme* de Calvin, ainsi que la vision qui était associée à ce charisme et que les adeptes de Calvin avaient fonctionnarisée en quelque sorte, qui avaient joué un rôle décisif dans le développement du capitalisme. Je ne voyais pas à l'époque — et je ne suis pas sûr que mes professeurs en fussent eux-mêmes le moins du monde conscients — que si Weber avait raison, c'en était fini de Marx, de son déterminisme purement économique, de sa révolution, bref, du marxisme et du type de sympathies morales qu'il engendre inévitablement. Weber tend à démontrer qu'il n'existe pas de nécessité matérielle, que les *Weltanschauungen* et les « valeurs » des hommes déterminent leur histoire et que c'est l'esprit qui commande à la matière, non le contraire. La philosophie de Weber a donc pour effet de rétablir l'ancienne opinion selon laquelle les individus comptent pour quelque chose, sont libres et ont besoin de dirigeants. Mais le chef charismatique de Weber est à cent lieues des hommes d'Etat rationnels envisagés par Locke, Montesquieu, Smith et les fédéralistes. Ceux-ci déploient leurs efforts pour des fins que la raison peut saisir et qui sont manifestement fondées dans la nature. Ni valeurs ni visions créatrices ne leur sont nécessaires pour voir ce que tous les hommes raisonnables devraient voir, à savoir qu'il faut travailler dur pour s'assurer une liberté raisonnable, sûre et prospère. On peut faire valoir que Marx est beaucoup plus proche que Weber du noyau des convictions de Locke, de Smith et des autres : bien que selon lui l'homme soit sous l'emprise du processus historique, ce processus lui-même est rationnel et a comme fin la liberté rationnelle de l'homme. En un certain sens, pour Marx, l'homme reste un animal rationnel.

Weber, au contraire, nie la rationalité des « valeurs » posées par les calvinistes : ce sont des « décisions », non des « délibérations », imposées à un monde chaotique par des personnalités puissantes ; ce sont, précisément, des *Weltanschauungen,* des « interprétations

du monde » qui n'ont d'autre fondement que les *moi* des protestants. Ce sont ces « valeurs » qui ont fait le monde comme il se
présentait aux protestants. Ce sont essentiellement des actes de la
volonté, actes qui constituent en même temps le *moi* et le monde. Il
faut que ces actes de la volonté soient déraisonnables ; ils ne sont
fondés sur rien. Dans un univers chaotique, la raison est déraisonnable, car il n'est pas possible de ne pas se contredire. C'est le
prophète qui devient le pur modèle de l'homme d'Etat, avec des
conséquences très radicales. C'était là quelque chose de nouveau
dans les sciences humaines américaines, et cela aurait dû indiquer
clairement aux spécialistes qu'un nouveau type de causalité était
entré en scène, causalité entièrement différente de celle qu'on
connaissait dans les sciences exactes. Mais ils ne l'ont pas vu.

Pourtant, le discours webérien et son interprétation ont pris
comme un incendie de forêt. J'ai lu des ouvrages qui traitaient de
l'éthique protestante japonaise, de l'éthique protestante juive... ! Il
semble que certains aient été frappés par l'absurdité manifeste de
cette locution, aussi a-t-on progressivement remplacé maintenant
« éthique protestante » par « éthique du travail », mais ce n'est
qu'une adaptation verbale et cela ne masque guère le point de vue
qui reste sous-jacent à la théorie de Weber. Ceux qu'intéresse
l'économie de marché ne semblent pas se rendre compte, quand ils
usent de ce langage, qu'ils admettent la nécessité d'un supplément
moral pour faire fonctionner leur système « rationnel » et que cette
morale-là n'est pas rationnelle en elle-même, ou du moins que le
choix n'en est pas rationnel au sens où ils entendent le mot raison.
Si l'ajournement des satisfactions a un sens pour le système dans
son ensemble, peut-on dire sans hésiter qu'il est bon pour
l'individu ? Est-il évident pour un chrétien que l'accroissement de la
richesse vaille mieux que la pauvreté ? Si l' « éthique du travail »
n'est qu'un choix parmi d'autres également valables, on peut aussi
dire que le système du marché libre, lui aussi, n'est qu'un choix
parmi d'autres, et les partisans de ce système ne devraient pas
s'étonner de voir que ce qui était naguère admis de façon générale
n'entraîne plus, aujourd'hui, la conviction. Il faut remonter à
Locke et à Adam Smith, de façon sérieuse et non pour y chercher
une simple série de citations, pour y trouver des *arguments* fondant
une base morale rationnelle pour la société libérale. Mais les
économistes ne le font plus ; et comme ils ont perdu l'habitude de
lire des ouvrages philosophiques sérieux ou de considérer que ceux-
ci sont vraiment essentiels, ils n'en sont sans doute plus capables.
Au moment où l'enseignement libéral (qui s'est vu qualifié plus
tard d' « utilitaire ») est devenu la doctrine pédagogique dominante, les bons arguments sont devenus moins nécessaires, ce qui
est le cas de la plupart des causes victorieuses, et on a remplacé les
arguments originaux, qui étaient difficiles, par des simplifications

admissibles ou on ne les a pas remplacés du tout. L'histoire de la pensée libérale depuis Locke et Smith a été celle d'un déclin presque ininterrompu du point de vue philosophique. Quand la pensée économique libérale ou le mode de vie libéral étaient manifestement menacés, leurs partisans recouraient pour les défendre à tout ce qui leur tombait sous la main. Il semblerait qu'il faille inventer une religion à seule fin de défendre le capitalisme ; alors que les philosophes antérieurs qui y ont été associés pensaient au contraire qu'il fallait, à tout le moins, affaiblir la religion pour établir le capitalisme. Et la religion, bien loin de s'opposer aux tendances du capitalisme, comme Tocqueville imaginait qu'elle devrait le faire, est désormais censée les encourager.

Il va sans dire que Weber n'a pas songé un instant que Calvin aurait pu avoir effectivement reçu de Dieu une révélation (ce qui, évidemment, changerait tout) : Weber était d'un athéisme dogmatique. Cela ne veut pas dire qu'il cherchait à prouver que Calvin était un charlatan ou un fou, comme on l'aurait fait dans le bon vieux style des Lumières. Non, il préférait croire à l'authenticité de la foi de Calvin et à celle d'autres fondateurs du même type que lui. Ces fondateurs sont des hommes supérieurs, des hommes qui peuvent vivre et agir dans le monde, qui savent prendre leurs *responsabilités* et dont l'âme est habitée par la certitude et l'engagement. C'est l'expérience religieuse qui importe, non pas Dieu. L'ancienne querelle entre la raison et la révélation est devenue indifférente, puisque les deux partis avaient tort et se comprenaient eux-mêmes de façon erronée. Mais ce qui est figuré par la révélation est vraiment « révélateur » : cela indique ce qu'est l'homme et ce dont il a besoin. Des hommes comme Calvin sont *producteurs de valeurs,* ce sont donc des modèles d'action dans l'histoire. Nous pouvons ne pas croire au fondement de leur expérience (Dieu), mais leur expérience elle-même est décisive. Il ne nous intéresse pas de découvrir comment ils se comprenaient eux-mêmes, mais il est passionnant de chercher dans leur *moi* le substitut mystérieux du fondement de leurs actes. Nous ne nourrissons pas les mêmes illusions particulières que ces hommes, et nous ne voulons pas les nourrir, mais nous tenons à avoir des *valeurs* qui nous engagent. Le résultat de cette religiosité esthétique, on le trouve dans les mystérieuses méditations et le discours de Max Weber et de bien d'autres penseurs (qu'on songe à Sartre) sur la foi et l'action. Tout cela a abouti à quelque chose de très différent de ce qu'ont toujours dit ou fait les chefs religieux ou les hommes d'Etat rationnels. C'est une fusion de ces deux types de comportements, mais qui confère un plus grand poids à la composante religieuse, à la nécessité d'une espèce de foi et de tout ce qui en résulte. L'appareil intellectuel qui accompagne cette analyse a tendance à occulter les solutions de rechange, en particulier celles qui sont rationnelles.

Il en découle une dérive continuelle de la perspective historique dans le sens des explications religieuses. La *sécularisation,* tel est le mécanisme miraculeux par lequel la religion devient non-religion et l'explique. Le marxisme est un christianisme sécularisé ; il en va de même de la démocratie, de l'utopie et des droits de l'homme. Tout ce qui se trouve associé à la valeur doit émaner de la religion. Point n'est besoin de chercher ailleurs, dans la mesure où le christianisme est la condition nécessaire et suffisante de notre histoire. Cela entraîne l'impossibilité de considérer Hobbes ou Locke comme des causes sérieuses de cette histoire, car nous savons que la raison superficielle ne peut fonder de valeurs et que ces penseurs transmettaient inconsciemment les valeurs de l'éthique protestante. La raison transmet, elle établit une routine, elle normalise ; elle ne crée pas. Voilà pourquoi Weber envoie promener cet aspect de notre tradition, tout comme le fait Marx. On ignore les prétentions de la philosophie, mais on respecte celles de la religion. L'athéisme dogmatique culmine dans la conclusion paradoxale que la religion est la seule chose qui compte.

C'est de cette *Weltanschauung* qu'est issu le terme religieux de mauvais goût qui a produit des conséquences politiques si néfastes, tout en devenant, en tout cas aux Etats-Unis, le plus exaspérant des mots fétiches : le *charisme.* On m'a assuré qu'il existait à Chicago une teinturerie à l'enseigne du charisme ; et tout loubard chef d'une bande de voyous des rues se qualifie de *charismatique.* On peut en déduire qu'en Amérique, le charisme n'est pas un terme simplement descriptif, mais qu'on le conçoit de façon générale comme quelque chose de bon et qui a rapport avec le commandement. On peut même ajouter qu'il semblerait accorder à ce commandement un titre extra-légal, conféré par « quelque chose de spécial » inhérent au leader en question. Bien que Max Weber ait pensé à des gens comme Moïse, Bouddha ou Napoléon, l'application du mot *charisme* à un chef de bande colle parfaitement à sa définition du terme. Il cherchait à faire une place, en politique, à des choses que la légalité politique exclut et qui prétendent avoir droit à l'attention bien qu'elles ne soient fondées ni sur la raison ni sur le consentement, seuls titres qui autorisent à gouverner en démocratie libérale. Il ne faut donc pas s'étonner que tous les appétits démagogiques frustrés par notre système constitutionnel se soient emparés d'un mot qui semble les légitimer et les flatter. En outre, l'individualisme démocratique n'accorde pas officiellement une bien grande place aux dirigeants dans un régime où chacun est censé être son propre maître. Le charisme, d'un seul coup, justifie les dirigeants et excuse leurs partisans. Le mot lui-même imprime une tournure positive à des qualités et à des activités génératrices de désordre que notre tradition constitutionnelle considère comme négatives. Et son caractère extrêmement vague en fait un outil rêvé

Les valeurs

pour les charlatans et les publicitaires, habiles à manipuler les images.

Le charisme, et Weber le savait parfaitement bien, est une grâce accordée par Dieu : c'est bien cette grâce-là que confère le commandement dans la mesure où il a reçu, de toute évidence, la sanction de Dieu. Dans la ligne de son analyse de l'éthique protestante, Weber présente l'énonciation de valeurs par le *moi* comme la forme humaine authentique de la grâce de Dieu. Ce qu'il en dit semble purement descriptif, mais devient inévitablement normatif. Dans certains passages de son œuvre, fortement influencés par Nietzsche, il analyse l'Etat et y voit une relation de domination de l'homme par l'homme fondée sur une violence légitime, c'est-à-dire une violence *considérée* comme légitime. Intérieurement, les hommes acceptent d'être dominés s'ils entre-tiennent certaines croyances. Il n'existe pas de fondement plus profond à la légitimité que les justifications intérieures que se donnent les hommes dominés pour accepter la violence que leur font subir ceux qui les dominent. Ces justifications sont, selon Weber, de trois types : traditionelles, rationnelles et charismati-ques. Certains se soumettent parce que c'est ainsi qu'il en a toujours été, c'est notre sort ; d'autres consentent à obéir à des fonctionnaires compétents qui se conforment à des règles rationnel-lement établies ; enfin, il y en a d'autres qui sont ensorcelés par la grâce extraordinaire d'un individu. De ce qu'on vient de voir, il découle immédiatement que la légitimité charismatique est la plus importante des trois. Quoi que puissent penser les conservateurs, les traditions ont eu un commencement... qui n'était pas tradition-nel ; elles ont eu un fondateur qui n'était ni conservateur ni traditionaliste, et les valeurs fondamentales qui soutiennent cette tradition ont été sa création. La tradition est la perpétuation sur le mode mineur du moment enchanté où quelques privilégiés pou-vaient vivre avec le créateur sur les sommets de l'inspiration. La tradition adapte cette inspiration aux mobiles ordinaires et univer-sels de l'homme, tels que l'avidité et la vanité ; en quelque sorte le charisme est devenu routine. La tradition est ce qu'elle est en raison de son impulsion originale. Le charisme est la condition de la légitimité traditionnelle aussi bien que de la légitimité charismati-que. C'est aussi la forme la plus extraordinaire de légitimité. Le rationnel, lui, n'est pas pénétré de charisme et les fonctionnaires — les bureaucrates — sont donc incapables de prendre de véritables décisions ou des responsabilités. Ils ne peuvent, dirait-on aujour-d'hui, déterminer les grandes lignes d'une politique ou, en des termes plus classiques, ils ne peuvent établir des finalités. La simple compétence ne peut que servir des buts déjà établis et prendre des décisions conformes à des règles établies. Il faut à tout le moins qu'elle soit étayée par une direction charismatique pour aller dans

241

la bonne direction (ou dans n'importe quelle direction). Et voilà où reparaît le charisme, à nouveau au sommet. La création de valeurs, l'activité qui donne naissance aux tables de la loi par lesquelles un peuple se constitue et vit : telle est, selon l'expression de Nietzsche, la noix enfermée dans la coque de l'existence.

Quel que soit, en dernière analyse, le mérite des réflexions et des catégories de Max Weber, elles sont devenues les Saintes Ecritures d'une foule d'intellectuels. Comme Weber l'a dit lui-même, il ne s'agissait pas d'un pur exercice académique ; ces analyses soulignaient sa vision de la crise du XXe siècle. Dans ce cas, des faits allégués établissaient aussi des valeurs. Les régimes fondés sur la tradition avaient perdu leur élan initial et étaient sur le point de s'éteindre. Ceux qui étaient fondés sur la rationalité se contentaient purement et simplement de gouverner les « derniers hommes » (selon la définition de Nietzsche), activité insupportablement négative. Il fallait donc impérativement qu'une forme de commandement charismatique se manifeste, pour revitaliser la politique de l'Occident. Toute l'entreprise reposait cependant sur l'hypothèse que Nietzsche eût raison, que le « dernier homme » fût le pire possible ou, de façon plus générale, que sa critique de la raison fût correcte.

La difficulté de cette politique charismatique est, avant tout, qu'elle est presque impossible à définir. On peut évidemment en relever des exemples dans le passé, mais précisément, ces exemples sont inimitables. Si la politique est comparable à un style artistique (idée empruntée à l'invention webérienne des « styles de vie »), il est impossible de prescrire quoi que ce soit par avance. Dans ce cas, il n'y a ni principes fixes, ni programme d'action. Tout ce qu'on peut énoncer, ce sont des formules du genre : « Soyez vous-même ! » ou « Soyez original ! » ou encore « Allez-y carrément ! ». Le charisme conduit à l'extrémisme et à la démesure. En outre il faut évidemment que le chef ait des partisans ; aussi le leader charismatique ne peut-il éviter d'agir conformément aux vœux de ceux qui le veulent tel. Et enfin, il est bien difficile de juger de l'authenticité du charisme. Tout le monde sait qu'il n'est pas possible d'imaginer des tests convaincants de l'authenticité de la vocation d'un chef charismatique « vrai », un chef dont la grâce est d'origine divine. Quant à celui dont la grâce émane d'un *moi* encore beaucoup plus énigmatique, il s'avère pratiquement impossible à mettre à l'épreuve. Mais la situation telle que Weber l'a diagnostiquée exige des remèdes radicaux, et le chef charismatique en fait partie.

Au moment même où Weber écrivait, Hitler se profilait à l'horizon. C'était un chef, un leader, un meneur, un *Führer,* qui n'était certainement ni traditionnel, ni rationnel et bureaucratique. C'était la parodie démente et effrayante du chef charismatique, du démagogue dont Weber avait espéré l'avènement. Hitler a apporté, à la satisfaction de la plupart sinon de tous, la preuve que le dernier homme n'est pas le pire de tous, et son exemple aurait dû détourner une fois pour toutes l'imagination politique d'expériences de ce genre. Tel n'a pas été le cas. Weber était un homme honnête et respectable, et il n'aurait eu que dégoût et mépris pour Hitler ; ce qu'il avait souhaité, c'était un correctif modéré aux défauts de la politique allemande, qui aurait eu à peu près les dimensions de ce que de Gaulle a apporté à la politique française. Mais quand on s'aventure dans les vastes espaces ouverts à l'exploration par Nietzsche, il est bien difficile de fixer des limites : dans ce domaine, la mesure et la modération sont vraiment absentes. Weber n'était qu'un des nombreux penseurs sérieux qui avaient subi l'influence de Nietzsche et avaient contribué à vulgariser sa pensée, sans croire à un extrémisme qui, Nietzsche lui-même l'avait affirmé, découle du fait de se placer « par-delà le bien et le mal ». L'avenir, horizon entièrement ouvert, ménage plus d'une surprise, et tous les adeptes de Nietzsche préparaient le chemin de cet imprévu-là, en contribuant à jeter à la mer le bien et le mal, en même temps que la raison, sans avoir la moindre garantie quant aux solutions de rechange dont on pourrait disposer. Parmi ces épigones de Nietzsche, Max Weber est d'un intérêt particulier pour les Américains, car il est l'apôtre qui avait été choisi pour les évangéliser. Ce qui est surprenant, ce n'est pas seulement la popularité qu'a acquise le discours lourdement chargé de sens qu'il nous a légué, mais aussi la persistance de sa conception des phénomènes politiques chez des gens qui passent pour sérieux. Car, bizarrement, Hitler n'a suscité aucune remise en question de la pensée politique, ni aux Etats-Unis, ni en Europe. Au contraire, c'est pendant que les Américains se battaient contre l'hitlérisme que la pensée qui l'avait précédé en Europe a conquis l'intelligentsia des Etats-Unis. Et cette pensée, qui a à tout le moins apporté à Hitler quelque encouragement et qui n'a rien fait pour nous permettre de le comprendre, continue encore à prédominer aujourd'hui.

Au cours des années trente, quelques sociaux-démocrates allemands avaient compris qu'Hitler, tout comme Staline, ne se conformerait pas aux termes de l'analyse de Weber dont ils s'étaient servis auparavant ; et c'est alors qu'on a commencé à recourir à l'adjectif « totalitaire » pour les désigner. Si ce changement de qualificatif suffit à corriger l'étroitesse de la conception webérienne de la science politique, voilà ce qu'on peut se demander. Mais ce qu'il faut noter, c'est que l'épithète « charismatique » s'adaptait, vraiment à Hitler, à moins que ce mot ne dénote nécessairement quelque chose de bon et ne connote un jugement de valeur favorable. Je soupçonne ceux qui se sont désolidarisés de Weber sur ce point de l'avoir fait parce qu'ils ne pouvaient admettre l'idée qu'il se soit trompé pareillement, ni la possibilité que la pensée à laquelle il avait adhéré et qu'il avait diffusée eût contribué au soutien du fascisme. Peut-être Hannah Arendt a-t-elle inconsciemment confirmé ma suggestion à ce propos. Dans son ouvrage *Eichmann à Jérusalem,* elle a énoncé l'expression devenue célèbre depuis lors : « la banalisation du mal » (pour décrire les actes d'Eichmann). Il n'est pas difficile de reconnaître là un écho de la description que donne Weber du calvinisme fonctionnalisé : « le charisme devenu routine ». Ainsi, il faut bien qu'Hitler ait été un homme « charismatique ». Après Hitler, tout le monde s'est réfugié sous l'abri de la morale, mais personne n'a pratiquement cherché le soutien d'une réflexion sérieuse sur le bien et le mal. Car si on l'avait fait, ni le président Reagan ni le pape Jean-Paul II n'oseraient parler, comme ils le font, de « valeurs ».

Tout ce discours, comme j'ai tenté de le montrer, implique que le religieux est la source de tout ce qui est politique, social et personnel ; et il continue à transmettre un message de ce genre. Mais il n'a rien fait pour rétablir la religion, ce qui nous met dans un sacré pétrin. De ce fait, nous rejetons le rationalisme qui est la base de notre mode de vie, sans avoir rien à mettre à sa place. Et comme l'essence religieuse est devenue peu à peu un gaz raréfié et nauséabond qui s'est répandu dans toute notre atmosphère, il est devenu de bon ton d'en parler en usant d'un terme merveilleusement solennel et sinistre : *le sacré.* Au début de l'invasion de la pensée allemande, il régnait dans les universités une sorte de mépris scientifique pour la malpropreté de la religion. Sur le plan académique, on peut étudier ce phénomène comme un élément du passé qu'on est parvenu à dépasser ; mais à l'époque, un croyant était plus ou moins considéré comme un abruti ou un malade. Les sciences humaines nouvelles, je l'ai déjà dit, étaient censées prendre la place des enseignements antérieurs, moralement et religieusement pollués, de la même manière que Galilée, Copernic, Newton et leurs successeurs avaient, selon la mythologie populaire, fondé des sciences exactes qui avaient anéanti les superstitions du Moyen Age. A ce moment, l'esprit des Lumières ou le marxisme imprégnait encore les intellectuels américains, et l'énoncé « religion contre science » équivalait à « préjugé contre vérité ». Les spécialistes des sciences humaines ne voyaient pas que leurs nouveaux instruments se fondaient sur une pensée qui n'acceptait pas les dichotomies orthodoxes ; ils ne percevaient pas que non seulement les penseurs européens étaient déjà en quête de quelque chose qui ressemblait beaucoup à la présence d'acteurs religieux sur la scène politique, mais que l'esprit nouveau lui-même, ou le *moi,* avait au moins autant d'éléments communs avec la conception pascalienne qu'avec celle de Descartes et de Locke. Dès le début de l'enseignement des *valeurs,* on a pris très au sérieux, en Allemagne, le *sacré,* considéré comme le phénomène central du *moi,* que la conscience scientifique ne peut connaître et que le passant ignorant qui a perdu l'instinct religieux foule aux pieds. C'est pourquoi les penseurs allemands comprenaient le vrai sens du mot « valeur ». Il a fallu que toutes les convictions soient émoussées et toutes les distinctions effacées pour qu'on en arrive à penser que le *sacré* n'était pas dangereux et pour qu'il se fasse sa place dans le discours courant.

Bien entendu, dans l'usage qui en est fait à présent, il n'a pas davantage en commun avec Dieu que la « valeur » avec les Dix Commandements, le « charisme » avec Moïse, ou le « style de vie » avec Jérusalem et Athènes. Le « sacré » est devenu un besoin, comme la nourriture ou les rapports sexuels ; et dans une communauté bien ordonnée, il doit être satisfait comme d'autres besoins. Dans notre enthousiasme précoce de libres penseurs, nous avions eu tendance à le négliger, mais on sait maintenant qu'un peu de rituel est une bonne chose, et qu'il faut procurer aux individus un « espace sacré »*, en même temps qu'un peu de tradition, de même que, il y a une génération, on estimait que la *culture* constituait un supplément diététique utile au régime. La disproportion entre la signification réelle de tous ces mots et celle qu'on leur donne dans le langage courant est répugnante. Tout cela participe d'une conspiration destinée à nous faire croire que nous avons tout à notre disposition. Notre vieil athéisme avait de la religion une bien meilleure compréhension que ce nouveau respect pour le *sacré.* Les athées prenaient la religion au sérieux et reconnaissaient qu'elle est une vraie force, qu'elle coûte quelque chose et qu'elle exige des choix difficiles. Les sociologues qui parlent si aisément du *sacré* font penser à un homme qui aurait chez lui un vieux lion de cirque édenté pour se donner à bon compte les frissons de la jungle.

---

* Il faut noter à quel point le terme « espace » — pour désigner un appartement, un atelier, un bureau ou n'importe quoi — est devenu un mot à la mode.

CHAPITRE VII

LA NIETZSCHÉISATION
DE LA GAUCHE OU VICE VERSA

Bien que le monde soit actuellement divisé en deux camps, dont l'un fait remonter son héritage intellectuel à Locke et l'autre — qui reconnaît beaucoup plus explicitement sa filiation que le premier — à Marx, je n'ai pas beaucoup parlé de Marx au cours du présent essai et je n'ai fait que rarement référence à son vocabulaire. Mais cette omission relative est inévitable si l'on se fonde, pour un tel essai, sur les âmes des jeunes Américains, car Marx ne leur dit rien et les enseignants soi-disant marxistes qui essaient de les influencer ne recourent pas au langage marxiste. Pour dire les choses crûment, Marx est devenu ennuyeux, et il ne l'est pas devenu seulement pour la jeunesse américaine. Dans quelques provinces éloignées, de lugubres autodidactes peuvent encore vibrer à la rhétorique des « travailleurs du monde entier », cependant que les présidents des Etats du Tiers Monde à parti unique invoquent l'autorité de Marx pour étayer leurs ressentiments. Mais dans les lieux où les gens se tiennent au courant et où l'on élabore les idéologies, Marx est mort depuis longtemps. Le *Manifeste communiste* semble naïf. Le *Capital* ne parvient pas à convaincre ses lecteurs qu'il est l'expression de la vérité sur l'économie ou sur l'avenir inévitable de l'homme, donc qu'il soit digne de l'immense effort qu'il exige pour qu'on le lise jusqu'au bout. Quelques brillants essais de Marx séduisent encore, mais ils ne suffisent pas à fonder une *Weltanschauung*. Cependant, le décès intellectuel de leur héros éponyme n'a pas empêché les gens de gauche de continuer à se désigner eux-mêmes sous le nom de marxistes, car il représente les pauvres dans leur lutte éternelle contre les riches, ainsi que l'exigence d'une égalité plus poussée que celle qu'offrent les sociétés libérales. Mais au-delà de cela, leur nourriture vient d'ailleurs. Marx n'éveille aucun écho dans des âmes meublées par Sartre, Camus, Kafka, Dostoïevski, Nietzsche et Heidegger. Même Rousseau peut encore l'emporter quand Marx tombe à plat.

Pour illustrer ce qui est advenu de l'influence de Marx, je prendrai un des rares termes utilisés dans son œuvre qui ait acquis une popularité comparable à celle du vocabulaire webérien : le mot *idéologie*. (Il sera question plus loin de l'utilisation que font les Américains du mot *dialectique*.)

Chez Marx, l'*idéologie* désigne le faux système de pensée élaboré par la classe dirigeante pour justifier son pouvoir aux yeux des gouvernés, tout en dissimulant ses véritables mobiles qui sont intéressés. Marx faisait une distinction bien tranchée entre l'idéologie et la science, celle-ci représentant ce qu'est le système de Marx lui-même, c'est-à-dire la vérité fondée sur une prise de conscience désintéressée de la nécessité historique. Dans la société communiste, il n'y aura pas d'idéologie. « L'esprit objectif », pour recourir à la formule nietzschéenne, existe encore dans la pensée de Marx, comme il a existé dans toute la philosophie : c'est la possibilité de connaître les choses comme elles sont, une capacité intellectuelle irréductible à quoi que ce soit d'autre. « Idéologie » est un terme péjoratif ; il faut percer à jour l'idéologie pour voir ce qu'il en est réellement. C'est un hiéroglyphe dont la signification ne réside pas en lui-même, mais exige une traduction pour connaître la réalité sous-jacente dont il est une transcription trompeuse. L'homme sans idéologie, celui qui détient la science, possède un décodeur : il peut observer l'infrastructure économique, il peut voir que la philosophie politique de Platon qui nous enseigne que les sages doivent gouverner n'est qu'une rationalisation de la position des aristocrates dans une économie fondée sur l'esclavage ; il peut discerner que la philosophie politique de Hobbes, qui enseigne que la liberté de l'homme se trouve à l'état de nature et qu'il en résulte la guerre de tous contre tous, n'est que la couverture des combinaisons politiques favorables à la bourgeoisie montante. Ce point de vue constitue la base de l'histoire intellectuelle, qui nous raconte l'histoire derrière l'histoire. Au lieu de consulter Platon et Hobbes pour nous informer sur ce qu'est le courage, sujet important pour nous, on les lit pour voir comment leurs définitions du courage convenaient au moment où ils les ont données à ceux qui détenaient alors les moyens de production.

Mais ce qui s'applique à Platon et à Hobbes ne peut s'appliquer à Marx lui-même, faute de quoi l'affirmation que ces penseurs étaient historiquement déterminés serait fausse. Si la pensée marxiste était une idéologie, c'en serait une au service des nouveaux exploitants que Marx se trouverait aider ; si tel était le cas, il n'aurait pu savoir ce qu'il fallait discerner chez les penseurs antécédents qui étaient, eux, inévitablement et inconsciemment sous l'emprise du processus historique ; bref, le « décodeur » s'autodétruirait. Il existe évidemment certaines conditions historiques préalables à la science de Marx ; mais ces conditions ne nuisent pas à la véracité de son intuition, qui représente donc une sorte de moment absolu qu'aucune histoire ultérieure ne peut altérer. Cette vérité-là sert de garant à la révolution et c'est l'équivalent moral des droits naturels qui ont justifié la révolution américaine. Sans cela, tous les massacres qu'entraîne une révolution seraient injustes et vains.

Il n'en reste pas moins que, dès 1905, Lénine parlait du marxisme comme d'une idéologie, ce qui signifie que, pas plus que les autres doctrines, celle-ci ne peut prétendre à la vérité. En moins d'un siècle, l'absolu de Marx avait été relativisé. La non-plausibilité du moment absolu, et d'un point de vue extérieur à l'histoire, sur laquelle Nietzsche avait insisté dans son historicisme radical était devenue une notion courante, et cela faisait de Marx un fossile. C'était le commencement d'un pourrissement intérieur qui a finalement privé le marxisme de toute crédibilité pour toute personne qui pense. Marx lui-même est devenu une idéologie. Il ne semblait dès lors plus trop problématique d'historiciser l'esprit de Marx et de retourner sa méthode contre lui. Le marxisme apparaissait désormais comme une prise de position résolue au milieu du flux universel, ce qui est la marque d'un créateur et un défi au manque de signification des choses : plus exactement, c'était la façon dont il apparaissait à ceux qui étaient tombés sous la fascination de Nietzsche. Une parodie de « *new look* » du marxisme se trouve chez Jean-Paul Sartre : Sartre a vécu toutes les expériences merveilleuses du néant, des abysses, de la nausée, de l'engagement gratuit... et le résultat de tout cela a été un soutien presque sans faille apporté à la ligne du parti communiste. C'est là un marxisme remis au goût du jour et équipé de toutes les « options » et autres gadgets dialectiques les plus récents.

Dans le discours populaire contemporain, on comprend généralement d'abord le mot « idéologie » comme la désignation d'une chose bonne et nécessaire, sauf quand il est question d'idéologie *bourgeoise.* Ce qui a rendu cette évolution possible, c'est l'abandon de la distinction entre vrai et faux en politique et en morale, abandon encouragé par Nietzsche. Les hommes et les sociétés ont besoin de mythes, non pas de science, pour les faire vivre. En bref, l'idéologie est devenue quelque chose d'identique aux *valeurs,* et c'est la raison pour laquelle ce terme a été admis au tableau d'honneur des mots en fonction desquels nous vivons. Si l'on examine les trois formes de légitimité énumérées par Weber — tradition, raison et charisme — qui déterminent les hommes à accepter une domination fondée sur la violence, on voit immédiatement qu'on pourrait aussi bien les intituler « idéologies » que « valeurs ». Max Weber, bien sûr, voulait dire que toutes les sociétés et toutes les communautés d'hommes ont besoin d'une domination violente de ce type, seule façon de faire émerger l'ordre du chaos dans un monde qui ne dispose d'aucune autre force ordinatrice que la spiritualité créatrice de l'homme, alors que les marxistes espèrent encore vaguement l'avènement d'un monde où il y ait des valeurs sans domination. C'est là tout ce qui reste de leur marxisme, et ils pourront faire et feront encore un bon bout de chemin avec les nietzschéens. On peut juger de l'état où ils sont réduits par le fait que, dans leur pensée, l'idéologie est désormais privée de sa vieille partenaire, la science, et se dresse dans une grandeur solitaire.

On observe en outre que l'idéologie ne se trouve plus très distinctement associée à l'économie et que ce qui la détermine n'est plus aussi simple. Dans le domaine de la créativité, les liens qui l'attachaient à la nécessité ont été tranchés. Depuis Nietzsche, la causalité rationnelle ne semble pas suffisante pour expliquer une circonstance ou une pensée historiquement unique et originale. Instinctivement, on considère maintenant l' « idéologie capitaliste » comme quelque chose qui ressemble davantage à l' « éthique protestante » de Weber qu'à ce qui est décrit dans *Le Capital*. En ce moment, quand on discute avec des marxistes et qu'on leur demande d'expliquer les philosophes et les artistes en termes de conditions économiques objectives, ils sourient de façon méprisante et répondent : « C'est du marxisme vulgaire », du ton dont ils vous demanderaient : « Où étiez-vous au cours des soixante-quinze dernières années ? » Comme personne n'aime être considéré comme vulgaire, l'interrogateur tombe alors dans un silence embarrassé. Le marxisme vulgaire, c'est, bien entendu, le marxisme tout court. Le marxisme non vulgaire, ce sont Nietzsche, Weber, Freud, Heidegger et tout un groupe de gauchistes tardifs qui ont bu au même abreuvoir — comme Lukacs, Kojève, Benjamin, Merleau-Ponty et Sartre — et qui espéraient enrôler leurs maîtres dans la lutte des classes. Pour y parvenir, il lui fallait jeter à la mer l'embarrassant déterminisme économique. Mais la partie s'est avérée définitivement perdue au moment où les marxistes ont commencé à parlé du *sacré*.

Très vite, au début du xxe siècle, on a pu voir apparaître au sein du marxisme certains effets de l'initiation à la pensée de Nietzsche. A cet égard, le changement de sens qui a affecté le mot « révolution » en lui donnant une couleur plus sombre est significatif. Comme on l'a déjà vu, dans la philosophie politique moderne, la révolution et la violence qui l'accompagne se justifient et offrent le spectacle le plus captivant de l'histoire contemporaine. Le mot *révolution* lui-même a pris la place de « rébellion », « faction » ou « guerre civile », lesquelles sont manifestement mauvaises, alors que la révolution est le meilleur, le plus grand des événements, aussi bien officiellement que dans l'imagination populaire des Anglais, des Américains, des Français et des Russes. L'Allemagne était la seule des grandes puissances à ne pas en avoir bénéficié, et Marx a été inventé en partie pour procurer à l'Allemagne une révolution plus grande et meilleure que les autres, qui aurait représenté l'accomplissement naturel de la philosophie allemande comme la philosophie française avait culminé dans la Révolution française. Il va de soi que l'effusion de sang était impliquée dans la révolution : c'est la preuve que l'homme préfère la liberté à la vie. Mais il n'était pas nécessaire que l'effusion de sang fût abondante, et il n'a jamais été dit non plus que la violence serait bonne en elle-même. Selon l'imagerie révolutionnaire, l'ancien régime vacillait et avait simplement besoin qu'on lui donne un coup de pouce pour le faire s'écrouler ; après lui se développeraient les conditions néces-saires pour la naissance d'un ordre nouveau, un ordre pleinement justifié par la nature, la raison et l'histoire. Mais plus récemment, l'image a changé. La violence est désormais investie d'un certain charme en elle-même, c'est « la joie du couteau » dont il a déjà été question ; elle est preuve de décision, d'*engagement*. Le nouvel ordre n'attend pas derrière l'ancien, il faut que la volonté de l'homme s'impose ; il n'est soutenu que par la seule volonté. La *volonté* est devenue le maître mot, le mot clé, aussi bien à droite qu'à gauche. Autrefois, on pensait, bien sûr, que la volonté était nécessaire, mais secondaire ; c'était la cause qui avait la priorité. Nietzsche a formulé la nouvelle conception de la violence de la façon la plus provocante quand il a dit : « Une bonne guerre rend sacrée presque n'importe quelle cause. » Les causes n'ont pas de statut ; ce sont des *valeurs*. Ce qui est essentiel, c'est l'acte de fixer des valeurs, de prendre position. La transformation de la violence qui, d'un moyen, devient au moins une sorte de fin contribue à nous faire voir à la fois la différence et le lien entre le marxisme et le fascisme. Georges Sorel, auteur des *Réflexions sur la violence*, était un homme de gauche qui a influencé Mussolini. Son idée centrale remonte à Nietzsche en passant par Bergson : si la créativité présuppose le chaos — donc la lutte et la victoire — et si l'homme est en train de créer un ordre pacifique qui exclut les luttes, s'il est en train de rationaliser le monde, les conditions nécessaires à la créativité, c'est-à-dire à l'humanité, se trouveront détruites. Il faut donc vouloir le chaos, à l'opposé de la paix et de l'ordre voulus par le socialisme. Marx lui-même a reconnu que la grandeur historique de l'homme et le progrès émanent de contra-dictions qu'il lui faut surmonter par la lutte. Si, comme Marx le promet, il n'y a plus de contradictions après la révolution, y aura-t-il encore un homme ? Les révolutionnaires d'autrefois voulaient la paix, la prospérité, l'harmonie et la raison... c'est-à-dire « le dernier homme ». La nouvelle vague veut le chaos. Personne, ou presque personne, n'a adhéré purement et simplement à ce que disait Nietzsche, mais sa thèse a eu une force contagieuse. Il a certainement impressionné les intellectuels italiens et allemands auprès desquels les « mouvements » fasciste et nazi ont trouvé une oreille favorable. L'élément crucial de ces mouvements, ce n'était ni la justice ni une vue claire de l'avenir, c'était *l'affirmation de soi-même.*

Ainsi la détermination, la volonté, l'engagement, la responsabilité, le dévouement (c'est alors que ces expressions stupides ont pris leur essor), ou tout autre mot du même genre, sont devenus les nouvelles vertus. La séduction exercée par cette révolution rénovée est devenue évidente aux Etats-Unis au cours des années soixante, ce qui a beaucoup déplu aux anciens marxistes. Et il en reste quelque chose dans la sympathie actuelle dont bénéficient les terroristes. « Ils s'engagent. » J'ai vu des jeunes gens, et également de moins jeunes, bons démocrates et libéraux, partisans de la paix et de la douceur, rester muets d'admiration devant des individus qui menaçaient de recourir à la violence la plus terrible ou qui en usaient pour les raisons les plus minimes et du plus mauvais goût. C'est que ces libéraux avaient le sentiment inavoué qu'ils se trouvaient en face d'hommes vraiment « engagés », une aptitude dont ils étaient, eux, totalement dépourvus. Et on s'imagine que ce qui compte, c'est l'engagement et non la vérité. La façon dont Mao a corrigé Marx en appelant à la « révolution permanente » tient compte de cette soif de *l'acte* révolutionnaire, et sa séduction réside précisément là. Les étudiants radicaux des années soixante parlaient d'eux-mêmes en disant « le mouvement », sans se rendre compte que c'était aussi le langage utilisé par les jeunes nazis des années trente. A l'origine, le mot *mouvement* est, lui aussi, un terme non marxiste ou même antimarxiste. Il a pris la place du mot « progrès », qui a une direction bien définie, une bonne direction, qui est une force qui exerce son contrôle sur les hommes. C'était de progrès que les anciennes révolutions voulaient porter témoignage. Mais le « mouvement » n'a rien de cette absurdité naïve et moraliste. Certes, notre condition humaine veut que nous nous mouvions et non pas que nous restions fixes ; mais il s'agit là d'un mouvement sans aucun contenu, sans aucun but qui ne lui soit imposé par la volonté de l'homme. Tandis que la révolution, à notre époque, est un mélange de l'image qu'on avait d'elle autrefois et de ce qu'André Gide a appelé un acte gratuit, dont il a donné un exemple dans son roman *Les Caves du Vatican* en représentant le meurtre sans motif d'un passager inconnu dans un train.

L'effort constant de la souche « mutante » du marxisme a consisté à dérationaliser Marx et à faire de Nietzsche un gauchiste. Le colossal échec politique de Nietzsche est attesté par le fait que la droite, qui représentait pour lui le seul espoir que son enseignement produise un jour l'effet voulu, a complètement disparu et l'a irrémédiablement compromis dans la hideur de son dernier soubresaut, tandis qu'aujourd'hui tout nietzschéen (et tout heideggerien) est virtuellement gauchiste. Georg Lukacs, le plus éminent intellectuel marxiste de ce siècle, a déclenché ce mouvement. Jeune homme, il avait fréquenté, en Allemagne, le cercle de Stefan George ainsi que celui de Max Weber, et il était parfaitement conscient de l'importance des sujets qui y étaient discutés dans les domaines de l'histoire et de la culture. Il lui en est resté une impression qui a affecté toute la seconde partie de son œuvre et l'a incité à revenir à Hegel, philosophe beaucoup plus riche que Marx, bien que, pour les marxistes plus anciens, il ait été entièrement dépassé par son disciple *.

Le fait est qu'une fois parvenu à maturité, Marx n'a presque rien eu à dire de l'art, de la musique, de la littérature ou de l'éducation, comme, du reste, il n'avait presque rien à dire sur ce que serait la vie de l'homme une fois que celui-ci serait délivré du joug de l'oppression. Pour pallier le manque d'inspiration spirituelle des derniers écrits de Marx, quelques-uns se sont tournés vers certains essais « humanistes » de sa jeunesse, mais il s'est avéré que ceux-ci étaient assez minces et sans grande originalité. Dans ces conditions, pourquoi les marxistes ne se seraient-ils pas approprié ce que disaient les nietzschéens, lesquels traitent de façon si séduisante des thèmes culturels ? Simplement, pour adapter le langage de Nietzsche au leur, ils ont identifié « le dernier homme » avec le bourgeois de Marx et le « surhomme » avec le prolétaire d'après la révolution. Décrits de façon inimitable par Nietzsche, la décadence de l'homme et l'appauvrissement de sa vie spirituelle venaient alors conforter la position de Marx : il suffisait de croire que, d'une certaine manière, le capitalisme était la cause du « dernier homme » et que, si l'on supprimait le capitalisme, de nouvelles énergies se trouveraient libérées. Ainsi l'égalitarisme radical devient le remède aux tares de l'égalitarisme si bien décrites par Nietzsche.

Pour prendre un autre exemple de ce genre d'appropriation abusive par les marxistes, Freud a parlé de beaucoup de phénomènes intéressants dont il n'est nulle part question dans l'œuvre de

---

* Quiconque souhaite s'informer de cette combinaison, aujourd'hui banale, d'hégélianisme et de marxisme sous une forme philosophique sérieuse doit se reporter à l'œuvre d'Alexandre Kojève, l'un des marxistes les plus intelligents de notre époque. Il s'est trouvé contraint de traiter Marx comme un simple intellectuel qui a diffusé, avec quelques modifications, la pensée du vrai philosophe, à savoir Hegel. En outre, il a affronté carrément la question du « dernier homme » : les marxistes, c'est-à-dire les rationalistes, doivent vivre avec ce « dernier homme ». Kojève est d'accord avec Nietzsche sur ce point : le « dernier homme » est le résultat de l'histoire rationnelle. Seuls, pense-t-il, des mystificateurs d'un genre ou d'un autre, cherchant à promouvoir une négativité sauvage et irrationnelle, pourraient éviter cette conclusion. Fortement influencés par Kojève, Merleau-Ponty et Sartre se le sont tenus pour dit.

Marx : la psychologie de l'inconscient lui était complètement étrangère, comme lui était étranger son moteur intérieur, l'*éros*. Naturellement, telles quelles, aucune de ces idées n'avait quoi que ce soit de commun avec le marxisme. Mais s'il était possible d'interpréter l'analyse des névroses faite par Freud et le traitement qu'il appliquait aux inadaptés comme des erreurs bourgeoises, au service de l'accaparement par les capitalistes des moyens de production, Marx pouvait faire son apparition sur la scène freudienne. Le discours de Freud exprimait des contradictions permanentes entre la nature humaine et la société et pouvait donc faire l'objet d'un mouvement dialectique : dans une société socialiste, il n'y aurait pas matière au refoulement qui provoque des névroses. Ainsi Freud a-t-il été tranquillement enrôlé dans les légions marxistes, ajoutant aux séductions de l'économie celles de l'*éros* et fournissant, par la libération de celui-ci, une solution au problème de la destinée humaine après la révolution, problème que Marx avait laissé sans réponse. Pour ce qui est de la difficulté posée par la contradiction entre les principes fondamentaux de Marx et ceux de Freud, on n'en parle pas : c'est là le genre d'omission auquel nous ont habitués Marcuse et quelques autres. Ils nous servent en un seul plat ces deux mets savoureux ; c'est le freudisme qui est la partie substantielle du repas, mais Marx y apporte l'assurance que c'est vraiment le capitalisme qui est coupable et que les problèmes pourront être résolus lorsqu'il y aura davantage d'égalité et de liberté : le peuple émancipé possédera en effet toutes les vertus.

La possibilité d'assimiler le « dernier homme » nietzschéen au bourgeois est renforcée par une certaine ambiguïté dans la signification du mot. Dans la conscience populaire, et particulièrement aux Etats-Unis, le terme de « bourgeois » est généralement pris dans son acception marxiste. Mais il y a aussi le « bourgeois » des artistes ; il s'agit en fait du même individu, mais Marx n'en présente que l'aspect économique, présupposant sans justification suffisante que ce dernier aspect peut également rendre compte des difformités morales et esthétiques du bourgeois tel que le décrivent les artistes (et rendre compte du même coup du statut des artistes eux-mêmes). Le caractère douteux de cette assimilation est l'un des principaux motifs qui incitent certains à se tourner plutôt vers Nietzsche, dont le thème central est l'artiste. Pratiquement, tous les grands romanciers et tous les grands poètes des deux derniers siècles ont été des hommes de droite et, à cet égard, Nietzsche ne fait que compléter la liste. La raison de cette orientation réside, d'une façon ou d'une autre, dans le problème posé par l'égalité : celle-ci ne laisse pas de place au génie, ce qui contraint les artistes à se situer dans une position exactement opposée à celle de Marx. Mais en même temps, celui qui dit qu'il hait la bourgeoisie peut être considéré comme un ami de la gauche. De sorte que, quand la gauche a eu l'idée d'enrôler Nietzsche, elle a annexé avec lui toute l'autorité de la tradition littéraire des XIXᵉ et XXᵉ siècles. On peut dire que si Goethe, Flaubert et Yeats haïssaient le bourgeois, Marx a eu raison ; simplement, Goethe et ses successeurs ignoraient qu'il existait un moyen d'en sortir. Quant à Nietzsche, si on l'envisage sous l'angle approprié, on peut le considérer comme un partisan de la révolution. Quand on lit les numéros anciens de *Partisan Review* (publication rédigée entièrement par des gauchistes), on y trouve un enthousiasme sans bornes pour Joyce et pour Proust (ce dernier auteur ayant du reste été pratiquement introduit aux Etats-Unis par cette revue) : apparemment, ces écrivains représentaient **donc** pour les rédacteurs l'art socialiste de l'avenir, bien que par ailleurs l'avenir de l'art, selon eux, se trouvât exactement dans la direction opposée.

En Allemagne, les marxistes tardifs ont été obsédés par l'idée de *culture* : c'est que la vulgarité de la bourgeoisie les écœurait et qu'ils se demandaient peut-être s'ils pouvaient encore donner au socialisme un chèque en blanc sur l'avenir de la culture. Ils tenaient à préserver la grandeur du passé, dont ils étaient beaucoup plus conscients que ne l'avaient été leurs prédécesseurs. En fait, leur marxisme se réduisait à la haine traditionnelle du bourgeois, avec en plus un vague espoir que le prolétariat apporterait un renouveau culturel ou du moins un rajeunissement de la culture. On le voit, par exemple, fort bien chez Adorno, mais il est facile de discerner aussi que, chez Sartre et chez Merleau-Ponty, c'est le problème du bourgeois qui constitue la vraie préoccupation. Les marxistes de la classe ouvrière, eux, continuaient à raisonner en termes de plus-value et d'autres notions marxistes authentiques ; mais les intellectuels étaient obsédés par la culture et, comme l'a fait si bien observer le philosophe Leszek Kolakowski, ils se sont trouvés soudain dépourvus d'un vrai prolétariat. C'est la raison pour laquelle la plupart d'entre eux ont si bien accueilli le mouvement étudiant des années soixante. Mais Heidegger aussi en a été enchanté : cela lui rappelait quelque chose.

Il faut faire remarquer, en outre, qu'au fur et à mesure que la prospérité augmente, les pauvres commencent à s'embourgeoiser. Au lieu d'assister à un accroissement de la conscience de classe et de la lutte des classes, on constate leur déclin. On peut prévoir un moment, du moins dans les pays développés, où tout le monde sera « bourgeois » : encore un étai retiré à l'édifice du marxisme ! Pour les marxistes récents, le problème s'est déplacé : ce n'est plus tant de savoir qui est riche et qui est pauvre que de lutter contre la vulgarité, et ils se rapprochent dangereusement de l'idée que l'homme égalitaire, en tant que tel, est un bourgeois et qu'il faut ou bien se résoudre à rejoindre le lot ou accepter d'être taxés de snobs culturels. Ce qui les retient encore de dire, comme Tocqueville, que telle est la nature de la démocratie et qu'il faut l'accepter ou se révolter contre elle, c'est que ces marxistes se raccrochent à un dogme absolument sans fondement, à savoir que l'ouvrier embourgeoisé n'est qu'une maladie de notre système économique et le produit d'une *conscience mystifiée*. Mais la rébellion contre la démocratie dont parle Tocqueville n'aurait rien à voir avec la révolution marxiste. On peut être tenté d'affirmer que les marxistes dont nous parlons sont trop cultivés pour la société égalitaire, et qu'ils n'évitent de le reconnaître qu'en taxant cette société de « bourgeoise ».

D'une façon générale, dans toutes les démocraties occidentales, le marxisme « sophistiqué » s'est mué en critique culturelle du style de vie démocratique. Pour des raisons évidentes, ce marxisme-là s'est tenu à l'écart de tout débat sérieux au sujet de l'Union soviétique. Certaines des critiques auxquelles ces marxistes se sont livrés sont profondes ; d'autres demeurent superficielles et ressemblent à des colères d'enfant. En tout cas, aucune d'elles ne tire sa source de Marx ni se situe dans une perspective marxiste : ce sont purement et simplement des critiques nietzschéennes, des variations sur le thème de notre mode de vie considéré comme celui du « dernier homme ». Si nous nous tournons à nouveau vers cette psychologie qui a eu tant d'influence aux Etats-Unis et dont j'ai parlé plus haut, nous sommes maintenant en mesure de voir que la répartition des individus en types « dirigés par la tradition », types « dirigés par les autres » et types « dirigés de l'intérieur » n'est qu'une légère modification des trois modes de légitimité envisagés par Max Weber : les hommes « dirigés par les autres » (lisez : les bourgeois) dérivent de la rationalité économique et bureaucratique guidée par les demandes du marché de l'opinion publique ; ceux qui sont « dirigés de l'intérieur » s'identifient au charismatique, au *moi* créateur de valeur. Le prophète de Weber est remplacé par l'individu socialiste et égalitaire. Il n'y a pas là un seul élément proprement marxiste, à part l'assertion absolument sans fondement selon laquelle le socialiste est le législateur de son propre *moi*. Voilà pourquoi toute discussion à propos de l'homme « dirigé de l'intérieur » est vide : on n'en peut citer aucun exemple. Weber, du moins, pouvait citer certains exemples d'hommes charismatiques, encore que sa définition fût assez discutable. On peut en tout cas se demander si l'affirmation de Weber, selon laquelle le créateur de valeurs est un aristocrate de l'esprit, est moins plausible que celle de ceux qui prétendent que n'importe qui peut créer des valeurs s'il a la chance d'avoir un bon psychothérapeute ou de vivre dans une société socialiste. Si l'on ajoute à cela l'opinion que toute personne qui n'est pas de gauche est mentalement déséquilibrée, il en découle d'assez sinistres sous-entendus. Les hommes de gauche qui ont critiqué la psychanalyse ont pu dire qu'elle était un instrument au service du conformisme bourgeois ; mais on peut alors se demander s'ils ne sont pas eux-mêmes des manipulateurs au service du conformisme de gauche. Quand Adorno, de façon tout à fait factice, élabore des types de personnalité autoritaire et démocratique, il tire cette fabrication des mêmes sources dont nous venons de parler ; et ce que cela implique est identique.

*
* *

C'est ainsi que Nietzsche a été connu aux Etats-Unis. On a facilement accepté ici que sa « conversion » à la gauche soit authentique, car les Américains ne peuvent imaginer qu'aucun homme vraiment intelligent et bon ne partage pas au fond la *Weltanschauung* de Will Rogers * : « Je n'ai jamais rencontré un homme que je n'aime pas. » La naturalisation de Nietzsche s'est faite en plusieurs vagues : certains Américains sont allés en Europe et s'y sont initiés ; il est venu avec certains émigrés qui l'ont apporté dans leurs bagages ; et, plus récemment, plusieurs professeurs de littérature comparée se sont attelés à un gros travail d'importation. Ils ont surtout emprunté leur matériel à Paris, où la déconstruction de Nietzsche et de Heidegger et leur reconstruction sur une base gauchiste ont constitué, depuis la Libération, une partie importante du métier de philosophe. C'est du reste de Paris que ces néo-nietzschéens arrivent désormais, en personne, tout contents de marcher sur le tapis rouge que les premiers arrivés déroulent sous leurs pieds. Il y a longtemps déjà qu'ils règnent en maîtres dans la psychologie universitaire, dans la sociologie, dans la littérature comparée et dans l'anthropologie, mais c'est leur passage de l'académie à la place du marché qui est la partie intéressante de l'histoire. Nous avons adopté un discours qui avait été élaboré pour expliquer à des connaisseurs combien nous sommes mauvais, mais nous l'avons modifié pour annoncer au monde combien nous sommes intéressants. Malheureusement, la marchandise a été quelque peu endommagée pendant le voyage. Prenons l'exemple de Marcuse. En Allemagne, dans les années vingt, c'est un assez bon exégète de Hegel : il a fini sa carrière aux Etats-Unis en publiant de la camelote culturelle, ouvrages de prétendue critique où l'accent est mis sur le sexe, tels *L'Homme unidimensionnel* et autres fumisteries du même tonneau. En Union soviétique, à la place du roi-philosophe, on a un tyran-idéologue. Aux Etats-Unis, la critique de la culture est devenue la voix de Woodstock.

---

* Will Rogers : acteur de cinéma américain (1879-1935) qui a été l'un des interprètes favoris de John Ford et l'une des stars les plus populaires aux Etats-Unis au début du parlant. Il est resté le symbole de l'Américain moyen. (N.d.T.)

CHAPITRE VIII

NOTRE IGNORANCE

En réfléchissant au langage dont je viens de parler, à la pensée qu'il recouvre et à la façon dont il a été reçu aux Etats-Unis, j'ai soudain retrouvé le souvenir d'un de mes professeurs qui avait rédigé « Dix Commandements pour les Américains ». Ceux-ci commençaient ainsi : « Je suis l'Eternel ton Dieu, qui t'ai fait sortir de la maison des tyrans européens et t'ai fait entrer dans mon pays, l'Amérique : détends-toi ! »

Comme on l'a vu, ces mots que nous n'avons qu'à moitié assimilés sont en fait les condensés de grandes questions qu'il faut affronter si l'on veut mener une existence sérieuse : raison-révélation, liberté-nécessité, démocratie-aristocratie, bien-mal, âme-corps, moi-autre, cité-homme, éternité-temps, être-néant. L'état de doute dans lequel nous vivons nous informe de ces alternatives, mais, jusqu'à des temps tout récents, nous n'avons pas trouvé le moyen de sortir de notre doute quant à la primauté de l'une ou de l'autre. Mener une vie sérieuse, c'est être conscient de ces alternatives, y penser avec toute l'intensité que l'on met à peser les questions de la vie et de la mort, en reconnaissant que tout choix implique un grand risque et entraîne de lourdes conséquences. C'est de cela que parle la littérature tragique : elle met en jeu toutes les choses nobles dont les hommes ont le désir et peut-être le besoin, et montre à quel point il est insupportable de constater qu'elles ne peuvent pas coexister harmonieusement. Il suffit de se rappeler ce qu'a impliqué, pour ceux qui l'ont affronté, le choix entre la foi en Dieu et le rejet de Dieu. Ou, pour recourir à un exemple moins écrasant, mais également adéquat, qu'on songe à Alexis de Tocqueville, une des fleurs les plus rares de la vieille aristocratie française, choisissant l'égalité plutôt que la splendeur de l'aristocratie, parce qu'il croyait qu'elle était plus juste. Elle lui semblait plus juste, même si elle ne pouvait avoir le moindre intérêt, par exemple pour un Pascal qui se consumait dans la contemplation de l'existence de Dieu, et même si la confrontation intransigeante de Tocqueville avec le fondement de toutes choses risquait d'appauvrir la vie de l'homme et d'en diminuer le sérieux. Tels sont les choix réels : ils ne sont possibles que pour celui qui regarde en face les vraies questions.

Mais, dans le cas qui nous occupe, on a adopté ces mots qui renvoient à un riche éventail de questions sérieuses et on les a traités comme s'il s'agissait de réponses, pour éviter d'avoir à affronter les questions elles-mêmes. Ce ne sont pourtant pas des énigmes comme celles du Sphinx, qui nous obligent à jouer le rôle d'Œdipe le téméraire, mais des faits derrière lesquels il n'est pas nécessaire d'aller chercher un secret, des faits qui structurent le monde dont l'existence nous importe. Qu'est-ce que l'existentialisme a apporté, pour nous, à l'alternative être-néant ? La théorie de la valeur à celle du bien et du mal ? L'histoire à celle de l'éternité et du temps ? La créativité à celle de la liberté et de la nécessité ? Le sacré à la dichotomie raison-révélation ? Les anciens conflits de la tragédie réapparaissent, mais on leur a collé une étiquette rassurante : « Non, non, tout va bien, je vais bien, tu vas bien. » Le mot *choix* est très à la mode ces temps-ci, mais il ne signifie pas ce qu'il voulait dire autrefois. Dans une société libre où les gens sont libres, responsables, qui peut, avec quelque cohérence, se déclarer opposé au choix ? Et cependant, quand le mot avait conservé sa forme et sa cohérence, un choix difficile équivalait à accepter des conséquences difficiles, sous forme de souffrance, de réprobation de la part des autres, d'ostracisme, de punition et de culpabilité. Faute de tout cela, on considérait naguère que le choix n'avait aucune signification. Accepter les conséquences pour affirmer ce qui compte vraiment, voilà ce qui donne à Antigone sa noblesse ; et si sa sœur Ismène nous paraît moins admirable, c'est parce qu'elle n'est pas disposée à en faire autant. Aujourd'hui, au contraire, quand on parle du « droit de choisir », on semble impliquer qu'il n'y a pas de conséquences nécessaires, que la réprobation n'est qu'un préjugé et la culpabilité une névrose : l'activisme politique et la psychiatrie en viendront à bout ! Dans cette optique, ni Hester Prynne * ni Anna Karénine ne sont de nobles exemples du caractère irréductible des problèmes humains et de la signification du choix : ce sont des victimes dont les souffrances ne sont plus nécessaires à notre époque éclairée où la conscience est plus forte. Les Etats-Unis ont des accidents d'automobile sans responsables, des divorces sans coupables, et ils se dirigent, avec l'aide de la philosophie moderne, vers des choix sans conséquences.

Le conflit, voilà le mal que nous cherchons surtout à éviter, entre nations, entre individus, et à l'intérieur de nous-mêmes. Avec sa

---

* Héroïne du roman célèbre de Hawthorne : *La Lettre écarlate*. (N.d.T.)

philosophie des valeurs, Nietzsche a cherché à réinstituer les rudes conflits pour lesquels les hommes étaient disposés à mourir, il a cherché à restaurer le sentiment tragique de la vie, à une époque où la nature a été domestiquée et où les hommes sont apprivoisés. Mais on a constaté que des divergences d'opinion trop graves provoquent des indigestions : donc mieux vaut les éviter. La philosophie nietzschéenne des valeurs a donc été utilisée, aux Etats-Unis, à des fins exactement opposées à celles que visait son auteur : pour faciliter la résolution des conflits, pour faciliter la négociation, pour rétablir l'harmonie. S'il ne s'agit que d'une divergence de valeurs, la conciliation est possible, pense-t-on ; il nous faut certes respecter les valeurs, mais elles ne doivent pas entraver la paix *. Ainsi Nietzsche a-t-il contribué à développer une tendance qu'il essayait précisément de corriger : le conflit qui était pour lui la condition de la créativité est devenu, pour nous, une situation morbide qui appelle des soins attentifs. Je ne puis m'empêcher de repenser à mon chauffeur de taxi d'Atlanta et à sa psychothérapie de la *Gestalt*. Kant faisait valoir que les hommes étaient égaux en dignité en raison de leur capacité d'opérer un choix moral. C'est à la société qu'il revient de créer les conditions d'un tel choix et d'assurer à ceux qui le font l'estime qu'ils méritent. Or, grâce au relativisme des valeurs, nous avons été en mesure de simplifier la formule kantienne et de la ramener à ceci : « Les hommes sont égaux en dignité », point final. Notre affaire, c'est de répartir équitablement l'estime entre les individus. A cet égard, Rawls **a rédigé une sorte de manuel pour faciliter cette répartition. Kant nous permet de comprendre *Anna Karénine* comme expression significative de notre situation ; Rawls en fait autant pour *Fear of Flying ***.

Ce désir de réduire les conflits explique la popularité actuelle du mot *dialectique,* pris dans le sens marxiste ; on part d'oppositions et on aboutit à la synthèse ; toutes les séductions et toutes les tentations s'unissant harmonieusement. En philosophie et en morale, la règle la plus dure, mais aussi la plus essentielle, est bien exprimée par le dicton populaire : « On ne peut avoir le beurre et l'argent du beurre » ; mais la dialectique permet d'échapper à cette loi. La dialectique socratique est bien différente : elle se situe dans le discours et, bien que ce soit aussi la recherche d'une synthèse qui

---

* Nietzsche a prévu que les « derniers hommes » considéreraient le fait de se méfier de son voisin comme de la folie et qu'ils entreraient de leur propre gré à l'asile s'ils se voyaient devenir fous. Il avait raison : qu'on songe à l'emploi qu'on fait aujourd'hui du mot « paranoïa » !

** Philosophe américain contemporain, professeur à l'Université Harvard. (N.d.T.)

*** Roman d'Erika Jong paru en français sous le titre *Le Complexe d'Icare* (Laffont). (N.d.T.)

la fasse progresser, elle culmine toujours dans le doute ; aussi bien la dernière phrase de Socrate est-elle qu' « il sait qu'il ne sait rien ». Au contraire, la dialectique de Marx s'exerce dans l'action et culmine dans la société sans classes, qui met fin aux conflits théoriques qu'il taxe d' « idéologies ». La dialectique historique procure un fondement absolu et une solution heureuse à nos styles de vie relatifs. La formule de Marx selon laquelle « l'humanité ne se pose jamais de problèmes qu'elle ne puisse résoudre » convient fort bien à l'un des aspects de notre tempérament national, et Roosevelt a dit à peu près la même chose quand il a proclamé : « Nous n'avons rien à craindre sauf la peur. » Cet optimisme est une force nationale et il est associé à notre projet original de maîtriser la nature ; mais ce projet même n'est pas sans poser des problèmes et il n'a de sens que lorsqu'on le maintient dans certaines limites. Une de ces limites, c'est le caractère sacré de la nature humaine. Celle-ci ne doit pas être maîtrisée, et l'adage de Roosevelt est absurde si on l'étend aux proportions du cosmos. Il ne faut en aucun cas altérer la nature humaine pour disposer d'un monde sans problèmes. L'homme n'est pas seulement un être qui résout des problèmes, comme les behaviouristes voudraient nous le faire croire ; c'est aussi un être qui reconnaît et qui accepte les problèmes.

N'empêche : la dialectique marxiste nous séduit de façon très intime, parce qu'elle semble permettre de réaliser ce que nous avons entrepris de faire, c'est-à-dire résoudre des problèmes que Dieu et la nature paraissaient il n'y a pas encore si longtemps rendre insolubles et que nos ancêtres s'étaient fait une vertu d'accepter comme tels. Il a toujours fallu que l'homme s'accommode de Dieu, de l'amour et de la mort, trois entités qui rendent impossible de se sentir parfaitement à l'aise sur terre. Mais les Etats-Unis sont en train de s'en accommoder d'une façon nouvelle. Dieu a été exécuté lentement ; il a fallu pour cela deux cents ans, mais les théologiens locaux nous disent à présent qu'il est mort et sa place a été occupée par *le sacré*. L'amour aussi a été mis à mort, par les psychologues cette fois, et on l'a remplacé par les relations sexuelles et des rapports sans signification ni importance ; pour cela, il n'a fallu que trois quarts de siècle. Et cela ne devrait étonner personne qu'une science nouvelle, la thanatologie — science de la mort dans la dignité — soit en train de mettre la mort à mort. S'accommoder de la terreur de la mort — c'était là l'enseignement long et ardu de Socrate, apprendre à mourir — ne sera plus nécessaire, car la mort n'est plus ce qu'elle était. Ce qui la remplacera, on ne le voit pas encore bien clairement. Quand il a dit que la société sans classes durerait sinon toujours du moins très longtemps, Engels a vraiment eu la divination de ce qu'il fallait annoncer. Cela rappelle la formule du Dr Dulcamara dans *L'Elixir d'amour* de Donizetti, qui déclare qu'il est célèbre dans tout l'univers... et ailleurs. Tout ce qu'il faut faire, c'est oublier l'éternité et estomper la différence qui la sépare de la temporalité ; ainsi le plus irréductible des problèmes de l'homme aura été résolu. Naguère, les hommes cultivés avaient l'habitude, le dimanche matin, d'entendre parler de la mort et de l'éternité, ce qui les obligeait à y prêter un peu attention. Mais un tel danger ne les guette plus guère, depuis qu'ils consacrent leur dimanche à se battre avec l'édition dominicale du *New York Times*. Nietzsche a dit que la lecture des journaux avait remplacé la prière. Oublier, sous une quantité de formes subtiles et diverses, telle est l'une de nos manières principales de résoudre les problèmes. Nous sommes en train d'apprendre à nous « sentir à l'aise » avec Dieu, avec l'amour et même avec la mort.

La façon dont les Etats-Unis assimilent les notions européennes est bien illustrée par l'influence qu'a eue, sur les consciences américaines, *La Mort à Venise* de Thomas Mann. Cette nouvelle a eu un très grand succès auprès de plusieurs générations d'étudiants, parce qu'elle semblait exprimer les mystères et les souffrances d'Européens sophistiqués. Elle était tout à fait dans la ligne des préoccupations des jeunes gens d'alors : entre autres Freud et le destin de l'artiste. Par ailleurs, le thème homosexuel qui connote *La Mort à Venise* éveillait la curiosité (et, chez certains, plus que la curiosité) à un moment où l'imagination trouvait peu d'aliments, du moins quand il s'agissait de thèmes interdits. Mann était très à l'affût des idées du début du XXᵉ siècle, il représentait une sorte de condensé de tout ce qui se disait et se pensait de plus intéressant à cette époque. Dans *La Mort à Venise,* d'une main que je trouve pour ma part un peu lourdement freudienne, il analyse le sujet favori et le héros préféré des poètes et des romanciers depuis l'invention de la « culture », à savoir l'artiste — bref, l'auteur lui-même. Le décor et l'action du récit suggèrent le déclin de l'Occident ; et la déchéance et la mort du héros, Aschenbach, démontrent l'échec de la sublimation, la faiblesse et le vide de sa superstructure culturelle. Sous-jacentes à tout ce schéma, il y a des pulsions cachées, primitives, indomptées, qui constituent en réalité le mobile de ses entreprises plus élevées, les remettant en question, mais ne lui proposant aucune autre solution acceptable. Une bonne partie du thème de *La Mort à Venise* n'est qu'une glose de la fameuse assertion énoncée par Mann lui-même dans *Tonio Kröger,* à savoir que « l'artiste est un bourgeois qui a mauvaise conscience ». Cela signifie, à mon avis, que Mann était en train d'éprouver tous les doutes des post-romantiques au sujet du fondement de la mission de l'artiste et de sa possibilité d'accès au sublime, et qu'il estimait que la réalité est bel et bien constituée par le bourgeois, mais que la conscience troublée de l'artiste le conduit à la fois un peu plus haut du point de vue de la morale et un peu plus bas du point de vue de la motivation. Aschenbach est un écrivain, un héritier de la tradition allemande, mais, de toute évidence, ce n'est pas un aristocrate spirituel comme Goethe. Son assurance et son sang-froid sont fondés sur son absence de lucidité. A Venise, il retrouve enfin ses racines et découvre ce qu'il veut vraiment, mais il ne peut en tirer rien de noble ni même de tolérable. Il dépérit horriblement et meurt pour finir de la peste qui ravage cette ville belle mais décadente. Selon la thèse freudienne de la sublimation, qui s'oppose à celle de Nietzsche, la sexualité a un but fixé d'avance, une réalité naturelle vers laquelle elle est orientée. Aussi le comportement civilisé repose-t-il sur ces fondements-là et consti-tue-t-il une satisfaction secondaire à laquelle on ne s'en tiendrait pas vraiment s'il était possible d'obtenir une satisfaction primaire. Cette conception de la sexualité ne peut empêcher l'observateur attentif de regretter l'intervention de la civilisation et d'avoir la nostalgie d'une satisfaction sexuelle directe. Toutefois, Nietzsche, lui, estimait que le fait d'écrire un poème pouvait constituer une manifestation d'érotisme primaire aussi satisfaisante qu'un rapport sexuel : selon lui, il n'existe pas de nature fixe, mais seulement des niveaux différents de spiritualité. D'un point de vue nietzschéen, la présentation d'Aschenbach est une combinaison de romantisme, dans sa nostalgie de la nature perdue, et de scientisme, dans sa morne représentation de la nature, avec en outre un zest de pathos post-nietzschéen. Mais *La Mort à Venise* traite du thème qui est commun à Freud et à Nietzsche, la relation de la sublimation sexuelle à la *culture*. La prise de conscience de l'infrastructure de la culture est fatale pour celle-ci, et Thomas Mann décrit bien la crise d'une civilisation. La sublimation a perdu son pouvoir créateur ou formateur et il ne reste plus qu'une culture desséchée et une nature souillée.

Mais il ne me semble pas que ce soit ainsi que les Américains ont compris la nouvelle de Mann. Le sujet les a émoustillés et ils ont pris *La Mort à Venise* pour un manifeste précoce du mouvement de libération sexuelle. Même les talents les plus distingués souffrent — peut-être même plus que les autres — de ces aspirations obscures réfrénées par la société ; il n'y a rien là de si mal et les hommes ne devraient pas se laisser intimider par l'opinion publique, mais apprendre à s'accepter tels qu'ils sont : voilà comment le public américain a interprété le récit de Mann. En quelque sorte, il a repris la formule de Roosevelt : il n'y a rien à craindre sinon la peur. Pour les lecteurs américains, Aschenbach est un homme qui est tourmenté à l'idée de « sortir du placard ». Bien sûr, il y avait sans doute un peu de cela chez Thomas Mann : le besoin de laisser s'exprimer des désirs refoulés qui, en raison du climat de l'époque, devaient s'exprimer sous une forme tragique, se lacérer et susciter cris et larmes. De même, il est certain que le nietzschéisme de Gide a été motivé en grande partie par ce genre de réaction. Pour nous libérer sexuellement, c'est ce que semble penser Gide, il nous faut être des surhommes, au-delà du bien et du mal. L'immoralisme de Nietzsche est mis au service du nivellement de la morale sexuelle bourgeoise : Gide se sert d'un canon pour tuer un moustique. Nietzsche n'aurait eu que mépris pour cela. L'homme qui a dit que toute grandeur exige « du sperme dans le sang » n'aurait pas sympathisé avec des hommes obsédés par le refoulement sexuel, qui étaient incapables de faire de leur érotisme quelque chose de sublime et qui aspiraient tout à la fois à une satisfaction « naturelle » et à l'approbation publique ! Gide lui serait apparu comme un bourgeois travesti en nietzschéen. Et dans la mesure où cette forme d'expression de soi-même pourrait avoir été dans les intentions de Thomas Mann elle serait le signe de sa propre décadence, de son impuissance créatrice et de son désir d'échapper à sa responsabilité en se livrant à des plaisirs qui sont ceux d'une créature sans but (« créature » étant ici opposé à « créateur »).

Les interprétations sexuelles de l'art et de la religion, si convaincantes chez Nietzsche, moins puissantes mais plus propres à la vulgarisation chez Freud, ont eu sur les Américains un effet corrupteur. Dans la sublimation sexuelle, ils ont moins remarqué le sublime que le sexe. Ce qui, chez Nietzsche, devait tendre à conduire sur les sommets a été utilisé ici à démystifier les sommets au profit du désir actuel. Toute explication de ce qui est plus élevé en recourant à ce qui est inférieur subit cette tendance, surtout en démocratie, où l'on est jaloux de tout droit particulier et où le bien est censé être à la portée de tous. Et c'est là l'une des raisons profondes pour lesquelles Freud a été immédiatement adopté par les Américains. Malgré tout le *Sturm und Drang* européen, il croyait à la nature, celle dont parle Locke, la nature animale. Il s'est contenté d'ajouter la sexualité au travail pour établir sa formule d'une existence saine : « Amour et travail » (car il ne peut vraiment expliquer l'amour). Voilà le genre de choses qu'on nous a appris à croire. Tout cela est en accord avec la science et ne repose pas, comme chez Nietzsche, sur des valeurs poétiques. L'interprétation que donne Freud de ce que veut vraiment l'*éros* repose sur un fondement solide et fait appel à notre empirisme inné. En outre, pour parler de ce qui est obscène, nous avons toujours préféré recourir à la science plutôt qu'à la poésie. Tout cela, ajouté à la promesse d'une sorte de satisfaction de nos désirs et de soulagement de nos souffrances, a assuré dès le début la victoire de Freud : de tous les grands auteurs européens de ce siècle, c'est celui qui est le plus accessible au grand public. C'est lui qui a autorisé l'octroi à la sexualité d'une position centrale dans la vie publique, phénomène si caractéristique de notre époque. En fin de compte, il paraissait peut-être trop moraliste, insuffisamment ouvert ; mais il suffisait alors d'imaginer de nouvelles structures sociales qui exigent moins de répression pour bien fonctionner. Et sur ce point, Marx a été fort utile. Ou encore on pouvait se contenter de laisser de côté les problèmes concernant la relation entre *éros* et *culture* : les oublier purement et simplement ou les écarter en postulant l'existence d'une harmonie naturelle entre ces deux instances. Freud, chevauchant la crête d'une vague de philosophie allemande, a permis aux Américains de penser que la satisfaction de leurs désirs sexuels était l'élément le plus important du bonheur. Bien que ce ne fût certainement pas dans ses intentions, il a ainsi apporté à l'instinct une rationalisation.

Ainsi la sexualité est entrée aux Etats-Unis avec le statut spécial accordé aux immigrés qui dotaient la culture américaine d'une contribution scientifique et littéraire. Mais une fois intégrée au pays, elle s'est conduite exactement comme tout ce qui est américain : le ton élégiaque, la poésie, la justification que lui octroyait le fait que la civilisation dépend de la sublimation, tout cela fut balayé d'un coup. De même que les Américains avaient débarrassé les besoins économiques de leur camouflage artistique (le Parthénon ou la cathédrale de Chartres, par exemple) pour se concentrer plus efficacement sur les besoins eux-mêmes, de même ils ont démystifié le camouflage analogue produit par les désirs sexuels et ils les ont envisagés comme ce qu'ils étaient vraiment, pour les satisfaire plus efficacement. Cela a permis d'enrichir le monde de Locke en y incorporant le second foyer de la nature humaine, celui sur lequel s'étaient concentrés Rousseau et ceux qu'il a influencés. Les droits fondamentaux sont devenus désormais : « la vie, la liberté et la quête de la propriété et du sexe ». « Laissez venir à moi les pauvres et ceux qui sont sexuellement frustrés... » Grâce à Freud, il est désormais possible de considérer le refoulement sexuel comme une maladie ; il est donc auréolé du prestige dont jouit automatiquement tout ce qui a rapport avec la santé dans une nation où l'autoconservation est l'objet d'un culte. On y a tendance à négliger l'avertissement de Rousseau, selon lequel on ne meurt pas de ne pas satisfaire cette faim-là, puisque même les appétits charnels des plus grands séducteurs peuvent être apaisés par la perspective certaine de la peine de mort. Ainsi les Américains ont démystifié l'économie et la sexualité, ils ont satisfait leurs exigences primitives, ils en ont éliminé ce qui est, à en croire l'enseignement philosophique, l'impulsion créatrice qui en découle — et, après cela, ils se plaignent de ne pas avoir de culture ! Bien sûr, on a toujours la ressource d'aller à l'Opéra entre la sortie du bureau et l'heure d'aller au lit. En Union soviétique, les gens sont tenus de voir des opéras démodés parce que la tyrannie empêche les artistes de s'exprimer ; aux Etats-Unis, il en va exactement de même, parce que la soif qui produit le besoin d'expression des artistes a été complètement étanchée. Je ne puis oublier un étudiant de première année de l'Université Amherst, qui m'a demandé un jour, d'un air à la fois naïf et gentiment troublé : « Faut-il donc en revenir à la sublimation ? » comme s'il s'agissait de se remettre à un régime sans glucides. Voilà ce qu'il est advenu, aux Etats-Unis, du sublime dans toutes les acceptions subtiles données à ce terme, de Kant et de Rousseau jusqu'à Nietzsche et à Freud. La sincérité de ce jeune homme m'a charmé, mais il ne m'était guère possible de voir en lui un candidat sérieux à la *culture*. En étant arrivés à considérer comme nécessaire ce qui ne l'est pas, nous avons perdu tout sens de la nécessité, naturelle ou culturelle.

Mais le pas décisif a été franchi quand la sexualité a fait son entrée en scène sous les nouvelles espèces d'un *style de vie*. Jusqu'alors, il existait pour la vie sexuelle un certain nombre de lignes directrices approximatives et plus ou moins naturelles. Dans la vieille Amérique, il était admis que le sexe avait une téléologie, la reproduction, et on le considérait comme un moyen tendant vers une fin. Selon cette téléologie, tout ce qui ne conduit pas à cette fin est inutile et même dangereux, il faut l'oublier ou le soumettre à la loi, à la réprobation générale, à la mauvaise conscience et même le faire tomber sous le coup de la raison. L'enseignement freudien a eu comme effet de débarrasser la vie sexuelle de ces associations trop définies. Selon lui, la pulsion sexuelle est une force sans fin, capable de servir à de multiples fonctions, et pour qu'une personne soit heureuse, il faut donner une forme à ses énergies sauvages et diffuses. Mais le naturalisme profond de Freud, sous-tendant l'indéterminisme explosif qu'il avait emprunté à Nietzsche, ainsi que les impératifs de la santé et de l'intégration de la personnalité, établissaient des limites et une structure pour l'expression sexuelle légitime. Chez Freud, il n'y a pas place pour la satisfaction du genre de désirs qui s'expriment dans *La Mort à Venise* : il les explique et les soigne, mais il ne les accepte pas sous la forme qui leur est propre. Dans la nouvelle de Mann, ces désirs sont en quelque sorte prémonitoires et évoquent les cris des damnés plongeant dans le néant. Ils sont en quête d'une expression signifiante — peut-être est-ce le cas de tout ce qui est érotique — mais rien au monde ne peut la leur conférer. Ils ne sont certainement pas satisfaits parce que leur cas a été transféré du tribunal du juge ou du prêtre à celui du médecin ou du psychanalyste, qui est censé les éliminer en les expliquant. Les gens sont prêts à accepter le réductionnisme dans tous les domaines, excepté dans ce qui les concerne le plus intimement. Ni la société bourgeoise ni les sciences naturelles n'ont de place pour l'aspect non reproducteur de la vie sexuelle. Avec le relâchement de l'austérité bourgeoise et l'émancipation concomitante des plaisirs inoffensifs, la mode s'est répandue d'une certaine tolérance à l'égard de pratiques sexuelles anodines. Mais cela n'a pas suffi, car des qualificatifs comme « inoffensif » ou « anodin » ont quelque chose d'une étiquette et personne n'a vraiment envie de voir ses désirs les plus profonds rangés dans la même catégorie que des démangeaisons cutanées ; en Amérique, en particulier, on éprouve toujours le besoin d'une justification morale.

Le *style de vie* — expression qui provient de la même école de pensée que « sublimation » et qui, effectivement, avait été conçue comme un produit de celle-ci, mais qui n'y a jamais été associée aux Etats-Unis en raison de la « division du travail » entre Freud et Max Weber, le premier étant spécialisé dans la sublimation et le second dans le « style de vie » —, le style de vie, donc, s'est avéré, à cet égard, une véritable bénédiction. Car il justifie n'importe quel mode de vie, comme la « valeur » justifie n'importe quelle opinion. Le « style de vie » élimine la structure naturelle du monde, qui n'est qu'une matière première pour la main d'artiste du « styliste ». L'expression elle-même oblige tous les moralismes et tous les naturalismes à s'arrêter net à la frontière du terrain sacré et à prendre conscience de leurs limites en respectant la créativité de l'artiste. En outre, compte tenu du curieux mélange de traditions qui prévaut aux Etats-Unis, les styles de vie sont des droits reconnus : c'est donc embrasser une cause morale que de les défendre et cela justifie un déchaînement passionné d'indignation contre ceux qui violent les droits de l'homme (ces mêmes droits contre lesquels, avant qu'ils ne deviennent des « styles de vie », ces goûts-là se trouvaient politiquement et psychologiquement désarmés). Désormais, ils peuvent appeler à la rescousse tous les amants des droits de l'homme dans le monde entier et leur demander de soutenir leurs revendications, car menacer les droits d'un groupe quelconque, c'est les menacer tous. Les sado-masochistes et Solidarnosc sont unis dans la cause commune des droits de l'homme, et leurs destins dépendent également du succès de la croisade organisée en leur faveur. Le sexe n'est plus une activité, mais une cause. Autrefois, il existait une place respectable pour la marginalité et la bohème ; mais celles-ci devaient justifier leurs pratiques non orthodoxes par leurs réalisations intellectuelles et artistiques. Les « styles de vie » n'en ont pas besoin : ils sont bien plus libres, plus faciles à vivre, plus authentiques et plus démocratiques. Il ne faut surtout prêter aucune attention au contenu. Le « style de vie » a commencé par devenir populaire aux Etats-Unis pour décrire et rendre acceptables les existences de gens qui se livraient à des activités agréables mais réprouvées par la société ; c'était alors à peu près le synonyme de *contre-culture* : deux belles expressions à la mode des Etats-Unis, drapées dans l'autorité que leur prête une ascendance philosophique et apportant aux gens une justification morale pour vivre exactement à leur guise. Le mot

« contre-culture » bénéficiait bien sûr de la dignité attachée à la *culture* et était connoté de réprobation pour la culture bourgeoise que l'on peut observer autour de soi et qui n'est qu'une culture-prétexte. Ce qui se fait à l'intérieur d'une « contre-culture » ou d'un « style de vie » n'a strictement aucune importance, que cela soit ennoblissant ou dégradant. Personne n'est obligé de réfléchir de près à ses propres pratiques, et il est même impossible de le faire. Etre insouciant de ce qu'on est, de qui on est, voilà ce qui est bon. Tout cela témoigne bien de l'étonnant pouvoir d'abstraction qui règne dans cette société démocratique dont parle Tocqueville. Il suffit de mots nouveaux pour que tout change. Mais c'est aussi un commentaire intéressant de notre moralisme. Ce qui a commencé par une quête, sinon de plaisir égoïste (les historiens de l'avenir ne garderont pas de nous le souvenir d'une race d'hédonistes qui ne savaient que « jouir », en dépit de tous nos bavardages à ce propos), du moins de refus de la souffrance et de l'angoisse et de la possibilité de s'en dégager, est devenu, métamorphosé en « style de vie » et en « droit », le fondement d'une supériorité morale. Une existence confortable et sans contraintes est morale. On peut du reste discerner la même chose dans quantité de domaines et dans tout l'éventail des opinions politiques. On exprime son égoïsme pur et simple comme s'il s'agissait d'un principe désintéressé et on croit vraiment qu'il en est ainsi.

Quand on considère les partisans très sérieux, issus des classes moyennes, qui prêchent pour la régulation des naissances, pour l'avortement et pour la simplification des procédures de divorce — en mettant en avant leurs préoccupations sociales, avec une assurance dépourvue d'humour et appuyée sur des quantités de statistiques —, on ne peut s'empêcher de penser que tout cela fait très bien leur affaire. Il ne s'agit pas de contester la réalité des problèmes que posent la naissance d'enfants trop nombreux dans les milieux sociaux les plus défavorisés, les terribles conséquences des viols ou le sort des femmes battues, etc. Mais aucun de ces problèmes ne se pose aux classes moyennes, dans lesquelles le taux de reproduction est extrêmement bas et où il est bien rare que les femmes soient violées ou battues, et qui sont pourtant les princi-pales bénéficiaires de ce qu'elles proposent. Car toutes ces proposi-tions contribuent à accroître leur capacité de choisir, dans le sens contemporain du mot « choix ». On peut penser que, s'ils parlent tant de ces horreurs, c'est pour des raisons idéologiques, et les motivations — si sujettes à caution — de leur attitude ne devraient pas les inciter à faire étalage de suffisance morale, mais tel est pourtant bien le cas. Pour eux, comme pour beaucoup d'autres, la banalisation des relations sexuelles équivaut désormais à un progrès moral. Il est à craindre qu'actuellement les plus pharisiens des Américains ne soient précisément ceux qui ont le plus à gagner à ce qu'ils préconisent. Et ce qui est encore plus répugnant, c'est que les armes dont ils se servent pour leur croisade sont puisées dans les enseignements philosophiques d'auteurs dont les intentions étaient le contraire des leurs.

Pour en revenir à *La Mort à Venise*, ce qui me frappe peut-être le plus dans la nouvelle de Mann et m'incite à nombre de réflexions sur ce qui s'est produit aux Etats-Unis depuis que ce type de littérature a commencé à attirer l'attention du public américain, c'est la façon dont il se sert de Platon. Au fur et à mesure que le professeur Aschenbach sent croître en lui l'obsession que suscite la présence du garçon sur la plage, des citations du *Phèdre,* un des dialogues platoniciens consacrés à l'amour, lui reviennent à l'esprit et expriment ce qu'il reconnaît peu à peu et avec horreur comme le caractère véritable de la séduction que le jeune homme exerce sur lui. Platon faisait partie de la tradition en Allemagne, et le *Phèdre* était probablement une des œuvres qu'Aschenbach était censé avoir lues au collège quand il apprenait le grec. A l'époque de ses études secondaires, le contenu de ce dialogue — des discours relatifs à l'amour d'un homme pour un jeune garçon — n'était pas censé l'affecter. Comme tant d'autres éléments de l'éducation allemande, le *Phèdre* n'était rien d'autre qu'un élément de « culture », d'information historique, qui n'était pas devenu partie d'un ensemble vital et cohérent. Cet épisode est symptomatique de l'engourdissement de l'activité culturelle d'Aschenbach. Soudain ce morceau de sa culture émerge en lui et prend une signification qui lui indique la voie qui descend dans les abysses du désir refoulé. C'est comme un rêve ; et si l'on est freudien, on détient les clés de la signification des rêves. Des faits bruts, psychiquement inacceptables, résidant dans l'inconscient, s'expriment de façon dissimulée et procurent ainsi au sujet une satisfaction inavouée. Ils s'intègrent à des matériaux acceptables pour la conscience, qui ne signifient plus vraiment ce qu'ils semblaient signifier. Désormais, ces matériaux psychiques tout à la fois expriment et n'expriment pas leur véritable sens. Le respectable dialogue de Platon est l'intermédiaire entre la bonne conscience d'Aschenbach et sa sensualité. C'est un pont, à moins que ce ne soit un élément matériel parmi d'autres. Platon a trouvé un moyen d'exprimer et d'embellir ou de sublimer la sexualité perverse ; c'est ainsi que l'histoire se présente. Il n'y a rien qui permette de penser que Mann imaginait qu'on pût apprendre directement grand-chose sur l'*éros* dans les dialogues platoniciens ; mais on peut apprendre quelque chose en appliquant les idées de Freud à Platon et en observant de quelle manière le désir trouve des rationalisations qui lui conviennent. Dans ce cas, Platon est un cadavre sans valeur, tout juste bon pour la dissection. Thomas Mann était certainement trop captivé par la nouveauté de l'enseignement freudien pour mettre en doute que la sublimation pût

vraiment rendre compte des phénomènes psychiques qu'il prétendait expliquer. Il était doctrinaire : en tout cas, il était certain que
nous en savions davantage que les penseurs plus anciens, qui
étaient des mythologues. Freud et Platon sont d'accord quant à
l'omniprésence de l'érotisme dans tout être humain ; mais là
s'arrête leur ressemblance. Toute personne qui accepte de se
départir de la certitude que la psychologie moderne est supérieure à
l'ancienne trouvera chez Platon une explication plus riche de la
diversité de l'expression érotique qui nous déconcerte et nous a
conduits aux absurdités actuelles. Ce lecteur sans préjugés y verrait
aussi une intéressante articulation des possibilités et des impossibilités de la réalisation de toutes les dimensions érotiques. Platon fait
de l'*éros* quelque chose d'enchanteur et, en même temps, il le
démythifie : or nous avons besoin de cette double démarche. Chez
Mann, du moins, la tradition à laquelle nous pouvons nous
désaltérer est présente sinon tout à fait vivante. Avec ce qu'il nous
donne, nous pouvons entreprendre notre propre voyage et trouver
en chemin un sujet de réflexion plus intéressant qu'Aschenbach.
Mais aux Etats-Unis, le mince fil qui était déjà tendu à se rompre
chez Thomas Mann n'existe plus. Les Américains ont perdu tout
contact avec la tradition. L'*éros* est une obsession, mais on n'y
réfléchit plus et on n'en a même pas la possibilité, parce qu'on
considère que ce qui n'était qu'une interprétation de nos âmes
représente des faits réels. L'*éros* devient peu à peu bas et sans
signification. Or, rien ne peut être humainement bon s'il n'est
contrôlé par la pensée et affirmé par un choix réel, ce qui veut dire
un choix instruit par une délibération. Saul Bellow a décrit son
projet comme « redécouverte de la magie du monde sous les débris
des idées modernes ». A nos yeux, le terne réseau d'abstractions
utilisé pour recouvrir le monde afin de le simplifier et de l'expliquer
d'une façon agréable pour nous est devenu le monde lui-même.
Pour voir les phénomènes eux-mêmes et non une distillation stérile
de ceux-ci, pour les éprouver dans leur ambiguïté, il faudrait en
avoir des visions de rechange, et disposer d'une quantité d'opinions
profondes différentes. Mais du fait des idées toutes faites que nous
avons, de telles expériences sont difficiles à faire en pratique et
impossibles en théorie. Comment un jeune homme qui voit la
sublimation là où Platon voyait la divinisation peut-il apprendre
quelque chose de Platon (sans même espérer que Platon lui *parle*
vraiment) ? Des âmes, constituées artificiellement par un nouveau
type d'éducation, vivent dans un monde transformé par l'artifice de
l'homme et s'imaginent que toutes les valeurs sont relatives et
déterminées par les pulsions économiques et sexuelles de ceux qui
s'y réfèrent. Comment pourraient-elles retrouver la voie d'une
expérience naturelle primitive ?
Je soupçonne que si l'on promulguait une loi interdisant l'usage

de tous les mots qui composent le glossaire imposant que j'ai dressé au cours de cette partie de mon essai, une bonne partie de la population serait réduite au silence. Seuls les discours purement techniques pourraient se poursuivre ; mais tout ce qui concerne le vrai et le faux, le bonheur, la façon dont il faudrait vivre, deviendrait fort difficile à exprimer. C'est que ces mots-là occupent la place que devraient occuper les pensées, et leur disparition révélerait le vide. Ce serait un excellent exercice, parce que cela pourrait inciter les gens à penser à ce qu'ils croient vraiment, à ce qui se trouve derrière les formules. Pourrait-on dire « vivre exactement comme cela me plaît » en lieu et place de *style de vie* ? Pourrait-on dire « mon opinion » au lieu de *valeurs* ? « Mes préjugés » au lieu d'*idéologie* ? Est-ce que l'on pourrait en revenir à « agitateur », ou au contraire à « doté d'une présence divine », pour remplacer *charisme* ? En soi, chacun de ces termes standard semble doté de substance et respectable : ce sont des mots qui se présentent pour justifier les goûts et les actes de chacun, et les êtres humains ont besoin de ce genre de justification, quoi qu'ils puissent dire. Il nous faut des raisons de faire ce que nous faisons : c'est le signe de notre humanité et de notre possibilité de vivre en communauté. Mais je n'ai jamais rencontré quelqu'un qui dise : « Je crois ce que je crois, ce sont *mes valeurs* à moi. » Non, il y a toujours des justifications de ces valeurs : les nazis en avaient ; les communistes en ont ; les voleurs et les maquereaux aussi. Il pourrait bien y avoir tout de même quelques personnes qui ne pensent pas qu'il soit nécessaire de créer une catégorie de valeurs uniquement pour eux : ce sont les clochards et les philosophes.

Quoi qu'il en soit, ces mots ne sont pas des raisons et n'ont pas été conçus pour en être. Au contraire, ils ont été forgés pour démontrer que notre besoin humain profond de savoir ce que nous faisons et d'agir le mieux possible ne peut être satisfait. Or, par l'effet de quelque miracle, ce sont justement ces termes qui sont devenus notre justification : le nihilisme s'est fait moralisme. Ce n'est pas l'immoralité du relativisme moral que je juge effrayante ; mon affaire n'est pas de tenir un discours édifiant, il y a déjà bien trop de gens qui en font. Ce qui est confondant et dégradant, c'est la passivité avec laquelle nous acceptons ce relativisme et notre manque total (et bien confortable) d'intérêt quant à ce que cela représente pour nos existences. Le seul écrivain qui n'exerce aucune espèce de séduction sur les Américains, qui n'offre aucune prise au charcutage de nos critiques marxistes, freudiens, féministes, déconstructionnistes ou structuralistes, qui ne propose à nos jeunes gens ni pose, ni sentimentalité, ni soporifiques, est justement celui qui a le mieux exprimé la façon dont la vie se présente à un homme prêt à s'interroger courageusement sur ce que nous croyons et ce que nous ne croyons pas : Louis-Ferdinand Céline.

C'est un artiste beaucoup plus doué et un observateur beaucoup plus perspicace que Thomas Mann ou Albert Camus, pourtant bien plus célèbres que lui. Robinson, l'homme qu'admire Bardamu dans *Voyage au bout de la nuit,* est un égoïste, un menteur, un truqueur et un tueur à gages. Alors pourquoi l'admire-t-il ? En partie pour son honnêteté, mais surtout parce qu'il préfère se laisser tuer par sa maîtresse que de lui dire qu'il l'aime. Il croyait en quelque chose, ce dont Bardamu est incapable. Les étudiants américains sont rebutés et horrifiés par ce roman ; ils s'en détournent avec dégoût. Mais si on pouvait le leur ingurgiter de force, cela pourrait les inciter à reconsidérer bien des choses, à admettre qu'il serait urgent de repenser leurs prémisses, à expliciter leur nihilisme implicite et à l'examiner sérieusement. Si je cherche une image de notre condition intellectuelle actuelle, je ne puis m'empêcher d'évoquer les bandes d'actualités cinématographiques qui nous ont montré les Français s'éclaboussant joyeusement sur une plage, lors des premiers congés payés décrétés par le gouvernement de Front populaire de Léon Blum. Cela se passait en 1936, l'année où l'on a laissé Hitler réoccuper la Rhénanie. Tous nos grands thèmes se trouvent évoqués dans l'image de ces congés payés.

O paradoxe ! notre langage est précisément le produit de ce mouvement de pensée extraordinaire, de cette grandeur philosophique à laquelle le présent essai, obligatoirement hâtif et superficiel, a seulement fait allusion. Il faudrait consacrer à l'étudier plus d'une vie entière : alors nos certitudes appauvrissantes se mueraient en doutes qui nous humaniseraient. Mais il suffirait déjà de rechercher les raisons qui se dissimulent derrière notre langage et de les mettre en balance avec celles qui sous-tendent d'autres langages, et cette simple opération nous libérerait. J'ai essayé d'esquisser une archéologie de nos âmes telles qu'elles sont. Nous sommes pareils à des bergers ignorants qui vivent dans un site où de grandes civilisations ont fleuri jadis. Ces bergers jouent avec les fragments d'objets ou d'édifices qui émergent du sol ici et là : ils n'ont pas la moindre notion des belles constructions dont ces vestiges ont été autrefois des éléments, mais il suffirait de fouilles un peu approfondies pour leur faire voir d'exaltantes splendeurs. Nous avons besoin de l'histoire, non pour nous dire ce qui s'est passé jadis, mais pour faire revivre le passé afin qu'il nous explique qui nous sommes et qu'il rende l'avenir possible. Telle est la crise de l'éducation par laquelle nous passons ; telles sont les circonstances qui permettent peut-être d'y mettre fin. Le rationalisme occidental a abouti à un rejet de la raison : est-ce un résultat nécessaire ?

Je sais que beaucoup de lecteurs penseront que ma présentation de l'influence décisive de la philosophie européenne et particulièrement de la philosophie allemande sur la pensée américaine est fausse ou exagérée et que, même s'il était vrai que notre discours contemporain émane de la source que je lui attribue, le langage ne peut avoir, à lui seul, de tels effets. Je persiste à croire, cependant, que j'ai apporté la preuve de ce que je prétendais démontrer. Le langage nous investit de toutes parts. La source dont il découle est également indéniable dans la mesure où c'est la pensée qui produit le langage. Nous savons de quelle manière celui-ci s'est vulgarisé. Je n'ai qu'à penser à mon petit étudiant d'Amherst ou à mon chauffeur de taxi d'Atlanta pour me convaincre que ce sont les catégories de l'esprit qui déterminent les perceptions. Si nous pouvons penser que la *Weltanschauung* calviniste a produit le capitalisme nous pouvons aussi envisager la possibilité que les visions irrésistibles et accablantes des philosophes allemands préparent les tyrannies de l'avenir.

Je dois encore répéter que je tiens Rousseau, Kant, Hegel et Nietzsche pour des penseurs de tout premier ordre. Réapprendre ce que ces hommes et d'autres maîtres de la même envergure ont voulu dire : tel est précisément l'essentiel de mon projet.

TROISIÈME PARTIE

L'UNIVERSITÉ

CHAPITRE I

LA CULTURE GÉNÉRALE

Quelle est l'image que présente une université de premier ordre à un adolescent qui, pour la première fois de sa vie, quitte son foyer et sa famille pour se lancer dans l'aventure des études supérieures et, plus particulièrement, dans l'enseignement de culture générale prodigué au cours du premier cycle ? Il dispose de quatre ans de liberté pour se découvrir lui-même : c'est l'espace de temps qui sépare le terrain vague intellectuel qu'il laisse derrière lui et l'inévitable et morne formation professionnelle qui l'attend après sa licence *. Durant ce bref laps de temps, il faut qu'il apprenne l'existence d'un vaste univers au-delà du petit monde qu'il connaît, qu'il en éprouve de l'exaltation et qu'il profite assez de cette expérience nouvelle pour pouvoir tenir tout au long de la traversée du désert intellectuel qu'il aura à effectuer ensuite. C'est du moins ce qu'il doit tenter de faire s'il veut avoir le moindre espoir d'une existence moins médiocre. Ce sont des années enchantées, pendant lesquelles il peut, s'il en décide ainsi, devenir tout ce qu'il souhaite devenir et passer en revue tous les choix possibles, non seulement ceux qui s'offrent à lui dans l'immédiat ou ceux qui lui seront offerts par la profession qu'il envisage d'embrasser ensuite, mais aussi tous ceux qui se présentent à lui en sa qualité d'être humain. On ne saurait surestimer l'importance de ces années-là pour un jeune Américain. Elles constituent son unique chance de devenir un être civilisé **.

---

* *Baccalaureate :* ce diplôme qui sanctionne la fin du premier cycle universitaire correspond donc, comme « degré », à la « licence » française, mais par son contenu, il se rapproche bien davantage du « baccalauréat », dont il évoque le nom, et du D.E.U.G., par son contenu, car la formation n'est pas encore vraiment spécialisée. Voir note suivante. (N.d.T.)
** Aux Etats-Unis, les études universitaires se subdivisent en deux étapes : le *College* (ou *undergraduate studies*) correspond à peu près au premier cycle français ; l'université proprement dite dispense ce qu'on appelle en France

Quand on observe ce jeune homme ou cette jeune fille, on est amené à se demander ce qu'il faut lui apprendre pour qu'il mérite, à la fin du premier cycle universitaire, l'épithète de « cultivé », et à s'interroger sur la nature du potentiel humain que possède ce nouvel élève et dont on doit favoriser le développement. Dans les études spécialisées, on peut se dispenser d'une telle réflexion ; c'est l'un des avantages de la spécialisation. Mais dans le cas qui nous occupe, il s'agit d'un devoir élémentaire. Qu'allons-nous enseigner à ce garçon ou à cette jeune fille ? La réponse n'est peut-être pas évidente, mais tenter d'y répondre, c'est déjà philosopher et commencer à éduquer. Cette préoccupation pose par elle-même la question de l'unité de l'homme et celle de l'unité des sciences. Il est puéril de prétendre, comme le font certains, que l'on doit permettre à chacun de se développer librement et que c'est faire preuve d'un autoritarisme absurde que de prétendre imposer un point de vue à un étudiant. Dans ce cas, à quoi bon une université ? Si la réponse consiste à dire que l'université « dispense une atmosphère favorable à l'instruction », on en revient aux questions initiales. Quelle atmosphère, par contraste avec quelle autre ? Il est impossible d'éviter les choix et les réflexions sur les raisons des choix. L'université doit tenir lieu de quelque chose qu'on puisse opposer à quelque chose d'autre. Si l'on refuse de réfléchir positivement au contenu des études du premier cycle, on aboutit à des résultats pratiques désastreux : d'une part, toute la vulgarité du monde extérieur à l'université va prospérer au sein de celle-ci ; d'autre part, il faudra imposer à l'étudiant une contrainte beaucoup plus dure et beaucoup moins libérale, celle qui découle des exigences impérieuses de disciplines spécialisées qui n'ont pas été soumises au filtre d'une pensée unificatrice.

Mais, pour répondre à la question que j'ai posée au début de ce chapitre, l'université ne présente au jeune homme ou à la jeune fille qui y entre pour la première fois aucun visage bien défini. Il y

---

l'enseignement de second et de troisième cycles et que couronne le doctorat. Toutefois, la teneur de l'enseignement du premier cycle est, aux Etats-Unis, fort différente de celle qu'il a en France. En effet, le *College* américain ne dispense aucun enseignement spécialisé, mais uniquement une culture générale (*liberal education*, voir note à ce propos dans la préface). Cela tient au fait que l'enseignement secondaire donné par les *High Schools* américaines est plus sommaire et plus technique que celui des lycées français et que le diplôme de fin d'études secondaires ne correspond en rien au baccalauréat français. C'est donc seulement à partir du second cycle que l'université américaine dispense des enseignements spécialisés, répartis en grandes *divisions* ou *graduate schools* (*arts* ou *humanities* pour les lettres, *sciences* pour les sciences, *law* pour le droit, *business* pour la gestion, etc.). On les a désignées ici, pour ne pas vraiment désorienter le lecteur, par le terme français de *facultés,* elles sont elles-mêmes subdivisées en *departments* ou départements. (N.d.T.)

trouve quantité de disciplines qui y vivent en démocratie : les unes sont là depuis l'origine, les autres y sont entrées récemment pour remplir quelque fonction exigée par l'établissement en question. En fait, cette démocratie est une anarchie, car la citoyenneté académique ne répond à aucune règle reconnue et il n'existe pas de légitimité qui permette d'en établir une. Bref, le nouvel étudiant ne découvre ici aucune vision d'ensemble, et pas davantage une série de visions différentes en concurrence les unes avec les autres, de ce que peut être un être humain qui a fait des études. La question elle-même a disparu, car la poser susciterait de graves désaccords. Il n'y a pas d'organisation des sciences, pas d'arbre de la connaissance. Et la vie de ce chaos suscite un profond découragement, car il interdit tout choix raisonnable. Mieux vaut alors renoncer à la culture générale et se tourner vers une spécialité qui comporte au moins un programme obligatoire et une perspective de carrière. Au passage, l'étudiant pourra éventuellement suivre tel ou tel cours à option qui est censé permettre à un jeune homme de se dire cultivé. On n'avise pas le futur étudiant qu'on va lui révéler de grands mystères, qu'il pourra découvrir en lui-même des motifs d'action nouveaux et plus élevés et élaborer, grâce à ce qu'il va apprendre, un mode de vie plus harmonieux et plus humain.

C'est que l'université ne fait pas de distinctions. Aux Etats-Unis, l'égalité semble aboutir au refus et à l'incapacité de prétendre à une supériorité quelconque, et particulièrement dans les domaines où de telles prétentions ont toujours été émises : l'art, la religion et la philosophie. Lorsque Max Weber s'est aperçu qu'il ne pouvait choisir entre certaines valeurs opposées — raison contre révélation, Bouddha contre Jésus, etc. — cela ne signifiait pas que pour lui toutes choses fussent également bonnes et que la distinction entre le supérieur et l'inférieur dût disparaître. En fait, son intention était claire : revitaliser ces grandes alternatives en montrant la gravité et le danger qu'il y avait à choisir entre les deux termes de chacune d'elles. Il s'agissait de mettre en valeur ces alternatives, pour les opposer aux considérations triviales de la vie moderne qui menaçaient de prendre trop d'importance et de se confondre avec les graves problèmes dont la prise en compte permet à l'arc de l'âme de se tendre. Pour lui, la vie intellectuelle sérieuse était le champ de bataille des grandes décisions, qui toutes représentent des choix spirituels, des choix de « valeurs ». On ne peut plus présenter telle ou telle opinion particulière d'un homme cultivé ou civilisé comme faisant autorité ; il faut donc dire que l'éducation consiste à connaître, à connaître vraiment, un petit nombre de ces opinions dans leur intégralité. Cette distinction entre ce qui est profond et ce qui est superficiel — qui se substitue à la distinction entre le bon et le mauvais, le juste et l'injuste, le vrai et le faux — a fourni une base pour des études sérieuses, mais elle n'a guère résisté à la tendance démocratique naturelle qui consiste à demander « à quoi ça sert ». Les premières revendications universitaires, à Berkeley, étaient dirigées explicitement contre la pluridisciplinarité et je dois avouer que, momentanément et partiellement, je leur ai accordé quelque sympathie. Il se peut même que, dans la motivation de ces étudiants en révolte, il y ait eu quelque nostalgie des études libérales. Mais on n'a rien fait, à l'époque, pour les guider ou pour canaliser leur énergie, et le résultat de ces désordres a été purement et simplement d'ajouter une multitude de « styles de vie » à la multitude des disciplines et la diversité des esprits contestataires à la diversité des spécialisations. Ce qu'on voit si souvent dans la vie en général s'est également produit ici : la demande insistante d'une plus grande communauté a abouti à un plus grand isolement. On ne remplace pas si facilement d'anciens accords, d'anciennes habitudes et d'anciennes traditions.

Bref, quand un nouvel élève arrive à l'université, il trouve une diversité effarante de départements et une diversité non moins effarante de cours. Et il n'existe aucune orientation officielle, aucun accord à l'échelle universitaire sur ce qu'il *devrait* étudier. En général, le nouveau venu ne trouve pas non plus de bons exemples, soit parmi les étudiants, soit parmi les professeurs, d'un emploi coordonné des ressources de l'université. La solution la plus simple en apparence consiste à faire le choix d'une carrière précise et à s'y préparer. Les programmes prévus pour ceux qui ont fait un tel choix immunisent définitivement les étudiants contre les tentations séduisantes qui pourraient les amener à s'éloigner de ce qui est généralement considéré comme respectable. De nos jours, les sirènes chantent *sotto voce* et les jeunes ont une quantité suffisante de cire dans les oreilles pour passer au milieu d'elles sans aucun risque ! Les spécialistes ont prévu, pour préparer aux études des second et troisième cycles, assez de cours pour occuper la majeure partie du temps du nouvel élève pendant les quatre années suivantes. Durant les quelques heures qui lui restent, il peut faire ce qui lui plaît, un peu de ceci, un peu de cela. Mais à notre époque, aucune profession libérale ou publique — médecine, droit, politique, journalisme, affaires ou industrie des loisirs — n'a grand-chose à voir avec la culture générale ou, du moins, avec la culture littéraire. Il peut même sembler qu'une formation autre que purement professionnelle ou technique constitue un inçonvénient. Voilà justement pourquoi il serait si nécessaire que règne à l'université une atmosphère qui contrebalance la tendance à la spécialisation : ambiance indispensable si l'on veut que les étudiants acquièrent le goût des joies intellectuelles et apprennent que celles-ci sont durables.

Le vrai problème, c'est celui des indécis : je veux parler des étudiants qui arrivent à l'université sans idée préconçue, dans l'espoir d'y découvrir leur voie tout en vivant une expérience nouvelle. Certes, ils peuvent y faire quantité de choses : il y a des cours et des disciplines en nombre suffisant pour occuper une vie entière. Chaque faculté, chaque section de l'université donne le ton et chacune d'elles offre un programme d'études qui fera de l'élève un « initié ». Mais comment choisir parmi ces programmes ? Et quelle relation ont-ils les uns avec les autres ? Justement, ils n'en ont pas. Ils sont en concurrence et en contradiction les uns par rapport aux autres, mais ils ne le savent pas. Le problème de la cohérence de l'ensemble se manifeste de façon urgente du fait même de l'existence des spécialités, mais il n'est jamais posé systématiquement. En définitive, l'effet que produit sur le futur étudiant la lecture du programme général de l'université, c'est l'ahurissement et, très souvent, la démoralisation. C'est seulement par hasard qu'il lui arrive de trouver un ou deux professeurs capables de lui fournir un aperçu d'une des grandes conceptions de l'éducation qui ont constitué le signe distinctif de toute nation civilisée. La plupart des professeurs sont des spécialistes, que ne préoccupe que leur propre domaine, qui s'intéressent au progrès de ce domaine mais dans des conditions qui leur sont propres, ou, plus souvent encore, qui se soucient surtout de leur propre avancement dans un monde où les récompenses ne s'obtiennent que par la distinction professionnelle. On les a complètement émancipés de l'ancienne structure de l'université, qui avait du moins l'avantage de contribuer à mettre en évidence le caractère partiel de chaque discipline. Ainsi, le malheureux novice doit-il naviguer au milieu d'une assemblée d'aboyeurs de fête foraine qui essaient, chacun pour son propre compte, de l'attirer dans une baraque d'attractions particulière. Et cet étudiant indécis embarrasse la plupart des universités, car il semble leur dire : « Je suis un être humain à part entière. Aidez-moi à me former dans ma plénitude et à développer toutes mes capacités. » Or elles n'ont rien à lui répondre.

Comme à bien d'autres égards, l'Université Cornell a été dans ce domaine en avance sur son temps. Le programme de six ans conduisant au doctorat de philosophie * était destiné spécifiquement aux élèves qui, à l'issue de l'enseignement secondaire, avaient déjà fait « le choix bien arrêté d'une profession », et il tendait à les conduire jusqu'au début de leur carrière. Aux professeurs de lettres que ce programme attristait, on avait donc accordé une fiche de

---

* *Ph. D. ou Philosophiae Doctor.* C'est le terme général pour désigner le doctorat. Il s'applique le plus souvent à toutes les disciplines littéraires et scientifiques. Certaines universités distinguent cependant les sciences dans une catégorie particulière de doctorats ; la plupart distinguent du Ph. D. les doctorats en médecine ou en droit.

consolation : une subvention permettant de financer des séminaires que nos jeunes carriéristes pourraient suivre en passant par le « Collège des lettres et des sciences ». Pour le reste, les enseignants pourraient consacrer toute leur énergie à aménager et à répartir le programme sans avoir à y incorporer aucune substance. Cela les occupait suffisamment pour leur éviter de penser à la vacuité de leur tâche. Telle a été, dès ce moment, la façon dont on a pris l'habitude de ne pas regarder en face la « bête dans la jungle » : s'occuper de la structure, non du contenu. Le plan de Cornell pour résoudre le problème de l'enseignement de culture générale a consisté à ôter aux élèves toute nostalgie d'un tel enseignement encourageant leurs ambitions professionnelles et matérielles et en dépensant tout l'argent et tout le prestige dont l'université disposait pour faire du carriérisme sa clé de voûte.

Toute cette mise en scène révélait un secret bien gardé ; les premiers cycles universitaires n'ont pas assez de matière à enseigner à leurs élèves. Ils n'en ont pas assez pour justifier qu'on les garde quatre ans, et probablement pas même trois (le plan de Cornell n'osait donc pas dire la vérité toute crue). Si le but est une carrière professionnelle, il n'y a pas une seule spécialité, à part peut-être la plus ardue des sciences exactes, qui exige plus de deux ans de préparation avant les études spécialisées (second et troisième cycles). Le reste n'est que du temps perdu ou une période de maturation en attendant que les élèves aient l'âge requis. Pour beaucoup de professions, le temps de préparation nécessaire est même moindre. Il est étonnant de voir combien d'étudiants du premier cycle errent à la recherche de cours à suivre, sans plan aucun, sans même avoir de vraies questions à poser, simplement pour occuper leurs premières années d'université. En fait, à de rares exceptions près, ces cours sont déjà des cours spécialisés, qui ne sont pas destinés à donner aux élèves une culture générale ou à traiter de questions importantes pour l'être humain en général. Ce qu'on a appelé l'explosion des connaissances, et la spécialisation croissante qui en a découlé, n'ont pas enrichi le contenu du premier cycle : elles l'ont vidé. En réalité, ce premier cycle constitue un obstacle : on n'a qu'une envie, c'est de sortir de ces années-là. Et en général, à en juger par leurs goûts, leurs connaissances ou leurs intérêts, les gens qu'on rencontre dans les professions libérales auraient pu se passer de suivre un premier cycle universitaire : ils auraient aussi bien fait de consacrer tout ce temps à la coopération *(Peace Corps)* ou à telle autre organisation du même genre. Le fait est là : ces grandes universités qui sont capables de réaliser la fission de l'atome, de découvrir des traitements nouveaux pour les plus terribles maladies, de réaliser des enquêtes sur des populations entières et de produire d'énormes dictionnaires de langues disparues, ne sont pas en mesure d'élaborer un modeste programme de culture générale pour des étudiants du premier cycle. C'est là une parabole pour notre temps.

On a tenté péniblement de combler ce vide en utilisant des emballages de fantaisie pour envelopper ce qui existe déjà : options permettant de passer un semestre ou une année à l'étranger, sujets d'études individualisés, etc. Il existe aussi des programmes d'études de « culture noire », d'études de la condition féminine, d'apprentissage des cultures étrangères. Je ne serais pas étonné qu'on soit en train de préparer un plan d'études pour la paix. Tout cela est destiné à montrer que l'université est « branchée » et qu'elle dispose de quelque chose de plus que ses spécialités traditionnelles. La dernière trouvaille, en l'occurrence, c'est « l'alphabétisation de l'informaticien », innovation dont la médiocrité n'apparaît dans toute son évidence qu'à ceux qui réfléchissent un peu à ce que signifie le mot « alphabétisation ». Il serait peut-être plus raisonnable de promouvoir un cours d' « alphabétisation de l'alphabétisé », dans la mesure où l'on constate actuellement que la plupart des bacheliers éprouvent de la difficulté à lire et à écrire. Du reste, certaines institutions d'enseignement supérieur sont en train, très tranquillement, de se lancer dans cette entreprise qui en vaut la peine. Mais ils ne proclament pas la chose à grands sons de trompe, car il s'agit en fait d'une fonction dévolue à l'enseignement secondaire, et seul le triste état de cet enseignement a mis ce fardeau sur le dos des universités, qui ne sont nullement enclines à s'en vanter.

Maintenant que les joyeux divertissements des années soixante sont passés et que les études du premier cycle universitaire ont retrouvé leur importance (surtout parce que les second et troisième cycles, mises à part les écoles professionnelles, ont des problèmes en raison du manque de postes d'enseignants), les fonctionnaires de l'université ont bien dû tenir compte du fait, devenu indéniable, que les étudiants qui entrent dans l'enseignement supérieur sont incultes et que les universités ont tant soit peu pour tâche de les cultiver. S'il fallait donner ici une interprétation assez mesquine de leurs mobiles, on pourrait avancer que cette préoccupation découle tout à la fois d'une certaine honte et du souci de leur propre intérêt. Car il devient par trop manifeste, aujourd'hui, que cette « éducation libérale » (c'est-à-dire, en fait, la culture générale) que le petit groupe des institutions prestigieuses des Etats-Unis est censé procurer aux élèves — par opposition aux grandes écoles des Etats, qui sont seulement destinées à préparer des spécialistes pour répondre aux exigences pratiques d'une société complexe — n'a aucun contenu : prétendre dispenser cette culture, c'est donc se livrer à une sorte de fraude. Pendant un certain temps, la grande conscience morale que les grandes universités étaient censées avoir stimulée chez les étudiants (en particulier en encourageant le combat à mener leur vocation de gladiateurs contre la guerre et le racisme) a paru satisfaire les exigences de la conscience collective des universités. Du moins faisaient-elles autre chose que de conférer une simple formation préliminaire à de futurs médecins et à de futurs avocats. On estimait que le souci des autres et la compassion étaient l'élément indéfinissable qui imprégnait toutes les parties des campus voués aux arts et aux sciences. Mais ce brouillard évanescent s'est dissipé au cours des années soixante-dix, et les facultés se sont trouvées en face de jeunes gens incultes, dépourvus de tout intérêt intellectuel, ignorant même qu'il existe quoi que ce soit qui réponde à cette définition, obsédés par le souci de réussir dans leur carrière avant même d'avoir observé la vie ; et les universités n'offraient à ces malheureux aucune autre perspective, aucun contrepoids, aucun but différent. Pour avoir été pendant très longtemps aussi mal défini, l'enseignement de la culture générale ne jouit ni de l'évidence ni de la respectabilité institutionnalisée des études professionnelles, mais il n'en subsiste pas moins : on le subventionne, il bénéficie d'un certain respect et il continue à fournir un champ d'action à ceux qui se situent de façon tant soit peu excentrique par rapport aux disciplines spécialisées. En un certain sens, la situation de ce type d'études rappelle un peu celle des églises par rapport aux hôpitaux. Personne ne sait plus très bien ce que les institutions religieuses sont censées faire, mais elles n'en jouent pas moins un certain rôle, soit pour répondre à un besoin humain réel, soit en tant que vestige de ce qui a été naguère un besoin. Il est indéniable qu'elles offrent aux charlatans, aux marginaux, aux maboules et aux fanatiques un terrain favorable, mais elles incitent aussi ceux dont le caractère a le plus de sérieux et de profondeur à l'effort, à l'enthousiasme et au courage. De même, le premier cycle universitaire et la culture qu'il est censé dispenser représentent de nos jours un champ de bataille où s'affrontent les meilleurs et les pires, les faussaires et les êtres épris d'authenticité, les sophistes et les philosophes, dans un combat dont l'enjeu est la conquête des faveurs de l'opinion publique et la maîtrise des études. Les combattants les plus en vue sont les administrateurs des universités : ce sont eux en effet qui sont formellement chargés de la responsabilité de présenter au public une image de l'éducation offerte par leurs établissements. Mais on trouve aussi en première ligne des hommes qui défendent un programme politique, des vulgarisateurs qui désirent faire connaître le contenu de disciplines spécialisées, et enfin des professeurs de sciences humaines, qui voient bien la relation de celles-ci avec l'ensemble des connaissances et qui souhaitent ardemment faire partager cette conviction à leurs élèves.

Ainsi, de même que les années soixante ont été consacrées à réduire, voire à supprimer les exigences universitaires, de même les années quatre-vingt essaient de les rétablir, ce qui est évidemment une tâche beaucoup plus ardue. Le mot fétiche, en ce moment, c'est « programme fondamental ». On admet en général qu'on est allé « un peu trop loin » au cours des années soixante et qu'il est vraiment nécessaire de réaccorder les violons.

A ce problème, il existe deux types de solutions caractéristiques. La plus facile, et la plus satisfaisante du point de vue administratif, consiste à recourir à ce qui se trouve déjà dans les départements autonomes de l'établissement et à obliger purement et simplement les étudiants à suivre un ou plusieurs cours dans chacune des grandes facultés générales : sciences exactes, sciences humaines, lettres. L'idéologie dominante, à cet égard, se résume par le mot *largeur,* qui est en train de se substituer à l'*ouverture* de la période laxiste. Presque toujours, il s'agit des cours préparatoires tels qu'ils existent déjà, qui n'ont que peu d'intérêt pour les principaux professeurs et se contentent d'affirmer la valeur et la réalité de ce qu'il faut étudier. Il s'agit vraiment là d'une *instruction* générale (au sens où un bricoleur peut être qualifié de « généraliste » : il sait un peu de tout mais est inférieur au spécialiste dans chaque domaine). Il se peut que les étudiants aient envie d'avoir un avant-goût de diverses disciplines et qu'il soit bon de les encourager à faire un tour d'horizon pour voir si quelque chose les séduit dans un domaine qui leur est encore totalement étranger. Mais il ne s'agit nullement de *culture* générale et cela ne satisfait en rien l'aspiration que les étudiants peuvent avoir d'elle. Tout ce que cela leur apprend, c'est qu'il n'existe pas de « généralité » à un niveau élevé et que ce qu'ils sont en train de faire ne représente que les préliminaires de leurs vraies études, en quelque sorte un dernier stade de l'enfance qu'ils sont en train de laisser derrière eux. Alors ils auront envie de franchir cette étape et de s'attaquer à l'enseignement sérieux, celui de la spécialité qu'ils ont choisie. Mais on ne leur apprend pas qu'il existe des matières d'étude qui sont essentielles sur le plan humain et dont chaque discipline, peut-être à la légère, prend une part en charge : or on peut y consacrer des études précises qui devraient les occuper tout au long de leur existence. Si l'on ne discerne pas quelles sont les questions importantes qui concernent l'humanité dans son ensemble, il ne saurait être question de culture générale, et toute tentative pour diffuser cette culture restera une gesticulation inefficace.

C'est une conscience plus ou moins précise de l'insuffisance de cette méthode pour créer un « noyau » éducatif qui a motivé le recours à une seconde méthode : celle des « cours composites ». Il s'agit cette fois d'enseignements élaborés spécialement à des fins d'instruction générale et qui font appel à la collaboration de professeurs venus de plusieurs sections différentes. Ils sont intitulés : *L'homme dans la nature, La guerre et la responsabilité morale, Les arts et la créativité, La culture et l'individu.* Bien entendu, tout dépend de la personne qui a établi le projet, et encore davantage de celle qui assure cet enseignement. Cette méthode a l'avantage évident d'exiger une certaine réflexion sur les besoins généraux des étudiants et d'obliger des professeurs spécialisés à élargir leurs perspectives, au moins pendant un moment. Mais elle comporte aussi des dangers : privilégier le côté « branché », se contenter d'une simple vulgarisation, manquer de rigueur quant au fond. En général, les professeurs de sciences ne participent pas à cette entreprise, qui, de ce fait, tend à être déséquilibrée. En bref, ces cours ne renvoient à rien qui aille au-delà d'eux-mêmes et ils ne fournissent pas aux élèves des moyens intellectuels indépendants qui leur permettraient d'approfondir par eux-mêmes des questions permanentes, ce que, par exemple, l'étude d'Aristote ou de Kant dans leur ensemble donnait la possibilité de faire. Ces cours d'instruction générale tendent à être composés de pièces et de morceaux. Or, un enseignement de culture générale devrait donner à l'étudiant le sentiment que ce qu'il apprend peut être tout à la fois synoptique et précis. Pour cela, l'étude détaillée d'un problème mineur peut fort bien constituer la meilleure approche si ce problème est posé de manière à fournir une ouverture sur l'ensemble de la réalité. En revanche, si le cours n'a pas comme intention spécifique d'acheminer l'élève vers les questions permanentes, de lui en faire prendre conscience et de lui conférer une certaine compétence pour aborder les œuvres qui en traitent, ce n'est rien d'autre qu'une agréable diversion qui conduit à une impasse : une impasse, car un tel cours n'a rien à voir avec aucun des programmes d'études auquel l'étudiant puisse penser pour la suite. Si les programmes préparatoires mettent à profit les meilleures énergies des meilleurs enseignants de l'université, ils peuvent être bénéfiques et apporter aussi bien aux élèves qu'aux professeurs un peu de cette animation intellectuelle qui fait tant défaut. Mais c'est rarement le cas, et les cours en question sont beaucoup trop dépourvus de lien avec l'enseignement ultérieur, avec ce que les diverses facultés considèrent comme leur affaire. Ce qui détermine l'existence d'un corps tout entier, c'est le lieu où réside le pouvoir. Et les problèmes intellectuels qui ne sont pas résolus au sommet ne peuvent l'être administrativement à l'échelon inférieur. La vraie difficulté réside dans l'absence d'unité des sciences et dans le manque de volonté et de moyens pour discuter de cette question. La maladie du sommet détermine celle du degré inférieur, et tous les efforts bien intentionnés d'enseignants honnêtes peuvent tout au plus servir de palliatifs.

A coup sûr, la seule solution sérieuse est celle que presque tout le monde rejette énergiquement, à savoir un retour aux Grands

La culture générale

Livres anciens *. Pour acquérir une culture générale, il faut lire certains textes classiques de valeur reconnue : il faut les *lire,* tout simplement, leur laisser le soin de dicter les questions et la méthode pour les aborder, ne pas les obliger à entrer dans des catégories que nous avons artificiellement fabriquées, ne pas les traiter comme des productions historiques, essayer de les lire comme leurs auteurs voulaient qu'on les lise. Je suis tout à fait conscient des objections qu'on peut formuler à l'égard du « culte des Grands Livres », et je puis même dire que je suis d'accord avec ces objections : c'est une occupation de dilettante ; cela encourage chez les autodidactes une sûreté de soi sans compétence réelle ; il n'est pas possible de lire attentivement *tous* les Grands Livres ; si on ne lit que ceux-là, on ne saura jamais ce qu'est une grande œuvre par opposition à un ouvrage ordinaire ; nul ne sait qui doit décider du statut de « Grand Livre » et en établir la liste ; les livres deviennent ainsi une fin et non plus un moyen ; tout le mouvement qui tend à revenir à ce genre de lecture est connoté d'un évangélisme grossier qui est le contraire du bon goût ; cette méthode risque de donner aux élèves l'illusion d'une fausse intimité avec la grandeur, et ainsi de suite.

Tout cela est peut-être vrai. Mais une chose est certaine : quand les Grands Livres constituent une pièce centrale de l'enseignement qu'on leur propose, les étudiants se passionnent, ils sont heureux, ils éprouvent l'impression de faire un travail indépendant et qui répond à leur attente, ils savent qu'ils reçoivent de l'université quelque chose qu'ils ne pourraient acquérir ailleurs. Le simple fait de cette expérience particulière, qui ne les conduit nulle part au-delà d'elle, leur procure la possibilité d'autres choix et les amène à respecter l'étude elle-même. Et voici les avantages incontestables qu'ils en retirent : d'abord une prise de conscience de l'importance des auteurs classiques, chose capitale pour ces novices ; la connaissance de ce qu'étaient les grandes questions quand elles se posaient encore et qu'il y avait des modèles pour y répondre ; à tout le moins la capacité de se diriger pour pouvoir y répondre soi-même ; et, ce qui est peut-être le plus important de tout, un fonds d'expériences et de pensées partagées sur lequel ils pourront fonder les amitiés qu'ils nouent les uns avec les autres. Des programmes fondés sur un usage judicieux des grands textes pavent la voie royale qui conduit aux cœurs des élèves. Si on leur enseigne l'existence d'Achille ou celle de l'impératif catégorique, leur gratitude est sans bornes. L'auteur, aujourd'hui disparu, d'une grande histoire de la science, Alexandre Koyré, m'a raconté un jour ce qui suit : lors de son premier cours à l'Université de Chicago, en 1940, au début de son

* Au sujet des Grands Livres *(Great Books),* le lecteur est prié de se reporter à la note qui figure dans le premier chapitre de la première partie de cet ouvrage. (N.d.T.)

exil, un étudiant lui avait rendu une copie dans laquelle il parlait de « Monsieur Aristote », ignorant qu'Aristote n'était pas un auteur contemporain. Et Koyré ajoutait qu'à ce moment, il avait éprouvé une grande admiration pour les Etats-Unis : seul un Américain pouvait avoir la profonde naïveté de prendre Aristote pour un représentant de la pensée vivante, chose impensable pour la plupart des gens instruits. Un bon programme de culture générale insuffle à l'étudiant l'amour de la vérité et la passion de vivre une existence bonne en lui faisant connaître les meilleures choses qui aient jamais été dites. Rien ne serait plus facile que de programmer des cours adaptés aux conditions particulières de chaque université, mais qui soient cependant en mesure de captiver tous ceux qui les suivent. La difficulté, c'est de les faire accepter par les facultés.

Aucune des trois grandes filières de l'université contemporaine ne manifeste le moindre enthousiasme à l'égard d'une méthode d'enseignement du premier cycle qui passerait par la lecture des Grands Livres. Les professeurs de sciences exactes font montre de bienveillance à l'égard des autres sciences et des études de lettres, mais à condition qu'elles ne leur « volent » pas leurs élèves et qu'elles ne leur prennent pas trop de temps soustrait à leurs études préparatoires. Mais eux-mêmes s'intéressent surtout à la solution des questions qui ont actuellement de l'importance dans leurs disciplines et ne se préoccupent pas spécialement des discussions qui ont eu lieu à leurs débuts, dans la mesure où ces sciences ont « réussi » de façon évidente. Ils sont indifférents à l'idée que Newton se faisait de la notion de temps et à ses controverses avec Leibniz à propos du calcul infinitésimal ; la téléologie d'Aristote leur paraît une absurdité qui ne mérite pas d'être prise en considération. Le progrès scientifique, pensent-ils, ne dépend plus du type de réflexion globale sur la nature de la science à laquelle se sont livrés des hommes comme Bacon, Descartes, Hume et Kant. Il s'agit là, selon eux, d'études purement historiques, et il y a bien longtemps que même les plus grands savants ont renoncé à méditer sur Galilée et sur Newton. Le progrès leur paraît indéniable. Les difficultés relatives à la vérité de la science, soulevées par les positivistes, et celles qui concernent la qualité positive ou négative de la science, évoquées par Rousseau et par Nietzsche, n'ont pas vraiment pénétré au centre de la conscience scientifique. Ainsi, le thème qui leur tient à cœur, ce ne sont pas les Grands Livres, mais la croissance indéfinie du progrès.

Les spécialistes des sciences humaines ou sociales sont, quant à eux, généralement hostiles à ces mêmes Grands Livres, parce que ceux-ci tendent souvent à traiter précisément des sujets relatifs à l'homme, qui sont ceux des sciences humaines, et que les enseignants qui se consacrent à elles sont très fiers de s'être libérés du joug de la pensée classique pour devenir vraiment « scientifiques ».

De plus, contrairement aux biologistes et aux physiciens, ils ne sont pas assez sûrs du caractère spectaculaire de leurs résultats pour ne pas se sentir menacés par les œuvres des penseurs plus anciens. Peut-être ont-ils aussi un peu peur que ceux-ci ne séduisent les étudiants et ne les fassent retomber dans les « erreurs » du passé. En outre, à l'exception peut-être des ouvrages de Weber et de Freud, il n'y a guère de livres de sciences sociales qu'on puisse qualifier de « classiques ». On peut estimer que c'est là un avantage pour les sciences humaines par comparaison avec les sciences exactes. Celles-ci pourraient se comparer à un organisme vivant qui se développe sans cesse par l'adjonction de cellules nouvelles ; elles constituent un ensemble de connaissances, qui se prouve à lui-même qu'il est tel du fait même de cette croissance presque inconsciente, avec des milliers de parties qui ignorent l'ensemble mais y contribuent néanmoins. On se trouve là à l'extrême opposé d'une œuvre d'imagination ou de philosophie, où un créateur unique élabore ou envisage un tout artificiel. Mais que l'on interprète l'absence de classiques des sciences humaines comme une caractéristique flatteuse ou dépréciative pour elles, ce fait met mal à l'aise ceux qui s'y consacrent. Je me souviens d'un professeur qui donnait, en second cycle, un cours d'introduction à la méthodologie des sciences humaines et qui était par ailleurs un historien réputé. Je lui avais naïvement posé une question relative à Thucydide. Je l'entends encore me répondre sur le ton du mépris : « Thucydide était un imbécile. »

Il est plus difficile d'expliquer la tiédeur de la réaction des professeurs de lettres quand on leur parle d'un enseignement préparatoire fondé sur les Grands Livres, dans la mesure où ces ouvrages relèvent désormais presque exclusivement des études de lettres. On pourrait penser que les enseignants de ce secteur apprécient de voir arriver des élèves qui ont lu ces textes : favoriser la réévaluation des classiques, voilà qui devrait consolider le pouvoir spirituel des humanités à une époque où leur pouvoir temporel est au plus bas ! Et il est exact que les partisans les plus actifs de l'enseignement de la culture générale et de l'étude des textes classiques se recrutent parmi les professeurs de lettres. Mais ceux-ci se répartissent en deux catégories. Certaines disciplines s'enseignent en faculté des lettres, mais ne sont, en fait, que des spécialités anciennes qui, tout en dépendant des textes classiques pour leur existence, ne s'y intéressent pas sous leur forme naturelle : tel est par exemple le cas d'une bonne partie de la philologie, qui s'occupe des langues, mais nullement de ce qu'elles servent à exprimer. Ces branches des humanités ne veulent et ne peuvent rien faire pour étayer leur propre infrastructure. D'autres disciplines classiques sont impatientes de rejoindre le groupe des « vraies sciences » et d'oublier leurs racines qui plongent dans un passé mythique désormais dépassé. Il y a bien des professeurs de lettres qui se plaignent, à juste titre, que l'enseignement relatif aux Grands Livres manque de solidité ; mais la valeur de ces critiques est souvent discréditée par le fait qu'elles ne prennent la défense que de traditions savantes récentes portant sur l'interprétation des classiques, et non pas celle d'une compréhension vivante, authentique, des textes en cause : aussi dénote-t-on dans la réaction de ces professeurs un fort élément de jalousie de spécialistes et d'étroitesse d'esprit. En fin de compte, on s'aperçoit que tout cela résulte, pour une large part, de la décadence générale des lettres, qui est tout à la fois le symptôme et la cause de la situation dans laquelle nous nous trouvons.

Je ne saurais trop le répéter : la crise de la culture générale ne fait que refléter une crise de l'enseignement à son plus haut niveau, une incohérence et une incompatibilité entre les principes premiers qui nous servent à interpréter le monde, bref une crise intellectuelle de très grande envergure, qui est en fait une crise de notre civilisation. D'ailleurs, c'est moins cette incohérence elle-même que notre incapacité à en discuter ou même à la reconnaître qui constitue le problème. La culture générale des étudiants du premier cycle était florissante quand elle préparait la voie à une conception unifiée de l'ensemble des choses, conception que les meilleurs esprits élaboraient au plus haut niveau. Et elle a commencé à décliner quand il ne s'est plus trouvé pour la soutenir que des spécialités dont les prémisses ne débouchaient sur aucune vision générale. La compréhension la plus élevée, c'est celle qui est le plus partiale. A cet échelon, il n'est pas possible de se contenter d'un aperçu sommaire.

CHAPITRE II

LA DÉCOMPOSITION DE L'UNIVERSITÉ

Tout cela est apparu de façon aveuglante pendant les événements survenus à l'Université de Cornell en 1969, et j'ai eu l'occasion de comprendre l'organisation de l'université au moment même où celle-ci se décomposait. D'une façon générale, aucune discipline n'a vraiment bien réagi à l'assaut lancé contre la liberté et l'intégrité universitaires ; seuls certains individus ont eu une bonne réaction. Les *graduate schools* à vocation professionnelle — école d'ingénieurs, école d'économie intérieure, école de relations avec la main-d'œuvre industrielle et école d'agriculture — se sont éclipsées purement et simplement. Certains professeurs de la faculté de droit ont exprimé pourtant leur indignation et un petit groupe d'entre eux s'est constitué, vers la fin, pour demander publiquement la démission du président. Ces facultés-là et ces écoles étaient, en général, toutes réputées conservatrices, mais elles ne voulaient pas avoir d'ennuis et elles n'avaient pas l'impression que c'était *leur* combat qui se livrait. Les revendications des étudiants noirs ne les concernaient pas ; et quelles que fussent les modifications qui pourraient avoir lieu sur le plan des idées, elles savaient bien qu'elles-mêmes ne seraient pas menacées. En dépit des récriminations générales sur la grande diversité des disciplines qui déséquilibre l'université et lui fait perdre son centre de gravité, tout le monde sait fort bien que c'est dans les facultés de lettres et de sciences que la véritable action se déroule, que les autres écoles leur sont subordonnées et que ce sont elles qui représentent l'essentiel de l'enseignement de prestige : cela, du moins, a été préservé de l'ordre ancien. Aussi bien le défi a-t-il été lancé, à Cornell, au Collège des lettres et des sciences*, comme ce fut du

---

* *College of Arts and Sciences :* nom spécifique, à l'Université Cornell, de l'enseignement de premier cycle destiné à dispenser une culture générale. (N.d.T.)

reste le cas durant tous les événements des années soixante. Ensuite, ce sont les sciences, les sciences humaines et les lettres qui se sont trouvées en première ligne : on leur a demandé de modifier le contenu et les normes de leur enseignement, d'éliminer l'élitisme, le racisme et le sexisme tels qu'ils étaient « perçus » par les étudiants. A cette occasion, il s'est avéré que la communauté des professeurs n'en était pas une. Aucune solidarité ne s'est manifestée pour défendre la recherche de la vérité.

Ainsi les enseignants et les chercheurs de la faculté des sciences se sont-ils situés au-dessus de la mêlée : ils ne se sentaient pas concernés. Ils constituaient une sorte d'île, de sorte qu'ils n'ont pas entendu sonner le tocsin et n'ont même pas essayé de s'enquérir de ce qui se passait. Je crois que, de tous les membres de la faculté des sciences, un seul a pris la parole pour protester contre la présence d'armes à feu et l'intimidation des professeurs. Et le plus illustre des enseignants de l'université, un physicien lauréat du prix Nobel, s'est fait le principal porte-parole des défenseurs du président, sans même consulter une seule fois ceux dont les vies avaient été menacées ni chercher à savoir quels étaient les enjeux. Il déplorait la violence mais ne prenait aucune mesure ni ne disait un seul mot qui indiquât à quel moment et à quel endroit il convenait de fixer une limite. Toutefois, à ma connaissance du moins, aucun des professeurs de sciences n'était de connivence avec les sauvages qui assaillaient l'université (alors que certains des membres des facultés de sciences humaines et de lettres l'étaient). Ce qui explique leur indifférence en l'occurrence, c'est l'indépendance absolue dont bénéficiait leur travail par rapport au reste de l'activité universitaire, jointe à la conviction que leurs travaux étaient les plus importants de tous. En somme, nous ne partagions pas un bien commun avec eux. Tandis que je me rendais à la réunion qui devait aboutir à la capitulation de la faculté face aux étudiants — événement vraiment déplorable qui, à l'échelle d'un microcosme, a été un frappant exemple de totalitarisme — en compagnie d'un ami qui, lui, avait dû subir l'humiliation de quitter sa maison et de se cacher avec sa famille après avoir reçu des menaces explicites, j'ai entendu un professeur de biologie demander à haute voix, peut-être à notre intention : « Est-ce que le corps enseignant des sciences humaines croit vraiment qu'il y a le moindre danger ? » Mon ami m'a alors lancé un regard triste et m'a dit : « Avec des collègues comme celui-là, on n'a pas besoin d'ennemis. »

Comme les mouvements estudiantins aux Etats-Unis n'ont pas été le fait de théoriciens, les sciences exactes ne leur ont pas servi de cible, comme ce fut le cas au moment où le fascisme et le communisme, sous leur forme la plus virulente, s'en sont pris aux universitaires. Nous n'avons pas eu de Lénine pour tonner contre le positivisme, la relativité ou la génétique, ni de Goebbels pour dénoncer les mensonges de la science juive. Il y a bien eu un début d'offensive contre les hommes de science coupables de collaborer avec le « complexe militaro-industriel » ou de contribuer à la technologie qui favorise le capitalisme et pollue l'environnement, mais les agresseurs ne s'en sont jamais pris au cœur de la recherche des savants sérieux. Ceux-ci ont réussi à éviter la violence en prenant leurs distances vis-à-vis de certaines applications impopulaires de leur savoir, en insultant le gouvernement qui les entretenait et en se proclamant partisans de la paix et de la justice sociale. Le grand physicien de Cornell dont j'ai déjà parlé s'est, comme on peut le supposer, distingué en s'excusant à maintes reprises du rôle que la physique avait joué dans la production d'armes thermonucléaires. Il reste qu'on n'a pas demandé à ces hommes de science de changer quoi que ce soit dans leurs études, dans leurs cours ou dans leurs laboratoires. Aussi ont-ils choisi de ne pas participer au conflit.

Ce comportement ne s'expliquait pas seulement par l'égoïsme ou le désir de se protéger — chacun pour soi — bien qu'il y eût beaucoup de cela (accompagné, comme toujours, d'une rhétorique moralisatrice écœurante). Sa motivation centrale résidait dans le fait que l'atmosphère de crise a suscité une réévaluation, qui n'était pas entièrement consciente, de la relation entre les sciences et l'université. Les crises qui surviennent aussi bien dans le monde intellectuel que dans le monde politique tendent à faire apparaître en surface des tensions et des changements d'intérêt qu'il était plus commode de ne pas envisager tant que la situation était calme. Il est toujours pénible de devoir rompre d'anciennes alliances pour en former de nouvelles (comme, par exemple, les libéraux ont dû le faire quand ils ont rompu avec les staliniens après la Seconde Guerre mondiale). En 1969, les hommes de science se sont trouvés confrontés au fait qu'ils n'avaient aucun lien véritable avec le reste de l'université et qu'il pourrait être dangereux pour eux de partager son sort. On imagine mal que les biologistes auraient été aussi insensibles si les chimistes étaient devenus la cible des assauts de la révolution culturelle et si les gardes rouges avaient prétendu superviser leur enseignement et terroriser les chercheurs. C'est que les chimistes sont les cousins des biologistes et que leurs connaissances sont absolument indispensables aux progrès de la biologie. Mais il n'est plus concevable, de nos jours, qu'un physicien puisse apprendre quoi que ce soit d'important, ou quoi que ce soit en général, d'un professeur de littérature comparée ou de sociologie. Le lien qui unit le chercheur ou le professeur de sciences au reste de l'enseignement, en particulier celui des lettres, n'est pas un lien de famille : c'est un lien abstrait, un peu du genre de celui qui nous unit à l'humanité considérée comme un tout. Il peut y avoir invocation incantatoire de droits applicables à tous, mais rien d'émouvant, rien qui ait la brûlante immédiateté des convictions et des intérêts partagés. « Je puis vivre sans vous » : telle est la pensée silencieuse qui se glisse dans l'esprit des chercheurs en cause quand les relations deviennent pénibles. La séparation des sciences et des lettres a été manifeste depuis Kant, dernier philosophe à avoir été aussi un spécialiste distingué des sciences exactes, et Goethe, dernier grand personnage de la littérature qui ait pu croire que sa contribution à la science était plus importante que sa contribution à la littérature. Et il faut rappeler que, dans le cas de ces deux hommes, il ne s'agissait pas d'un poète ou d'un philosophe qui se mêlait un peu de science, mais que leurs écrits étaient des miroirs de la nature et que leur science était guidée et informée par une méditation sur l'être, la liberté et la beauté. Ils ont représenté le dernier sursaut de l'ancienne unité des problèmes humains, avant que les sciences ne deviennent en quelque sorte la Suisse de l'enseignement, pratiquant une saine neutralité lors des batailles qui avaient lieu dans la plaine obscure. Henry Adams, dont l'existence a fait en quelque sorte le pont entre l'ultime période où des personnages importants (Jefferson par exemple) ont pu croire que la science était à la fois accessible et utile pour eux, et l'époque où la science s'est mise à parler une langue incompréhensible qui n'apprend rien sur la vie mais est nécessaire à la vie en tant qu'information, a noté ce changement avec son humour bizarre. Il raconte qu'étant jeune, il avait étudié les sciences, puis y avait renoncé. A la fin de sa vie, il avait essayé de s'y remettre... pour constater que c'était un monde entièrement nouveau. Mais les vieilles traditions et les anciens idéaux de l'université ont, pendant longtemps, dissimulé le fait que les liens s'étaient relâchés et que le mariage était dissous. Les grands savants du XIXᵉ siècle et du début du XXᵉ siècle étaient en général des hommes cultivés qui avaient quelque expérience des autres domaines du savoir et qui nourrissaient pour eux une admiration authentique. Puis la spécialisation croissante des sciences et des chercheurs qui s'y adonnaient a fait s'évanouir ce brouillard protecteur. Depuis les années soixante, les hommes de science ont de moins en moins de choses à dire à leurs collègues des autres facultés et de moins en moins affaire à eux. L'université a perdu ce caractère de « cité antique » qui était le sien : elle est devenue semblable à un bateau dont les passagers ne sont pas des compagnons de voyage occasionnels, qui débarqueront bientôt pour suivre chacun sa propre route. Leurs relations sont purement administratives et n'ont aucun contenu intellectuel digne de ce nom. Ils ne se rencontrent qu'à l'occasion de l'enseignement des deux premières années du premier cycle, et encore ces rencontres, du moins du point de vue des professeurs de sciences, ont-elles surtout pour objectif de défendre leurs intérêts auprès des jeunes qui suivront la même voie qu'eux.

L'attitude de nos contemporains à l'égard des sciences a été fort bien illustrée, voici quelques années, par un article du *New York Times* qui rendait compte de la visite d'un professeur de musique à l'Université Rockefeller. Les biologistes de cette université assistaient à la conférence du musicologue ; ce qui avait inspiré ce projet, c'étaient les sottes boutades de C. P. Snow à propos des « deux cultures », qu'il proposait de réconcilier en faisant apprendre aux professeurs de lettres la seconde loi de la thermodynamique et en faisant lire Shakespeare aux physiciens. Il va de soi que, pour que cette entreprise soit autre chose qu'un exercice d'élévation spirituelle, il faudrait que les physiciens apprennent, en lisant Shakespeare, quelque chose d'important sur la physique, et que les humanistes profitent de façon similaire de la seconde loi de la thermodynamique. En fait, il ne s'est bien entendu rien passé de tel. Pour un homme de science, les lettres sont une récréation (qu'il respecte souvent très profondément, car il voit bien qu'on a besoin d'autre chose que ce qu'il offre, mais se demande où on peut le trouver) ; et pour l'humaniste, les sciences sont au mieux indifférentes, au pis étrangères et hostiles.

Le *New York Times* citait ensuite Joshua Lederberg, président de cette université (dont la philosophie venait d'être bannie). Celui-ci aurait dit, après la conférence du musicologue, que C. P. Snow était sur la bonne voie mais que son compte était faux : il n'y avait pas seulement deux, mais des quantités de cultures, et il citait en exemple « la culture des Beatles ». Cette remarque représente la banalisation suprême d'une idée banale, qui n'est du reste qu'une étape sur une pente descendante. Lederberg ne voyait pas, dans les humanités, le savoir humain qui sert de complément à l'étude de la nature, mais seulement une expression parmi d'autres de ce qui se passe dans le monde. Pour finir, tout se ramène à une forme plus ou moins élaborée de spectacle. Dans son discours, le mot « culture » avait exactement le même sens dégradé qu'en sociologie quand on parle de « culture des jeunes » ou de « culture de la drogue ». Avec un clin d'œil à son auditoire, Lederberg nous faisait savoir que, dans l'océan du relativisme démocratique, les sciences se dressent comme un rocher de Gibraltar et que tout le reste est affaire de goût.

Depuis ce temps, la même disposition d'esprit a toujours caractérisé le comportement de tous les spécialistes des sciences, aussi bien à Cornell que partout ailleurs. Pour tâcher de récupérer dans tel ou tel but social les inscriptions d'étudiants et les nominations de professeurs à la faculté — tentative qui a abaissé les normes de l'université et occulté ses objectifs réels — ils ont collaboré, à leur manière, aux nouveaux programmes et adopté la rhétorique anti-élitiste, antisexiste et antiraciste, tout en refusant tranquillement de faire quoi que ce soit, à ce propos, dans leur propre domaine. Ils ont pour ainsi dire refilé cette responsabilité aux sociologues et aux professeurs de lettres, qui se sont avérés plus accommodants et qu'on peut intimider plus facilement. Les chercheurs scientifiques, qui sont eux aussi des Américains, sont en général très favorablement disposés à l'égard du climat qui prévaut dans l'immédiat. Mais ils sont en même temps très conscients de ce qu'ils font. Ils ne se racontent pas qu'ils enseignent les sciences quand ils ne le font pas et ils disposent de critères de compétence exacts et convaincants. Au fond d'eux-mêmes — du moins c'est ce qu'il m'a semblé comprendre — ils estiment que le seul savoir vrai, c'est la connaissance scientifique. Quand ils se trouvent en face d'un dilemme — par exemple, dans ce cas particulier, les mathématiciens souhaitaient qu'on recrute davantage de Noirs et de femmes mais ne pouvaient trouver dans ces catégories un nombre suffisant d'élèves compétents — ils le résolvent avec aisance : en l'occurrence en disant que c'est aux facultés de lettres et de sciences humaines qu'il revient de recruter ces Noirs et ces femmes en excédent. Comme ils pensaient sincèrement que, dans ces domaines-là, il n'existait pas de normes véritables, les hommes de science supposaient qu'on pourrait trouver un accommodement avec l'incompétence des étudiants. Avec un manque total de sens des responsabilités, ils se sont donc rangés du côté de l'action dite « affirmative » *des étudiants : par exemple, ils ont posé en principe que les étudiants appartenant à une minorité ou à une autre qui seraient admis sans qualification convenable seraient pris en charge par les autres facultés s'ils n'arrivaient pas à suivre en sciences. Ils ne prévoyaient pas les graves échecs que subiraient ces étudiants, avec les conséquences vraiment dramatiques qui en découleraient. Ils considéraient comme certain que ces élèves-là réussiraient quelque part, ailleurs, dans l'université. Et en un certain sens, ils avaient raison : le niveau des lettres et des sciences humaines s'est trouvé fortement abaissé et, dans ces facultés, on a assisté dès ce moment-là à une véritable inflation de diplômes, tandis que les sciences exactes demeuraient, dans une large mesure, une réserve pour les étudiants blancs et de sexe masculin. Ainsi, les plus authentiques élitistes de l'université ont-ils pu rester du bon côté des « forces de l'histoire », sans avoir à en subir aucune conséquence fâcheuse.

Pour trouver des supporters hystériques de la révolution, il fallait à ce moment se tourner vers la faculté des lettres, ce qui n'est pas surprenant. La passion, l'engagement forcené, par opposition au

---

* *Affirmative action* : expression employée par le président Johnson dans un discours pour assurer que des mesures seraient prises pour que les droits civils des Noirs soient garantis aux Etats-Unis. Dans la pratique universitaire, l'expression désigne essentiellement les quotas d'étudiants noirs que chaque établissement est tenu de recruter. (N.d.T.)

sang-froid, à la raison et à l'objectivité, s'y trouvaient à l'aise. Au cours de ce psychodrame, on a pu entendre une proclamation émanant d'un groupe de professeurs de lettres qui menaçaient d'occuper un bâtiment si l'université ne capitulait pas sur-le-champ. Un professeur de littérature, juif lui-même, déclara à ses élèves que les juifs méritaient d'être mis dans des camps de concentration en punition du mal qu'ils avaient fait aux Noirs. Et ainsi de suite. C'est à la faculté des lettres qu'on a entendu les discours déments et vulgaires qui accompagnent toujours ce genre de gesticulation pseudo-révolutionnaire. Enfin ces hommes et ces femmes pouvaient s'agiter au lieu de passer leur temps à traîner dans les bibliothèques et les salles de cours ! Ils travaillaient ainsi à leur propre perte, car ce sont les lettres qui ont le plus souffert des conséquences des événements de la fin des années soixante. Le manque d'intérêt de la part des étudiants, la quasi-disparition de l'enseignement des langues, les suppressions de postes destinés aux docteurs ès lettres, l'absence de sympathie de la part du public, tout cela a découlé du renversement de l'ordre ancien, dans lequel leur place était assurée. Ils n'ont eu que ce qu'ils méritaient. Malheureusement, nous y avons tous perdu.

Les raisons de ce comportement, de la part de beaucoup de littéraires, sont évidentes et ce sont elles qui constituent le thème principal du présent ouvrage. L'Université Cornell se trouvait à l'avant-garde de certaines tendances, dans le domaine des lettres aussi bien qu'en politique. Cette institution était depuis plusieurs années le lieu d'une opération de naturalisation de toutes les idées de la gauche française la plus extrémiste dont on traitait en littérature comparée. De Sartre à Foucault et Derrida, en passant par Goldmann, toutes les vagues successives de la pensée française déferlaient sur les rivages de Cornell. Cependant, ces idées étaient destinées à conférer une vie nouvelle à la lecture des livres anciens. Grâce à une nouvelle technique de lecture, en créant une grille d'interprétation — Marx, Freud, le structuralisme, etc. — on pouvait réintégrer des ouvrages anciens, parfois même apparemment démodés, et les faire participer à la conscience révolutionnaire. Cela donnait enfin un rôle actif et progressiste à des humanistes qui étaient en passe de devenir de simples antiquaires, des eunuques commis à la garde d'un sérail de courtisanes vieillissantes désormais dépourvues de toute séduction. En outre, l'historicisme qui avait envahi presque tout le domaine des lettres préparait les esprits à s'incliner devant la nouveauté. Et il faut encore y ajouter l'espoir qu'avec de tels changements, la culture prendrait le pas sur la science. L'idéologie intellectuelle anti-universitaire dont j'ai déjà parlé a donc trouvé son expression dans ces circonstances : on pouvait considérer que l'université n'était qu'un stade de l'histoire ! Lucien Goldmann m'a dit, quelques mois avant sa mort, qu'il était heureux d'avoir assez vécu pour voir son fils, âgé de neuf ans, lancer un pavé dans une devanture parisienne pendant les événements de mai 1968. Voilà quel avait été, pour Goldmann, le couronnement de ses célèbres études sur Racine et sur Pascal. *Humanitas rediviva!* C'est ainsi que les étudiants ont pris goût à l'action, mais non aux livres. Ils pouvaient enfin œuvrer pour l'avenir sans l'aide du passé ni celle de leurs professeurs! Toutefois, l'espoir nourri par l'avant-garde que la révolution inaugurerait une ère de créativité, que l'art fleurirait sur les décombres du culte de l'Antiquité, que l'imagination prendrait enfin le relais de la raison, n'a pas connu d'accomplissement immédiat. Les professeurs de lettres se sont trouvés dans une situation impossible : ils ne croyaient plus en eux-mêmes ni en ce qu'ils faisaient. Que cela leur plaise ou non, leur tâche essentielle est d'interpréter et de transmettre le contenu d'ouvrages anciens, de préserver ce que nous appelons la tradition, et cela dans un ordre démocratique où la tradition n'est pas privilégiée. Ils sont les défenseurs de l'inutile et du beau dans un ordre où l'utilité évidente est l'unique passeport reconnu. Leur domaine est celui de l'éternel et de la contemplation, et ils se trouvent dans un cadre qui n'exige que l'ici et le maintenant, et l'action. La justice en laquelle ils croient est égalitaire, alors qu'ils sont les agents de ce qui est rare, raffiné, supérieur. Par définition, ils se situent en dehors, et leurs inclinations démocratiques et un certain sentiment de culpabilité les poussent à être « avec ». Après tout, qu'est-ce que Milton et Shakespeare ont à voir avec la solution de nos problèmes ? Et la question vaut tout particulièrement quand on les regarde de près et qu'on découvre qu'ils sont les dépositaires des préjugés élitistes, sexistes et nationalistes que nous essayons de surmonter. Ce n'est pas seulement qu'une telle mission requière une conviction et un dévouement dont les professeurs n'ont pas toujours été pourvus : c'est aussi que la clientèle disparaît. Les étudiants ne sont vraiment plus du tout persuadés que ce qu'on leur offre soit important. De cette situation découle un sentiment de solitude et d'inutilité tout à fait écrasant : cela explique que les humanistes aient sauté dans le train express le plus rapide, le plus aérodynamique, en marche vers l'avenir. De ce fait, toutes les tendances hostiles aux anciennes « humanités » se sont trouvées radicalisées et on peut dire que, pratiquement, les « humanités » elles-mêmes ont été chassées de ce fameux train pour l'avenir. En revanche, les sciences exactes et humaines ont pu conserver leur place dans le train, à condition de prouver leur utilité d'une façon ou d'une autre. Ce que les lettres en tant que telles étaient bien incapables de faire.

Le caractère apolitique des lettres, la déformation ou la suppression quasi générales du contenu politique de la littérature classique

— qui aurait dû faire partie de l'éducation civique — ont alors laissé dans les âmes des étudiants un vide que pouvait combler n'importe quelle philosophie politique, en particulier la plus vulgaire, la plus extrême et la plus commune. Contrairement aux sciences, les lettres n'avaient rien à perdre (c'est du moins ce que les enseignants s'imaginaient) et, contrairement aux sciences humaines, elles ignoraient que l'on ne peut transiger avec un mouvement politique. Aussi les professeurs de lettres se sont-ils précipités dans la mer comme des lemmings, en s'imaginant qu'ils s'y rafraîchiraient et s'y revitaliseraient. Ils s'y sont noyés.

Ainsi seules les sciences humaines sont restées sur le champ de bataille : elles ont représenté à la fois la cible que les contestataires attaquaient avec le plus de violence et le seul endroit où se manifestât quelque velléité de résistance. La faculté des sciences humaines est la partie la plus récente de l'université, celle qui est le moins fondée à se vanter de ses grandes réalisations passées ou de sa contribution à la sagesse humaine, bref, la faculté dont la légitimité même est contestable et où le génie s'est manifesté de la façon la plus modeste. Mais c'est aussi là qu'on se préoccupe essentiellement des choses humaines, c'est là qu'on est censé détenir un faisceau de faits relatifs à la vie sociale et en rendre compte avec une certaine conscience et une certaine intégrité scientifiques. Bref, les sciences humaines intéressent tous ceux qui ont un programme, tous ceux qui se préoccupent de la prospérité, de la paix ou de la guerre, de l'égalité, de la discrimination raciale ou sexuelle. L'intérêt suscité par les sciences humaines peut être de deux sortes : ou bien on veut seulement prendre connaissance des données que détiennent ces disciplines ; ou bien on cherche à contraindre ces données à « coller » à un programme et à exercer une influence sur le public. Dans des disciplines de ce genre, la tentation d'altérer les faits est énorme. Gratification, châtiment, argent, louange, blâme, sentiment de culpabilité et désir de bien faire : tout cela gravite autour de la pratique des sciences humaines et donne le vertige à ceux qui s'en occupent. Chacun voudrait que l'histoire que racontent les sciences humaines soit conforme à ses désirs et à ses besoins. Hobbes a dit que, si le fait que deux et deux font quatre devenait une affaire politique, il y aurait immédiatement une faction pour nier que ce soit vrai. Aussi les sciences humaines ont-elles compté plus que leur lot d'idéologues et de charlatans. Mais elles ont aussi produit des chercheurs d'une grande probité, dont les œuvres ont rendu plus difficile le triomphe d'une politique malhonnête.

Ainsi, lors des fameux événements de 1969, c'est à la faculté des sciences humaines que les extrémistes ont frappé leur premier coup. Un groupe d'activistes noirs a commencé par saccager la classe d'un professeur d'économie. Puis, il a forcé l'entrée du bureau du président et a séquestré celui-ci et sa secrétaire pendant treize heures. Le professeur d'économie était bien entendu taxé de racisme et accusé de recourir à des normes occidentales pour juger de l'efficacité de l'activité économique des pays africains. On loua alors les étudiants contestataires d'avoir porté ce problème à l'attention des autorités, le président refusa de porter plainte contre eux et le professeur d'économie disparut miraculeusement du campus, où l'on ne devait plus jamais le revoir.

Cette façon de résoudre le problème était typique, mais certains professeurs de sciences humaines ne l'appréciaient pas du tout. On demandait aux historiens de récrire l'histoire du monde et celle des Etats-Unis, en particulier pour faire apparaître que les Etats avaient toujours été et étaient toujours des systèmes qui conspiraient pour dominer et exploiter les peuples. On tourmentait les psychologues pour les amener à montrer les dommages psychologiques causés par l'inégalité ou par l'existence des armes nucléaires, et à prouver que les hommes d'Etat américains étaient atteints de paranoïa à l'égard de l'Union soviétique. On intimait aux enseignants de science politique l'ordre d'interpréter l'action des Vietnamiens du Nord comme celle d'authentiques nationalistes et de ne plus porter contre l'Union soviétique l'accusation de totalitarisme. Toutes les opinions extrémistes possibles et imaginables avaient besoin du soutien des sciences humaines, qu'il s'agît de politique étrangère ou de politique intérieure. En particulier, il fallait exorciser ces sciences pour en extirper les crimes d'élitisme, de sexisme et de racisme, et les transformer en un instrument propre à combattre ces hérésies, auxquelles s'ajoutait un quatrième péché cardinal, l'anticommunisme. Personne, il va de soi, n'eût osé admettre qu'il était coupable d'aucun de ces péchés ; et il y avait bien longtemps que toute discussion sérieuse portant sur le véritable problème sous-jacent à tous les autres, celui de l'égalité, avait été bannie de la « scène » sociologique. De même qu'au Moyen Age tout le monde (sauf quelques fous intrépides) professait le christianisme et que la seule discussion possible tournait autour de ce qui était orthodoxe et de ce qui ne l'était pas, de même en sciences humaines la principale activité des étudiants a consisté dès lors à identifier l'hérésie. Certains d'entre eux se sont mis à étudier très sérieusement la différenciation sexuelle, d'autres ont soulevé le problème de la valeur éducative d'un emploi d'aide-serveur dans un bar ou un restaurant, d'autres encore ont discuté de la possibilité d'une guerre nucléaire limitée. Il est devenu presque impossible de remettre en question l'orthodoxie extrémiste sans courir le risque d'être vilipendé, de voir sa classe saccagée, de perdre la confiance et le respect de ses élèves et de s'attirer l'hostilité des autres professeurs. Les termes de « raciste » et de

« sexiste » étaient, et sont restés, de fort vilaines étiquettes, qui équivalent à ce qu'étaient en d'autres temps, lorsque d'autres préjugés prévalaient, les qualificatifs d' « athée » ou de « communiste », et qu'on peut coller sans discrimination à n'importe qui : une fois qu'on les a sur le dos, il est presque impossible de s'en débarrasser. Bref, durant cette période, on ne pouvait plus rien dire impunément. Dans une telle atmosphère, il est impossible de poursuivre des études de façon détachée et sans passion. Cette situation convenait fort bien à beaucoup de chercheurs et de professeurs en sciences humaines ; mais de ce combat a émergé aussi une nouvelle catégorie de sociologues, plus coriaces. Certains se sont alors rendu compte que leur objectivité était menacée et qu'ils se trouvaient exposés aux pires risques sans que la recherche universitaire bénéficie en retour d'aucun respect ni d'aucune protection. Cette pression intolérable fit revivre en eux un libéralisme oublié et leur fit prendre conscience de l'importance de la liberté académique. De ce fait, leur fierté, leur respect d'eux-mêmes, leur refus de céder devant la menace et l'insulte se sont réaffirmés. Ces hommes savaient qu'en démocratie, quand les passions font bon marché de faits, tout le monde est en danger. Et surtout, ils étaient révulsés par les slogans de propagande vomis par les haut-parleurs. Il faut préciser que tous ces chercheurs n'appartenaient pas nécessairement à la même famille politique : mais leur sens de la fraternité leur inspirait un respect réciproque pour les motivations de ceux de leurs collègues avec lesquels ils n'étaient pas d'accord et accroissait leur attachement aux institutions qui protégeaient leurs recherches. A Cornell en tout cas, des professeurs de sciences humaines de gauche, de droite et du centre (compte tenu du spectre relativement étroit d'opinions qui règne dans les universités américaines) se sont unis pour protester contre les outrages infligés sur le campus à la liberté académique et à leurs collègues et qui continuaient à se perpétrer, sous une forme plus ou moins subtile, à Cornell et ailleurs. Ce n'est pas par hasard que ce défi à l'université a été lancé dans son centre le plus politisé et que c'est là qu'il a été le mieux compris. La perspective politique est celle qui permet de discerner avec le plus de précision l'unité morale d'un enseignement et de mieux évaluer sa valeur scientifique. Il ne m'est malheureusement pas possible d'affirmer que cette crise a incité les sciences humaines à élargir leurs préoccupations ou qu'elle a poussé d'autres disciplines à réfléchir sur leur situation. Mais il était encourageant de faire partie pendant quelque temps d'un groupe de chercheurs tout prêts à faire des sacrifices par amour pour la vérité et pour leur discipline, de découvrir que la piété peut être beaucoup plus que la piété et de participer à une communauté fondée sur la conviction. Dans les autres disciplines, les membres du corps professoral n'ont malheureusement pas, en règle générale, mis à l'épreuve des faits l'attachement qu'ils professaient pour la libre recherche. L'immunité dont ils ont bénéficié constitue une bonne partie de l'histoire qui s'est déroulée derrière les structures brisées de nos universités.

CHAPITRE III

LES DISCIPLINES

Où en sont-ils aujourd'hui, les trois grands qui règnent sur l'université et décident de ce qu'est la connaissance ? Les sciences exactes vont bien, merci. Vivant dans l'isolement mais heureuses, fonctionnant comme un bon mécanisme d'horlogerie, remportant comme toujours succès sur succès et fières d'être utiles. On y a fait récemment de grandes choses : les physiciens avec leurs trous noirs et les biologistes avec leur code génétique. Tout le monde approuve leurs méthodes et leurs objectifs. Les sciences offrent à des personnes d'une intelligence exceptionnelle des existences très captivantes et elles procurent à l'humanité au sens large des bénéfices incommensurables. Notre mode de vie dépend entièrement des spécialistes de ces sciences qui ont tenu leurs promesses et au-delà ! C'est seulement de façon marginale que peuvent se poser certaines questions qui menacent la sérénité théorique des sciences exactes : les Etats-Unis produisent-ils des génies scientifiques capables d'une vue d'ensemble ? Ne peut-on nourrir quelques doutes sur la façon dont sont utilisés les résultats des sciences ici en cause (les armes nucléaires, par exemple) ? Et pourquoi certains biologistes estiment-ils que leur discipline aurait besoin pour ses expériences et ses applications d' « éthiciens », alors qu'ils savent fort bien qu'il n'y a pas de savants dans cette spécialité ? Cela dit, en général, tout va bien.

En revanche, dès qu'on sort du territoire de ces sciences, les difficultés commencent. Car les sciences exactes s'arrêtent à l'homme, le seul être qui se situe hors de leur compétence. Plus exactement, elles ont leurs limites là où commence cette partie ou cet aspect de l'homme qui n'est pas le corps, quel que puisse être cet aspect ou cette partie. Tout ce qui est humain, tout ce qui est pour nous objet de préoccupation, se situe en dehors des sciences exactes. Et cela devrait poser un problème à ces disciplines, mais tel n'est apparemment pas le cas. En tout cas, ce qui constitue certainement un problème pour tout le monde, c'est le fait que nous ne savons pas ce qu'est cette « chose », que nous ne pouvons même pas nous mettre d'accord pour donner un nom à ce fragment irréductible de l'homme qui n'est pas le corps. Pourtant, en un certain sens et d'une certaine façon, c'est cette réalité fugitive, cet aspect insaisissable qui est la cause de la science, et de la société, et de la culture, et de la politique, et de l'économie, et de la poésie, et de la musique. Nous savons ou croyons savoir ce que sont toutes ces choses. Mais le savons-nous vraiment si nous ignorons leur cause, si nous ignorons la situation de celle-ci et si nous ne savons même pas si elle existe ?

La division des lettres et des sciences humaines

Cette difficulté se reflète dans le fait que, pour l'étude de ce thème-là, l'homme — ou ce je ne sais quoi qui appartient à l'homme, à ses activités et à ses productions —, il existe à l'université deux grandes divisions, alors que pour l'étude des corps on n'a besoin que d'une grande faculté. Cela irait fort bien si la répartition des travaux était fondée sur un accord relatif aux sujets traités et reflétait une articulation naturelle entre eux (comme c'est le cas, pour les sciences exactes, entre la physique, la chimie et la biologie), ce qui conduirait à un respect réciproque et une coopération entre spécialistes. On pourrait imaginer — et on dit quelquefois, surtout dans les discours de distribution des prix — que les sciences humaines traitent de la vie sociale de l'homme et que les lettres traitent de son existence créatrice, des grandes œuvres d'art, etc. Bien qu'il y ait une part de vérité dans cette distinction, elle n'est pas pertinente. Cela apparaît de quantité de façons. Alors que les sciences humaines et les lettres sont, les unes et les autres, plus ou moins consciemment intimidées par les sciences exactes, elles se méprisent mutuellement de façon cordiale : les sciences sociales regardent les lettres de haut en leur reprochant de n'être pas scientifiques, et les lettres considèrent les sciences sociales comme bâtardes et philistines. Entre elles, pas de coopération possible. Et, ce qui est beaucoup plus grave, elles occupent en grande partie le même territoire. Bon nombre des ouvrages classiques que l'on considère comme relevant des études de lettres parlent des mêmes sujets que les œuvres des sociologues ou des psychologues, mais en recourant à d'autres méthodes et en en tirant des conclusions différentes. De plus, chacune des sciences humaines essaie d'expliquer d'une façon ou d'une autre les activités des artistes de toute nature ; mais leurs explications se trouvent contredire la manière dont on parle de ces artistes en faculté de lettres. Cette divergence découle du fait que les sciences humaines se veulent prophétiques : elles prétendent que l'homme est prévisible, alors que les lettres affirment qu'il ne l'est pas. A vrai dire, la frontière entre les deux camps ressemble plus à une ligne de démarcation militaire qu'à une distinction d'ordre scientifique. Elle dissimule de vieilles batailles sans vainqueur ni vaincu à propos de la nature de l'être humain.

De fait, les sciences humaines et les lettres représentent deux réponses à la crise provoquée, vers la fin du xviiie siècle, par l'exclusion, hors du domaine des sciences de la nature ou de la philosophie naturelle, de l'homme ou plus exactement du résidu de l'homme qui a été isolé du corps ou lui est superflu. Une des ripostes à cette situation nouvelle a consisté à tenter d'assimiler l'homme à une nouvelle science « naturelle » et de faire de la « science de l'homme » un nouvel échelon de l'échelle dont l'étage précédent est la biologie. Une autre réaction a consisté à occuper le territoire récemment défriché par Kant, celui de la liberté considérée comme le contraire de la nature, séparée d'elle mais d'une importance équivalente. Cette seconde solution n'obligeait pas à singer les méthodes des sciences, et elle envisageait la spiritualité avec au moins autant de sérieux que le corps. Aucune de ces deux réponses ne défiait directement les sciences exactes récemment émancipées de la philosophie : l'une tentait humblement de se faire une place à côté des autres disciplines ; l'autre, plus fièrement, ouvrait boutique de l'autre côté de la rue. Cela a donné naissance à deux courants de pensée, consacrés à l'homme l'un et l'autre : le premier tend à traiter l'homme essentiellement comme un animal parmi d'autres, sans spiritualité, sans âme, sans *moi,* sans conscience, ni quoi que ce soit de ce genre ; l'autre courant considère l'homme comme n'étant pas un animal et comme s'il n'avait pas de corps. Ces deux voies ne peuvent se rejoindre. Il faut choisir entre elles, et elles aboutissent à des issues extrêmement différentes.

Aucune des deux solutions n'a pleinement réussi. Les sciences humaines n'ont pas été reconnues par les sciences exactes et n'ont pas obtenu de siège à la cour * : elles ne font que singer les sciences.

---

* Les sciences exactes ignorent purement et simplement les sciences humaines. A moins qu'on ne les attaque, elles ne manifestent aucune hostilité à l'égard de ce qui se passe hors de chez elles, elles sont autarciques, ou presque. Si quelque autre discipline se révélait capable de satisfaire aux normes des sciences exactes, tant par sa rigueur que par son aptitude à fournir des preuves de sa validité, elle serait automatiquement admise dans le cercle scientifique. Les sciences exactes ne sont ni fanfaronnes ni snob ; elles sont authentiques. Comme l'a fait observer Swift, le seul domaine où elles se risquent, à part leur domaine propre, c'est — de façon habituelle et apparemment nécessaire — la politique. C'est là qu'elles reconnaissent, fût-ce confusément, qu'elles font partie d'un projet plus vaste et qu'elles dépendent de ce projet qui ne relève pas de leurs méthodes. De si basse extraction et si méprisée qu'elle soit, la politique indique la nécessité d'une philosophie ⏤ c'est ce que disait déjà Socrate — et elle l'indique de telle manière que les homme·

Et les lettres sont apparues de leur côté comme un magasin d'antiquités, plein d'objets disparates, hétéroclites, poussiéreux et moisis, et dont les affaires vont de plus en plus mal. Les sciences humaines, elles, se sont montrées plus solides, mieux en harmonie avec un monde dominé par les sciences exactes et, tout en ayant perdu leur inspiration et leur ferveur évangélique, elles ont prouvé qu'elles étaient utiles dans plusieurs secteurs de la vie moderne : il suffit pour s'en convaincre de mentionner l'économie et la psychologie. Les lettres, au contraire, sont atteintes d'une maladie de langueur. Mais cela montre seulement qu'elles ne sont pas adaptées au monde moderne, et cela pourrait bien être une indication de ce qui ne va pas dans la modernité. En outre, le langage, qui, en dehors de l'université, influe si puissamment sur la vie aujourd'hui, émane à l'origine de recherches entreprises dans le monde de la liberté. Les sciences humaines se rattachent plutôt à l'école de Locke, les lettres à celle de Rousseau. Mais bien qu'elles lorgnent du côté des sciences exactes, les sciences humaines ont dû récemment une bonne partie de leur impulsion à un univers subalterne : il suffit de penser à Max Weber, mais Marx et Freud en sont également des exemples. Il ne faut pas le dire trop haut, mais pour saisir *l'homme,* nous avons besoin de quelque chose que les sciences exactes ne peuvent nous procurer. C'est l'homme qui est le vrai problème, et nous usons de multiples stratagèmes pour ne pas aborder ce sujet. Les étranges relations qui règnent dans l'université contemporaine entre les trois divisions de la connaissance nous en disent long à ce propos.

Si l'on envisage d'abord les sciences humaines, il pourrait sembler qu'on entrevoie au moins une configuration générale de leur domaine et une possible ordonnance systématique de leurs diverses parties, en partant de la psychologie pour aboutir, à travers l'économie et la sociologie, à la science politique. Malheureusement, cette apparence est fallacieuse. Tout d'abord, elle laisse de côté l'anthropologie, encore que, en se donnant beaucoup de mal, il doive être possible de la glisser dans ce schéma. Mais elle laisse aussi de côté l'histoire, dont on ne cesse de se demander si elle fait partie des sciences humaines ou des lettres. Ce qui est plus grave, c'est que les diverses sciences humaines ne se considèrent absolument pas elles-mêmes comme interdépendantes. Dans une très large mesure, elles mènent leurs travaux indépendamment les unes des autres et si, pour employer un terme d'informatique à la

---

de science eux-mêmes sont bien obligés de l'admettre. Les chercheurs scientifiques n'ont aucun respect pour la science politique en tant que science, mais ils restent passionnément préoccupés par la politique. C'est là un point de départ possible pour une remise en question générale. Le péril nucléaire ou l'emprisonnement de Sakharov ne sont-ils que le fruit du hasard ?

mode, elles se « connectent » les unes aux autres au moyen d'une « interface », il s'avère fréquemment qu'elles ont une « double face ». Dans la plupart des spécialités qui relèvent des sciences humaines, près de la moitié des chercheurs n'estiment généralement pas que l'autre moitié appartient à la même discipline, et il en est de même dans la faculté considérée dans son ensemble. L'économie, par exemple, recourt à sa propre psychologie, une psychologie *ad hoc*, simple et intégrée : or, celle qu'enseigne la science qui porte ce nom est ou bien une partie de la biologie, qui n'est pas d'un grand secours, ou une partie de la psychologie du *moi*, qui contredit carrément les motivations dont les économistes affirment la priorité. De la même manière, l'économie tend à saper l'interprétation des événements politiques qu'en donnerait la science politique. Il est possible d'enseigner une science politique guidée ou contrôlée par l'économie, mais ce n'est pas nécessaire ; il est également possible de disposer d'une science politique guidée par la psychologie, qui ne serait pas la même que la précédente. Tout se passe comme s'il y avait contestation entre ces diverses sciences pour savoir laquelle a priorité sur les autres. En fait, chacune des sciences humaines peut prétendre, et prétend, représenter le point de départ par rapport auquel on peut comprendre toutes les autres : l'économie fait valoir que l'économie de marché est à la base de tout, la psychologie que c'est la *psyché* individuelle qui fonde tout le reste, l'anthropologie que c'est la culture, la science politique que c'est l'ordre politique (notons toutefois que c'est cette dernière discipline qui est la moins catégorique dans ses prétentions). Le problème est de savoir quel est l' « atome » des sciences humaines et chacune d'entre elles peut faire valoir que les autres ne sont, à proprement parler, que des parties du tout qu'elle représente. En outre, chacune peut accuser les autres d'être une abstraction, ou une construction, ou une création de l'imagination. Par exemple existe-t-il un pur « marché » qui ne soit pas un élément de la société ou de la culture qui le constitue ? Qu'est-ce qu'une culture ou une société ? Sont-elles jamais autre chose que des aspects d'un ordre politique ? Là, c'est la science politique qui jouit de la position la plus forte, car la réalité des Etats ou des nations est indéniable : mais on peut les considérer, à leur tour, comme des phénomènes superficiels ou composés. Les sciences humaines représentent en fait une série de perspectives différentes sur le monde humain que nous voyons autour de nous, une série qui n'est pas harmonieuse, car on n'est même pas d'accord sur ce qui appartient à ce monde, sans parler des causes premières des phénomènes qui s'y produisent.

Autre source de dispute entre les sciences humaines : ce qu'on entend par « science ». Tout le monde est d'accord pour penser que la science doit être rationnelle, comporter certaines normes de vérification et se fonder sur une recherche systématique. En outre, il y a accord plus ou moins explicite sur le fait que le type de causalité admis par les sciences exactes devrait, d'une façon ou d'une autre, s'appliquer aux sciences humaines. Ce qui signifie qu'il faut écarter la téléologie et toute cause « spirituelle » ! Pour se conformer à cette règle, il faudrait ramener la recherche du salut à un autre type de cause, comme par exemple le refoulement sexuel, mais on peut penser aussi au goût de l'argent. On accepte donc généralement, dans ces disciplines, qu'il faille expliquer les phénomènes par des causes matérielles et que les plus élevés et les plus complexes d'entre eux doivent être réduits à des phénomènes inférieurs ou plus simples. Mais dans quelle mesure faut-il ou devrait-on suivre l'exemple de celle des sciences exactes qui a connu la plus éclatante réussite, à savoir la physique mathématique ? C'est là l'objet de discussions et de querelles sans fin. Ce qui caractérise les sciences modernes, c'est leur aptitude à prédire les événements. Pratiquement, tout chercheur en sciences humaines aimerait pouvoir faire, lui aussi, des prévisions fiables, mais en fait, aucun n'y parvient jamais. Il semble que, dans les sciences exactes, la prédiction ait été rendue possible par la réduction des phénomènes jusqu'à ce qu'il devienne possible de les traduire en formules mathématiques : la plupart des chercheurs en sciences humaines voudraient qu'il en soit de même dans leur discipline. Mais on peut alors se demander si tous les efforts déployés dans ce sens n'ont pas provoqué une distorsion des phénomènes sociaux, ou conduit à en négliger certains qu'il n'était pas facile de mathématiser, ou encore à en privilégier d'autres qui favorisent la construction de modèles mathématiques mais sont des produits de l'imagination et n'ont rien à voir avec le monde réel. Une sorte de guérilla perpétuelle se livre donc entre ceux qui sont avant tout des partisans enthousiastes de la science et ceux qui sont d'abord attachés à leur sujet particulier.

L'économie, qu'on tient pour celle des sciences humaines qui a le mieux réussi, est la plus mathématisée, en ce double sens qu'on peut compter ses objets et qu'elle peut construire des modèles mathématiques pour des fins au moins théoriquement susceptibles de rendre des prévisions possibles. Mais certains politologues rétorquent que l'*Homo economicus*, robot par ailleurs très agréable comme partenaire de jeu, n'est qu'une abstraction sans existence réelle, tandis que Hitler et Staline sont des êtres réels, avec lesquels on ne peut pas jouer. Non seulement l'analyse économique, poursuivent nos politologues, ne nous aide pas à comprendre ces protagonistes de la politique, mais elle rend beaucoup plus difficile d'en faire les sujets des sciences humaines, car elle exclut ou déforme systématiquement leurs motivations spécifiques. En cherchant à profiter des avantages des mathématiques, les économistes se détournent des phénomènes sociaux les plus importants : telles sont les objections de leurs détracteurs. Il en va de même pour les diverses disciplines de cette faculté (et aussi à l'intérieur de certaines d'entre elles) ; et les partisans des différentes méthodes préconisées n'ont aucun discours commun qui leur permette de trouver un terrain d'entente.

La nature de l'économie et de l'anthropologie

Mise à part la publicité, ce que les étudiants voient en fait aujourd'hui, quand ils abordent pour la première fois les sciences humaines, ce sont deux disciplines solides, autarciques, très sûres d'elles-mêmes : l'économie et l'anthropologie culturelle. Ce sont deux disciplines extrêmes, situées aux antipodes l'une de l'autre, qui n'ont à peu près rien à voir l'une avec l'autre, tandis que la politologie et la sociologie, tout à fait hétérogènes pour ne pas dire chaotiques quant à leurs contenus, semblent marcher sur une corde raide tendue entre ces deux pôles *. Il n'est pas étonnant que l'économie et l'anthropologie parlent de façon plus explicite de leurs fondateurs que ne le font les autres sciences humaines : il s'agit de Locke et d'Adam Smith pour la première et de Rousseau pour la seconde. Car ces deux sciences ont comme présupposés l'un ou l'autre des deux états de nature. Locke faisait valoir que la conquête de la nature par le travail de l'homme est la seule réaction rationnelle à sa situation originale. Il réhabilitait l'âpreté au gain et montrait le caractère illusoire des motivations contraires. La vie, la liberté et la recherche de la propriété sont pour lui les droits naturels fondamentaux et le contrat social est fait pour protéger ces droits. Une fois ces principes admis, l'économie se constitue comme *la* science de l'activité propre de l'homme, et le marché libre comme le seul ordre naturel et rationnel (un ordre naturel qui ne ressemble pas aux autres ordres naturels reconnus, en ce qu'il exige d'être établi par des hommes et que ceux-ci, comme ne

* La psychologie est en train de disparaître mystérieusement du champ des sciences humaines. Sans doute son succès pratique inouï lui a-t-il donné la tentation de renoncer à l'existence théorique. Du fait que le psychothérapeute a désormais pris place à côté du médecin de famille, peut-être ses études ressortissent-elles maintenant à quelque faculté plus proche de l'école de médecine que de l'université scientifique, et la recherche adéquate est-elle plus orientée vers le traitement des problèmes spécifiques des patients que vers la création d'une théorie de la *psyché*. Là où nous attendions une découverte proche de celle de l'A.D.N. en génétique, on nous offre un remède contre l'herpès ! Quant aux théories freudiennes, elles ont été intégrées à certains aspects de la sociologie, de la politologie et de l'anthropologie, et il semble que le *moi*, à lui tout seul, n'ait plus rien à dire aux sciences humaines. Cela laisse ouverte la question de savoir sur quelle base solide repose la thérapeutique des psychologues actuels et d'où peuvent leur venir des idées nouvelles.

cessent de nous le dire les économistes, s'y prennent toujours mal). En règle générale, les économistes s'en sont tenus à cette théorie ; ce sont le plus souvent de vieux libéraux * d'une tendance ou d'une autre et des partisans de la démocratie libérale, puisque le marché n'existe que dans ce type de société.

Rousseau, quant à lui, a fait valoir que la nature est bonne et que l'homme en est fort éloigné. La quête de ces origines lointaines devient dès lors impérative, et cette recherche est l'acte fondateur de l'anthropologie. A ce propos, Lévi-Strauss s'exprime sans ambiguïté. La civilisation, pratiquement identique au marché libre et à ce qui en découle, menace le bonheur et dissout la communauté. Cette idée conduit à une admiration sans bornes pour les anciennes cultures hermétiques qui canalisent et subliment la motivation économique et ne permettent pas l'apparition du marché libre. Ce que les économistes considèrent comme le domaine de l'irrationnel (et qu'ils ne connaissent que sous la forme des sociétés sous-développées **) devient le domaine propre de l'étude de l'homme, à la fois lieu du diagnostic de nos maladies et projet pour l'avenir. Les anthropologues ont eu tendance à être très ouverts à nombre d'aspects de la réflexion européenne, à partir de tout ce qui concerne la culture, alors que les économistes y restent complètement fermés (l'influence de Nietzsche était déjà manifeste, voici plus de cinquante ans, quand Ruth Benedict établissait sa distinction entre culture apollinienne et culture dionysiaque) ; ils ont eu tendance à être de gauche (car l'extrême droite, également acceptable dans leur système, n'a aucune racine aux Etats-Unis) ; et enfin, ils se sont montrés susceptibles de s'enflammer pour des expériences qui tendaient à corriger ou à remplacer la démocratie libérale. Les économistes enseignent que le marché est le phénomène social fondamental et qu'il trouve son expression suprême dans l'argent. Les anthropologues, eux, enseignent que c'est la culture qui est le phénomène social fondamental et qu'elle culmine dans le sacré ***. Telle est l'opposition entre de vieux enseignements philosophiques, présents mais non évoqués : l'homme producteur de biens de consommation contre l'homme producteur de culture, l'animal maximisé contre l'animal qui vénère. Il est bien évident que ces deux disciplines habitent deux mondes différents ;

---

* Au sens américain du terme *liberal* : démocrate, homme de gauche. (N.d.T.)

** Pour les sciences économiques, le qualificatif « sous-développé » équivaut à « mauvais », la formule « en voie de développement » à « meilleur » et l'adjectif « développé » à « bon ».

*** Je serais tenté d'ajouter que la psychologie enseigne que c'est la sexualité qui est le phénomène primaire. Cet enseignement serait plus proche de celui de l'économie si on entend la sexualité comme stimulus suscitant une réaction, et plus proche de celui de l'anthropologie si on conçoit la sexualité comme génératrice de complexes. Si l'on veut en savoir davantage, il faut suivre le poteau indicateur portant l'inscription : « Faculté des lettres ».

marginalement, il peut arriver que l'une d'entre elles recoure à l'autre, mais sans esprit de communauté. Peu d'économistes se considèrent eux-mêmes comme des anthropologues, et vice versa, alors qu'il existe, par exemple, de nombreux politologues et de nombreux sociologues qui franchissent sans cesse les frontières de leurs disciplines respectives, ainsi que celles de l'économie et de l'anthropologie. Les économistes sont les plus enclins à quitter d'un bond la galère des sciences humaines pour filer bon train par leurs propres moyens, car ils s'estiment plus proches que les autres d'une véritable science. Ils ont aussi sur la politique une influence non négligeable. Les anthropologues, eux, ne jouissent pas d'une telle influence au-delà des limites du monde universitaire, mais ils bénéficient de la séduction que confèrent la profondeur et l'ampleur de vues, et ce sont eux qui détiennent les idées les plus récentes, celles qui sont « dans le vent ».

Science politique et philosophie politique

Quelques mots sur la science politique et ses particularités peuvent aider à rendre plus clairs les problèmes des sciences sociales dans leur ensemble. Et d'abord, avec l'économie, la science politique est la seule discipline purement universitaire qui, comme la médecine, suscite une passion fondamentale et dont l'étude peut être conçue comme un moyen de satisfaire cette passion. La *science politique* implique l'amour de la justice, l'amour de la gloire et l'amour du commandement. Mais contrairement à la médecine et à l'économie, qui parlent très franchement de leurs relations avec la santé et la richesse et les proclament même à grands sons de trompe, la politologie se détourne pudiquement de tels aveux et préférerait même renoncer à ces relations inconvenantes. Cela doit être mis en relation avec le fait que la science politique est une très vieille dame qui préférerait ne pas paraître son âge. Elle remonte en fait à l'Antiquité grecque et bénéficie du parrainage douteux de Socrate, de Platon et d'Aristote, qui ont tous les trois mauvaise réputation dans la République des sciences modernes. Les autres sciences humaines sont d'origine moderne et font partie d'un projet moderne, alors que, sous le nom rajeuni de politologie, dont elle s'affuble parfois, la vieille science politique est encore là : elle essaie de se moderniser et de rester dans la course, mais elle ne parvient pas entièrement à maîtriser ses anciens instincts. Aristote a dit que c'était une science architectonique que celle de gouverner : son sujet est le bien de tous ou le meilleur régime possible. Mais une vraie science ne saurait parler du bien et du mal, de sorte qu'il a fallu abandonner cette définition. Il n'en reste pas moins que la médecine et l'économie parlent bel et bien, l'une et l'autre, du bien et du mal : de ce fait, l'abandon de la notion de bien par la politologie n'a pas eu d'autre effet que de livrer entièrement le domaine moral à la santé et à la richesse en l'absence de toute notion du bien commun et de la justice. Cela est bien en accord avec l'intention de Locke, qui n'avait pas du tout éliminé les « valeurs », mais cherchait à remplacer le bien tel que le proposaient les classiques par des biens inférieurs mais plus solides. La transformation de la science politique ancienne en une science humaine moderne n'a pas servi les intérêts des sciences humaines : elle a servi en revanche les intentions politiques des fondateurs de la modernité. La politologie moderne a tenté de ramener les motivations spécifiquement politiques à des mobiles sub-politiques du genre de ceux que propose l'économie (par exemple : l'honneur n'est pas un vrai mobile, le gain en est un).

Dans la mesure où elle réunit des conceptions anciennes et nouvelles de l'être humain en recourant à des éléments empruntés à des sciences humaines diverses, la politologie a toujours été considérée comme la moins séduisante et la moins imposante des sciences humaines. Cela vient de son caractère composite. Un certain nombre de politologues se sont joyeusement efforcés de démolir la conception qui veut que l'ordre politique constitue une globalité, une fin dont les diverses composantes — par exemple l'économie — ne seraient que des moyens. Selon ces chercheurs, la politique découle de causes sub-politiques ; l'économie, la psychologie, la sociologie et toutes sortes de méthodes de diagnostic sont, à leur avis, bienvenues et même nécessaires pour qu'il y ait science politique. Mais, symétriquement, il y a en politique des facteurs irrépressibles qui ne sont probablement pas du tout scientifiques : certains hommes sont motivés par des instincts inexplicables et inexpliqués qui leur font affirmer que la politique est l'arène où s'affrontent le bien et le mal. Aussi les chercheurs partisans de cette thèse se livrent-ils à des études dont la fin, qu'ils l'admettent ou non, est bel et bien la politique elle-même. La défense de la liberté, les moyens d'éviter la guerre, et de faire progresser l'égalité, en fin de compte tous les aspects divers de la justice en action, tels sont leurs sujets d'étude, des sujets « chauds ». Ne fût-ce qu'implicitement, ces politologues recherchent quel est le meilleur régime, et ce qui les motive, c'est la question : « Que faut-il faire ? » Or, il existe une branche de la science politique où la science par excellence, les mathématiques, a remporté un succès magistral : l'étude des élections et la science des sondages. C'est en effet la partie la plus passionnante et la plus décisive de la vie d'une démocratie, celle qui voit l'opinion publique se traduire en termes de gouvernement et d'action politique. Ainsi la branche la plus scientifique de la science politique est-elle aussi celle qui fait de ceux qui la pratiquent les amis et les alliés des hommes politiques :

ils leur apportent leurs lumières et, réciproquement, ces hommes politiques leur dispensent un enseignement. Ici, la science politique procure les mêmes émotions que les plus grands événements politiques réels, et il n'est même pas nécessaire de modifier la nature de ce qu'elle perçoit pour qu'on puisse en faire l'objet d'une étude scientifique.

On peut donc dire que la science politique ressemble à un bazar désordonné, dont les différents rayons sont tenus par un personnel très mélangé. Cela a quelque chose à voir avec sa nature hybride et sa double origine, dans l'Antiquité et dans la modernité. La réalité dont elle traite se prête moins aux abstractions et exerce des revendications plus urgentes que les autres sciences humaines, cependant que la tension entre objectivité et partialité est beaucoup plus forte en politologie que dans toute autre discipline. Tout ce qu'apprennent les sciences exactes et les sciences humaines modernes contredit l'affirmation que la politique est qualitativement différente des autres types d'association humaine, mais sa pratique ne cesse pourtant de démontrer et d'assurer le contraire. Peut-être est-ce aussi l'hétérogénéité de la science politique qui l'affaiblit : on y trouve, au choix, des théoriciens de l'école des modèles économiques, des behaviouristes à l'ancienne mode, des marxistes (qui préfèrent la politologie parce qu'ils ne sont jamais à leur aise dans les sciences économiques), des historiens et de simples chercheurs en science politique. Et, fait exceptionnel, la science politique est la seule discipline de toute l'université (mise à part, bien entendu, la section de philosophie elle-même) qui comporte un cours de philosophie. Cette particularité a pendant très longtemps embarrassé les politologues et, au cours des années quarante et cinquante, il avait été envisagé de supprimer l'enseignement de philosophie politique. « Nous voulons être une science humaine authentique ! » s'écriaient en tapant du pied les partisans de cette suppression.

Mais la combinaison d'une compétence sérieuse et fervente chez quelques penseurs et des révoltes musclées des étudiants des années soixante a permis à la philosophie politique de bénéficier d'un sursis qui semble, actuellement, en voie de devenir permanent. Cela dit, pour les meilleures et les pires des raisons, le cours de philosophie politique est devenu le bastion de la réaction contre une sociologie qui serait débarrassée de tout jugement de valeur, ainsi que contre les nouvelles sciences humaines dans leur ensemble. Cependant, dans tous les établissements universitaires où son enseignement revêt un caractère sérieux, la philosophie politique n'a cessé d'apparaître comme le domaine le plus séduisant de la science politique, aussi bien dans le premier cycle que dans le second et le troisième cycle. Comme par ailleurs les partisans d'une approche résolument scientifique ont perdu beaucoup de leur élan et que la science politique s'est fragmentée en branches allant dans des directions très diverses (en partie par fidélité aux phénomènes politiques), beaucoup de ceux qui étaient naguère ses ennemis féroces sont devenus ses alliés. La philosophie politique est loin de faire la loi, mais elle apporte au moins un ressouvenir des vieilles questions du bien et du mal en même temps que certaines ressources qui permettent d'examiner les présupposés de la science politique et de la vie politique modernes. Ici, la *Politique* d'Aristote est toujours vivante, ainsi que le *Traité du gouvernement civil* de Locke et le *Discours sur l'origine de l'inégalité* de Rousseau. Aristote affirme que l'homme est par nature un animal politique, ce qui signifie que son instinct le pousse vers la société civile. La lecture d'Aristote permet de mettre à nu les prémisses cachées des sciences humaines modernes, selon lesquelles l'homme est par nature un être solitaire, et fournit une base pour remettre ce thème en discussion.

Le déclin des sciences humaines

Evidemment, si l'on considère l'enseignement de culture générale du premier cycle, on peut dire que les beaux jours des sciences humaines sont passés. Le temps n'est plus où Marx, Freud et Weber, philosophes et interprètes du monde, étaient considérés comme les précurseurs de ce qui allait être l'âge d'or intellectuel des Etats-Unis, de ce moment où les jeunes gens pourraient jouir à la fois des séductions de la science et de la connaissance d'eux-mêmes et où on pouvait espérer qu'une théorie universelle de l'homme unifierait l'université et contribuerait au progrès général, en combinant la profondeur intellectuelle héritée de l'Europe et la vitalité américaine. Selon cette vue utopique, les sciences devaient culminer dans les sciences humaines ; Darwin et Einstein allaient apporter autant aux sciences humaines qu'aux sciences exactes. Et toute la littérature moderne — Dostoïevski, Joyce, Proust, Kafka — semblait alors imprégnée de ce même esprit ; on y puisait des aperçus et des intuitions que les sciences humaines allaient systématiser et confirmer. A cette époque, si proche et si lointaine, se faire psychanalyser était considéré comme une entreprise audacieuse, presque philosophique. Les professeurs qui avaient été analysés avaient un peu l'allure d'explorateurs qui seraient descendus dans les mines du roi Salomon. Ils avaient vu la profondeur des choses, alors que nous, nous vivions superficiellement. L'expérience était si globale que le désir personnel était intimement associé à l'intuition de l'ordre général des choses. Dans un domaine moins sophistiqué, mais en exprimant quelque chose du même *éthos*, Margaret Mead avait créé une science nouvelle qui vous conduisait en des lieux exotiques, en ramenait de nouvelles interprétations de la société et, en même temps, attestait la légitimité des désirs sexuels refoulés. Les sociologues et les psychologues qui arpentaient alors le domaine universitaire pouvaient apparaître aux jeunes gens comme des héros de la vie de l'esprit. Initiés aux mystères, ils allaient pouvoir nous aider à nous y initier à notre tour. On avait dépassé la philosophie de style ancien, mais on estimait que des hommes comme Hegel, Schopenhauer et Kierkegaard pourraient nous offrir un peu de l'expérience nécessaire à notre aventure.

L'atmosphère que je viens d'évoquer et qui régnait dans le domaine des sciences humaines au cours des années quarante produisait évidemment des effets ambigus, tant sur les étudiants que sur les professeurs. Mais pour que les étudiants soient séduits par la perspective de suivre un enseignement de culture générale et pour qu'ils prennent conscience du fait que l'université représente une aventure qu'ils vivront eux-mêmes, qui leur fera découvrir en eux de nouvelles aptitudes et les amènera à un niveau d'existence qui leur a été caché jusqu'alors, il faudrait que renaisse dans les facultés quelque chose de cet esprit. Il ne faut pas oublier que, si les étudiants américains ont appris quelque chose au cours de leurs études secondaires, c'est surtout dans le domaine des sciences exactes ; encore l'ont-ils appris du point de vue technique et non pas comme un mode de vie ou un moyen de découvrir la vie. Si l'on désire les toucher autrement que par un enseignement spécialisé, il faut leur administrer un traitement de choc, quand ce ne serait que pour les faire réfléchir sur leur goût pour les sciences exactes et sur la signification que celles-ci revêtent, dans la mesure où leur formation antérieure a représenté bien plus un endoctrinement et un conformisme que la découverte d'une vocation. La passion pour les sciences humaines qui a régné pendant les années quarante n'était pas, à mon sens, vraiment authentique ; mais on y retrouvait un peu de l'excitation intellectuelle qui accompagne les nouveaux commencements théoriques. Elle s'est en tout cas avérée féconde pour beaucoup d'étudiants et d'érudits, elle a engendré une sorte de bohème sympathique et elle a affecté la substance même de l'existence des élèves. A cette époque, l'enseignement des sciences humaines n'était pas seulement un métier.

L'espoir d'une unification des sciences humaines s'est évanoui et elles ne peuvent plus présenter un front commun. Il s'agit désormais d'une série de disciplines distinctes, assorties de quelques sous-disciplines. La plupart d'entre elles sont modestes et, bien qu'on y enseigne pas mal d'absurdités, elles apportent aussi un certain nombre d'éléments vraiment utiles, dont traitent des spécialistes hautement compétents. On a abaissé radicalement le niveau des attentes et des espoirs pour l'avenir. Seule l'économie continue à nourrir des prétentions universelles et à vouloir expliquer et embrasser toutes choses, mais on n'y croit pas tout à fait et ce n'est pas pour cela que cette spécialité jouit d'une certaine popularité. La science politique n'essaie même plus de réaliser sa prétention ancestrale à la globalité et c'est seulement en cachette et partiellement qu'elle fait appel, légitimement du reste, à la passion politique. L'anthropologie est l'unique discipline des sciences humaines qui bénéficie encore de la séduction d'une globalité éventuelle : effectivement, son idée-force de *culture* semble plus véritablement complète que celle de marché. On y trouve aussi certaines sous-disciplines qui se veulent globales : la partie économique de la politologie et la partie culturelle d'une super-science politique... Mais en gros, ni la sociologie ni la science politique (si l'on met à part les prétentions de certains chercheurs) ne semblent vraiment revendiquer la maîtrise de toute l'entreprise des sciences humaines. Celles-ci ne constituent plus un projet architectonique : ce ne sont plus que les parties d'un tout.

De même, à l'exception peut-être de l'informatique, utilisée comme science des modèles de l'homme, et de la sociobiologie, les disciplines qui faisaient espérer une unification plus ou moins poussée des sciences exactes et des sciences humaines ont déçu cette attente, et tout ce que les sciences humaines peuvent emprunter aux sciences exactes, ce sont leurs méthodes. Le projet cosmique de situer l'homme dans l'univers s'est évanoui. Dans la direction opposée, celle des lettres, seule l'anthropologie a maintenu une certaine ouverture : elle s'intéresse en particulier aux matières dont on disserte en littérature comparée, mais aussi à des études très sérieuses comme celle de la religion grecque. Pour le reste, aucun chercheur en sciences humaines n'attend grand-chose de l'art et de la littérature des XIXe et XXe siècles qui fascinaient nombre de sociologues éminents de la génération précédente, et on rencontre de moins en moins de spécialistes de ces disciplines qui aient quelque familiarité personnelle avec ce genre de choses. Les sciences humaines sont devenues une île au sein de l'université, une île qui flotte à côté des deux autres, une île qui est riche en informations importantes et recèle des trésors cachés qu'on pourrait explorer (mais on ne le fait pas). En particulier, l'intellectuel formé par les sciences humaines, à la façon allemande ou française, celui qu'on considère comme un sage qui peut tout dire sur la vie a presque complètement disparu.

Les étudiants en sont bien conscients, et ils ne s'orientent plus vers les sciences humaines, en général, pour en faire le lieu d'une conversion. Certaines matières ou certains professeurs peuvent les intéresser pour une raison ou pour une autre ; mais pour le jeune homme ou la jeune fille qui veut chercher un sens à la vie ou apprendre ce qui devrait être l'objet de sa quête personnelle, la faculté des sciences humaines ne représente certainement pas l'endroit adéquat (à l'exception, peut-être, je le répète, de la section d'anthropologie). Si les sciences sociales ont connu, voici quelques décennies, un tel succès auprès des jeunes gens les plus doués, c'est que c'était le seul secteur de l'université qui semblait, fût-ce indirectement, chercher une réponse à la question socratique : « Comment faut-il vivre ? » Même au moment où l'on y enseignait énergiquement que les valeurs ne peuvent constituer un objet de connaissance, cet enseignement apprenait aux élèves quelque chose sur la vie : par exemple, certaines constructions intellectuelles stimulantes pour l'esprit, comme la distinction établie par Max Weber entre l'éthique de l'intention et l'éthique de la responsabilité. On ne se livrait pas alors à de sèches lectures de manuels scolaires : on étudiait la matière même de la vie. Aujourd'hui, les sciences humaines n'offrent malheureusement plus rien de ce genre.

Par ailleurs, l'université a été victime d'un véritable désastre avec la création, au cours des quinze dernières années, du M.B.A. * qui se veut l'équivalent, moralement, du doctorat en médecine ou en droit. En effet, ce diplôme assure par lui-même un débouché presque infaillible et un revenu très confortable aux élèves qui l'ont obtenu. Or, on ne saurait dire qu'il sanctionne une véritable carrière universitaire, car l'école commerciale *(business school)* prodigue un enseignement purement technique.

En règle générale, les élèves qui ont quelque chance de tirer profit de l'enseignement de culture générale dispensé au cours du premier cycle sont ceux qui *ne* se sont *pas* fixé au départ un objectif professionnel, ou du moins ceux auxquels l'université ne sert pas uniquement de terrain d'entraînement en vue d'une carrière. Ceux qui entrent à l'université avec ce dernier but en tête portent littéralement des œillères et n'étudient que ce que leur impose la profession choisie (tout au plus suivent-ils en outre, à titre de divertissement, quelque cours à option qui les amuse). Or, la culture générale enseignée au cours du premier cycle doit pouvoir modifier la vie entière de l'étudiant. Il faut que ce qu'il y apprend affecte ses actions, ses goûts, ses choix, et qu'aucun attachement préalable ne soit à l'abri d'une remise en question et d'une réévaluation. L'enseignement de culture générale remet tout en cause et exige des élèves qui soient prêts à tout risquer**.

* M.B.A. : abréviation de *Master's Degree in Business Administration,* autrement dit maîtrise en sciences commerciales ou en gestion décernée par les *business schools* américaines, diplôme que même les entreprises européennes jugent insurpassable. Voir par exemple *Le Monde* du 23 octobre 1985. (N.d.T.)
** Il faut noter que beaucoup d'étudiants qui arrivent à l'université avec l'intention d'entrer en faculté des sciences changent d'avis au cours du premier

Autrement dit, il ne peut vraiment toucher qu'un être libre, et un être déjà essentiellement engagé n'en profite pas. L'effet du M.B.A. est de faire entrer dans le premier cycle une horde d'étudiants qui ont l'intention de passer ensuite dans une grande école commerciale *(business school)* et qui, de ce fait, portent déjà des œillères. C'est pour eux qu'a été fixé par décret et officiellement approuvé un programme de premier cycle qui n'a rien d'un enseignement de culture générale. Il en est de même pour les futurs médecins, qui suivent ponctuellement les cours imposés, et dont on n'entend plus jamais parler ensuite ; leur objectif et le moyen d'y parvenir sont fixés de telle manière que rien ne peut les en détourner. En revanche, on voit un peu plus souvent reparaître les futurs juristes, car les facultés de droit sont un peu moins précises dans leurs exigences : tout ce qu'il leur faut, ce sont des élèves brillants. Mais quoi qu'il en soit, les futurs médecins, les futurs juristes et les futurs hommes d'affaires ne sont manifestement, dans le premier cycle, que des touristes. Ils sont obsédés par le souci de réussir à se faire admettre dans les grandes écoles, et cela bride complètement leur esprit.

L'effet spécifique de la création du M.B.A. a été une inflation des inscriptions en économie, parce que cette discipline est celle qui prépare aux grandes écoles commerciales. Dans les universités sérieuses, près de vingt pour cent des élèves du premier cycle sont maintenant spécialisés en économie. L'économie empiète sur les autres sciences humaines, et déforme la façon dont les étudiants perçoivent celles-ci, en les empêchant de bien voir leurs desseins respectifs et leurs poids relatifs par rapport à la connaissance des choses humaines. Un futur étudiant en médecine qui suit assidûment des cours de biologie ne perd pas de vue pour autant l'importance de la physique, car l'influence de celle-ci sur la biologie est claire : tout le monde la connaît et les biologistes ont pour elle de la considération. Mais il n'en va pas de même de l'économie comme branche préparatoire aux écoles commerciales : non seulement les élèves qui font leur premier cycle en économie ne s'intéressent ni à la sociologie, ni à l'anthropologie, ni à la politologie, mais ils sont en outre persuadés que ce qu'on leur apprend en économie leur permet de manipuler toutes les notions dont traitent ces sciences. De plus, ces élèves ne sont nullement motivés par l'amour de la science économique, mais par l'amour de ce dont elle s'occupe, à savoir l'argent. Le fait que les économistes

---

cycle ; mais il n'arrive jamais ou presque jamais qu'un étudiant que les sciences n'intéressaient pas au moment de son entrée à l'université en découvre l'intérêt une fois sur place. Cette constatation permet une réflexion intéressante sur l'enseignement secondaire en général et l'enseignement des sciences dans les établissements secondaires en particulier.

s'occupent de la richesse, chose indéniablement réelle et solide, leur confère une espèce de solidité intellectuelle impressionnante, que ne confère nullement, par exemple, la culture. On peut être sûr que ces gens-là ne parlent pas pour ne rien dire. Mais la richesse elle-même, contrairement à la science de la richesse, ne constitue certainement pas la plus noble des motivations ; et il n'existe rien d'autre, dans toute l'université, qui ressemble à cette parfaite coïncidence entre la science et la cupidité. (Le seul parallèle possible serait, s'il existait une chaire de sexologie, l'enseignement prodigué par de très sérieux professeurs de cette discipline qui assurerait à leurs élèves d'abondantes satisfactions sexuelles.)

Telle est donc la situation des sciences humaines par rapport aux études de culture générale du premier cycle.

Le destin des humanités ?

Tournons-nous maintenant vers la troisième île, la vieille Atlantide presque submergée : les lettres, qu'on appelait naguère les humanités. Il n'y a pas dans cette faculté-là le moindre semblant d'ordre ; on n'y trouve aucune liste sérieuse de ce qui devrait ou ne devrait pas s'y rattacher, aucun sommaire de ce que l'on essaie d'y réaliser ni de la manière de le faire. Pourtant, d'une certaine façon, la faculté des lettres est le refuge de l'homme, ou celui de l'humanité, l'endroit où l'on peut se rendre pour se trouver soi-même maintenant que tous les autres y ont renoncé. Mais où regarder, dans ce méli-mélo ? Il est déjà assez difficile à ceux qui savent ce qu'ils recherchent d'y trouver la moindre satisfaction. Mais pour des étudiants novices, il y faut un instinct très sûr et pas mal de chance. Des analogies viennent irrésistiblement sous la plume. Les lettres me font penser au Marché aux puces de Paris, où au milieu de vieux déchets et de marchandises de pacotille on peut découvrir un trésor qui enrichira le chercheur astucieux. Les lettres évoquent aussi pour moi un camp de réfugiés où tous les génies qui ont été arrachés à leur emploi et à leur pays au moment où un régime hostile a pris le pouvoir sont employés à des tâches serviles ou ne sont pas utilisés du tout.

Les deux autres grandes divisions de l'université n'ont rien à faire du passé : elles regardent devant elles et elles ne sont pas portées au culte des ancêtres.

Ce qui met peut-être le mieux en relief le problème des lettres, donc celui de l'unité des connaissances, est le fait que, si Galilée Kepler et Newton ont encore une existence quelconque à l'université, c'est à la faculté des lettres, où ils figurent comme éléments d'une histoire, qu'il s'agisse de l'histoire de la science, de l'histoire des idées ou de l'histoire de la culture. Ainsi, pour avoir une place au royaume de l'enseignement, ils doivent être compris comme autres que ce qu'ils ont été en réalité ! Ces hommes ont été de grands observateurs de la nature dans son ensemble et ils se concevaient eux-mêmes comme n'ayant d'intérêt que dans la mesure où ils disaient la vérité sur la nature. S'ils avaient pensé qu'ils étaient dans l'erreur ou qu'ils se trouvaient complètement dépassés, ils auraient dit eux-mêmes qu'ils n'avaient aucun intérêt. Ainsi, les reléguer à la faculté des lettres, c'est comme donner leur nom à une rue ou leur élever une statue dans le coin d'un parc. Ils sont complètement morts. Platon, Bacon, Machiavel et Montesquieu le sont également, excepté qu'ils vivent encore dans une petite enclave de la politologie. Les lettres sont donc devenues le dépôt, le caveau si l'on préfère, de *tous* les classiques. Pourtant une bonne partie de la littérature classique avait la prétention de traiter du tout, de légiférer à propos du tout et de dire la vérité sur le tout. Si l'on conteste ces prétentions, les auteurs classiques et leurs ouvrages ne peuvent être lus sérieusement et il est légitime de les ignorer dans les autres facultés. Ils n'ont été sauvés qu'à la condition d'être momifiés. En les adoptant avec tant de bonne volonté, les lettres en ont débarrassé les sciences exactes et les sciences humaines, où ces auteurs lançaient un défi que plus personne ne prend la peine de relever. A la porte de la faculté des lettres, on pourrait placer un écriteau en plusieurs langues annonçant : « Il n'y a pas de vérité — en tout cas il n'y en a pas ici. »

Ainsi les lettres représentent-elles une spécialité qui a désormais l'exclusivité des livres qui ne sont pas spécialisés, qui insiste pour poser des questions relatives à la totalité, questions exclues du reste de l'université dominée par les vraies spécialités. Et celles-ci, débarrassées qu'elles sont de cette mouche du coche, refusent aussi énergiquement que du temps de Socrate de faire leur examen de conscience.

Les lettres n'ont pas eu assez de force pour tenir tête aux sciences, qui triomphent actuellement ; et elles voudraient faire comme si elles n'étaient qu'une spécialité parmi d'autres. Mais, comme je n'ai cessé de le répéter, les disciplines littéraires et humaines ont beau essayer d'oublier leur conflit essentiel avec les sciences telles qu'elles sont actuellement pratiquées et comprises, ce conflit continue à les miner peu à peu. Qu'il s'agisse de vieux textes philosophiques qui soulèvent des questions inadmissibles aujourd'hui, ou d'anciens ouvrages littéraires qui présupposent l'existence du noble et du beau, il est tout à fait clair que le matérialisme, le déterminisme, le réductionnisme, l'homogénéisation — quel que soit le terme qu'on emploiera pour décrire les sciences modernes — nient leur importance et leur possibilité même. Les sciences exactes affirment :

a) qu'elles sont métaphysiquement neutres, donc qu'il n'y a pas besoin de philosophie ;

b) que l'imagination n'est pas une faculté qui puisse avoir la moindre intuition du réel, et que par conséquent l'art n'a rien à voir avec la vérité.

Le genre de questions que les enfants posent — « Y a-t-il un Dieu ? La liberté existe-t-elle ? Les mauvaises actions sont-elles punies ? Existe-t-il des connaissances certaines ? Qu'est-ce qu'une bonne société ? » — étaient autrefois les questions que posaient la science et la philosophie. Aujourd'hui, les adultes sont trop occupés et on met les enfants dans une crèche qui s'appelle « les lettres » : les discussions qui s'y déroulent n'ont point d'écho dans le monde des adultes. En outre, les étudiants que leur nature amène à se poser de telles questions et à lire les ouvrages qui semblent en parler sont très vite rebutés par le fait que les professeurs de lettres ne veulent pas recourir à ces livres pour répondre à leurs questions ou ne sont pas capables de le faire.

Ce problème des ouvrages anciens n'est pas récent. Dans *La Bataille des livres* de Swift, on voit Bentley, le meilleur helléniste du XVIIIe siècle, se ranger dans le camp des modernes. Cela veut dire que Swift admettait la supériorité de la pensée moderne sur celle des Grecs anciens. Alors, à quoi bon étudier leurs œuvres ? C'est une question à laquelle les enseignements de lettres classiques n'ont pas encore donné de réponse aujourd'hui. Il existe toutes sortes de manières de l'esquiver : cela va de l'analyse purement philosophique à l'utilisation des textes pour montrer la relation qui existe entre la pensée et les conditions économiques d'un peuple. Mais, pratiquement, personne n'essaie de les lire comme on les lisait autrefois, pour découvrir si leurs auteurs avaient raison ou non. L'*Ethique* d'Aristote n'est plus un livre qui nous enseigne ce qu'est un homme de bien : c'est un ouvrage qui nous apprend ce que les Grecs pensaient de la morale. Or qui se préoccupe vraiment de cela ? Aucune personne normalement constituée et désireuse de vivre raisonnablement.

Tout ce que j'ai dit de la situation des livres à l'époque actuelle contribue à caractériser celle des lettres qui sont vraiment la partie la plus menacée de l'université. L'historicisme et le relativisme les ont malmenées bien davantage que les autres facultés. Ce sont elles qui ont souffert le plus de l'absence de respect que la société démocratique manifeste à l'égard de la tradition, et de l'accent qu'elle met sur l'utilité. Dans la mesure où les lettres sont censées traiter de la créativité, le manque de créativité de ceux qui les enseignent devient un sérieux handicap. De plus, ils sont embarrassés par le contenu politique de beaucoup d'œuvres littéraires. Il leur a fallu altérer celles-ci pour faciliter l' « ouverture » des esprits sur d'autres cultures ; et une fois que les anciennes habitudes de l'université ont été modifiées, ils se sont trouvés bien moins à même de répondre à la question : « Pourquoi ? », bien moins à même d'obliger les étudiants à respecter certaines normes, bien moins à même de les intéresser en leur rendant clairement compte de ce qu'ils allaient apprendre. Il suffit de considérer la situation des sciences exactes à cet égard pour voir la gravité du problème qui se pose aux lettres. Les sciences restent souverainement indifférentes au fait qu'il y a eu et qu'il y a encore d'autres types d'explications des phénomènes de la nature à d'autres époques et dans d'autres cultures. Seuls des programmes de télévision éducative conçus par des humanistes peuvent se permettre de parler de la relation entre Einstein et Bouddha. Cette attitude des hommes de science découle du fait qu'ils sont sûrs, quoi qu'ils puissent prétendre par ailleurs, de la véracité de leurs explications. Ils n'ont pas à répondre à la question « pourquoi » parce que la réponse semble par trop évidente ; et ainsi de suite.

Tout cela s'explique par le fait que les sciences sont en mesure d'affirmer qu'elles travaillent à trouver la seule vérité qui importe, alors que les lettres ne peuvent avancer aucune prétention de ce genre. Tel est toujours le point critique. Faute de cela, aucune étude ne peut demeurer vivante. Certes, on peut insister sur le fait que, sans nos « humanités », nous ne serions plus des êtres civilisés : mais cela sonne terriblement creux alors que personne n'est capable de dire ce que signifie l'adjectif « civilisé » et quand on nous enseigne qu'il existe quantité de civilisations qui sont toutes équivalentes. Les prétentions des « classiques » perdent toute légitimité si l'on ne peut penser que, d'une façon ou d'une autre, les classiques disent la vérité. Cette question de la vérité est la plus pressante et la plus intensément embarrassante quand il s'agit de textes philosophiques, mais elle se pose aussi quand on a affaire à des œuvres purement littéraires. Il y a une énorme différence entre le fait de dire, comme les professeurs le faisaient autrefois : « Il vous faut apprendre à voir le monde comme Homère et Shakespeare le voyaient », et celui de dire, comme les enseignants le font aujourd'hui : « Homère et Shakespeare avaient certaines préoccupations analogues aux vôtres et peuvent donc enrichir votre vision du monde. » L'ancienne façon d'aborder les textes mettait les élèves en demeure de découvrir une autre façon de voir les choses et de réévaluer la leur ; la nouvelle méthode les laisse libres de se servir des œuvres comme ils l'entendent.

Je vois là deux problèmes différents, bien qu'ils soient associés l'un à l'autre : a) il est devenu particulièrement difficile, à l'époque moderne, de défendre le contenu des œuvres classiques ; b) les enseignants actuels ne se soucient pas de les défendre et ne s'intéressent pas à la vérité de ces textes.

Parlons de ces derniers. On verra très clairement ce à quoi je fais allusion si l'on prend l'exemple de la Bible. Déjà le fait de traiter de cet ouvrage en faculté des lettres peut passer pour un blasphème, un désaveu de ce que la Bible prétend être. Mais admettons qu'on le fasse ; la Bible sera inévitablement abordée de l'une de ces deux manières : a) elle sera soumise à l'analyse « scientifique » moderne (dire « critique des sources ») et on la démantèlera pour apprendre aux élèves comment des livres « sacrés » sont fabriqués et ne sont pas ce qu'ils prétendent être ; en ce cas, la Bible est utile en tant que mosaïque où l'on retrouve les traces de plusieurs civilisations disparues ; b) on peut aussi utiliser la Bible dans les cours de religion comparée, comme l'une des expressions du besoin de « sacré » de l'homme et comme une contribution à l'étude très moderne, très scientifique, de la structure des mythes. (Là, on rejoint les anthropologues et l'on aborde vraiment une méthode vivante.) Mais un enseignement qui traiterait de la Bible avec naïveté, en la prenant au mot, ou en la prenant pour le Verbe, serait accusé d'incompétence scientifique et de carence intellectuelle. De plus, il risquerait de faire du grabuge, d'allumer des guerres de religion un peu partout et de susciter à l'intérieur de l'université un conflit entre la raison et la révélation qui détruirait des arrangements commodes et se terminerait tôt ou tard de façon humiliante pour les lettres. On retrouve ici les traces du projet politique de la philosophie des Lumières, qui cherchait précisément à supprimer le caractère dangereux de la Bible et d'autres ouvrages anciens. Ce projet est une des causes sous-jacentes de l'impuissance actuelle des lettres.

Les professeurs de lettres ont désespérément cherché pendant longtemps à mettre les sujets qu'ils traitaient en accord avec la modernité, au lieu de lancer un défi à celle-ci. On peut en voir un exemple assez puéril dans les notes en bas de page d'une édition de Platon (due à l'helléniste Paul Shorey) : le commentateur s'ingénie à montrer que Platon avait déjà prédit telle ou telle découverte faite en 1911 par un professeur de psychologie américain ; mais il omet systématiquement de signaler les points sur lesquels Platon est en désaccord avec les opinions actuelles. Une bonne partie des études auxquelles on se livre dans les lettres ne sont que des versions plus sophistiquées de la même chose.

Je ne conteste pas que quelques professeurs, au moins, aiment les œuvres qu'ils étudient et qu'ils enseignent. Mais on constate toujours un furieux effort pour les mettre au goût du jour. Ce résultat est obtenu le plus souvent en traitant les ouvrages en question comme matériaux de l'une ou l'autre des théories contemporaines : matériau culturel, historique, économique ou psychologique. Depuis qu'a été instituée la doctrine de la « fausseté de l'intention », tout effort tendant à lire des livres comme leurs auteurs voulaient qu'on les lise est considéré comme un crime, car ladite doctrine décrète que les écrivains n'ont pas d'intentions. En revanche, on assiste à des débats sans fin sur les méthodes à appliquer : parmi bien d'autres, il existe une critique freudienne, une critique marxiste, et une nouvelle critique, structuraliste ou déconstructionniste. Toutes ces écoles ont une prémisse commune, à savoir que ce que Platon ou Dante avaient à dire sur la réalité est sans importance. Pour les critiques qui appliquent ces méthodes, les auteurs sont des plantes dans un jardin dont un érudit moderne a fait le plan, mais on dénie aux auteurs eux-mêmes la vocation de dessinateurs de jardins. Nietzsche a dit qu'après avoir subi l'exégèse des érudits modernes, *Le Banquet* de Platon paraît si éloigné de nous qu'il ne peut plus nous séduire : son charme immédiat a complètement disparu. Quand il en arrive là, le professeur de lettres n'est motivé par aucune nécessité intérieure, par aucune urgence, et certainement par aucun appel qui lui soit dicté par les ouvrages d'autrefois. L'érudit qui choisit d'étudier Sophocle pourrait aussi bien avoir choisi Euripide. Et pourquoi un poète, et non pas un philosophe ou un historien? Et après tout, pourquoi un Grec et non un Turc? Ce jeu-là n'est rien d'autre qu'un aimable badinage.

Si l'on examine les facultés de lettres, on y trouve quelques disciplines qui ont réussi à échapper à la mauvaise réputation qu'ont les lettres en général et à acquérir une respectabilité proche de celle des sciences : par exemple l'archéologie, certains aspects de l'étude des langues et la linguistique elle-même. Mais ces branches-là ont presque entièrement renoncé à entretenir la moindre relation avec le contenu proprement dit des livres. Pour ce qui est des beaux-arts et de la musique, ces disciplines sont dans une très large mesure indépendantes de la signification des œuvres écrites, encore que la façon de les traiter dépende, au moins en partie, des conceptions qui règnent quant à la nature de l'art et à sa portée. Enfin, on trouve encore dans les facultés des lettres beaucoup de recherches purement érudites, qui sont neutres, utiles, et devraient servir à ceux qui ont quelque chose à dire : ce type de recherche débouche entre autres sur la fabrication de dictionnaires et l'établissement de textes.

Dans la liste des sections prédomine le long catalogue des diverses sections de langue et de littérature, généralement une pour chaque langue occidentale, les autres langues faisant l'objet de regroupements. Sauf pour l'anglais, chacune de ces sections a pour responsabilité d'enseigner aux élèves une langue étrangère, de sorte que les professeurs doivent eux-mêmes avoir très bien appris une langue difficile et ont pour tâche de l'enseigner à des élèves qui n'ont pas vraiment grande envie d'apprendre les langues. En plus de la langue elle-même, l'enseignement embrasse des livres écrits dans cette langue et l'apprentissage de la langue implique qu'on les lise. Le fait d'avoir appris lui-même la langue en question qualifie donc aussi le professeur pour enseigner à ses élèves le contenu de ces livres, d'autant qu'un tel enseignement ne peut ressortir à aucune autre section ou faculté. Mais le fait que ces professeurs maîtrisent la langue en cause n'assure nullement qu'ils aient une véritable connaissance des livres écrits dans cette langue ni une véritable affinité avec eux. Ce sont pourtant bien les livres qui importent ici, mais l'étude de la langue tend à l'emporter sur celle de la littérature. Ces sections sont avant tout les gardiennes de la littérature classique et elles défendent férocement leur autorité sur les mots. Il faut bien voir qu'à l'université, la convention est toujours plus forte que la nature. L'université délivre des permis de chasse et il est strictement interdit de chasser sans permis. En outre, en raison même de ces conventions, les professeurs ont tendance à s'écouter les uns les autres plus attentivement qu'ils n'écoutent ceux qui ne sont pas de la partie, qui à leur tour les écoutent plus attentivement qu'ils ne s'écoutent entre eux, de la même manière que les médecins impressionnent davantage, du moins en matière de santé, les profanes que ne le font d'autres profanes. Il en résulte, pour les spécialistes, une agréable impression d'autosatisfaction (bien que celle-ci puisse parfois subir de rudes chocs venus de l'extérieur, comme ce fut le cas à la fin des années soixante). Les professeurs de grec oublient ou ne savent pas que saint Thomas d'Aquin, qui ne connaissait pas le grec, a été un meilleur interprète d'Aristote qu'aucun d'entre eux ne le fut jamais, non seulement parce que c'était un homme plus remarquable, mais parce qu'il prenait, lui, Aristote au sérieux. Le regroupement de la langue et de la littérature en une seule section entraîne d'autres difficultés structurelles. Est-ce que la poésie grecque, l'histoire grecque et la philosophie grecque vont ensemble, ou la langue grecque n'est-elle pas plutôt ici un fait secondaire qui détermine l'articulation des disciplines ? Ne serait-il pas possible d'imaginer que les associations prévues débordent la langue grecque, ce qui conduirait à constituer des paires comme, par exemple, Platon et Farabi, ou Aristote et Hobbes ? Bon gré mal gré, les sections actuelles sont contraintes d'adopter des prémisses historiques. Les philosophes grecs forment un ensemble et, plus vraisemblablement encore, la totalité de la culture ou de la civilisation grecque constitue une tapisserie à la texture serrée dont le maître d'œuvre est l'érudit et non pas le philosophe ou le poète. Ainsi, dès le départ, les questions cruciales concernant la relation entre l'esprit et l'histoire sont résolues avant d'avoir été posées, et la manière dont on y répond est l'inverse de celle dont Platon et Aristote y auraient répondu.

La philosophie enfin

Perdue au milieu de cette variété de disciplines, la plus intéressante de toutes — j'ai nommé la philosophie — observe une contenance modeste. Détrônée depuis longtemps par la démocratie politique et théorique, elle a perdu la passion et même la capacité de gouverner. Son histoire définit, à elle seule, notre problème tout entier. Autrefois, la philosophie proclamait fièrement qu'elle représentait le meilleur mode de vie et elle avait l'audace de passer en revue l'ensemble des choses, de rechercher les causes premières de tout, et non seulement de dicter ses lois aux sciences particulières, mais de les constituer et de les ordonner. Les ouvrages philosophiques classiques ne sont rien d'autre que la philosophie en action, faisant précisément tout ce que je viens d'énumérer. Mais c'était absolument impossible, c'était de l'arrogance, de l'orgueil (*hybris*) ! déclarent les héritiers appauvris de la philosophie ancienne. La vraie science n'a pas besoin de la philosophie, et tout le reste n'est que mythe ou idéologie. De nos jours, il ne reste plus que des livres sur un rayon. La démocratie a supprimé les privilèges de la philosophie, et la philosophie a été, après cela, incapable de décider s'il lui fallait disparaître ou chercher un autre emploi. La philosophie était jadis une architecture : elle détenait les plans de l'édifice entier, et les charpentiers, les maçons et les plombiers étaient ses subordonnés qui ne pouvaient rien faire sans elle. La philosophie a fondé l'université : aujourd'hui, elle ne le pourrait plus. Nous ne sommes plus sous sa juridiction. Quand les gens parlent, de façon vague, d'une opposition entre « généralistes » et « spécialistes », le premier terme désigne sans doute le philosophe, car il reste l'ultime espèce de savant qui embrasse (ou qui a embrassé jadis) toutes les spécialités. A cette époque, il avait une discipline qui était réelle et bien à lui, non pas une collection de sujets ressortissant à d'autres spécialités.

De nos jours, la philosophie n'est plus un mode de vie ni une science souveraine. Sa situation dans nos universités a quelque rapport avec l'état désespéré de la philosophie dans le monde et aussi avec l'histoire particulière de cette discipline aux Etats-Unis. En ce qui concerne le monde en général, bien que la raison y soit gravement menacée, Nietzsche et Heidegger ont encore été des philosophes authentiques et des hommes capables de se colleter avec les sciences exactes et avec l'historicisme, ces grands adversaires contemporains de la philosophie. Ainsi la philosophie est encore possible. En Europe, aujourd'hui encore, on enseigne la philosophie aux élèves des lycées et, pour eux, elle a l'air de quelque chose de réel. En revanche, aux Etats-Unis, c'est tout juste si les élèves du secondaire connaissent le mot philosophie, et celle-ci ne leur paraît pas plus sérieuse, comme vocation à laquelle ils pourraient consacrer leur vie, que, par exemple, le yoga. Mais, de toute façon, aux Etats-Unis, tout le monde a « une » philosophie. Du reste, à part quelques exceptions notables, la philosophie n'a jamais bénéficié d'une forte présence dans les universités américaines. L'enseignement y a commencé, naguère, avec une « philosophie publique », et celle-ci suffisait au bonheur des Américains : cette philosophie, imaginaient-ils, c'était tout simplement le bon sens. Aussi Tocqueville a-t-il pu écrire qu'en Amérique tout le monde est cartésien bien que personne n'ait jamais lu Descartes. A l'exception du pragmatisme, la philosophie enseignée aux Etats-Unis a été presque entièrement importée. Pour passer pour un homme cultivé, il n'est pas nécessaire ici d'avoir lu une seule ligne de philosophie. Beaucoup plus que n'importe quelle autre branche des sciences humaines, on assimilerait facilement, aux Etats-Unis, la philosophie à un simple blablabla. Aussi a-t-elle eu toujours du fil à retordre. Du moins, les étudiants qui faisaient l'effort de s'y intéresser pouvaient aller se rafraîchir à sa source. Maintenant c'est fini : la philosophie est morte, et elle pourrait probablement disparaître complètement des programmes sans qu'on le remarque. Elle comporte encore une composante scientifique, la logique, qui se rattache aux sciences et pourrait sans difficulté être détachée de la philosophie : discipline sérieuse, la logique est enseignée et pratiquée par des spécialistes compétents, mais elle ne répond à aucune des questions philosophiques permanentes.

Quant à l'histoire de la philosophie, le sommaire des philosophies mortes que les étudiants ont toujours considéré comme ce qu'il y avait de plus vivant dans la philosophie, elle est aujourd'hui fort négligée, et les élèves la retrouvent, mieux traitée, sous une forme ou sous une autre, dans quantité d'autres disciplines.

Certains enseignements philosophiques subsistent néanmoins. Le positivisme et l'analyse du langage ordinaire ont longtemps prédominé, mais ils sont sur le déclin et ne semblent remplacés par rien d'autre. C'est que ce sont en somme de simples méthodes, qui rebutent les étudiants que préoccupent les questions humaines. Les professeurs qui donnent ces cours ne veulent ni ne peuvent parler de quoi que ce soit d'important et, pour leurs élèves, ils n'incarnent en rien une existence philosophique. En revanche, dans certaines institutions, l'existentialisme et la phénoménologie ont pris pied, et ce sont là des doctrines beaucoup plus séduisantes pour les étudiants. Les universités catholiques ont, en outre, gardé le contact avec la philosophie médiévale, donc avec Aristote. Il reste que, dans l'ensemble, le paysage philosophique est extrêmement morne. Voilà pourquoi une bonne partie du sens philosophique qui a subsisté aux Etats-Unis s'est orienté vers les nouvelles sciences humaines et dérive maintenant vers certaines branches de la littérature et de la critique littéraire. Telle qu'elle est enseignée aujourd'hui, la philosophie n'est qu'une branche des lettres parmi d'autres, plutôt dépourvue de contenu, qui ne songerait même pas à occuper un poste de commandement dans la crise de l'université. En fait, elle conserve moins de traces de l'exaltante présence de la tradition philosophique que n'en comportent d'autres disciplines littéraires, et on constate que les professeurs de philosophie sont les moins actifs des humanistes dans les tentatives qui sont faites pour revitaliser la culture générale. Dans le cas de ceux qui se vouent à l'analyse du langage ordinaire, cela découle peut-être d'une certaine modestie (du genre : « Nous cherchons seulement à vous éclairer sur ce que vous êtes en train de faire. ») Mais il leur est aussi arrivé de faire montre de suffisance (« Nous savons très bien ce qui était faux dans la tradition philosophique, aussi n'en avons-nous plus besoin »), ce qui les a amenés à s'éloigner du domaine philosophique.

Cela nous ramène au petit glossaire des mots à la mode, qui fait le sujet de la seconde partie du présent essai. Tous ces mots ont été produits par la philosophie et, en Europe, on sait parfaitement bien que tel est le cas, de sorte qu'ils ont du moins eu l'avantage de rouvrir une voie menant à la philosophie. Aux Etats-Unis, en revanche, l'origine de ces termes dont chacun se sert reste inconnue. Nous avons repris à notre compte ces produits sans avoir jamais fait aucune des expériences intellectuelles qui y ont conduit. Et l'ignorance où sont les Américains de l'origine des mots qu'ils emploient couramment, jointe au fait que les sections de philosophie des facultés des lettres américaines n'émettent aucune prétention à cet égard — sans doute parce qu'elles en sont, en fait, aussi ignorantes sur ce point que le grand public — aboutit à un résultat contraire : le contenu philosophique de notre discours et de nos existences *ne* nous conduit *pas* à la philosophie. C'est là la grande différence entre l'Europe et nous. Nous ne savons que jargonner.

Un dernier mot sur l'organisation des lettres aux Etats-Unis. Il y a un demi-siècle de cela, certains enseignants, prenant conscience de la faiblesse évidente qui découlait de la séparation des littératures par langues, ont conçu le projet fort sensé d'essayer de les réunifier ; c'est alors qu'ont été fondées les chaires de littérature comparée. Mais, comme c'est régulièrement le cas aujourd'hui dans les entreprises de ce genre, on s'est beaucoup interrogé sur ce que la nouvelle discipline ambitionnait de faire. Les professeurs de littérature comparée tendaient à produire des systèmes de comparaison qui englobent les œuvres littéraires, systèmes qui faisaient bien plus honneur à l'ingéniosité de leurs créateurs qu'ils n'ouvraient de perspectives éclatantes sur les œuvres. La littérature comparée a fini par tomber, dans une large mesure, entre les mains d'un groupe de professeurs ayant subi l'influence de la génération de philosophes heideggériens qui, à Paris, a succédé à celle de Sartre, en particulier Derrida, Foucault et Barthes. Cette école s'appelle le « déconstructionnisme » et c'est le dernier stade, peut-on prédire, de la suppression de la raison, la négation ultime de l'idée qu'une vérité philosophique est possible. L'activité créatrice de l'interprète est considérée comme plus importante que le texte ; il n'y a pas de texte, seulement des interprétations. Ainsi la chose qui nous est le plus nécessaire, la connaissance de ce que les textes ont à nous dire, est confisquée au profit du *moi* subjectif et créateur de l'interprète, qui nous dit en même temps qu'il n'y a pas de texte et qu'il n'y a pas de réalité à laquelle le texte se réfère. Cette interprétation à bon marché de la pensée nietzschéenne nous libère des impératifs objectifs des textes — ces textes mêmes qui auraient pu nous libérer de notre horizon de plus en plus bas, de plus en plus étroit. Tout jusqu'ici a tendu à atténuer les exigences que faisait peser sur nous la tradition ; mais cette dernière invention la dissout purement et simplement.

Cette mode passera comme elle a déjà passé à Paris. Mais elle fait appel à nos plus mauvais instincts et elle montre où résident les tentations qu'il nous faut repousser. C'est un complément littéraire à la science des « styles de vie » dont j'ai parlé dans la seconde partie de ce livre. Le jargon philosophique bizarre inventé par les philosophes allemands nous fascine et prend la place des choses vraiment sérieuses. Ce ne sera pas la dernière tentative de ce genre qui émanera de cette faculté des lettres dépossédée de son empire et qui en cherche un autre, imaginaire, pour flatter les goûts du public.

Telles sont les ombres que jettent les sommets de l'université sur les jeunes gens qui y entrent. Ces ombres représentent ce que l'université a à dire sur l'homme et sur son éducation, et elles ne projettent pas une image cohérente. Les différences sont trop grandes, les indifférences aussi. Il est difficile d'imaginer qu'on trouve au sein de l'université les moyens et l'énergie nécessaires pour constituer ou reconstituer l'idée de ce que doit être un homme cultivé et rétablir un enseignement de culture générale.

Néanmoins, la contemplation de ce théâtre constitue en soi une activité philosophique propre. L'absence évidente d'unité dans une entreprise comme l'université qui en exige manifestement une ne peut manquer de troubler certains de ses membres. Toutes les questions se retrouvent ici. Pour que la culture générale existe, la seule chose nécessaire est de l'interpeller continuellement et sérieusement ; car elle ne consiste pas tant en réponses qu'en un dialogue permanent. Chez les professeurs que ce problème plonge dans la perplexité, du moins l'idée de culture générale elle-même peut-elle persister, ce qui leur permet d'aider à s'orienter quelques-uns des jeunes gens en quête de nourriture intellectuelle et spirituelle qui se présentent à la porte de l'université. Car au sein de l'*alma mater,* la substance est toujours présente : c'est la forme qui s'est évanouie. On ne peut espérer qu'une réforme générale ait lieu, et il ne le faut pas : le seul espoir qu'on ait le droit de nourrir, c'est que les braises ne s'éteignent pas.

Les hommes peuvent vivre plus véritablement et plus pleinement en lisant Platon et Shakespeare qu'à n'importe quelle autre époque, car ainsi ils participent à l'être essentiel et ils oublient leur existence accidentelle. Le fait que ce type d'humanité existe ou ait existé et que nous puissions, en quelque sorte, le toucher du bout de nos doigts étendus est ce qui rend tolérable l'univers imparfait que nous ne pouvons plus supporter. Dans leur beauté objective, les livres sont toujours là et il nous faut protéger et cultiver les vrilles délicates qui essaient de les atteindre lorsqu'elles poussent sur le sol ingrat des âmes de nos élèves. Car beaucoup d'entre eux sont généreux et ont besoin qu'on s'occupe d'eux. Il est bien évident que la nature humaine demeure la même dans des circonstances considérablement modifiées, car nous affrontons toujours les mêmes problèmes et nous éprouvons le besoin, spécifiquement humain, de les résoudre même si notre conscience et nos forces ont faibli.

Après avoir lu *Le Banquet,* un étudiant fort sérieux est venu me voir, en proie à une mélancolie profonde, et il m'a dit qu'il lui était impossible d'imaginer que l'atmosphère magique de l'Athènes antique se retrouve jamais : une atmosphère dans laquelle des hommes sympathiques, cultivés, pleins d'entrain, conversant sur un pied d'égalité, civilisés mais naturels, se réunissaient et se racontaient des histoires merveilleuses à propos de ce qui constituait la signification fondamentale de leurs aspirations. Je lui ai répondu que de telles expériences sont toujours possibles. Car, en fait, ce jeu délectable a eu lieu alors que se livrait une guerre terrible qu'Athènes devait perdre ; et parmi les convives du *Banquet,* deux au moins, Aristophane et Socrate, pouvaient prévoir que cette défaite annoncerait le déclin de la civilisation grecque. Ni l'un ni l'autre pourtant ne s'adonnaient à la culture du désespoir, et le fait que, dans ces circonstances politiques épouvantables, ils aient pu se laisser aller à la joie démontre la viabilité de ce qu'il y a de meilleur dans l'homme, indépendamment des accidents et des circonstances. Nous éprouvons ainsi notre dépendance à l'égard de l'histoire et de la culture. Bien sûr, cet élève n'avait pas de Socrate ; mais il avait le livre de Platon qui nous parle de lui, ce qui est peut-être mieux ; il était intelligent, il avait des amis, il vivait dans un pays heureusement assez libre pour que ses amis et lui puissent se réunir et parler à leur guise.

Ce qui est essentiel dans *Le Banquet* comme dans n'importe quel dialogue platonicien, on peut le reproduire à peu près en tout temps et en tout lieu. Mon élève et ses amis peuvent fort bien réfléchir ensemble. Certes, il faut une grande intensité de pensée pour comprendre que cette idée pourrait bien être le fond du message platonicien, et c'est sur ce point que nous commençons à errer. Mais cette pensée reste à notre portée, improbable mais toujours présente. Tout au long de cet ouvrage, je me suis référé à *La République* de Platon, qui est pour moi *le* livre sur l'éducation, car il m'explique vraiment ce que j'éprouve en tant qu'homme et en tant que maître ; et je m'en suis presque toujours servi pour faire bien ressortir ce qu'il *ne* nous faut *pas* espérer : ainsi c'est aussi une leçon de modération et de résignation. Mais toutes ces impossibilités agissent comme un filtre, d'où sortent sous forme de résidu les possibilités non illusoires et très élevées qui nous restent. La vraie communauté humaine, au milieu de tous les simulacres contradictoires de communauté que nous connaissons, c'est la communauté de ceux qui cherchent la vérité, la communauté des initiés virtuels, c'est-à-dire de tous les hommes dans la mesure où ils ont le désir de savoir. En principe, cette définition inclut tous les hommes ; en fait, cette communauté ne comprend qu'un petit nombre d'hommes, les amis authentiques, comme Platon était l'ami d'Aristote au moment même où ils étaient en désaccord sur la nature du Bien. Leur préoccupation commune du Bien les unissait ; leur désaccord à son sujet prouvait qu'ils avaient besoin l'un de l'autre pour le comprendre. Quand ils examinaient ce problème, ils ne formaient ensemble qu'une seule âme. Cela, selon Platon, c'est la seule amitié vraie, le seul véritable bien commun. Et c'est là que l'on peut trouver ce contact que les gens recherchent désespérément. Les autres genres de relations ne sont que des reflets imparfaits de ce contact ; elles tentent en vain de se maintenir et n'ont comme seule justification que leur rapport avec le bien commun dont nous parlions plus haut. Telle est la signification de l'énigme des improbables rois philosophes. Ils forment, eux, une communauté véritable qui est exemplaire pour toutes les autres communautés. C'est évidemment un enseignement très radical : mais peut-être est-il approprié à notre époque, elle-même si radicale, et dans laquelle les liens avec nos proches sont devenus si précaires, alors que nous n'en connaissons pourtant point d'autres. Ainsi, notre époque n'est pas complètement insalubre pour la philosophie, car nos problèmes sont si grands et leurs sources si profondes que, pour les comprendre, nous avons plus que jamais besoin de la philosophie si nous ne désespérons pas d'elle et si elle répond aux défis sur lesquels elle se fonde. Et je crois, tout bêtement, que les universités, bien comprises, sont encore les lieux où peuvent fleurir l'amitié et la communauté de notre temps. Notre pensée et notre politique sont inextricablement liées aux universités, et celles-ci — les choses humaines étant ce qu'elles sont — nous ont bien servis. Malgré cela, et même si elles méritent tous les efforts que nous déployons pour elles, il ne faut jamais oublier que Socrate n'était pas professeur, qu'il a été mis à mort, et que l'amour de la sagesse a survécu en partie en raison de son exemple *individuel*. C'est cela qui compte vraiment et il nous faut nous en souvenir pour savoir comment défendre l'université.

Dans l'histoire du monde, c'est l'heure de l'Amérique ; c'est sur ce moment que nous serons jugés pour toujours. De même qu'en politique la responsabilité du sort de la liberté dans le monde a été dévolue à notre pays, de même le sort de la philosophie dans le monde a été dévolu à nos universités. Lourde est la mission qui nous est confiée : il reste à savoir comment l'avenir jugera la façon dont nous nous en serons acquittés.

TABLE

DENISE SOLOMON

Achevé d'imprimer
en l'an mil neuf cent quatre-vingt-sept
sur les presses des ateliers Guérin,
Montréal, Québec.

ABOUT THE AUTHOR

David M. Salkin is the author of twelve novels, including *The Team* series, which have been Amazon top-selling military thrillers since June of 2015. Salkin writes in several genres, including military espionage, mystery, crime, horror and science fiction—but all of Salkin's works share one common thread: they're fast-paced thrillers that will keep you up way past your bedtime.

An elected official in Freehold Township, NJ for twenty-one years, David has served his community as Mayor, Deputy-Mayor, Township Committeeman and Police Commissioner during his tenure. He is active in helping veterans, and is an associate member of the Reynold's Detachment of the Marine Corps League and a founding member of the Veterans Community Alliance. When not writing, serving his town, or trying to assist veterans, Dave prefers to be underwater diving with his favorite Dive Team, his family.

David has been published by Post Hill Press, Permuted Press, and Penguin Books, and his titles include *The Team* series, *Hard Carbon*, *Deep Black Sea*, *Dark Tide Rising*, *Deep Down*, *The MOP*, *Crescent Fire*, *Necessary Extremes*, and *Forever Hunger*. His work can be found at http://bit.ly/DMSworks

Follow David M. Salkin on Facebook at Author David M Salkin and on Twitter @DavidMSalkin.